L'Histoire du Québec

POUR LES NULS

L'Histoire du Québec POUR LES NULS

Éric Bédard

Préface de Jacques Lacoursière

FIRST
Editions

«Pour les Nuls» est une marque déposée de Wiley Publishing, Inc.
«For Dummies» est une marque déposée de Wiley Publishing, Inc.

© Éditions First-Gründ, Paris, 2012. Publié en accord avec Wiley Publishing, Inc.
60, rue Mazarine
75006 Paris – France
Tél. 01 45 49 60 00
Fax 01 45 49 60 01
Courriel : firstinfo@efirst.com
Internet : www.editionsfirst.fr

ISBN : 978-2-7540-3885-0
Dépôt légal : novembre 2012
Imprimé au Québec

Ouvrage dirigé par Benjamin Arranger et Jean-Joseph Julaud
Secrétariat d'édition : Capucine Panissal
Correction : Myriam Gendron
Illustrations : Michel Hellman
Carte : De Visu
Couverture et mise en page : ReskatoЯ 🐾
Fabrication : Antoine Paolucci
Production : Emmanuelle Clément

À propos de l'auteur

Né en 1969, **Éric Bédard** est docteur en histoire de l'Université McGill, diplômé de l'Institut d'études politiques de Paris et professeur à la TÉLUQ, l'école supérieure de formation à distance de l'Université du Québec. Chez Boréal, il a publié en 2011 *Recours aux sources : essais sur notre rapport au passé* (Prix Richard-Arès), et en 2009 *Les Réformistes : une génération canadienne-française au milieu du XIX*e *siècle* (Prix Clio-Québec ; Prix de la Présidence de l'Assemblée nationale du Québec). À tous les dimanches, il signe une chronique historique dans le *Journal de Montréal* et le *Journal de Québec*. Il est également historien en résidence à l'émission *Au tour de l'histoire* diffusée sur la chaîne VOX (Vidéotron).

Dédicace

Je voudrais dédier ce livre à Marc Frenette et à Denis Jetté, deux personnes qui m'ont beaucoup marqué.

L'oncle Marc Frenette a été mon premier professeur d'histoire. Un homme d'une patience légendaire et un raconteur fantastique doté d'une mémoire phénoménale. Tout au long de mon existence, il a fait preuve d'une très grande générosité à mon égard. Je lui dois beaucoup. Ainsi qu'à Huguette, sa femme, la sœur de mon père.

Professeur au Collège des Eudistes, Denis Jetté m'a aussi beaucoup inspiré. Son cours d'histoire du Québec de secondaire 4 était simplement magistral! Sa fine connaissance des grands événements et des personnages marquants de notre histoire, son sens du récit et de la synthèse, son autorité naturelle avaient bien impressionné l'adolescent que j'étais.

Ce sont de telles personnes qui, dans la famille ou à l'école, instillent la passion de l'histoire... Le Québec leur doit beaucoup.

Remerciements

En tout premier lieu, je voudrais remercier l'équipe des Éditions First qui m'a accompagné tout au long de cette joyeuse aventure. Un grand merci à Jean-Joseph Julaud, auteur de *L'Histoire de France pour les Nuls*, pour son invitation respectueuse, à Benjamin Arranger, l'éditeur, pour son étroite collaboration et sa rigueur, à Vincent Barbare, le grand patron de la maison, pour son enthousiasme contagieux! Ces cousins français cherchaient depuis longtemps un historien québécois qui écrirait cette *Histoire du Québec pour les Nuls*. Je remercie Louise Beaudoin et Hélène-Andrée Bizier de les avoir mis sur ma piste. J'espère qu'elles ne seront pas trop déçues du résultat.

Pour écrire ce livre, il m'a souvent fallu m'appuyer sur les travaux de collègues. Certains d'entre eux ont eu la gentillesse de relire des chapitres. Je remercie Gervais Carpin, Gilles Gallichan, Xavier Gélinas, Georges Aubin et Frédéric Bastien pour ces relectures. Je remercie également David Camirand qui m'a rendu de précieux services dans la préparation de la «partie des Dix».

Je veux remercier Nadja, ma femme, ainsi que mes enfants Nora et Arthur qui ont fait preuve d'une patience infinie durant l'été 2012. Leurs encouragements et leur soutien ont été essentiels. Merci à ma mère Jeannine pour sa générosité, sa bonne humeur, sa foi inébranlable dans chacun de ses trois enfants. Merci à mon père Alexandre, un homme droit, optimiste et de bon conseil.

Merci à tous ces amis qui m'ont encouragé à accepter ce mandat particulier. Je pense notamment à Myriam D'Arcy, qui a généreusement accepté de relire certains chapitres, ainsi qu'à Mathieu Bock-Côté, Gilles Laporte et Charles-Philippe Courtois.

Sommaire

Chapitre 8 : De la répression des Patriotes à l'Acte d'Union (1823-1840) 119

Chapitre 9 : Le gouvernement responsable et le réveil religieux (1840-1860) 135

Chapitre 10 : La Confédération (1860-1867) 147

Préface

L'historien Éric Bédard est un universitaire qui sait vulgariser. La présentation de son *Histoire du Québec* en est la preuve. Il suit le déroulement chronologique de notre passé, plutôt que de se référer à une thématique. La première conséquence est de «voir» évoluer le Québec, de la période française à aujourd'hui. Tous les aspects de l'histoire du Québec sont abordés. Destiné à un large public, l'ouvrage vise une meilleure connaissance de ce coin de pays qui se cherche toujours et qui, par certaines expériences, se trouvera, un jour sans doute, une place dans notre monde. Au terme de la lecture de *L'Histoire du Québec pour les Nuls*, personne ne pourra plus être qualifié de nul pour sa méconnaissance du passé de cette province canadienne que le premier ministre du Canada, Louis-Stephen St-Laurent, avait qualifiée de semblable aux autres provinces. «On dit, avait-il déclaré en septembre 1954, que la province de Québec n'est pas une province comme les autres. Je ne partage pas cette opinion.» Il va sans dire que le premier ministre du Québec, Maurice Duplessis, ne pouvait accepter une telle affirmation.

Le découpage chronologique surprendra ceux qui sont habitués à considérer les années 1960 et l'avènement au pouvoir du Parti libéral dirigé par Jean Lesage comme le début de ce que l'on a appelé «la Révolution tranquille». L'auteur préfère, avec raison, en reporter le début à l'arrivée au pouvoir d'Adélard Godbout, un premier ministre d'allégeance libérale dont les réalisations, passablement oubliées aujourd'hui, ont été, lors de ses quelques années au pouvoir pendant la Seconde Guerre mondiale, tout à fait marquantes. Le titre de cette partie de l'ouvrage, «La reconquête tranquille», illustre bien l'aspect novateur de son interprétation. Je suis d'accord avec Éric Bédard sur ce point, tout comme sur l'ensemble de son interprétation du passé québécois. Pour moi, comme pour Bédard, tout était mis en place pour des changements rapides à partir de 1960. Autrement, on ne peut comprendre les changements dont le Québec sera l'acteur et le témoin. Avec l'interprétation traditionnelle, on a l'impression que tout bascule du jour au lendemain, que l'on entre subitement dans un nouveau mode de civilisation : l'éducation prend un nouveau visage ; la religion catholique perd de son importance. Mais ces changements profonds étaient en préparation depuis longtemps.

L'ouvrage ne se veut pas une histoire aseptisée. La cinquième partie, qui pose la question «Province ou pays?», en est la preuve. L'historien Bédard fait ici abstraction de son orientation politique, sachant fort bien qu'un historien qui, dans ses travaux, prend ouvertement position sur l'avenir du

Québec voit ses écrits discrédités. Un historien, c'est un prophète… mais un prophète tourné vers le passé! Bédard a donc évité de se prononcer sur l'avenir du Québec, une prudence qui a sa raison d'être!

Quant à la sixième partie, elle est notamment consacrée à la vie culturelle. Trop souvent, dans des synthèses, cet aspect est survolé, voire même ignoré. Mais ce n'est pas le cas dans *L'Histoire du Québec pour les Nuls*. Divers volets de la vie culturelle des Québécois sont présentés. Plusieurs Français doivent se rappeler, au début des années 2010, de la présentation à Paris de la pièce de Michel Tremblay, *Les belles-sœurs*, qui fit scandale au Québec à la fin des années 1960.

Au cours des dernières années, peu d'historiens se sont risqués à faire une synthèse complète de l'histoire du Québec. Il faut féliciter Éric Bédard de s'être attelé à la tâche. Il est vrai qu'il était bien préparé pour ce travail. Sa présence dans les médias, aussi bien à la télévision et dans les journaux qu'à la radio, a fait de lui un communicateur de premier ordre. La lecture de son *Histoire du Québec pour les Nuls* se fait sans recourir à un dictionnaire pour connaître la signification de tel ou tel mot. L'absence de notes de bas de page rend la compréhension du texte plus facile : tout est dans la rédaction de l'ouvrage. Comme d'autres ouvrages consacrés à l'histoire de divers pays, il suit la formule usuelle. Le texte est parsemé d'encarts qui sont consacrés à des points particuliers, parfois anecdotiques. Différents résumés permettent une meilleure compréhension des événements.

Il faut rendre hommage à l'historien Éric Bédard, qui a su redonner vie à notre passé, un passé haut en couleurs où l'espoir et le désespoir se succédaient rapidement. Il est vrai que la devise du Québec est « Je me souviens ». Grâce à *L'Histoire du Québec pour les Nuls*, on découvrira pourquoi il faut se souvenir. Mais de quoi au juste?

— Jacques Lacoursière

Introduction

« *M*on pays ce n'est pas un pays, c'est l'hiver ! », chante le poète Gilles Vigneault…

Oui, le Québec, c'est l'hiver, la neige, le froid, les grands vents de janvier. C'est le majestueux fleuve Saint-Laurent et ses nombreux affluents qui sillonnent l'Amérique. Ce sont les immenses forêts, les nombreux lacs, les magnifiques paysages du Témiscamingue, de Charlevoix, de la Côte-Nord ou de la Gaspésie.

C'est aussi Québec, la « vieille capitale » juchée sur son cap Diamant, tournée vers les rives de l'Europe. C'est bien sûr Montréal, première ville française d'Amérique, la métropole inventive et créatrice, carrefour des cultures et des rencontres, centre nerveux d'une jeune nation.

Mais le Québec, c'est surtout un peuple vaillant, opiniâtre, déterminé. C'est qu'il en a fallu de la volonté, de l'endurance et du courage aux premiers habitants pour affronter les rigueurs de l'hiver, essoucher au clair de lune, élever des familles nombreuses, explorer un immense continent, survivre aux attaques iroquoises, à l'hostilité des colonies américaines, à la cupidité des grands marchands, aux affres de la Révolution industrielle et à la Crise des années 1930.

C'est l'histoire de cette grande aventure qui sera retracée dans ce livre. Une histoire hantée par la frustration des recommencements, marquée par la résilience. Une histoire de résistance et d'affirmation.

L'histoire d'un peuple qui a surmonté les difficultés et les épreuves, vaincu le découragement et la résignation. L'histoire d'un rêve, celui d'une Amérique française, d'une grande épreuve, celle de la Conquête anglaise, et surtout, l'histoire d'une longue et patiente reconquête qui amènera les Québécois à reprendre possession de leur territoire, de leur économie et de leur vie politique.

« Je me souviens »… Telle est bien la devise nationale du Québec. Malheureusement, trop de Québécois semblent croire que leur passé se résume à une désespérante « Grande noirceur », sans grand intérêt pour le présent et pour l'avenir. Grave erreur… Pleine de rebondissements et de personnages plus grands que nature, l'histoire du Québec est riche, fascinante et souvent inspirante.

C'est cette histoire que je me propose de vous raconter ici.

À propos de ce livre

Pour qu'on se retrouve dans cette histoire du Québec, qu'on en suive le développement et les points tournants, qu'on en comprenne les lignes de force, je resterai collé à sa chronologie et ferai le portrait de ses personnages les plus significatifs. Car ce sont des hommes et des femmes qui ont fait l'histoire du Québec, des hommes et des femmes qui avaient les idées de leur temps. Agités par des passions, inspirés par des rêves, ces êtres humains se sont-ils parfois trompés ? C'est bien possible. Mais pour comprendre ce qu'ils ont fait, expliquer leurs décisions, il faudra éviter les jugements à l'emporte-pièce et la morale à deux sous !

L'histoire du Québec est un morceau de l'histoire du monde. Pour en saisir les moments clés, il faudra expliquer les grandes découvertes du 16e siècle, la réforme catholique du 17e, les tensions géopolitiques du 18e, la Révolution industrielle du 19e, les grandes guerres mondiales du 20e, ainsi que l'avènement de l'État-providence en Occident et le mouvement de décolonisation des années 1960. Impossible de comprendre ce qui se passe au Québec sans jeter un coup d'œil sur les événements marquants qui se déroulent en France, en Grande-Bretagne, aux États-Unis ou ailleurs dans le monde.

Avertissement

Ce livre ne s'adresse pas aux chercheurs en histoire mais au grand public. J'explique moins que je raconte. Pour interpréter l'histoire, encore faut-il en connaître sa chronologie la plus élémentaire, ses événements les plus significatifs. Je tente ici une synthèse des faits les plus marquants de l'histoire du Québec. Du moins ceux retenus par la mémoire collective. Comme l'écrit Jean-Joseph Julaud, cette mémoire collective, c'est «notre culture, mais aussi notre devoir».

Je m'adresse aux Québécois qui ont le sentiment de mal connaître leur histoire, soit parce qu'ils en ont oublié des pans entiers depuis leur cours secondaire, soit parce qu'ils ont eu des enseignants moins motivés qu'ils ne l'auraient souhaité. Je m'adresse aussi aux nouveaux arrivants qui cherchent à mieux connaître leur société d'accueil. Il m'est arrivé de leur donner des cours d'introduction sur le Québec. Plusieurs souhaitaient se procurer un ouvrage accessible. J'espère que ce livre répondra à leurs attentes. Je m'adresse enfin à tous ceux qui s'intéressent au Québec, d'où qu'ils soient.

Comment ce livre est organisé

Cette *Histoire du Québec pour les Nuls* est divisée en 6 parties et 25 chapitres. Chacune des 5 premières parties couvre une période de l'histoire. Nous avancerons pas à pas, en ne nous perdant pas dans les détails mais en évitant les raccourcis.

Première partie : La Nouvelle-France (1524-1754)

Aux toutes premières heures de son existence, le Québec s'est appelé « Nouvelle-France ». La jeune colonie suscite parfois des rêves démesurés, ceux d'une Amérique française et catholique. Un rêve inspiré par des personnages impressionnants qui s'appellent Samuel de Champlain, Marie Guyart, Paul de Chomedey de Maisonneuve, Jeanne Mance, Pierre Le Moyne d'Iberville. Dans cette première partie, il s'agira d'expliquer pourquoi la France a voulu, dès le 16e siècle, explorer le Nouveau Monde. Avant l'arrivée des premiers Français, le territoire québécois était occupé par les peuples amérindiens, certains nomades, d'autres semi-sédentaires. Plusieurs de ces peuples s'allieront aux premiers Français qui vont fonder Québec et Montréal. En plus de présenter les principaux explorateurs, nous décrirons les institutions de la Nouvelle-France et tenterons de comprendre pourquoi cette immense colonie sera si peu peuplée.

Deuxième partie : Conquis mais toujours vivants (1754-1867)

Plus peuplées que la Nouvelle-France, les colonies américaines convoitent la vallée du Mississippi et les possessions françaises d'Amérique du Nord. Après la guerre de la Conquête remportée par les troupes anglo-américaines, dont nous retracerons les principales étapes, les Canadiens de la vallée du Saint-Laurent sont confinés dans une petite réserve : la « Province of Quebec » – que les révolutionnaires américains, qui se rebellent quelques années plus tard contre la Grande-Bretagne, convoiteront aussi. À la suite de la guerre d'indépendance américaine, le Québec accueille des immigrés « loyalistes » qui souhaitent rester fidèles à la Couronne anglaise et réclament de vraies institutions britanniques. Dominées par des marchands anglais, ces nouvelles institutions, créées en 1791, vont soulever la grogne de la majorité francophone, qui fonde un parti et se rebelle contre la métropole anglaise en 1837-1838. La répression de ces rébellions sera suivie de l'Acte d'Union et d'un important renouveau religieux au milieu du 19e siècle.

Troisième partie : La survivance (1867-1939)

C'est en 1867 que le Québec devient une province canadienne. Pourquoi les Québécois accepteront-ils de fonder cette fédération canadienne ? Quels seront les pouvoirs du nouvel « État québécois » ? Quelle sera la place des francophones dans ce nouveau pays nommé « Canada » ? Questions complexes, auxquelles nous tenterons de répondre simplement. Pour éclairer la dernière de ces questions, il faudra se pencher sur la pendaison du chef métis Louis Riel en 1885, un événement fondamental qui portera au pouvoir deux politiciens marquants : Honoré Mercier et Wilfrid Laurier. Cette période est aussi celle de la Révolution industrielle, marquée par l'infériorité économique des Canadiens français et l'émigration d'un grand nombre d'entre eux vers les États-Unis. La Crise des années 1930, que le gouvernement du Québec tentera de stopper, ne fera qu'accroître cette infériorité, ce qui provoquera la création d'un nouveau parti, inspiré par des courants réformateurs.

Quatrième partie : La reconquête tranquille (1939-1967)

À la faveur du programme réformiste du gouvernement d'Adélard Godbout (1940-1944) et de la prospérité d'après-guerre, les Québécois reprennent confiance en eux et sortent du long hiver de la survivance. Ils se donnent pourtant un gouvernement conservateur dès 1944, à la tête duquel on retrouve Maurice Duplessis, qui dirige le Québec d'une main de fer, s'opposant farouchement aux intrusions du gouvernement fédéral dans les champs de compétence des provinces, réprimant brutalement les grèves, vantant les vertus d'un Québec rural et traditionnel. L'élection de « l'équipe de tonnerre » en juin 1960 marque un tournant. Une nouvelle génération politique dote le Québec d'un système de santé et d'éducation qui assure des soins gratuits et une formation plus adéquate pour affronter les défis d'une société « postindustrielle ». Elle dote surtout le Québec d'un État moderne qui permettra le redressement économique de la majorité francophone.

Cinquième partie : Province ou pays ? (1967 à aujourd'hui)

Les dernières décennies du 20e siècle sont complètement dominées par le débat sur le statut politique du Québec. Les uns réclament une réforme en profondeur du fédéralisme canadien de façon à ce qu'on puisse reconnaître le Québec comme «État associé» ou «société distincte»; les autres, qui comparent parfois les Québécois aux Algériens, aux Cubains ou aux Vietnamiens, rêvent de bâtir un pays souverain et indépendant. La cause de l'indépendance du Québec sera portée par une série de mouvements et de partis politiques, dont le Parti québécois qui prend le pouvoir en 1976 et organise un premier référendum en mai 1980. Comme les Québécois rejettent la «souveraineté-association», des négociations s'engagent afin que ceux-ci se sentent davantage reconnus et respectés au Canada. Cette saga constitutionnelle se conclut par l'échec des accords du lac Meech en juin 1990. Les Canadiens refusant les demandes minimales des Québécois, ces derniers fondent un nouveau parti fédéral, le Bloc québécois, réélisent le Parti québécois en 1994 et sont convoqués à un nouveau référendum, le 30 octobre 1995. La victoire à l'arrachée du NON crée une véritable onde de choc dans le reste du Canada. La question reste non résolue.

Sixième partie : La partie des Dix

Dans cette dernière partie, nous présenterons successivement dix personnalités, dix symboles et dix sites marquants de l'histoire du Québec. Il s'agira de faire découvrir le Québec par certaines dimensions de ses héros populaires, de sa culture et de sa géographie. D'où viennent les jurons québécois? Quelle est l'origine de la ceinture fléchée? Quand le rocher Percé a-t-il perdu sa seconde arche? D'où provenaient les premiers habitants des Îles-de-la-Madeleine? Et qu'en est-il de Louis Cyr, du «Rocket» et de Leonard Cohen? Par ces trop brèves incursions, d'autres pans de l'histoire québécoise vous seront révélés.

Annexes

Comme tout ouvrage de référence, ce livre comporte des annexes. Une chronologie générale vous permettra de retrouver facilement un événement historique. Une carte du Québec vous fournira des repères géographiques de base. Enfin, une sélection de livres permet au lecteur désirant en savoir davantage de se reporter à des ouvrages plus spécialisés.

Les icônes utilisées dans ce livre

Des icônes placées dans la marge tout au long de ce livre vous aideront à repérer en un clin d'œil le type d'information proposée selon les passages du texte. Elles orientent votre lecture au gré de vos envies ou vous aident à revenir sur tel ou tel point précis; en voici la liste :

La grande histoire est toujours pimentée par des incidents ou des comportements qui semblent anodins, mais qui disent tout de même quelque chose d'un personnage, d'un événement ou d'un phénomène. L'anecdote rappelle que l'histoire est «humaine»!

Pour comprendre ce qui va se passer au Québec, il faut parfois tourner notre regard vers d'autres continents et d'autres pays. On pense aux nombreuses guerres européennes, aux révolutions, aux grands phénomènes économiques et politiques qui vont secouer le monde.

Il s'agit des journées qui ont marqué la conscience des Québécois. Celles et ceux qui y étaient n'ont jamais oublié. Dans l'histoire de toutes les sociétés, ces dates sont des repères qui permettent de se raccrocher au temps qui passe.

On évoque un fait, une signification, une donnée qui peut surprendre, déboulonner un mythe, déconstruire une légende, ou encore une question que vous vous êtes peut-être déjà posée et à laquelle, enfin, on apportera une réponse.

Cette icône signale un événement marquant ou un élément particulièrement important de l'histoire du Québec, et donc à retenir.

Gros plan sur un personnage marquant dont le passage a laissé des traces. Ses origines familiales, son milieu social, ses idées les plus chères, le mobile principal de son engagement social, politique.

Et maintenant, par où commencer ?

Par le début! Notre objectif est de présenter une histoire du Québec des origines à nos jours. C'est pourquoi une lecture chronologique de ce livre, au fil des chapitres, est recommandée. Mais il est toujours possible de passer d'un thème à un autre grâce au sommaire détaillé figurant au début de l'ouvrage.

Première partie

La Nouvelle-France (1524-1754)

Dans cette partie...

La naissance douloureuse, les commencements difficiles... C'est sur le tard que la France explore le Nouveau Monde. Comme les autres puissances européennes, elle cherche d'abord une nouvelle route vers l'Asie. Après bien des hésitations, Québec est choisie comme capitale de la Nouvelle-France. Ce premier poste est l'œuvre de Samuel de Champlain, qui développe des liens de confiance et d'amitié avec les Montagnais, les Algonquins et les Hurons. Il faut cependant attendre Louis XIV, son ministre Colbert et l'intendant Talon avant que la colonie ne prenne son véritable envol. Vers la fin du 17e siècle, un peuple nouveau fait son apparition. Ces « Canadiens » ne lâchent pas prise, malgré les attaques répétées des Iroquois et l'appétit grandissant des colonies anglo-américaines. En plus de défricher des terres nouvelles, ils explorent les Grands Lacs, descendent le Mississippi, fondent la Louisiane et se rendent jusqu'aux Rocheuses.

Chapitre 1

Chercher la Chine…
trouver Québec ! (1524-1610)

. . . .

Dans ce chapitre :

▶ La recherche de nouvelles routes vers l'Asie

▶ Le retard de la France dans l'exploration du Nouveau Monde

▶ L'œuvre de Samuel de Champlain

. . . .

*N*ation du Nouveau Monde, le Québec a été fondé par des aventuriers, des missionnaires, des femmes et des hommes qui souhaitaient améliorer leur sort, rêvaient d'un monde meilleur. Leur grande traversée s'inscrit dans un contexte bien particulier de l'histoire du monde. L'Europe des 15e et 16e siècles vit alors un essor sans précédent. Le Portugal, l'Espagne et l'Angleterre cherchent à atteindre la Chine par de nouvelles routes. Grâce aux avancées de la science, des navigateurs prennent le large, traversent l'Atlantique, découvrent l'Amérique, fondent des colonies.

À l'origine du mouvement de colonisation vers le Québec, il y a la France, le pays le plus riche et le plus peuplé d'Europe au 16e siècle. Quand et pourquoi ses dirigeants décident-ils d'aller à la rencontre du Nouveau Monde ? Dans quel contexte prend forme cette curiosité pour les vastes contrées de l'Ouest ? Quelles sont les ambitions de l'État français ? Que découvrent au juste ses premiers explorateurs ? Quels sont les rapports avec les peuples autochtones ? Et, surtout, pourquoi choisit-on de s'installer dans la vallée du Saint-Laurent et de fonder Québec ? Toutes les réponses dans les pages qui suivent…

À la conquête de l'Ouest !

Au 16e siècle, la curiosité pour le Nouveau Monde est partagée par toutes les puissances d'Europe occidentale. Ce goût de voyager, de voir ailleurs, prend place dans le contexte de la Renaissance, une période extraordinaire d'effervescence artistique autant qu'intellectuelle. Une période de bouleversements économiques et politiques sans précédent.

Et si la Terre était ronde ?!

Pour s'aventurer si loin de leurs côtes, les Européens devaient être convaincus que cela en valait la peine… et qu'ils ne tomberaient pas dans un néant inconnu, une fois traversé l'océan d'une Terre qu'on a longtemps imaginé plate !

Bien avant le 16e siècle, les Vikings ont exploré les côtes américaines. D'origine scandinave, ce grand peuple de marins conquérants colonise le Groenland pendant trois siècles, fonde des villages, érige un évêché. La distance entre ce continent et les rives de Terre-Neuve n'étant pas si grande, les Vikings s'y installent autour de l'an 1000. Si leur présence en Amérique, attestée par des légendes amérindiennes et une découverte archéologique, dure quelques siècles, ils avaient complètement déserté Terre-Neuve lorsque les Européens décidèrent de prendre le large.

L'aventure c'est l'aventure !

Une combinaison de facteurs explique cette envie soudaine des Européens de la côte occidentale d'explorer le vaste monde :

- **La chute de Constantinople.** Capitale de l'Empire romain d'Orient, Constantinople tombe aux mains des Turcs en 1453. Pour les Européens, c'est la porte de l'Asie qui se ferme. Tout un système de caravanes y rapportait des soieries, des pierres précieuses, des épices, surtout, qui permettaient de conserver les aliments de première nécessité. Pour importer à nouveau ces richesses de l'Orient, il faut explorer de nouvelles routes afin d'éviter les peuples arabo-musulmans, hostiles à l'Europe chrétienne qui avait plusieurs fois envahi leur région du monde lors des sanglantes croisades du Moyen Âge.

- **Trouver de l'or.** Au 15e siècle, plusieurs villes européennes prennent de l'expansion. Naples, Paris, Venise et Florence comptent plus de 100 000 habitants. L'économie étant florissante, le commerce requiert de plus en plus de pièces d'or. Les fournisseurs d'Afrique du Nord et du Moyen-Orient souhaitent être rétribués en «argent sonnant». Le problème, c'est que les mines d'or où s'approvisionnent les Européens se tarissent. Pour poursuivre la croissance, il faut trouver de nouveaux gisements.

✔ **Des découvertes scientifiques.** Pour que l'on puisse accéder autrement à l'Asie ou s'aventurer dans de lointaines contrées afin d'y découvrir de l'or, les innovations techniques étaient essentielles. Il fallait être convaincu que la Terre était ronde plutôt que plate, être guidé par des méthodes plus sophistiquées de navigation et disposer de navires plus rapides, mieux construits et capables de contenir des équipages importants et de lourdes cargaisons de vivres. Si les discussions sont parfois vives entre savants, l'atmosphère de la Renaissance qui règne alors en Europe donne lieu à plusieurs innovations dont profitent certains grands aventuriers.

Ambitions impériales

Prendre le large pendant de longs mois est désormais possible. Grâce à d'intrépides navigateurs, le plus souvent d'origine italienne, tous les espoirs sont permis. La course vers l'Asie peut commencer !

✔ **Le Portugal contourne l'Afrique.** Les Portugais sont les premiers à entreprendre cette audacieuse odyssée vers l'Orient. Grâce à l'impulsion d'Henri le Navigateur (1394-1460), les Portugais découvrent les Açores et explorent la côte africaine. En 1488, le cap de Bonne-Espérance est doublé et la route vers l'Inde est libre. Dix ans plus tard, Vasco de Gama atteint le sous-continent indien.

✔ **L'Espagne découvre l'Amérique.** Ces réussites du Portugal poussent l'Espagne, le grand concurrent voisin, à emboîter le pas. La route par le sud étant déjà explorée, le navigateur Christophe Colomb propose à l'Espagne de financer une expédition vers l'ouest – une entreprise bien téméraire, car cette route reste totalement inconnue. Mais le contexte favorise le marin italien. En 1492, l'Espagne a vaincu les Arabes et complété son unité politique. Le 12 octobre de cette même année, Colomb aborde des terres inconnues. Il n'est cependant pas en Asie mais en Amérique ! L'Espagne s'y installe pour longtemps et ne manque pas d'exploiter l'or du nouveau continent.

✔ **Incursions anglaises au nord.** Ces impressionnantes conquêtes de l'Espagne suscitent l'envie d'autres pays. L'Angleterre aussi ambitionne de trouver de nouvelles voies vers l'Asie, mais en passant par le nord. Le 2 mai 1497, Giovanni Caboto (que les Anglais appellent John Cabot) quitte le port de Bristol. Le 24 juin suivant, il atteint les rives de Terre-Neuve, plante un drapeau anglais et prend possession des lieux. Le navigateur croit avoir découvert l'Asie. Il y retourne l'année suivante et déchante rapidement. Ces nouvelles contrées, constate-t-il, offrent beaucoup de poissons et de fourrures, mais bien peu d'or et de métaux précieux.

Un Nouveau Monde habité

Ni l'Espagne ni l'Angleterre ne découvrent une route vers l'Asie. C'est qu'entre cet Orient tant rêvé et la vieille Europe réside, à l'ouest, un Nouveau Monde habité par de nombreux peuples méconnus.

Origine de l'homo americanus !

Les premiers habitants du Nouveau Monde étaient des «homo sapiens sapiens». Ces bipèdes étaient déjà capables de fabriquer des outils et avaient une certaine connaissance de la flore. Leur présence en Amérique serait le produit de deux vagues d'immigration. Venus d'Asie par le détroit de Béring ou en longeant par la mer la côte ouest américaine dans de petites embarcations, les premiers habitants auraient migré il y a environ 15 000 ans (voire 30 000 ans, selon certains) et se seraient surtout installés en Amérique du Sud. Ces migrants appartenaient à des tribus qui pourchassaient des troupeaux de mammouths et de bisons. Il y a 5 000 ans, une seconde vague de migrants emprunte la même route mais s'implante au nord-ouest. Habiter ces régions plus au nord est désormais possible puisque l'arrivée de cette seconde vague correspond à la fin d'une longue période de glaciation qui aurait débuté il y a 100 000 ans. Durant des milliers d'années, le Québec – et tout le nord-est de l'Amérique – aurait en effet été recouvert d'une épaisse couche de glace.

Nombre et diversité

Au moment de l'arrivée des premiers Européens, le continent américain aurait été habité par environ 80 millions de personnes, la plupart au sud. On estime que la population indigène d'Amérique du Nord oscillait entre 4 et 9 millions, et celle du Canada, entre 500 000 et 2 millions. Les premiers Européens ont tout de suite été frappés par la diversité culturelle des peuples rencontrés. La plupart avaient leur propre langue, leurs coutumes ancestrales et leurs croyances spirituelles. Certains peuples nomades vivaient de chasse, de pêche et de cueillette. Ils assuraient facilement leur subsistance l'été, plus difficilement l'hiver. D'autres, semi-sédentaires, ajoutaient la culture du sol aux activités de subsistance des nomades et vivaient au sein d'importantes agglomérations. Entre ces peuples, il existait souvent des rivalités pour le contrôle d'une ressource ou d'un territoire. De violentes guerres les ont parfois opposés bien avant l'arrivée des Européens. En somme, ces «Amérindiens» étaient des êtres humains comme les autres… ni pires, ni meilleurs ! Si leurs mœurs étaient bien différentes de celles des Européens, et leurs moyens de se battre moins sophistiqués, ils n'étaient ni ces «barbares» assoiffés de sang, ni ces «bons sauvages» ne pensant qu'au bien. Les passions qui les agitaient étaient aussi celles des Européens.

Un choc culturel

La rencontre entre Européens et Amérindiens a été un véritable choc!
Un choc physique et bactériologique, d'abord. Les Européens amènent
avec eux des maladies qui foudroient un nombre effarant d'Amérindiens
qui ne possèdent pas les protections immunitaires pour les combattre. Les
Européens souffriront moins de ce choc bactériologique, mais l'adaptation
au nouveau continent, surtout l'hiver, entraîne de nombreuses pertes. (Nous
constaterons plus loin les ravages du scorbut.) Le choc est aussi culturel. Les
Montagnais du Nord québécois perçoivent les premiers bateaux comme des
îles flottantes, leurs voiles comme d'étranges nuages, les premiers coups de
canon comme d'horribles éclairs du tonnerre. La pilosité des Européens les
fascine, ainsi que le vin ingurgité en mangeant, qu'ils assimilent au départ
à du sang. Surtout, les Européens amènent avec eux des armes à feu… Ces
outils de guerre transforment leurs rapports, provoquent de nouvelles
guerres. Ce choc culturel affecte aussi les Européens, qui découvrent chez
les Amérindiens des mœurs sociales et sexuelles plus libres, une manière
plus libérale d'élever les enfants. Ils découvrent aussi une série de nouveaux
produits : le tabac, l'eau d'érable, le canot, les raquettes. Même si l'équilibre
des forces favorise nettement les colons de la vieille Europe, Amérindiens
et Européens sont transformés par cette rencontre. La confrontation avec
les peuples indigènes est parfois brutale. Pour implanter leur culture et leur
religion, les Espagnols massacrent des populations entières ou les réduisent
à l'esclavage. Par rapport à ces derniers, les Français, probablement
parce qu'ils sont moins nombreux, vont adopter une attitude de plus
grande ouverture.

Les trois groupes autochtones du Québec

À l'arrivée des Européens, trois grandes familles amérindiennes se partagent le territoire du Québec. Chacune d'elle est subdivisée en tribus et occupe un territoire particulier.

✔ **Les Algonquiens.** Peuples constitués de tribus nomades, les Algonquiens se répartissent ainsi : les Montagnais (ou Innus) de la rive nord du Saint-Laurent arpentent la Côté-Nord jusqu'à la rivière Saint-Maurice ; les Cris vivent au sud de la baie James ; les Malécites longent la rivière Saint-Jean ; les Outaouais vivent dans la région du Témiscamingue et au nord du lac Huron ; les Algonquins proprement dits parcourent la rive nord de la rivière des Outaouais et du Saint-Laurent, du Témiscamingue jusqu'à l'ouest du Saint-Maurice. D'autres peuplades algonquiennes vivent à l'extérieur des frontières du Québec actuel (comme les Micmacs des provinces maritimes et les Sauteux du lac Supérieur). Les Français entretiendront généralement de bons rapports avec ces peuplades.

✔ **Les Iroquoiens.** Au moment de l'arrivée de Cartier, des tribus iroquoiennes étaient installées à Stadaconé (Québec) et à Hochelaga (Montréal). Dans la seconde partie du 16ᵉ siècle, elles vont cependant abandonner ces postes et s'installer plus au sud et à l'ouest. Au retour des Français dans la vallée du Saint-Laurent au début du 17ᵉ siècle, les Iroquoiens avaient disparu. Formés, pour l'essentiel, de tribus semi-sédentaires, cette autre grande famille amérindienne comprenait les Iroquois, divisés dans une confédération dite des « Cinq-Nations », formée des Tsonnontouans, des Goyogouins, des Onontagués, des Onneiouts et des Agniers. Ceux-ci vivaient aux alentours des lacs Ontario et Érié. Les Hurons des Grands Lacs, avec lesquels les Français tisseront des liens solides, ainsi que les Pétuns et les Neutres, font également partie de la grande famille culturelle des Iroquoiens, même si les Iroquois les considèreront tous comme d'irréductibles ennemis.

✔ **Les Esquimaux (ou Inuits).** Complètement isolés des deux autres familles amérindiennes du Québec et des premiers colons français, les Esquimaux, ou Inuits, vivaient dans le Labrador et le Grand Nord.

La France entre dans la course

Par rapport au Portugal et à l'Espagne, la France du 16ᵉ siècle ne semble pas pressée de trouver une nouvelle route vers l'Asie. S'il en est ainsi, c'est parce que son attention est surtout tournée vers l'Italie et la Méditerranée qui reste encore le grand carrefour commercial de l'Europe. Les conquêtes de l'Espagne et l'exploit de l'équipe de Magellan, qui effectue un tour complet du monde en trois ans (1519-1522) après avoir découvert un passage entre l'Amérique du Sud et l'Antarctique, achèvent cependant de convaincre la France de se lancer dans la course.

L'exploration de Verrazzano

Financé par des banquiers lyonnais, soutenu par le roi François Iᵉʳ, Giovanni da Verrazzano, un navigateur originaire de Florence, explore en 1524 la côte est de l'Amérique du Nord. Au moment d'entreprendre son voyage, les rives de l'Amérique du Sud, des Antilles, de la Floride et de Terre-Neuve ont été cartographiées. Le centre de l'Amérique du Nord reste toutefois inconnu. Pendant les deux mois de son expédition à bord du Dauphine, Verrazzano tente de trouver un chemin qui pourrait mener à « Cathay », l'autre nom qu'on donne à la Chine. Une telle découverte annulerait celle de Magellan et permettrait à la France de reprendre le dessus. Arrivé en Caroline du Nord en mars, il remonte la côte vers le nord. À plusieurs reprises, il foule le continent. Le pays qu'il découvre lui semble « le plus agréable et le plus favorable qui soit pour toute espèce de culture ». Il rencontre des indigènes. Les uns lui paraissent courtois et polis, les autres barbares et hostiles. Aux plans politique et économique, l'expédition de Verrazzano est un échec.

En revanche, grâce à lui, les Européens savent désormais que, comme le navigateur l'écrit lui-même, «cette terre ou Nouveau Monde […] forme un tout. Elle n'est rattachée ni à l'Asie, ni à l'Afrique… Ce continent serait donc enfermé entre la mer orientale et la mer occidentale».

Jacques Cartier à Gaspé

Cette conviction de Verrazzano ne convainc pas tout le monde. L'espoir de trouver une route vers l'Asie persiste et les richesses du nouveau continent suscitent la convoitise. C'est à Jacques Cartier (1491-1557), un marin originaire de Saint-Malo, que François Ier confie une nouvelle expédition. Sa mission? «Découvrir certaines ysles où l'on dit qu'il se doibt trouver grant quantité d'or et autres riches choses.» Le 20 avril 1534, il quitte le port de Saint-Malo en Normandie. Une expédition somme toute modeste : 2 navires, 60 hommes. Après une traversée rapide, Cartier arrive à Terre-Neuve, emprunte le détroit de Belle Isle, longe la côte ouest de Terre-Neuve, explore le golfe du Saint-Laurent et la baie des Chaleurs, où il rencontre des indigènes de la tribu des Micmacs. Après avoir remonté la péninsule gaspésienne jusqu'à Gaspé, il croise d'autres indigènes qui appartiennent à la famille des Iroquoiens.

« Vive le roy de France »

Originaires de Stadaconé (Québec), ils sont là pour pêcher le maquereau. Le contact est plus ou moins heureux. Cartier les perçoit comme d'authentiques «sauvages». «Ils n'ont qu'une petite peau pour tout vêtement, écrit-il dans son journal, avec laquelle ils couvrent les parties honteuses du corps… Ils portent la tête entièrement rasée… Ils mangent la chair presque crue…» Le 24 juillet, Cartier érige une croix «haute de trente pieds» (neuf mètres), sur laquelle il écrit «Vive le roy de France», un geste que les Iroquoiens n'apprécient guère. Leurs mimiques laissent entendre que ces terres leur appartiennent et qu'ils trouvent inconvenante l'érection de cette croix. Comme le font souvent les explorateurs de l'époque, Cartier kidnappe deux indigènes, les fils du chef présent avec qui il a tissé des liens durant son bref séjour à Gaspé. Le 25 juillet, l'équipage de Cartier reprend son chemin, contourne l'île d'Anticosti, longe une partie de la Côte-Nord et retourne en France, après avoir contourné les rives de Terre-Neuve. Le bilan de cette première expédition de Cartier est plutôt mince : pas de passage vers l'Asie, ni découverte d'or. Pendant longtemps, on a écrit que Jacques Cartier avait «découvert» le Canada en 1534 – une affirmation probablement exagérée… Cartier a certainement planté une croix et pris symboliquement possession d'un territoire, mais il n'a pas encore fondé une colonie.

Le « Royaume de Saguenay »

Dès l'année suivante, Cartier repart à nouveau. C'est que les deux Amérindiens captifs, présentés au roi, font miroiter de magnifiques découvertes. Un fleuve majestueux, expliquent-ils, mènerait au village de Stadaconé. Cartier s'en réjouit : et s'il s'agissait d'une route inédite vers l'Asie? Surtout, les deux jeunes Iroquois évoquent l'existence d'un lieu fabuleux qui regorgerait de richesses : le «Royaume de Saguenay». Il n'en faut pas davantage pour aiguiser la curiosité des Français.

Le 26 juillet 1535, les trois navires de la seconde expédition de Jacques Cartier se retrouvent à Blanc-Sablon, situé à l'extrême est de la Côte-Nord actuelle. Après avoir navigué dans le golfe du Saint-Laurent, les hommes de Cartier approchent l'île d'Orléans et Stadaconé. Les deux Amérindiens à bord, habillés à l'européenne et s'exprimant dans un français convenable, retrouvent enfin les leurs. Cartier fait la rencontre de Donnacona, leur chef, qui tente de le dissuader de poursuivre sa route plus au sud. Le navigateur de Saint-Malo n'en fait cependant qu'à sa tête. Son objectif est de se rendre à Hochelaga afin d'y repérer une nouvelle route vers l'Asie. Le soir du 3 octobre, il aperçoit la bourgade fortifiée au pied d'une petite colline, qu'il baptise «Mont Royal». Environ 1 000 Amérindiens y vivent dans une cinquantaine de maisons longues et spacieuses. Le contact est chaleureux. Ils échangent des présents. Cartier se rend à pied sur le mont Royal. Il admire au loin les chaînes de montagnes et constate que le fleuve se transforme en rapides – on les appellera plus tard les rapides de «Lachine». Cartier croit que cette route fluviale pourrait mener au royaume de Saguenay. Le 5 octobre, il retourne à Stadaconé, où les relations avec le chef Donnacona se sont détériorées. Ce dernier avait déconseillé à Cartier de se rendre à Hochelaga, peut-être parce qu'il souhaitait conserver un lien privilégié avec le navigateur français.

Le fléau du «scorbut»

Pour la première fois, des Français décident de passer l'hiver dans la vallée du Saint-Laurent – une décision que plusieurs vont regretter… Mal préparés aux rigueurs du climat, plusieurs marins sont atteints de «scorbut», un mal qui résulte d'une carence en vitamine C. Frappés par cette maladie, les Européens perdent leurs dents et leurs forces. Sur les 110 hommes de l'équipage, 25 succombent. L'épreuve ne décourage pas Cartier pour autant. Il tient absolument à découvrir le royaume de Saguenay, mais il manque d'hommes et de vivres pour poursuivre sa mission. Pour en savoir davantage sur ce mystérieux royaume, il ramène en France Donnacona et deux de ses fils, sans bien sûr leur demander leur avis. Aucun ne reverra sa terre natale.

Des prisonniers conscrits

Les récits de Jacques Cartier captivent François Ier qui, lui aussi, rêve que son royaume fasse main basse sur les richesses de Saguenay. Il faut toutefois un certain temps avant qu'une nouvelle expédition ne se mette en branle. Cartier obtient quelques promotions mais se fait bientôt damner le pion par un noble : Jean-François de La Roque, seigneur de Roberval. Nommé «lieutenant général du Canada», Roberval est responsable d'une mission importante. Il ne s'agit plus seulement d'explorer ou d'exploiter un territoire, mais de fonder une véritable colonie et de convertir les indigènes à la foi chrétienne. S'il ne commande pas cette troisième expédition, Cartier en fait néanmoins partie. Il quitte la France avant Roberval, le 25 mai 1541, à la tête de cinq vaisseaux. Les deux hommes ont eu bien du mal à convaincre des Français de s'embarquer avec eux. À défaut de volontaires, on conscrit donc des criminels. Deux mois plus tard, le maître-pilote malouin arrive à Stadaconé avec son seul équipage, Roberval ayant été retardé.

Origine des mots « canada » et « québec »

Les premières occurrences du mot « kanata » apparaissent dans les récits de voyage de Jacques Cartier. Les Amérindiens kidnappés lui parlent du chemin de « kanata », ce qui signifie « amas de cabanes ». Le chemin de Canada, c'est celui qui mène à l'intérieur du continent et à un village. Le mot est cependant resté, au point d'en venir à désigner les terres sur lesquelles règne Donnacona et le majestueux fleuve qui y conduit. Plus tard, les administrateurs français désigneront sous le nom de « Canada » le territoire habité de la vallée du Saint-Laurent. Région de la Nouvelle-France du milieu du 18e siècle, le Canada se distingue alors de l'Acadie et de la Louisiane.

À l'origine, dans les premiers écrits des explorateurs, Québec s'écrit « Kebec ». C'est un mot algonquin qui signifie « l'endroit où le fleuve se rétrécit ». Après la remontée du golfe et du fleuve, c'est en effet à Québec que les rives sont le plus rapprochées. C'est tout naturellement ce mot que les explorateurs utiliseront pour désigner ce qui deviendra la capitale de la Nouvelle-France.

« Faux comme les diamants du Canada »

Lorsque Cartier arrive à Stadaconé, les Amérindiens prennent des nouvelles de Donnacona, mort autour de 1539. Les relations avec eux sont tendues, au point que Cartier décide de s'installer en amont, dans un endroit qu'il baptise « Charlesbourg-Royal ». Des membres de son équipage croient y découvrir des diamants et de l'or, des trouvailles qui excitent la cupidité de Cartier. Pressé de montrer ces diamants à la Cour, il prépare un retour précipité. Le 7 juin 1542, il croise Roberval à Saint-Jean, Terre-Neuve. Le lieutenant-général du Canada compte évidemment sur le pilote de Saint-Malo pour le guider. Mais Cartier, en pleine nuit, lui fait faux bond et rentre en France. Malheureusement, les diamants qu'il croit posséder ne sont en fait que des cailloux de quartz et de pyrite de fer… d'où l'expression célèbre, longtemps restée dans les mémoires : « Faux comme les diamants du Canada » ! La carrière américaine de Cartier se termine en queue de poisson… Son exploration du Saint-Laurent sera utile plus tard aux marins qui s'aventureront dans les eaux du Saint-Laurent, mais sa défection causera sa perte. Aucune autre expédition ne lui sera confiée. Sans guide pour l'orienter, Roberval s'avance à l'aveugle dans un continent qu'il ne connaît pas. Au printemps 1543, il décide de retourner en France. La fondation d'une colonie française dans la vallée du Saint-Laurent est reportée aux calendes grecques…

Vers la fondation de Québec

Il faudra un bon demi-siècle avant que l'État français n'envisage à nouveau de s'implanter en Amérique du Nord. Des projets de colonie voient le jour au Brésil et en Floride entre 1555 et 1565, mais l'échec est aussi retentissant que dans la vallée du Saint-Laurent. Par ailleurs, la France de la seconde moitié du 16e siècle est déchirée par des luttes fratricides. De 1562 à 1598, une succession de guerres religieuses affaiblissent considérablement l'autorité royale. De violents affrontements causent la mort de deux à quatre millions de Français. L'heure n'est plus à l'expansion impériale mais à la consolidation du royaume. L'arrivée sur le trône d'Henri IV en 1589 permet une sortie de crise. En 1598, grâce à son édit de Nantes, ce huguenot converti au catholicisme accorde aux protestants une liberté de conscience, ce qui permet à la France de retrouver une certaine paix intérieure.

Le commerce des fourrures

Si l'État français délaisse le golfe du Saint-Laurent et les côtes terre-neuviennes, tel n'est pas le cas des pêcheurs et des commerçants. Les voyages de Jacques Cartier sont connus des armateurs normands et bretons, qui comptent bien exploiter certaines richesses de ces contrées lointaines. Ces marins français du nord-est y rencontrent d'ailleurs des bateaux basques et espagnols qui poursuivent les mêmes objectifs commerciaux.

De la morue...

Le premier intérêt des armateurs est la pêche. Les côtes de Terre-Neuve regorgent en effet de morue. De 1550 à 1580, les morutiers français de Saint-Malo, de Dieppe, de Rouen et de Bordeaux ramènent d'importantes cargaisons de poissons. À une époque où nombre de chrétiens pratiquants s'interdisent de manger de la viande le vendredi, le poisson offre des protéines essentielles. Si ce commerce est moins lucratif que celui de l'or, des pierres précieuses ou des épices, il rapporte assez pour qu'on s'y consacre pendant plusieurs décennies.

...au castor

Vers 1580, un autre commerce s'ajoute à la pêche : celui de la fourrure. Depuis les années 1550, les morutiers rapportaient des fourrures d'Amérique en complément de leur cargaison de poissons. L'approvisionnement en peaux de castor se faisait par échange de biens avec des Amérindiens. Très prisées par la haute société, ces « pelleteries » trouvent immédiatement preneur. À la fin du 16e siècle, le chapeau de fourrure est à la mode! Au cours des années 1570, la fourrure d'Amérique profite d'un contexte politique difficile en Europe. L'accès aux fourrures de la Russie, le fournisseur traditionnel de ce produit de luxe, devient compliqué, car le passage par la mer Baltique est bloqué. Les commerçants normands et bretons flairent la bonne affaire, au point de se concentrer sur ce commerce au tournant des années 1580. Les Basques se mettent aussi de la partie. Dans le golfe du Saint-Laurent, la concurrence devient extrêmement féroce. Résultat : le marché européen est bientôt inondé de fourrures américaines, ce qui provoque une chute des prix. Les clients ne s'en plaignent évidemment pas, mais les armateurs réclament une intervention de l'État pour réglementer ce commerce.

Un premier « PPP » !

En 1587 éclate une guerre ouverte entre commerçants de fourrures. Des bateaux sont brûlés dans le fleuve Saint-Laurent. L'année suivante, Henri III innove en concédant à Jacques Noël, un neveu de Jacques Cartier, le monopole du commerce des fourrures et des mines dans la vallée du Saint-Laurent pour une période de 12 ans. La main-d'œuvre est aussi garantie. Le roi lui permet en effet de sélectionner « soixante personnes tant hommes que femmes par chaque an dans nos prisons ». En retour de ce monopole, Noël et son associé s'engagent à construire les bâtiments nécessaires au bon fonctionnement de son commerce. Ce privilège accordé choque énormément les commerçants bretons. À leurs yeux, Noël n'a ni les talents ni les connaissances pour exploiter un tel monopole. Ils l'accusent presque d'imposture. Le 5 mai 1588, Henri III se range à leurs arguments et réintroduit la liberté de commerce dans la vallée du Saint-Laurent.

Ce genre de volte-face se reproduira à plusieurs reprises. D'autres monopoles seront accordés puis retirés. Jusqu'en 1627, la France se montre très hésitante. À quelques rares occasions, elle ambitionne de fonder une véritable colonie en Amérique du Nord et d'étendre son influence sur le Nouveau Monde. Mais la plupart du temps, les ressources ne suivent pas. Faute d'ambition politique, la France se rabat sur des monopoles qu'elle octroie à une série de marchands débrouillards et aventureux, mais dont l'ambition première n'est pas de fonder une colonie. Mus avant tout par des intérêts matériels, ces marchands souhaitent d'abord exploiter un commerce. Pendant longtemps, la politique de la France a toutes les allures de ce que nous appelons aujourd'hui le « PPP » (partenariat public-privé) ! L'État consent des privilèges à un homme ou à une compagnie et s'attend en retour à ce que ceux-ci s'acquittent de responsabilités publiques : construction de ponts et d'infrastructures, transport et entretien de colons, etc.

Un visionnaire, Samuel de Champlain

Cette politique hésitante et hasardeuse de la France sera heureusement compensée par la vision et les convictions inébranlables d'un personnage marquant : Samuel de Champlain. Sans cet homme d'exception, le Québec n'aurait peut-être jamais vu le jour.

Un fils illégitime d'Henri IV ?

Ce n'est que tout récemment, en avril 2012, que l'acte de baptême de Samuel de Champlain aurait été découvert. Baptisé protestant à La Rochelle le 13 août 1574, il se serait converti plus tard au catholicisme. L'homme grandit à Brouage, une petite ville portuaire de la Saintonge, dans un milieu plutôt modeste. Très tôt, Champlain semble disposer d'un accès privilégié au roi Henri IV. En effet, dès l'été 1601, le monarque lui accorde une pension annuelle – un privilège très rare. Selon certains chercheurs, ce lien privilégié s'expliquerait par une relation filiale : Samuel de Champlain aurait été l'un des nombreux fils illégitimes d'Henri IV. L'ouverture du roi à la diversité humaine, sa vraie tolérance à l'égard des croyances différentes, son aptitude à la conciliation et au compromis auraient profondément marqué le jeune Champlain. C'est grâce à ses talents de dessinateur et de cartographe qu'il se fait d'abord remarquer. C'est aussi un navigateur aguerri qui traverse l'Atlantique au moins 27 fois de 1599 à 1633. Dans les nombreux écrits qu'il a laissés, il montre une grande curiosité pour la flore et les peuples qu'il découvre. Dès ses premiers voyages, il est convaincu que ce pays du Nouveau Monde regorge de richesses. Mais pour grandir et prospérer, cette jeune colonie avait besoin de colons. En restant un simple comptoir de commerce, la colonie n'avait aucun avenir, selon lui. Il fallait à tout prix qu'une population prenne racine.

Retour des ambitions coloniales

Monarque ambitieux pour son royaume, Henri IV renoue avec le projet de coloniser l'Amérique du Nord. Quelques expériences sont tentées. En 1598, on envoie une quarantaine de mendiants, de vagabonds et de prisonniers à l'île de Sable, au large de la Nouvelle-Écosse actuelle. Laissés à eux-mêmes, ils se révoltent et s'entretuent. En 1603, seuls 11 d'entre eux sont toujours vivants. En 1600, un marchand à qui le roi vient d'octroyer un monopole organise une expédition à Tadoussac, petit poste situé à l'embouchure de la rivière Saguenay, carrefour d'échange de fourrures déjà bien connu des marins. La petite habitation qu'on y construit ne convient pas au climat. Durant l'hiver 1600-1601, plusieurs Français y laissent leur peau.

Champlain n'est pas impliqué dans ces expéditions. De 1599 à 1601, il explore les colonies espagnoles d'Amérique du Sud. Il est d'ailleurs choqué par le traitement infligé aux indigènes. En 1603, une nouvelle expédition est organisée par le commandeur Aymar de Chaste, le nouveau détenteur du monopole des pelleteries dans le Saint-Laurent. Champlain apprend l'existence de cette mission et trouve le moyen d'en faire partie – en simple observateur, mais tous savent qu'il a l'oreille du roi. En mars, l'équipage prend le large. Il s'agit moins d'implanter une colonie que de reconnaître les lieux et d'établir des liens avec les Amérindiens.

La « tabagie » de Tadoussac

Le 26 mai 1603, les Français débarquent à Tadoussac. Des Montagnais de diverses tribus s'y trouvent, ainsi que des Algonquiens vivant plus au sud. La rencontre se déroule très bien. Et pour cause : certains d'entre eux viennent de remporter une belle victoire contre leurs ennemis iroquois. Les Français remarquent en effet une centaine de scalps sur lesquels le sang dégouline. La communication est facilitée par la présence d'interprètes montagnais qui viennent de séjourner en France.

Les récits qu'ils font de leur séjour en Europe captivent l'attention des indigènes. Les représentants du Vieux Monde sont donc accueillis comme des invités de marque ! Le grand chef présent se dit favorable à une implantation des Français sur le territoire, mais à la condition que ceux-ci combattent leurs ennemis iroquois. Un grand festin suit ces échanges chaleureux. Champlain mange pour la première fois de l'orignal, dont la chair, note-t-il, a le goût du bœuf. Une fois le repas terminé, des chants et des danses font le ravissement des Français. « Toutes les femmes et filles commencèrent à quitter leurs robes de peaux, et se mirent toutes nues montrant leur nature », raconte un Champlain impressionné par la beauté de ces Montagnaises « potelées » ! « Tous ces peuples, écrit-il, ce sont gens bien proportionnés de leurs corps, sans aucune difformité. » La rencontre est un franc succès ! Elle scelle une alliance fondamentale qui permettra aux Français de prendre racine dans la vallée du Saint-Laurent. Cette « tabagie » de Tadoussac – qu'on appelle ainsi à cause de la consommation de tabac qui marquait les grandes fêtes amérindiennes – témoigne des rapports respectueux des premiers Français avec les autochtones de la vallée du Saint-Laurent. Ces relations de confiance leur permettront d'explorer l'intérieur du continent et d'affronter les âpres hivers, de découvrir des rivières, des lacs et des régions jusque-là inconnues.

Champlain profite de ce séjour pour explorer la rivière Saguenay. Il est impressionné par la profondeur du fjord et la présence des bélugas blancs qui remontent à la surface. Le long de cette rivière, il ne voit que montagnes et forêt. Aucun emplacement ne lui semble propice à la colonisation. Il décide ensuite de remonter le Saint-Laurent et de reconnaître les lieux explorés par Jacques Cartier 60 ans plus tôt. Le 22 juin, il jette l'ancre devant l'ancien village de Stadaconé, où plus personne ne vit. Champlain poursuit sa route, croise l'embouchure du Saint-Maurice, pour ensuite aborder l'île de Montréal, où le village d'Hochelaga a également disparu.

Fonder Québec

De retour en France, Champlain publie la relation de son voyage à Tadoussac. La rencontre avec les Amérindiens fascine bien des lecteurs en mal d'exotisme. Malgré les perspectives encourageantes qu'il décrit, malgré les expéditions des commerçants de fourrures, les Français ne prennent racine dans la vallée du Saint-Laurent qu'en 1608. Après la mort subite d'Aymar de Chaste, le monopole est accordé à Pierre Dugua de Mons, un protestant originaire de la Saintonge que Champlain connaît bien. Celui-ci préfère la façade atlantique à la vallée du Saint-Laurent. Plus facile d'accès, la côte américaine lui semble une région plus propice au commerce et à l'établissement d'une colonie de peuplement. C'est donc vers l'Acadie que Dugua de Mons jette son dévolu avec l'accord du roi. Champlain obéit, mais les expériences de l'île Sainte-Croix (hiver 1604-1605) et de Port-Royal (1605-1607) ne sont, à court terme, guère concluantes.

Débuts chaotiques

Ces piètres résultats impatientent Henri IV et donnent des munitions aux concurrents de Dugua de Mons. En 1608, le roi renouvelle le monopole de Dugua de Mons, mais pour seulement un an. Non sans difficultés, Champlain convainc ce dernier de retourner dans la vallée du Saint-Laurent. En avril 1608, le Lévrier et le Don-de-Dieu, commandés par François Gravé du Pont et par Champlain, quittent Honfleur. Jusque-là, les efforts de colonisation de la France en Amérique du Nord se sont tous soldés par des échecs. Il s'agit de la mission de la dernière chance…

L'arrivée à Tadoussac, le 3 juin, n'augure rien de bon. Des Basques y pratiquent la traite de fourrures et contreviennent ouvertement au monopole octroyé par le monarque français. Lorsque Gravé du Pont leur ordonne de cesser leurs activités, les Basques font feu sur les Français. Négociateur habile, Champlain intervient et les deux parties conviennent de régler l'affaire en France.

Le 3 juillet suivant, l'équipage arrive à Québec. C'est au pied du cap rocheux, sur les rives du Saint-Laurent, que Champlain fait construire l'« Habitation ». Le bâtiment de deux étages fait office d'atelier, d'entrepôt, de résidence, voire même de forteresse provisoire. Mais pourquoi donc privilégier ce site par rapport à un autre ? Essentiellement pour deux raisons :

- **C'est un site de défense idéal.** Québec offre beaucoup d'avantages au plan militaire. C'est l'endroit où les rives du Saint-Laurent sont le plus rapprochées. Le cap rocheux, plus tard baptisé « cap Diamant », offre une excellente perspective sur le fleuve, ce qui permettait de voir venir l'ennemi et de se préparer en conséquence.

- **C'est un carrefour commercial.** Davantage inscrit à l'intérieur du continent que Tadoussac, Québec était plus proche des sources d'approvisionnement en fourrures. Plusieurs tribus amies des Français s'y croisaient.

Complot déjoué

François Gravé du Pont et Samuel de Champlain amènent avec eux quelques « engagés ». Parmi eux, on trouve des charpentiers, des forgerons, un chirurgien, mais aucune femme ni aucun clerc. Aussitôt arrivés, ces hommes se mettent au travail car il y a beaucoup à faire. Le serrurier Jean Duval a cependant la tête ailleurs. L'intrigant convainc trois autres hommes d'assassiner Champlain, de prendre le contrôle de la colonie naissante et de s'allier aux Basques. Quelques jours avant l'attentat, l'un des conspirateurs craque et raconte tout. Ses anciens complices sont faits prisonniers, ainsi que l'initiateur du mini coup d'État. Un procès est organisé, le premier de l'histoire du Québec. Les quatre hommes sont condamnés à la peine capitale mais les trois camarades de Jean Duval sont renvoyés en France. Quant à ce dernier, il « fut pendu et étranglé audit Québec, rapporte Champlain, et sa tête mise au bout d'une pique pour être plantée au lieu le plus éminent de notre fort »…

La consolidation d'une alliance

Pour assurer une présence à Québec, présence que l'on souhaite permanente, il fallait renforcer les liens avec les Amérindiens de la vallée du Saint-Laurent. La sécurité des quelques Français présents était en jeu. Comme c'est dans l'adversité que l'on crée souvent les liens les plus solides, Samuel de Champlain reconduit sa promesse de 1603 de combattre, à la première occasion, les ennemis iroquois.

Coups de fusil meurtriers

Durant l'été 1609, les Français vont passer de la parole aux actes. Le 28 juin, ils quittent Québec avec leurs alliés en direction du pays des Iroquois. « Je me résolus d'y aller pour accomplir ma promesse, écrit Champlain, et je m'embarquai avec les sauvages dans leurs canots, et je pris avec moi deux hommes de bonne volonté. » Quelques jours plus tard, ils accèdent, par la rivière Richelieu, au grand lac que le fondateur de Québec désigne de son nom. C'est la première fois que des Français explorent cette région. L'expédition permet à Champlain d'observer les croyances amérindiennes et leur façon de faire la guerre. Une chose le frappe beaucoup : les Amérindiens accordent une très grande importance aux prémonitions de leurs rêves. Ils ne cessent d'ailleurs de lui demander ce que ses songes annoncent.

Le matin du 30 juillet, l'affrontement a lieu à Ticonderoga, à la jonction du lac Champlain et du lac George. Le combat qui s'engage oppose les alliés des Français (Hurons, Algonquins et Montagnais) à 200 Iroquois de la tribu des Agniers. Dissimulé derrière ses compagnons, armé d'une arquebuse, Champlain attend le signal avant de s'avancer. Puis « les nôtres commencèrent à m'appeler à grands cris, et pour me donner passage, ils s'ouvrirent en deux, et je me mis à la tête, marchant quelque 20 pas devant, jusqu'à ce que je fusse à quelque 30 pas des ennemis, où aussitôt ils m'aperçurent et firent halte en me contemplant, et moi eux. » Cet Européen barbu habillé d'une armure qui luit au soleil prend les Agniers par surprise. Champlain vise et abat deux de leurs chefs d'un seul coup. Deux Français flanqués de chaque côté font feu tout de suite après. Ces coups de tonnerre meurtriers désarçonnent les Iroquois qui battent aussitôt en retraite.

Le courage dont Champlain fait preuve et l'usage stratégique des armes à feu impressionnent les Amérindiens. Les Français viennent surtout de montrer qu'ils savent tenir parole.

Torture amérindienne

C'est au retour de cette première campagne victorieuse contre les Iroquois que les Français découvrent les traitements que les Amérindiens réservent à leurs ennemis. Le fondateur de Québec est horrifié par les tortures et les cruautés infligées froidement à la douzaine de prisonniers capturés.

Après avoir fêté leur victoire, ceux-ci se tournent vers les captifs comme s'il s'agissait d'un rituel familier. On les brûle avec des tisons, on leur arrache les ongles, on leur déverse de l'eau bouillante sur la tête, on leur perce les bras près des poignets. Après avoir tué l'un des prisonniers, on lui ouvre le ventre, on jette ses entrailles dans le lac, on coupe son cœur en morceaux que l'on force les autres prisonniers à manger. « Voilà comment ces peuples se gouvernent, explique Champlain, profondément choqué par ce qu'il voit, et il vaudrait mieux pour eux de mourir en combattant… plutôt que de tomber entre les mains de leurs ennemis. »

Cette violence permettait d'exorciser les peurs ressenties durant le combat. Lorsque Champlain ou d'autres Européens arguaient que ces traitements étaient inhumains, les Amérindiens leur rétorquaient que, dans pareille situation, leurs ennemis leur infligeraient les mêmes.

Le 19 juin 1610, un nouvel affrontement contre les Agniers à Sorel se solde également par une victoire des Français et de leurs alliés. Ces deux campagnes victorieuses vont diminuer pendant plusieurs années l'ardeur des Iroquois à envahir la vallée du Saint-Laurent. En deux ans, Champlain avait beaucoup accompli. Québec était fondée, l'alliance amérindienne consolidée, la vallée du Saint-Laurent sécurisée… Autant de conditions qui allaient favoriser le commerce des fourrures et la colonisation du territoire.

Hélas pour Champlain, ces beaux projets allaient être assombris par l'assassinat d'Henri IV, le 14 mai 1610. Avant de mourir, le roi avait retiré le monopole des fourrures à Dugua de Mons.

Faudrait-il tout recommencer à zéro ?

Chapitre 2

Fonder une colonie (1611-1660)

● ●

Dans ce chapitre :

▶ Les démarches de Champlain à Paris

▶ L'arrivée des missionnaires et l'implantation des premiers colons

▶ La création de la Compagnie des Cent-Associés

▶ Montréal fondée par des mystiques

● ●

A près la mort d'Henri IV, le dauphin Louis XIII, âgé de neuf ans, n'était pas prêt à gouverner. La régence est donc assurée par la reine Marie de Médicis, qui s'intéresse bien peu à l'Amérique. Conséquence : du jour au lendemain, Champlain perd un accès privilégié au pouvoir royal. S'il souhaite poursuivre sa grande entreprise, il devra se montrer rusé et trouver de nouveaux alliés.

En 1611, la vallée du Saint-Laurent est ouverte à tous, le commerce libre ayant été rétabli. Quant à Québec, c'est un bien modeste comptoir de fourrures qui appartient à des intérêts privés. L'hiver 1608-1609 a décimé le groupe de Français présents. En 1611, seuls 17 hommes vivent à Québec. Le petit poste ne compte aucune femme. Si on jardine l'été, aucune agriculture n'est encore pratiquée. Il fallait beaucoup de vision et de convictions pour s'imaginer qu'une vraie colonie était en train de naître… Samuel de Champlain n'en manquait pas !

Des débuts hésitants

Jusqu'au milieu des années 1620, le sort de la Nouvelle-France est extrêmement incertain. Champlain multiplie d'ailleurs les va-et-vient entre la métropole et la jeune colonie afin de trouver du soutien et attirer des colons. Il faut dire que les responsables politiques de la colonie manquent de constance. La politique française est hésitante, mal assurée. Le plus souvent, Champlain est laissé à lui-même.

Champlain s'active

Propagandiste efficace et déterminé, Samuel de Champlain ne se laisse pas abattre. À la manière d'un redoutable lobbyiste, il tisse de nouvelles relations à Paris, continue de faire découvrir les richesses de la Nouvelle-France et développe des liens encore plus profonds avec les alliés amérindiens.

Trouver un parrain puissant

En 1611, la tâche la plus urgente (et la plus difficile) est de trouver de nouveaux appuis à la Cour... Champlain croyait avoir trouvé le parrain idéal dans la personne de Charles de Bourbon, comte de Soissons et gouverneur de la Normandie. Membre de la famille royale, l'homme se montre intéressé. À peine un mois après avoir été nommé, il meurt subitement. Le fondateur de Québec se tourne rapidement vers un autre prince de sang : Henri de Bourbon, prince de Condé, un cousin direct du roi. Énergique et impétueux, ce futur «vice-roi» de la Nouvelle-France ne manque pas de panache. Aussitôt nommé, il reconduit Champlain dans ses fonctions. Hélas, le nouveau parrain devient vite embarrassant. À l'automne 1615, le prince est emprisonné pour avoir affronté ouvertement son cousin le roi qui projette d'épouser une Espagnole. Prisonnier pendant trois ans, accaparé par cette affaire, Henri de Bourbon consacre bien peu de temps à la Nouvelle-France. Ni lui ni ses successeurs n'assument le leadership politique qu'attendait Champlain.

Hélène Boullé, 12 ans : un mariage « arrangé » ?

Le 30 décembre 1610, Samuel de Champlain épouse à Paris Hélène Boullé, la fille de Nicolas Boullé, huissier des finances du roi et bon bourgeois parisien. Au moment du mariage, l'épouse n'a que 12 ans, alors que Champlain est âgé de 38 ans. C'est donc 26 années qui séparent les deux époux. Dans le contrat de mariage, il est stipulé qu'Hélène Boullé irait vivre avec son mari plus tard, à l'âge de... 14 ans.

Tout indique que ce mariage a été « arrangé ». Champlain épousait moins une femme qu'il ne se liait à une famille assez influente. En plus de trouver un parrain à la colonie au sein de la famille royale, il lui fallait aussi nouer des liens avec des administrateurs de la Cour. Même dans sa vie la plus intime, Champlain ne pensait qu'à la Nouvelle-France !

La petite île en face de Montréal, l'île « Sainte-Hélène », aurait été baptisée en l'honneur de sa jeune épouse. Tout indique cependant que la vie du couple n'aurait pas été heureuse. La vie et les manières d'Hélène Boullé étaient parisiennes. Elle n'acceptera de vivre en Nouvelle-France que pendant quatre ans (1620-1624). Après son séjour en Amérique, elle quitte son mari et se consacre à des œuvres pieuses.

Tout au long du 17e siècle, il ne sera pas rare de voir des hommes d'âge mûr épouser de très jeunes filles. Si de telles unions furent autorisées, c'est parce que les femmes ont longtemps été beaucoup moins nombreuses que les hommes dans la colonie, comme nous le verrons plus loin.

S'il s'active à Paris, Champlain n'oublie pas d'entretenir ses liens avec les alliés amérindiens qui continuent d'approvisionner la France en fourrures. Ces derniers ont du mal à suivre la politique française dans le Saint-Laurent. Après la mort d'Henri IV, le gouvernement français alterne entre le commerce libre et l'octroi de monopoles. Dans un tel contexte, à qui les Amérindiens pouvaient-ils faire confiance? À Champlain qui dit représenter la France ou à ces trafiquants qui ne souhaitent que le profit à court terme? Ce manque de cohérence fragilise l'alliance amérindienne. Champlain convainc les autorités de clarifier les choses. À partir de 1613, le commerce des fourrures est à nouveau encadré par une politique de monopoles. Fini l'anarchie et la concurrence débridée! Un seul groupe de marchands, désigné par la Cour, sera désormais responsable des achats de pelleteries.

Un hiver en Huronie

Grâce aux alliés amérindiens, le fondateur de Québec continue d'explorer l'intérieur du continent. En 1613, il emprunte pour la première fois la rivière des Outaouais qui mène à la région des Grands Lacs, qu'on appellera longtemps «les Pays d'en haut». C'est d'ailleurs là que vivent les Hurons (entre les lacs Huron et Ontario actuels). La population de la «Huronie» est de 20 000 à 30 000 personnes réparties en quelques tribus et une vingtaine de villages d'environ 1 500 habitants. Ce peuple de semi-sédentaires cultive le maïs et pratique le troc avec les nations environnantes et avec les Français. Les «Pays d'en haut» vont longtemps rester la plaque tournante du commerce des fourrures. Par les autres peuples amérindiens, les Hurons du 17e siècle sont considérés comme des intermédiaires qui troquent et revendent.

En 1615, Champlain décide de s'aventurer dans le pays des Hurons pour la première fois. Lors de son arrivée, ceux-ci ont prévu d'attaquer des tribus iroquoises. Fidèle à son engagement, Champlain et ses hommes prennent part à l'expédition. Près de la ville actuelle de Syracuse dans l'État de New York, un affrontement a lieu. L'attaque franco-huronne ne se déroule pas comme prévu. Deux flèches atteignent Champlain, l'une au mollet, l'autre au genou. Avec d'autres blessés, il est transporté par des Hurons dans une sorte de panier très inconfortable. La route est longue, les souffrances, insupportables. De retour dans les «Pays d'en haut», Champlain se voit forcé d'y passer l'hiver. Pendant plusieurs mois, il vit parmi ce peuple ami. La liberté de leurs mœurs sexuelles l'étonne (il refuse les avances sexuelles d'une jeune femme!), leurs techniques agricoles et leurs méthodes de conservation des aliments l'impressionnent. Européen convaincu de la supériorité de sa civilisation, il déplore cependant l'absence de cadres juridiques et le manque d'autorité des parents à l'égard des enfants. Globalement, la vie parmi eux est douce car «tous ces peuples sont d'une humeur joviale», écrit-il!

Étienne Brûlé et l'importance des « truchements »

Pour traiter avec les Amérindiens, faire le commerce des fourrures, il faut parler leur langue. Les Français sont au départ si peu nombreux, si dépendants de l'alliance avec les peuples indigènes qu'ils ne sont pas du tout en mesure d'imposer leur langue. Pour communiquer, il fallait recourir aux services d'interprètes qu'on nomme alors des « truchements ». Ce sont surtout des Français qui vont exercer cette fonction. À l'époque de Champlain, le plus célèbre d'entre eux s'appelle Étienne Brûlé.

Né autour de 1592, probablement arrivé à Québec en 1608, il vit parmi les Algonquins pendant presque un an. Brûlé apprend leur langue, découvre leurs coutumes, collabore à la rédaction d'un dictionnaire. Il n'a malheureusement laissé aucune trace écrite de son séjour. Champlain se prend d'affection pour le jeune homme. Par la suite, Brûlé serait retourné en France et se serait marié. Champlain le retrouve parmi les Hurons en 1615. Les récits que Brûlé propose de ses aventures, pimentés de découvertes improbables et de scènes de torture fantaisistes, laissent les historiens perplexes. On croit cependant qu'il aurait été le premier Européen à explorer le lac Supérieur.

Esprit libre, il adopte les mœurs sexuelles des autochtones et refuse de se soumettre aux ordres. Accusé de trahison après avoir servi les Anglais, il part vivre chez les Hurons où il aurait été assassiné autour de 1632. S'il fascine autant aujourd'hui, c'est qu'il est un personnage de l'entre-deux, un trait d'union entre les cultures, une sorte d'apôtre avant-gardiste du métissage et de l'hybridité.

Attirer des colons

En assurant les arrières de la colonie à Paris et dans les « Pays d'en haut », Champlain se préoccupe davantage de la survie de Québec que de son développement. Mais pour fournir des assises plus solides à cet établissement précaire, il importe aussi de dénicher des colons français qui s'établiront en Amérique du Nord.

Le programme des récollets

Pour l'aider dans cette tâche, le fondateur de Québec pourra compter sur des religieux pour qui la Nouvelle-France est une formidable terre de mission. En mai 1615, quatre clercs de la congrégation des récollets arrivent à Tadoussac. L'un d'eux part aussitôt vivre parmi les Hurons ; les autres construisent une petite église et célèbrent leurs premières messes. Très rapidement, ils sont convaincus que seuls des colons français, en offrant des modèles d'une vie pieuse et réglée, pourront convertir les « sauvages » à la foi chrétienne. Selon ces pères récollets, on ne peut devenir un bon chrétien sans être auparavant « civilisé » à l'européenne. C'est en s'établissant sur une terre et en fondant une famille que les Amérindiens pourraient adhérer au nouveau credo proposé. Une telle conception des choses n'allait pas de soi. Les marchands ne partageaient pas ce grand dessein spirituel. Ils craignaient qu'en délaissant leur mode de vie traditionnel, les Amérindiens seraient moins utiles au commerce des fourrures.

D'autres richesses à exploiter

À ces arguments des religieux en faveur de la colonisation s'en ajoutèrent d'autres, plus économiques. Pour convaincre Paris de soutenir la Nouvelle-France, Champlain dresse un inventaire impressionnant des richesses de la colonie autres que la fourrure. Produit durant l'hiver 1617-1618, son mémoire rebaptise Québec «Ludovica», en hommage au roi Louis. Parmi les richesses que l'on retrouverait dans la colonie :

- ✔ **Le poisson.** Champlain estime que 800 à 1 000 navires viennent pêcher chaque année la morue dans le golfe du Saint-Laurent et au large des côtes de Terre-Neuve. Il est aussi convaincu que d'autres poissons comme le saumon, le hareng, l'esturgeon ou la truite pourraient faire l'objet d'un commerce lucratif.

- ✔ **La forêt.** La vallée du Saint-Laurent est riche en forêts de feuillus. On y retrouve notamment quantité de chênes, un bois très recherché pour construire des navires de guerre.

- ✔ **L'agriculture.** Champlain vante également la fertilité et la qualité des terres qui, selon lui, permettraient de cultiver du chanvre, du blé et même des vignes. Sur ces terres, du bétail pourrait se multiplier et procurer beaucoup de cuir.

- ✔ **Les mines.** Si l'or et le diamant restent introuvables, il existe néanmoins des gisements de fer et de cuivre, fort utiles à la vie économique.

On le voit, Champlain déborde d'optimisme! Selon lui, toutes ces richesses peuvent rapporter jusqu'à six millions de livres par an au Trésor royal… rien de moins! Pour les exploiter, le savoir-faire des Français est essentiel – tout comme il est impératif que des colons puissent offrir une main-d'œuvre stable et compétente.

Louis Hébert, premier colon

Ceux qui résident à Québec depuis 1608 sont moins des colons que des salariés qui ont signé un contrat pour une durée déterminée. La majorité rentrent chez eux après quelques années. Le cas de Louis Hébert et de sa famille est particulier. Né en 1575, fils d'un médecin de la bonne société parisienne, Hébert rêve de s'établir en Amérique. Après une première expérience non concluante en Acadie, il se laisse convaincre par Champlain de tout vendre ce qu'il possède en France et de s'installer à Québec. Le 11 mars 1617, il quitte Honfleur avec sa femme Marie Rollet, ses trois enfants et son beau-frère. La traversée est extrêmement pénible, leur bateau évitant des banquises de justesse. La femme d'Hébert est à ce point convaincue que l'équipage finira dans le «ventre des poissons» qu'elle demande qu'on lui administre les derniers sacrements… Mais ils arrivent sains et saufs! Hébert a signé un contrat de deux ans et ramené avec lui quelques grains pour cultiver la terre. Ses deux années écoulées, il décide de rester et devient un personnage clé de la jeune colonie.

Les débuts du régime seigneurial

En 1623, le vice-roi de la Nouvelle-France cède à Louis Hébert une concession sur les hauteurs de Québec, au cœur de la vieille ville actuelle. L'octroi de ce fief noble constitue une forme de reconnaissance pour les services rendus à la colonie. À partir de 1627, ces fiefs sont appelés «seigneuries».

En 1663, on compte en Nouvelle-France 68 seigneuries, surtout groupées autour de Québec, Trois-Rivières et Montréal. Jusqu'à la Conquête de 1760, ce sera le mode privilégié de concession des terres par la France de l'Ancien Régime.

Rapidement, la plupart des seigneuries ressemblent, vues du ciel, à de longs rectangles qui partent des rives du fleuve et s'enfoncent dans les terres. Le seigneur dispose d'un domaine important en superficie. Il est cependant tenu de concéder des «censives» aux colons fraîchement arrivés. À partir de 1711, ce devoir devient même une obligation formelle.

Ces terres sont offertes gratuitement et l'habitant est libre d'en disposer, à la condition expresse de les exploiter et de s'acquitter de ses devoirs à l'égard du seigneur (rente et corvées annuelles, don d'une partie de ses récoltes, etc.). Le seigneur a également des devoirs à l'égard de ses «censitaires». Il se doit notamment d'assurer leur protection et de mettre un moulin à leur disposition.

Ce mode de propriété de l'Ancien Régime était fondamentalement inégalitaire. Lorsqu'un conflit opposait le seigneur au censitaire, la loi penchait généralement en faveur du premier. Cela dit, le seigneur de la Nouvelle-France, du moins aux premiers temps de la colonisation, se distinguait nettement des grands aristocrates français, souvent indifférents aux malheurs du peuple. D'origine modeste, il vivait au milieu des habitants, partageait leurs insécurités. Plusieurs historiens ont prétendu que les premiers seigneurs de la Nouvelle-France n'étaient rien d'autre que des «agents de colonisation».

Vues divergentes

Pour Champlain autant que pour les récollets, des colons comme Louis Hébert étaient les bienvenus. Mais attention : pour s'établir en Nouvelle-France, il fallait accepter de trimer dur. Pas de place pour les fainéants! Ce que l'on cherchait avant tout, c'étaient des femmes et des hommes qui n'avaient pas peur du travail, non des touristes en quête d'exotisme. En 1621, Champlain expulse deux ménages qui, selon lui, ne font que «se donner du bon temps, à chasser, pêcher, dormir, et s'enivrer»…

Les cousins de Caen, à qui on octroie le monopole de la traite de fourrures en 1620, s'étaient engagés à défrayer les coûts du transport, de la nourriture et du logement de nouvelles familles. Mais les récollets trouvent qu'ils n'en font pas assez. Apparemment, tous les prétextes étaient bons pour ne pas respecter leur engagement par rapport à la colonisation. Le problème, c'est que pour ces marchands, la colonisation reste une entreprise coûteuse qui gruge souvent leurs maigres profits. S'il n'en tenait qu'à eux, la Nouvelle-France resterait un comptoir de commerce. Ces vues divergentes sont bientôt présentées à la Cour… Une décision politique s'impose.

Un nouvel élan

Louis XIII commence à gouverner en 1617. Son règne sera dominé par le cardinal de Richelieu, un personnage hors du commun qui, à partir de 1624, occupe l'équivalent du poste de premier ministre. Pour retrouver sa grandeur, la France devait selon lui développer son empire et combattre ces chrétiens «réformés», les protestants huguenots, qui divisaient le royaume. En 1627, il ordonne le siège de La Rochelle, le dernier grand bastion des Huguenots en France. L'ère de la tolérance religieuse, inaugurée par Henri IV, est bel et bien révolue. Entre le cardinal de Richelieu et les mystiques qui rêvent de construire un Nouveau Monde chrétien, il y a convergence de vues. Ces religieuses et ces dévots, soutenus par de généreux mécènes, souhaitent donner un sens plus concret à leur foi religieuse en allant convertir des païens en Nouvelle-France et aux quatre coins du monde.

La Compagnie des Cent-Associés

Pour que la France puisse retrouver sa grandeur impériale, encore fallait-il des moyens et des ressources. C'est ce que s'emploie à trouver le cardinal de Richelieu, une fois au pouvoir. Après avoir consulté les uns, écarté les autres, il passe aux actes.

Enfin des moyens !

DATE CLÉ

Le 29 avril 1627, Richelieu signe l'acte d'établissement d'une grande compagnie détenue par environ 100 associés. Le nom officiel de la nouvelle entité : la «Compagnie de la Nouvelle-France». À sa tête, on trouve un «comité directeur», l'équivalent d'un conseil d'administration ; et pour diriger les opérations et appliquer la politique du cardinal, il y a un «intendant», qui prend les décisions quotidiennes. La mission de la Compagnie est de «peupler ledit pays de naturels français catholiques, pour, par leur exemple, disposer ces nations [amérindiennes] à la religion chrétienne, à la vie civile, et même y établir l'autorité royale». La Compagnie devra aussi «tirer des dites terres nouvellement découvertes, quelque avantageux commerce pour l'utilité des sujets du roi»… En somme, il s'agit de coloniser la Nouvelle-France et d'en exploiter les richesses.

Les objectifs fixés par Richelieu sont ambitieux : la Compagnie devra, chaque année, trouver de 200 à 300 personnes qui traverseront l'Atlantique. L'horizon, c'est d'attirer 4 000 colons en Nouvelle-France. Chaque nouvel arrivant sera logé, nourri et entretenu pendant trois ans, après quoi il pourra s'établir sur une terre qui lui sera offerte gratuitement. La charte de la Compagnie comprend aussi d'importantes dispositions religieuses. Elle devra fournir des terres et assurer les frais de subsistance aux ecclésiastiques qui s'établiront dans la colonie. Par ailleurs, seuls les «catholiques» seront admis à s'établir dans la colonie – une grave erreur, selon plusieurs historiens. En excluant la minorité protestante, Richelieu prive la colonie d'un groupe nombreux et dynamique qui aurait pu jouer un rôle déterminant. En retour, la Compagnie des Cent-Associés obtient le monopole exclusif sur tout le commerce pratiqué dans la colonie, à l'exception de la pêche. Le territoire d'action est immense : du cercle arctique jusqu'à la Floride !

Partir sur les chapeaux de roue !

Fidèle à son engagement, la Compagnie affrète quatre navires à bord desquels s'entassent plus de 400 colons. Le convoi apporte aussi des vivres, des outils pour défricher la terre, des semences de toutes sortes. Depuis les débuts de l'histoire de la Nouvelle-France, il s'agit certainement de l'expédition la plus ambitieuse… et la plus coûteuse. Pour que celle-ci quitte Dieppe en avril 1628, il a fallu que les associés saignent à blanc la toute nouvelle compagnie. Le moment est cependant bien mal choisi. En réaction au siège de La Rochelle, le roi d'Angleterre Charles Ier vient de déclarer la guerre à la France. Informé par des espions huguenots que Richelieu organise une expédition d'envergure pour la Nouvelle-France, le monarque anglais fait appel à des corsaires écossais, les frères Kirke. Leur mission : intercepter les bateaux français et prendre la jeune colonie.

Champlain capitule

En juillet 1628, un premier navire français est intercepté par les corsaires. Les envahisseurs prennent Tadoussac et, guidés par des Montagnais qui ont tourné leur veste, ils remontent le fleuve jusqu'au cap Tourmente. Après s'être fait passer pour des représentants des Cent-Associés, ils détruisent les quelques habitations de la ferme qui s'y trouve, abattent le bétail et font des prisonniers. Le 10 juillet, on remet à Champlain une lettre des frères Kirke qui l'informe que leur mission est de prendre la Nouvelle-France. Ils promettent de respecter les religieux et l'honneur des quelques femmes présentes. Champlain répond qu'il dispose d'assez de vivres pour attendre des renforts. En réalité, ses hommes et lui sont presque acculés à la famine. Chaque petit pois est compté. Fait sans précédent : ce sont les Français qui échangent des peaux de castor aux alliés amérindiens contre des anguilles. Les frères Kirke savent que Champlain bluffe. Plutôt que d'attaquer Québec, ils préfèrent cependant que les Français se rendent d'eux-mêmes. Mais leur patience, ainsi que celle de Charles Ier, a des limites. L'hiver 1628-1629 est long et rude. L'avenir des quelques dizaines d'habitants installés à Québec semble complètement bloqué. Le 19 juillet 1629, alors que la paix a été rétablie entre la France et l'Angleterre – ce qu'ignorent les frères Kirke –, une nouvelle lettre remise à Champlain exige la capitulation immédiate. Trois vaisseaux anglais mouillent devant Québec. Laissé à lui-même, à court de vivres, le fondateur de Québec déclare forfait… Le 20 juillet, 150 soldats anglais prennent possession du poste de Québec. Le lendemain, leur drapeau flotte. La plupart des Français, dont Champlain, retournent en France *via* Londres.

1632 : il faut tout reprendre à zéro…

L'interception du convoi de 1628 et la prise de Québec hypothèquent considérablement les débuts de la Compagnie des Cent-Associés. De retour en France, Champlain ne désespère pas pour autant. Il publie *Voyages en Nouvelle-France*, un gros livre qui fait la synthèse de ses expériences et rappelle tout le potentiel de la colonie. Après de longues et laborieuses négociations, la Nouvelle-France est finalement rétrocédée à la France par l'Angleterre le 29 mars 1632 (traité de Saint-Germain-en-Laye). Le 13 juillet suivant, les frères Kirke, non sans amertume, abandonnent Québec en emportant avec eux une dernière cargaison de peaux de castor, leur quatrième depuis leur arrivée dans la colonie. Ils n'avaient peut-être pas fondé une «Nouvelle-Angleterre» dans la vallée du Saint-Laurent, mais ils avaient tout de même empoché de rondelettes sommes! Pour relancer le développement de la colonie française d'Amérique du Nord, Richelieu nomme Champlain gouverneur et consent à ce que des sous-contractants appuient les efforts de la Compagnie des Cent-Associés. Il faut presque tout reprendre à zéro… L'effort est colossal : le poste de Québec n'est plus qu'un champ de ruines.

«Nous ne ferons plus qu'un peuple»

La traversée qu'effectue Champlain au printemps 1633 est la dernière. Deux ans plus tard, le 25 décembre 1635, il rend l'âme. Ses dernières années en Nouvelle-France sont fort occupées. Il fonde un nouveau poste aux Trois-Rivières en 1634 et s'assure que les colons qui arrivent ont tout ce qu'il faut pour partir du bon pied. Ce travail opiniâtre, il l'accomplit avec la complicité des alliés amérindiens, avec lesquels il renoue dès son retour, en mai 1633. Lors d'une discussion avec des représentants montagnais, il leur explique qu'il faudra reconstruire le fort de Québec. «Quand cette grande maison sera faite, fait-il valoir, alors nos garçons se marieront à vos filles, et nous ne ferons plus qu'un peuple… »

Ces «garçons» dont parle Champlain, ils commencent enfin à arriver en 1634. Parmi eux, il y a Robert Giffard, originaire du Perche, une région située au sud de la Normandie. Ce maître-chirurgien, employé par la Compagnie, avait passé un hiver en Nouvelle-France au milieu des années 1620. Assez pour rêver d'y revenir et s'y installer pour de bon. En janvier 1634, les Cent-Associés lui concèdent la seigneurie de Beauport. Giffard s'empresse aussitôt de recruter des colons. En juin, 48 personnes débarquent à Québec grâce à ses efforts. D'autres Percherons seront aussi recrutés par Giffard au cours des années suivantes. Les convois de 1635 et de 1636 amènent d'autres «engagés». Leurs motivations sont nombreuses et variées. Certains rêvent d'avoir accès à une terre, le bien le plus précieux à l'époque. D'autres y voient une occasion de faire reconnaître leur maîtrise d'un métier. Après six ans de pratique d'un métier en Nouvelle-France, l'engagé pouvait en effet revendiquer le tire de «maître» en France, ce qui lui permettait notamment de tenir boutique dans une ville. Ces nouveaux arrivants viennent surtout des régions de la Normandie, de l'Île-de-France et du centre-ouest (Saintonge, Poitou). En 1634, environ 400 Français vivent dans la vallée du Saint-Laurent. Des mariages sont célébrés, des baptêmes enregistrés. De 1627 à 1663, une population de pionniers fait souche en Nouvelle-France. Un peuple est en train de prendre forme.

L'épopée mystique

Le grand dessein de Richelieu, les calculs intéressés de quelques marchands et le travail de recrutement de certains seigneurs n'expliquent qu'en partie ce décollage démographique. La foi, dit l'adage, peut parfois soulever des montagnes! Rien n'est plus vrai au 17e siècle. La croyance religieuse est alors un mobile d'action fondamental pour de nombreux Français et Européens. En réaction aux avancées du protestantisme, l'Église chrétienne de Rome s'est elle aussi réformée. Assiéger La Rochelle, affamer les Huguenots, combattre militairement le mal protestant étaient loin de suffire. Pour gagner et conserver l'adhésion des fidèles, il fallait encadrer davantage les prêtres, mieux éduquer les élites, encourager les communautés religieuses les plus ferventes. Par leurs œuvres sociales auprès des enfants, des malades ou des pauvres, plusieurs de ces congrégations propageaient le message du Christ, soit en consolidant la foi de ceux qui doutaient, soit en convertissant les païens des quatre coins du monde. Pour les réformateurs catholiques, nul doute que la Nouvelle-France constituait un formidable défi!

Les jésuites en mission commandée

Parmi les institutions religieuses mises en place dans la foulée de la Réforme catholique, il y a la Compagnie de Jésus. Fondé en 1540 par Ignace de Loyola et le pape Paul III, l'ordre des «jésuites» se consacre à l'apostolat et à la formation des élites. Relevant directement du pape, cette congrégation a ses entrées dans les cercles du pouvoir. Richelieu, par exemple, accordait beaucoup d'importance à leurs avis, même lorsqu'il était question de la Nouvelle-France. L'Amérique du Nord avait déjà intéressé des jésuites. En 1612, quelques-uns d'entre eux s'étaient déplacés à Port-Royal. Après avoir conçu un catéchisme destiné aux Amérindiens, ils étaient retournés en France.

Pour soutenir le travail d'évangélisation des récollets arrivés en 1615, trois prêtres jésuites débarquent en Nouvelle-France le 15 juin 1625 : Charles Lalemant, Ennemond Massé et Jean de Brébeuf. Dès leur arrivée, ils sollicitent les services d'interprètes qui leur permettront d'entrer en contact avec des Amérindiens alliés. Le père Brébeuf passe son premier hiver chez les Montagnais. Plus tard, on le retrouvera chez les Hurons. En 1626, une grande terre leur est concédée en plein cœur de Québec, ce qui atteste déjà de leur influence. En 1632, les jésuites sont préférés aux récollets et aux capucins pour évangéliser la Nouvelle-France et intégrer les Amérindiens à la vie européenne. Trois ans plus tard, ils fondent un premier séminaire à Québec, grâce au don d'un philanthrope. Leur plus importante contribution à la découverte et au développement de la Nouvelle-France, elle vient de l'écrit. Dans leurs *Relations*, les jésuites vont, pendant 40 ans (1632-1672), raconter ce qu'ils voient et ce qu'ils vivent. En plus de constituer un témoignage unique sur les mœurs amérindiennes et la vie quotidienne au temps de la Nouvelle-France, ces textes vont susciter beaucoup d'intérêt dans les cercles informés. Plusieurs dévots y puisent même l'inspiration nécessaire pour partir à l'assaut du Nouveau Monde.

Marie Guyart et l'arrivée des ursulines

L'une des lectrices assidues des *Relations* s'appelle Marie Guyart, alias Marie de l'Incarnation (1599-1672). Cette veuve sent très tôt l'appel de Dieu mais attend que son fils ait atteint l'âge de 12 ans avant d'entrer en religion. L'heure venue, elle abandonne son fils et choisit d'entrer chez les ursulines, un ordre fondé en 1530, dédié à la vie contemplative et à l'éducation des jeunes filles. À la suite d'un rêve, dans lequel elle se voit dans « un grand et vaste pays, plein de montagnes et de vallées », écrira-t-elle dans son autobiographie, elle décide d'aller vivre en Nouvelle-France. Le 4 mai 1639, elle quitte le port de Dieppe et la France. Elle ne reverra jamais son pays.

D'autres mystiques l'accompagnent. Des ursulines, bien sûr, mais aussi des sœurs hospitalières, qui vont fonder l'Hôtel-Dieu de Québec, et des laïques comme Madeleine de la Peltrie, autre lectrice des *Relations*, à l'origine de plusieurs œuvres fondamentales. Le 27 juillet, ces dévotes sont accueillies à Québec par Charles Huault de Montmagny, le gouverneur qui a succédé à Champlain.

Marie Guyart se donne pour mission de convertir et d'éduquer les jeunes Amérindiennes. De son propre aveu, ses succès seront mitigés. « De cent de celles qui ont passé par nos mains à peine en avons-nous civilisé une, écrit-elle. Nous y trouvons de la docilité et de l'esprit, mais lorsqu'on y pense le moins elles montent par-dessus notre clôture – comme des écureuils – et s'en vont courir dans les bois avec leurs parents, où elles trouvent plus de plaisir que dans tous les agréments de nos maisons françaises. » Elle laissera plusieurs lettres qui permettront de mieux comprendre les langues et la spiritualité des autochtones.

La correspondance de cette femme courageuse et entreprenante avec son fils, qu'elle ne reverra jamais, inspirera d'autres vocations. Présentée comme une « maîtresse de vie spirituelle » par le pape Jean-Paul II, elle est déclarée « bienheureuse » par l'Église catholique romaine le 22 juin 1980.

La Société Notre-Dame de Montréal

D'autres lecteurs des *Relations* vont aussi s'activer. En 1639, Jérôme Le Royer de la Dauversière, un modeste percepteur d'impôts, Jean-Jacques Olier, prêtre fondateur des sulpiciens, et quelques mécènes fondent la Société Notre-Dame «pour la conversion des Sauvages de la Nouvelle-France». Les objectifs fixés par la Société sont strictement spirituels. On souhaite établir une colonie agricole, fonder un séminaire, former des missionnaires et convertir les Amérindiens. L'année suivante, le groupe fait l'acquisition de l'île du Mont-Royal. Le projet est soutenu par les jésuites et reçoit la bénédiction de Richelieu. Pour mettre en œuvre l'opération, deux personnages clés sont recrutés : Paul de Chomedey de Maisonneuve et Jeanne Mance. Le premier est un militaire de carrière, complètement acquis à la dimension spirituelle de l'aventure. Austère et courageux, l'homme ne tirera aucun bénéfice personnel de cette expérience. La seconde est proche du jésuite Charles Lalemant. C'est une laïque issue de la bourgeoisie dévote. C'est à elle qu'une philanthrope confie une rondelette somme dédiée à la construction d'un hôpital. Elle tiendra les cordons de la bourse.

La «folle entreprise»

La première expédition financée par la Société Notre-Dame de Montréal s'éloigne du port de La Rochelle le 9 mai 1641. Elle est formée de deux navires à bord desquels se sont embarqués une quarantaine de dévotes et de dévots. Cette première recrue «montréaliste» est accueillie très froidement par le gouverneur Montmagny. C'est une «folle entreprise», selon lui! L'île de Montréal est trop exposée aux attaques iroquoises. S'y installer est beaucoup trop dangereux. Plutôt que d'aller à Montréal, pourquoi ne pas tout simplement s'installer sur l'île d'Orléans?, propose Montmagny. La réponse de Maisonneuve ne laisse planer aucun doute sur sa détermination : «Monsieur, ce que vous me dites serait bon si on m'avait envoyé pour délibérer et choisir un poste; mais ayant été déterminé par la compagnie qui m'envoie que j'irais à Montréal, [...] vous trouverez bon que j'y monte pour commencer une colonie, quand tous les arbres de cette île se devraient changer en autant d'Iroquois»!

Après un hiver passé à Québec, les Montréalistes partent au printemps et prennent possession de l'île de Montréal le 17 mai 1642. En août, des renforts arrivent d'Europe; 12 nouveaux colons vont contribuer au rêve civilisateur de la Société Notre-Dame. Un poste, qui peut abriter jusqu'à 70 personnes, est rapidement aménagé. Les premiers mois se passent dans l'allégresse. Mais la dure réalité les rattrape rapidement. Le 9 juin 1643, les Iroquois de la tribu des Agniers attaquent cinq jeunes Français en train de travailler à l'érection d'une charpente. Selon les *Relations* de 1643, trois d'entre eux sont assommés puis scalpés. La sombre prédiction du gouverneur semble se confirmer...

La menace iroquoise

Si les Français qui s'installent dans la colonie sont convaincus de la supériorité morale de leur civilisation, ils n'entendent pas, sauf en de très rares exceptions, exterminer les populations autochtones qui les entourent. L'auraient-ils souhaité qu'ils n'auraient disposé ni de la force, ni des moyens pour y arriver. Les affrontements contre les Iroquois, qui débutent réellement au cours des années 1640 après une longue période d'accalmie, résultent d'une concurrence féroce entre les indigènes qui souhaitent prendre le contrôle du commerce des fourrures et d'alliances contraignantes avec les Hurons, les Algonquins et les Montagnais.

La Communauté des habitants

Ces tensions entre Amérindiens ont un effet direct sur la traite des pelleteries. Attaqués par leurs ennemis iroquois au milieu des années 1630, les Hurons des Pays d'en haut, qui sont le principal fournisseur de fourrures, livrent de plus petites cargaisons, ce qui est bien mauvais pour les affaires. Déjà très endettée, la Compagnie des Cent-Associés n'a d'autre choix que de faire affaire avec des intermédiaires qui partagent les risques financiers d'un commerce fluctuant au gré des guerres intertribales. Aussi, les Montréalistes souhaitent que les habitants de la colonie contrôlent davantage le commerce des fourrures. Ils ont leurs entrées à la Cour, *via* la Compagnie du Saint-Sacrement, une société catholique très puissante qui étend ses ramifications partout. La montée de la menace iroquoise des années 1640 et les pressions des Montréalistes expliquent la création de la Communauté des habitants en 1645. Les associés français restent les maîtres de la Nouvelle-France (pour l'administration de la justice, la concession des terres, le choix du gouverneur, etc.) mais acceptent de céder le commerce des fourrures et la lourde responsabilité de la colonisation à une entité formée par des gens sur place. En 1647, on retrouve à la tête de la Communauté des habitants les gouverneurs de Québec et de Montréal, le supérieur des jésuites et, fait à signaler, des représentants élus par une frange non négligeable de la population. Par ce mode de fonctionnement, la nouvelle entité responsabilise les colons et suscite un certain sentiment d'appartenance à la colonie.

L'éclipse d'un peuple

Durant la première grande guerre iroquoise, qui s'échelonne de 1647 à 1653, les colons de la vallée du Saint-Laurent doivent serrer les rangs. Les Agniers et leurs alliés lancent en effet une offensive sans précédent contre leurs ennemis hurons. Ils disposent d'un avantage majeur : des armes à feu, fournies par les Hollandais. Les Français, de leur côté, ont toujours refusé d'échanger des arquebuses contre des fourrures. Les Hurons en paieront le prix car les attaques éclair de 1648 et de 1649 sont dévastatrices. Plusieurs milliers de guerriers hurons sont tués ou réduits à l'esclavage.

Leurs populations, effrayées, fuient vers l'ouest ou se réfugient à Québec. Leurs récits, qui se propagent rapidement, sèment l'effroi. Cette destruction foudroyante de la Huronie s'expliquerait par de terribles épidémies et par la présence de missionnaires jésuites qui vont considérablement diviser les Hurons entre le camp des traditionnalistes, partisans d'une paix avec les Iroquois, et celui des convertis qui continuent de miser sur l'alliance française. Les pères Brébeuf et Lalemant sont capturés, torturés et tués. Certains Hurons les croient responsables de leurs malheurs. À cause de ces missionnaires, les Hurons auraient perdu confiance en leurs traditions...

Les colons menacés

Cette grande offensive des Iroquois se fait sentir jusque dans la vallée du Saint-Laurent. Gonflés à bloc par ces victoires relativement faciles contre les Hurons, les Iroquois multiplient les raids et se montrent agressifs. Les colons qui défrichent des terres sur l'île de Montréal reçoivent l'ordre de se réfugier à l'intérieur du fort de Ville-Marie. En mars 1651, environ 50 Iroquois se pointent à Montréal. Cachés autour du fort, ils attendent patiemment leurs victimes. Le 6 mai, ils blessent grièvement un colon et capturent sa femme qu'ils brûlent vive, après lui avoir tranché les seins. En juillet, les Montréalistes, dirigés par le courageux Lambert Closse, repoussent les Iroquois qui projetaient d'attaquer l'hôpital fondé par Jeanne Mance. Le petit poste des Trois-Rivières subit également plusieurs attaques durant cette période. Les Iroquois arrivent le plus souvent en canots dans le silence le plus complet. Ils abattent les Français partis chasser le gibier avec leur arquebuse ou leur tomahawk. Le 6 juin 1651, Pierre Boucher, en charge du poste des Trois-Rivières, reçoit l'ordre de créer de petites escouades de miliciens – une première.

Sauver Montréal

En 1650, le sort de la Nouvelle-France est critique. «Ce lieu serait un paradis terrestre pour les Sauvages et pour les Français, peut-on lire dans les *Relations* de 1651, n'était la terreur des Iroquois qui y paraissent quasi continuellement et qui rendent ce lieu presque inhabitable. » Comme l'écrit Marie de l'Incarnation à son fils, seules deux options semblent s'offrir aux colons : «ou mourir ou retourner en France »... Aucune armée n'est là pour les protéger ; le commerce des fourrures est interrompu ; l'agriculture est impraticable. Malgré la force de leurs convictions, les Montréalistes, plus exposés, se rendent à l'évidence : sans renforts, leur cause est perdue. Pour la première fois, Maisonneuve montre des signes de découragement. Pour sauver Montréal, Jeanne Mance accepte de détourner une importante somme destinée à la construction de l'Hôtel-Dieu. Cet argent permet à Maisonneuve de retourner en France et d'offrir à une centaine d'hommes des conditions raisonnables pour cultiver la terre et défendre le poste de

Montréal. Formée par des Français de tous les métiers et de toutes les régions, cette recrue arrive en 1653. Parmi elle, il y a Marguerite Bourgeoys, la fondatrice de la congrégation Notre-Dame, vouée à l'éducation des filles et des Amérindiennes. Sans cet arrivage, c'en était terminé de Montréal...

Un désastre évité de justesse

Après quelques années d'accalmie, les hostilités reprennent. En octobre 1657, les Agniers renouent avec les attaques surprises et une violence gratuite. Malgré la construction de deux maisons fortifiées en 1658, l'arrivée d'une centaine de colons et de sœurs hospitalières en 1659, Montréal ne pourrait résister longtemps à une attaque iroquoise de grande envergure. C'est pourtant la rumeur qui court : les Iroquois s'apprêteraient à lancer une offensive au printemps 1660. C'est à ce moment que surgit un personnage controversé de l'histoire du Québec : Dollard des Ormeaux. Ce célibataire, né en 1635 et arrivé dans la colonie en 1658, est dépeint par les uns comme un vulgaire marchand de fourrures, par les autres comme un héros authentique qui aurait sacrifié sa vie pour le salut des siens. Pour les uns, c'est un cupide parvenu, pour les autres, un autre saint martyr.

Quels que soient les mobiles exacts de Dollard des Ormeaux, on sait qu'il organise avec 16 autres jeunes hommes une expédition pour Long-Sault, sur la rivière des Outaouais. Cherche-t-il à intercepter une cargaison de fourrures, ou entend-il stopper l'offensive iroquoise ? Difficile de trancher. Lui et ses hommes partent le 20 avril 1660 et arrivent durant la nuit du 1er mai. Ils s'installent en hauteur dans un petit fort abandonné par les Algonquins. Peu après leur arrivée, environ 250 Iroquois lancent deux attaques brillamment repoussées par les Montréalistes et leurs alliés hurons. Quelques jours plus tard, près d'un demi-millier d'Iroquois viennent leur prêter main forte. Les affrontements durent cinq jours. Le 12 mai, la bataille se termine par le massacre de tous les Français. Ce que la mémoire collective a longtemps retenu de cet épisode, c'est que ce « sacrifice » aurait découragé les Iroquois d'entreprendre leur grande offensive. En effet, se seraient-ils dit, si une poignée de colons déterminés repoussent aussi longtemps une grande armée, qu'en sera-t-il lorsqu'on attaquera Montréal ou Québec ?

À court terme, les Montréalistes étaient épargnés. Mais la France devrait tôt ou tard trouver le moyen de mieux protéger sa colonie des attaques incessantes...

Mgr de Laval interdit le commerce de l'alcool

Le 16 juin 1659, François de Laval arrive à Québec coiffé du titre de « vicaire apostolique ». Il tient sa nomination directement de Rome, non de l'archevêché de Rouen, lequel croit que la Nouvelle-France fait partie de son diocèse. Ces querelles de juridiction n'empêchent pas ce quasi-évêque de prendre place et d'asseoir son magistère. Pur produit de la Réforme catholique, cet homme de 36 ans cherche, non sans intransigeance, à faire respecter les pouvoirs de l'Église. Si plusieurs religieux se réjouissent de l'arrivée d'un prélat qui possède une véritable autorité, plusieurs le trouvent inflexible, autoritaire, trop jaloux des privilèges de son rang.

L'une de ses premières décisions est d'excommunier ceux qui pratiquent le commerce de l'eau-de-vie avec les Amérindiens. Avant lui, d'autres dirigeants de la colonie, dont Champlain, avaient interdit aux marchands de troquer des fourrures contre de l'alcool. Ce type d'échange aurait été introduit lors de la période d'occupation anglaise (1629-1632).

Dès leur découverte de l'eau-de-vie, les Amérindiens vont en consommer en grande quantité, non parce qu'ils en apprécient le goût mais à cause de l'enivrement que procure l'alcool. Pour nombre d'entre eux, l'état d'ébriété permet de se mettre en communication avec des forces supérieures, d'accéder bien éveillé au monde des songes et des rêves, auxquels ils accordent, nous l'avons vu, une très grande importance. Aux yeux des missionnaires, cet enivrement provoquait un relâchement des mœurs, ce qui entravait leur travail d'évangélisation.

L'excommunication décrétée pour Mgr de Laval est jugée excessive par les marchands et par le gouverneur. Pour valider sa position, le vicaire apostolique obtient un avis savant des théologiens de la Sorbonne et un soutien du roi lui-même. L'événement décisif qui achève de convaincre les récalcitrants, ce sera le retentissant tremblement de terre du 5 février 1663, ressenti dans tout le nord-est de l'Amérique du Nord. Si aucune mort n'est enregistrée, plusieurs ont la frousse de leur vie. Pour les clercs, la cause est entendue : voilà un signe de la colère divine… qui provoque l'arrêt, pendant un moment, du commerce de l'eau-de-vie !

Chapitre 3

Explorer un continent (1661-1701)

Dans ce chapitre :

▶ La vision de Louis XIV, de Jean-Baptiste Colbert et de Jean Talon

▶ La formation d'une colonie royale

▶ L'exploration d'un continent

▶ Une nouvelle guerre contre les Iroquois… et les Anglais

Autour des années 1660, l'économie de la Nouvelle-France traverse des moments difficiles. La grande cause de cette dépression, c'est évidemment la peur. La peur de l'Iroquois qui se terre, attend sa proie, attaque sans prévenir. La peur de braves gens sans formation militaire qui se défendent comme ils le peuvent. En août 1661, les quelque 3 000 habitants sont probablement rassurés de voir arriver le baron Pierre Du Bois d'Avaugour, un militaire de carrière. Hélas, le nouveau gouverneur n'emmène avec lui qu'une centaine d'hommes. C'est nettement insuffisant pour imposer la paix…

Alors qu'aux yeux de plusieurs tout semble perdu, un revirement se prépare. C'est que la France de l'époque vit une sorte de renaissance. À sa tête, un jeune roi fougueux entend redonner un nouvel élan à son royaume. Parmi ceux qui le guident et l'entourent, de grands commis comme Jean-Baptiste Colbert s'affairent à rationaliser son administration, à reconstruire son économie et à consolider son empire. Grâce au dévoué Jean Talon, nouvel intendant de la colonie, la Nouvelle-France va tirer profit de cette énergie constructive. Des Français arrivent en assez grand nombre. Une armée aguerrie neutralise, pour un bon moment, la puissance guerrière iroquoise. Des explorateurs se disputent la baie d'Hudson, découvrent le Mississippi, fondent la Louisiane et jettent les bases d'une grande Amérique française.

L'impulsion décisive

En 1661, certains facteurs sont réunis pour que la France puisse entendre le message de détresse envoyé par les habitants de cette lointaine colonie d'Amérique du Nord. Le royaume a retrouvé une certaine paix intérieure. Pendant près de 20 ans, la France est en effet déchirée par des frondes, menées tantôt par des princes ambitieux, tantôt par des élus locaux qui estiment leurs commettants trop taxés et qui dénoncent la trop grande concentration du pouvoir. À la fin des années 1650, l'ordre est cependant rétabli. Au plan extérieur, la France est aussi en paix avec l'Espagne, son principal voisin et concurrent avec qui elle signe, en 1659, le traité des Pyrénées. Mais la date la plus importante est celle du 9 mars 1661, soit le jour de la mort de Mazarin. Avec la bénédiction d'Anne d'Autriche, la régente du royaume depuis la mort de Louis XIII, cet homme gouvernait la France depuis 1643.

L'État, c'est moi !

Le 26 août 1660, le successeur de Louis XIII fait une entrée triomphale avec son épouse Marie-Thérèse à Paris. Le couple royal prend place. Le siège du roi est couvert de brocart d'or. Un faste inimaginable! Un long cortège de quatre heures rend hommage au monarque, à la fin duquel on procède au traditionnel lâcher des colombes. Par ces rituels pompeux d'Ancien Régime, le jeune roi prend symboliquement possession de la capitale. Son panache naturel et sa jeunesse suscitent beaucoup d'espoir. Et s'il donnait une nouvelle vigueur à ce vieux pays?

Prise du pouvoir par le Roi-Soleil

Mazarin mort, le jeune Louis XIV peut à la fois régner et gouverner. Au début de son règne, un ambassadeur à Paris trace ce portrait : «Il est de complexion vigoureuse, de grande taille, d'aspect majestueux; son visage est ouvert et imposant à la fois, son abord courtois et sérieux; il est de tempérament sanguin mais point trop vif, car il est mêlé de tempérament mélancolique, ce qui le rend pondéré.» Le jeune homme aime la chasse, la guerre et les grandes fêtes. Travailleur infatigable, il lit les gros dossiers que lui remettent ses conseillers et prépare chaque fois des consignes détaillées. Louis XIV, c'est tout le contraire d'un roi d'apparat qui représente le royaume mais ne décide rien. S'il aura des ministres influents, aucun premier ministre ne tranchera à sa place sur les questions délicates. On a qualifié son régime de «monarchie absolue». Louis XIV était en effet le seul maître à bord. Aucun contre-pouvoir, aucune chambre d'élus ne pouvaient lui barrer la route ou remettre en question ses décisions. Pour autant, il n'avait rien d'un tyran capricieux qui terrorisait arbitrairement des sujets sans défense. Convaincu de la grandeur de la France qui domine alors la scène internationale, le

Roi-Soleil respectait les traditions héritées, veillait sur ses sujets comme un bon père de famille et se sentait interpellé par tout ce qui concernait son royaume, y compris la Nouvelle-France. Du moins était-ce le cas au début de son règne...

Le mercantilisme de Jean-Baptiste Colbert

Grand commis de l'État français découvert par Mazarin, Jean-Baptiste Colbert (1619-1683) est nommé intendant aux finances et secrétaire d'État à la marine. À ses yeux, la puissance de la France ne dépend pas seulement de son armée, mais aussi et davantage de sa production industrielle. Pour dominer l'Europe et le monde, il lui fallait exporter ses produits transformés et en importer le moins possible. L'objectif de Colbert : ne pas dépendre de produits étrangers et viser en toutes choses l'autarcie. Pour mettre en œuvre une telle stratégie économique, il fallait pouvoir compter sur des colonies prospères et dynamiques. Son plan d'action était relativement simple : d'un côté, les colonies devaient générer les denrées qui manquaient à la métropole ; de l'autre, elles devaient consommer les produits français. Cette doctrine économique avait un nom : le mercantilisme. Il l'applique plus méthodiquement que ses prédécesseurs. Pour jouer un rôle central et utile, les colonies devaient, en toute quiétude, s'adonner à des activités productives qui permettraient au royaume de croître et de prospérer. En 1661, Louis XIV et son ministre Colbert sont donc déterminés à agir en faveur de leurs colonies. L'une d'elle, la Nouvelle-France, ne demande que cela ! Cette année-là, les autorités de la colonie font des pieds et des mains pour que le pouvoir royal s'investisse davantage.

Les arguments convaincants de Pierre Boucher

Aussitôt arrivé dans la colonie, le gouverneur Du Bois d'Avaugour inspecte les postes des Trois-Rivières et de Montréal, qui sont les plus exposés aux attaques iroquoises. Son jugement tombe comme un couperet : la métropole doit, au plus vite, envoyer un « puissant secours ». Pour venir à bout de « cette canaille » iroquoise, il faut selon lui au moins 3 000 soldats. Dans le but de convaincre le roi et sa Cour d'aller de l'avant, le gouverneur délègue en France Pierre Boucher, un ancien responsable du poste des Trois-Rivières. Arrivé avec sa famille en 1635 alors qu'il n'avait que 12 ans, Boucher connaît la colonie comme le fond de sa poche. Tout jeune, il part en mission avec les jésuites, apprend des langues amérindiennes et se fait « truchement ». Marié une première fois à une Huronne qui meurt en couches, il épouse Jeanne Crevier, s'installe aux Trois-Rivières et affronte courageusement les Iroquois.

Au début de l'année 1662, il est reçu en audience par le roi en personne et s'entretient longuement avec Colbert. On écoute attentivement sa description de la Nouvelle-France. Tel qu'il l'écrira lui-même plus tard dans son *Histoire véritable et naturelle [...] de la Nouvelle-France*, il fallait au plus vite enrayer la menace iroquoise. « On ne peut aller à la chasse ni à la pêche qu'en crainte d'être tué ou pris de ces coquins-là », écrit-il. Une fois débarrassée de cette menace, Boucher est convaincu que la colonie pourra enfin prospérer. La Nouvelle-France «est un bon pays» où l'on peut trouver «une bonne partie de ce que l'on peut désirer». «La terre est très bonne, ajoute-t-il, y produit à merveille, et n'est point ingrate [...]. Le Pays est couvert de très belles et épaisses forêts, lesquelles sont peuplées de quantité d'animaux, et de différentes espèces [...].» Mais pour exploiter ces richesses et ainsi contribuer à la grandeur de la France, il fallait assurer aux habitants paix et sécurité. Le message est reçu 5 sur 5... Il faut dire que Boucher était loin d'être le seul à envoyer ce genre de message aux autorités. Le lobby jésuite s'active aussi, ainsi que Mgr de Laval.

Un sérieux coup de barre

Au cours des mois et des années qui suivent, le gouvernement de Louis XIV met en branle un ambitieux programme de réformes administratives, envoie 1 200 soldats et plusieurs centaines de «filles du roy». Jamais autant d'efforts n'ont été déployés pour relancer la Nouvelle-France.

Une colonie royale

En Nouvelle-France et dans les autres colonies, le roi et son gouvernement mettent en place un nouveau système de contrôle politique et administratif. On prend également la décision de remettre au roi la Compagnie des Cent-Associés, quitte à indemniser beaucoup plus tard les hommes d'affaires impliqués. Pour la première fois, la colonie ne relève plus d'une compagnie mais de l'autorité royale, comme s'il s'agissait d'une province du royaume. À partir de 1663, les nouvelles structures du pouvoir se présentent ainsi :

- **Un gouverneur.** Représentant personnel du roi, le gouverneur est issu de l'aristocratie française. Il est responsable de l'armée et des relations extérieures avec les colonies environnantes et s'occupe des liens avec les nations amérindiennes.

- **Un intendant.** Contrairement aux pouvoirs du roi, ceux du gouverneur sont limités par les prérogatives de l'intendant, un poste nouveau en Nouvelle-France. Premier fonctionnaire de la colonie, il dirige l'administration intérieure et reçoit ses ordres du ministre de la Marine. L'intendant nomme les juges, planifie le budget, coordonne la distribution des terres.

- **Un Conseil souverain.** Le gouverneur et l'intendant siègent au Conseil souverain, une instance nouvelle. Cour de justice de dernière instance et espace de délibération, le Conseil souverain est aussi composé de l'évêque en titre et d'un corps de conseillers canadiens dont le nombre variera avec le temps.

Si, comme en métropole, les habitants de la colonie peuvent faire parvenir des remontrances au Conseil souverain, ce régime de gouvernement colonial n'a évidemment rien de démocratique. Aussi, le roi et son ministre de la Marine, soucieux de préserver l'autorité de l'État sur toutes les parties du royaume, ne voient pas nécessairement d'un mauvais œil que le gouverneur et l'intendant puissent à l'occasion se quereller autour d'enjeux de juridiction. Diviser pour mieux régner! Ces nouvelles institutions sont calquées sur celles mises en place dans les provinces françaises au cours des années précédentes. Typiques de l'Ancien Régime, elles visent la rationalisation et la centralisation de l'administration.

Enfin des renforts !

En même temps qu'il réforme les institutions de la colonie, le gouvernement français décide d'enrayer la menace iroquoise. Le roi confie cette mission à un homme de confiance, un fidèle : le sieur Prouville de Tracy. Âgé de 63 ans, le militaire de carrière parcourt alors l'empire pour rétablir le pouvoir royal. Après sa mission aux Antilles, il débarque à Québec le 30 juin 1665. Au même moment, il est rejoint par les compagnies du régiment de Carignan-Salières. En tout, c'est un contingent d'environ 1 200 soldats qui s'apprête à envahir les territoires iroquois plus au sud. On imagine facilement le soulagement des quelques milliers de colons. Enfin des renforts! Alors qu'elle broyait du noir quelques années plus tôt, Marie Guyart se montre tout à coup optimiste à la vue de tous ces soldats. «Tracy, écrit-elle à son fils, a fait des merveilles dans les Îles d'Amérique, où il a réduit tout le monde à l'obéissance du Roi; nous espérons qu'il ne fera pas moins dans toutes les nations du Canada [...].»

En effet, la mission de Tracy n'a rien d'une balade touristique. Il ne s'agit pas simplement de défendre les habitants mais de lancer une offensive. Les cinq nations iroquoises sont rapidement informées de son arrivée. Elles apprennent également que les Français font construire trois forts à des endroits stratégiques, près de cours d'eau... Les attaques surprises seront donc plus difficiles. Au lieu de se lancer dans une guerre perdue d'avance, quatre nations iroquoises déclarent forfait et signent un traité de paix en décembre 1665. Seuls les Agniers résistent. Le 9 janvier 1666, Tracy quitte Québec avec plus de 500 soldats. Trop confiant en ses moyens, il défie le froid et s'aventure sans guide dans des forêts qu'il ne connaît pas. Lui et son armée se perdent, les vivres viennent à manquer, des hommes meurent de froid. Un véritable fiasco... Plus jamais un officier français ne lancera une attaque en plein hiver. L'automne suivant, Tracy prépare une nouvelle offensive. Son armée de 1 200 hommes comprend des militaires, des colons et des Amérindiens. Rendu au pays des Agniers, il ordonne l'incendie de plusieurs villages. Incapables de répliquer, à court de vivres, les Agniers sont forcés de faire la paix. En juillet 1667, un accord est conclu. Pour les habitants de la Nouvelle-France, c'est le début d'une période de paix qui durera 15 ans...

Vite, des « femmes à marier » !

Une fois la paix conclue, plusieurs centaines de militaires français sont invités à s'installer dans la colonie. Des seigneuries sont offertes aux officiers du régiment. De nombreux soldats s'installent sur les terres de leur ancien capitaine. D'autres hommes acceptent aussi de relever le défi de la Nouvelle-France. Les voyages de ces centaines d'engagés sont financés par la Compagnie des Indes occidentales qui, depuis 1664, détient le monopole du commerce sur toutes les possessions françaises. Qu'ils soient d'anciens militaires ou de nouveaux engagés, ces hommes jeunes et vigoureux constatent rapidement la rareté des femmes… Celles qui sont nées dans la colonie sont souvent mariées à 12 ans ! Les soirées d'hiver sont longues en Nouvelle-France. Sans femmes, quel ennui ! Au fait de la situation, les autorités de la métropole organisent, dès la fin des années 1650, la venue de « femmes à marier », aussi appelées « filles du roy ». C'est n'est cependant que vers 1663 que ce type d'immigration gagne en importance.

De 1663 à 1673, il en viendra 770, ce qui représente 8 % de tous les immigrants installés dans la colonie au 17e siècle. Âgées en moyenne de 24 ans, ce sont généralement des orphelines issues des couches les plus défavorisées de la société française. Contrairement à ce qu'on a longtemps cru, elles n'étaient cependant pas des prostituées. Pour que ces femmes s'adaptent sans trop de difficultés au pays et qu'elles trouvent rapidement un mari, l'intendant Jean Talon recommande au ministre Colbert de recruter des femmes qui « n'ayent rien de rebutant à l'extérieur » et qui « soient saines et fortes pour le travail de la Campagne ». La grande majorité se marie rapidement, très rapidement même… Il faut dire qu'elles ont l'embarras du choix ! Pour tirer leur épingle du jeu, les hommes ont intérêt à offrir autre chose que de belles paroles. Une terre défrichée et une cabane spacieuse sont souvent de bons atouts ! En quelques mois, parfois quelques semaines, ces filles du roi trouvent un mari, s'installent sur une terre, tombent enceintes. De 1664 à 1702, elles vont donner naissance à 4 459 bébés !

Quelle langue parle-t-on en Nouvelle-France ?

Les Français de l'Ancien Régime parlaient de nombreux patois et dialectes. Le français de l'Île-de-France, la région de la capitale, ne s'imposera qu'au 19e siècle grâce au développement d'un grand réseau scolaire. Ce qui a frappé les observateurs venus en Nouvelle-France à partir de la fin du 17e siècle, c'est la qualité de la langue française parlée par les habitants, malgré les diverses origines régionales.

Selon toute vraisemblance, les filles du roi auraient largement contribué à cette unité linguistique. Près de 85 % d'entre elles parlaient le français ou pouvaient se débrouiller dans cette langue. Il faut dire que 265 des 770 filles du roi venaient directement de Paris. Par ailleurs, même s'ils provenaient souvent de zones rurales, nombre de militaires et d'engagés avaient dû transiter par des villes avant de s'installer dans la colonie. La plupart de ces hommes faisaient partie de cette France mobile et urbaine qui ne pouvait se passer du français pour travailler.

Au 17ᵉ siècle, on ne considérait pas que les habitants de la Nouvelle-France avaient un « accent ». Leur langue était celle que l'on parlait à Paris, voire même à la Cour. Ce n'est qu'à partir du 19ᵉ siècle que les voyageurs français trouveront l'accent québécois étrange ou provincial !

Les colons du 17ᵉ siècle ont apporté avec eux des mots, des expressions, un vocabulaire qui étaient ceux de leur région ou de leur métier. Plusieurs de ces mots et expressions sont encore couramment utilisés par les Québécois mais sont perçus comme des « archaïsmes » par les cousins français. Quelques exemples : s'abrier (se couvrir) ; c'est de valeur ! (c'est dommage) ; il mouille (il pleut) ; traîner (errer, vagabonder) ; être allège (avancer sans charge), etc.

L'ambitieux programme de Jean Talon

Jean Talon (1626-1694) a été le premier véritable intendant de la Nouvelle-France. En tout et pour tout, il n'occupe son poste dans la colonie que cinq ans (1665-1668 ; 1670-1672), mais son passage marque les esprits. Grand commis au service de l'État français, il œuvre au départ dans l'armée, puis dans une région, le Hainaut. Ce célibataire complètement dévoué à sa tâche est un organisateur hors pair en même temps qu'un visionnaire. Il ne fait pas que dessiner de beaux horizons d'avenir, il opère une politique, lance des projets, inspire le dépassement. Un véritable homme-orchestre !

Avec beaucoup d'énergie, il tente par tous les moyens de diversifier l'économie de la Nouvelle-France. À l'instar de Colbert, il croit que la grandeur et la puissance passent par l'économie. En quelques années, la colonie se met à produire davantage de blé et de légumes, à cultiver le chanvre et le houblon, à fabriquer des chaussures et à tisser de la laine. Produire est une chose ; vendre en est une autre. Le marché local est trop petit, le transport en France ou dans les Antilles trop coûteux pour que cette production soit vraiment rentable. Des chantiers maritimes sont lancés, des petites barques produites avec succès, ainsi qu'un gros navire du roi. Si ces initiatives ne manquent pas d'audace, les coûts de production sont trop élevés pour qu'on y donne suite. Résultat : les marchands vont continuer de se centrer sur les fourrures. Seul hic, les castors qui offrent des peaux de qualité vivent de plus en plus loin de la vallée laurentienne. Pour quérir ces pelleteries, il faudra s'enfoncer dans l'intérieur du continent, faire alliance avec de nouvelles tribus amérindiennes…

Politique nataliste

En plus de s'échiner à diversifier l'économie, Talon plaide pour une immigration massive. Mais Colbert craint de dépeupler la France. Les ambitions de Talon sont donc constamment freinées par le gouvernement. Comparée aux colonies anglaises, la Nouvelle-France accuse déjà de sérieux retards au plan démographique. Les compilations des recensements de 1666 indiquent que, si l'on exclut les militaires, la population de la colonie dépasse à peine 4 200 habitants. La rétention des militaires et des engagés, ainsi que la venue des filles du roi lui semblent nettement insuffisantes pour redresser la situation. Il fait donc adopter des mesures natalistes pour encourager les mariages précoces et favoriser les familles nombreuses. Des allocations sont offertes aux familles de 10 enfants et plus. Des primes sont octroyées aux hommes qui se marient avant 20 ans et aux femmes qui disent « Oui, je le veux » avant 16 ans ! On promet aussi l'instruction gratuite au 26e enfant !

De colons français à… « Canadiens »

C'est sous la plume de Jacques Cartier qu'apparaît pour la première fois le mot « Canadien ». Le navigateur malouin désigne ainsi les Iroquois de Stadaconé. Le mot revient sous la plume de Champlain mais désigne les Amérindiens de la vallée du Saint-Laurent, ainsi que les Micmacs.

Les premiers colons qui prennent racine dans la colonie au début du 17e siècle sont décrits par les autorités comme des « habitants » ou des « François ». Ce n'est qu'à partir de 1670 que l'ethnonyme « canadien » en vient à désigner ceux qui ne sont ni des « Sauvages », ni des Français de passage. Le Canadien, c'est celui qui est né dans la colonie, qui considère la colonie comme sa patrie, la Nouvelle-France comme son premier foyer d'appartenance.

C'est durant le dernier tiers du 17e siècle que les autorités françaises commencent à considérer que les Canadiens forment un peuple distinct qui aurait son caractère particulier, ses propres manières de voir. La correspondance des gouverneurs aux ministres de la Marine est émaillée de considérations comme celles du marquis de Denonville : « Les Canadiens, écrit-il à son supérieur en novembre 1685, sont tous grands, bien faits et bien plantez sur leurs jambes, accoutumez dans les nécessitez à vivre de peu, robustes et vigoureux, mais fort volontaires et légers, et portez aux débauches. Ils ont de l'esprit et de la vivacité […]. » Ce qui étonne les observateurs français, c'est l'esprit d'indépendance des Canadiens. Ceux-ci, note le jésuite Charlevoix, « respirent en naissance, un air de liberté, qui les rend fort agréables dans le commerce de la vie » !

Vers la Grande Paix de 1701

Après le départ de Jean Talon, l'intérêt de la Cour pour la Nouvelle-France commence à s'émousser. La guerre contre la Hollande (1672-1679) accaparant l'attention du roi, Colbert coupe les vivres. La colonie devra assurer seule sa défense et faire sa propre publicité pour attirer de nouveaux habitants. Pendant ce temps, l'empire anglais d'Amérique prend de l'expansion, développe son commerce, accroît sa population. Encore une fois, la

Nouvelle-France est laissée à elle-même. Mais au lieu de cultiver l'amertume, ses dirigeants s'activent, repoussent toujours plus loin les frontières, jettent les bases d'une grande Amérique française, signent un traité de paix avec les Iroquois.

L'Amérique française

L'Amérique du Nord de la seconde moitié du 17e siècle fait encore rêver les explorateurs en quête de richesses et de gloire. L'intérieur du continent reste mal connu. Certains cherchent de nouvelles routes vers l'ouest, là où se trouvent les plus belles fourrures ; d'autres s'échinent à trouver un passage vers le sud ; les plus rêveurs espèrent trouver la route qui mènerait enfin à la Chine. Comme tous les grands personnages qui inspirent, ces explorateurs ont souvent les défauts de leurs qualités : braves jusqu'à la témérité ; déterminés jusqu'à l'obstination ; sûrs d'eux-mêmes jusqu'à la vanité. Ils servent le roi autant que leur fortune personnelle. Les coûts de leurs missions ? Cadet de leurs soucis ! Mais leurs exploits n'en sont pas moins remarquables.

Radisson et des Groseillers, des vire-capot ?

Médard Chouart des Groseilliers (1618-1696) et Pierre-Esprit Radisson (1640-1710) se distinguent rapidement par leurs explorations. Le premier arrive dans la colonie vers 1641 et fait partie de la mission jésuite en Huronie. Le second débarque en Nouvelle-France tout jeune et s'installe aux Trois-Rivières. Adolescent, il est fait prisonnier par les Iroquois qui l'adoptent et lui apprennent leur langue. Après s'être échappé, Radisson se lie à des Groseilliers, son beau-frère. Pendant un an (1659-1660), alors que les tensions avec les Iroquois sont extrêmement vives, les deux hommes entreprennent un grand voyage d'exploration qui les mène jusqu'à l'extrémité ouest du lac Supérieur. Ils rapportent de leur expédition une magnifique cargaison de fourrures. À leur retour, ils s'attendent à être félicités, récompensés. Au lieu de cela, le gouverneur leur inflige une amende et fait saisir leur convoi. Le représentant du roi leur reproche d'avoir effectué ce voyage sans sa permission ! Les deux hommes sont à ce point outrés qu'ils offrent leurs services aux Anglais et fondent une compagnie, la Hudson's Bay Company. De 1670 à 1675, ils organisent des postes de traite en plein cœur de la baie d'Hudson et font d'excellentes affaires. Ils développent une très bonne connaissance de cette région nordique.

Forts de cette expertise, ils décident en 1675 de revenir en France et de servir à nouveau leur pays. Mais Colbert se méfie d'eux, de même que le gouverneur Frontenac, qui refuse de soutenir le développement d'une nouvelle compagnie française. Conséquence : des Groseilliers abandonne le métier et Radisson passe à nouveau à l'Angleterre. Il reprend facilement les postes de la Hudson's Bay Company perdus aux mains de Français. En 1687, il est même « naturalisé » anglais. Coureurs des bois, explorateurs et aventuriers,

Radisson et des Groseilliers doivent une grande partie de leur fortune à leur connaissance des cultures amérindiennes. En permettant à l'Angleterre de prendre pied au nord, ils créent un effet d'encerclement qui préoccupera beaucoup les autorités de la Nouvelle-France jusqu'en 1713.

Cavelier de La Salle, héros assassiné

Si le nord et l'ouest intéressent, le sud fascine, intrigue. Le jeune Louis Jolliet, accompagné du père Jacques Marquette, est le premier navigateur canadien à explorer le Mississippi (1672-1674). Même si les tribus amérindiennes rencontrées le long du fleuve lui apprennent l'existence d'une grande mer plus au sud (golfe du Mexique), Jolliet, prudent, préfère rebrousser chemin. Plus tard, Robert Cavelier de La Salle (1643-1687) poursuit jusqu'au bout la route du Mississippi. Ce jésuite défroqué a toujours eu le goût de l'aventure. Ses supérieurs de la Compagnie de Jésus l'avaient jugé instable, émotif, colérique, impétueux. Issu d'une grande famille bourgeoise, le jeune homme ne manque pas de contacts. L'un de ses frères est sulpicien et vit à Montréal. Arrivé en Nouvelle-France en 1667, il est aussitôt fait seigneur de «Lachine» – un nom prédestiné, car sa grande ambition est justement de découvrir une route vers l'Extrême-Orient. Il est très tôt convaincu qu'il y arrivera s'il se rend jusqu'à la mer du sud. Il n'a pourtant aucune expérience de la navigation, ni aucune connaissance des cultures amérindiennes.

Après quelques expéditions désastreuses, il réussit finalement à descendre le Mississippi jusqu'au golfe du Mexique le 6 avril 1682. Trois jours plus tard, il prend possession du territoire au nom du roi et fonde la Louisiane lors d'une cérémonie très solennelle. Si l'histoire s'était arrêtée là pour Cavelier de La Salle, elle aurait été belle et glorieuse… Mais malheureusement, l'explorateur connaît une fin tragique. Le 19 mars 1687, il est assassiné d'une balle dans la tête, déshabillé et laissé à l'abandon en plein cœur du Texas (près de la ville actuelle de Houston). Grisé par sa découverte, Cavelier de La Salle avait, de peine et de misère, convaincu le roi et la Cour de financer une ambitieuse expédition qui permettrait de fonder des postes en Louisiane. Le seul hic, c'est qu'il fallait trouver le delta du Mississippi, mais cette fois par le golfe du Mexique. Parti en juillet 1684, Cavelier de La Salle n'arrivera jamais à trouver l'embouchure du fleuve. Il installe en effet son équipage beaucoup trop à l'ouest. Déterminé à réussir sa mission coûte que coûte, il cherche à pied pendant trois ans le fleuve tant convoité, dans des conditions terribles de désillusions et de désespoir qui ne révèlent pas les plus beaux côtés de la nature humaine. Plus les mois passent, plus son autorité s'érode. Aux plus hargneux, une solution s'impose : l'assassinat.

D'Iberville le conquérant !

C'est Pierre Le Moyne d'Iberville (1661-1706) qui, le 2 mars 1699, découvre finalement l'embouchure du Mississippi. Pour avoir accompli cet exploit, il est fait «chevalier de Saint-Louis», la plus haute distinction militaire du royaume, pour la première fois remise à un Canadien. Louis XIV ne s'y trompe pas lorsqu'il confie à cet authentique héros des mers la périlleuse mission de relancer la colonisation de la Louisiane. Fils de Charles Le Moyne, Montréaliste courageux, marchand prospère, seigneur de Châteauguay, fin connaisseur des cultures amérindiennes, d'Iberville se distingue en 1686 lors d'une expédition à la baie James. Ses qualités de chef sautent aux yeux de tous, ses réflexes de guerrier impressionnent. Après avoir repris aux Anglais les principaux postes de la Baie d'Hudson, il entreprend une expédition contre Terre-Neuve à la tête de 125 Canadiens. Pendant les quatre mois de l'été 1696, il conquiert tous les postes anglais du littoral terre-neuvien : 1 830 Anglais sont faits prisonniers, 200 sont tués, 371 chaloupes ennemies sont brûlées. Un succès foudroyant !

En Louisiane, d'Iberville érige des forts, fonde Biloxi et Mobile. Le grand navigateur est absolument convaincu de l'importance stratégique de la nouvelle colonie. Comme il l'écrit lui-même dans un mémoire prophétique daté de 1699, « si la France ne se saisit pas de cette partie de l'Amérique, qui est la plus belle, pour avoir une colonie assez forte pour résister à celle de l'Angleterre qu'elle a dans la partie de l'est […], la colonie anglaise qui devient très considérable s'augmentera de manière que dans moins de cent années, elle sera assez forte pour se saisir de toute l'Amérique et en chasser toutes les autres nations ». Avant de mourir dans des circonstances mystérieuses à La Havane – où il est enterré –, d'Iberville prépare une grande expédition contre les principales villes côtières de l'empire anglais d'Amérique du Nord. À ses yeux, pour survivre et se développer, la Nouvelle-France devait freiner à tout prix l'expansion de ces colonies concurrentes.

Guerre et paix

En 1685, lorsque Jacques-René de Brisay, marquis de Denonville, devient le gouverneur de la Nouvelle-France, sa principale préoccupation est la menace iroquoise. Depuis quelques années, les marchands de fourrures anglais de l'État de New York tentent de convaincre les Iroquois de faire affaire avec eux. Ces derniers sont tentés d'accepter.

Bien implantés dans la région des Grands Lacs grâce au fort Cataracoui dont la construction débute en 1673, les Français contrôlent le commerce des fourrures de l'ouest. En mars 1684, les Iroquois interceptent une importante cargaison de fourrures. Le gouverneur La Barre réplique en lançant une armée de 1 600 hommes à leurs trousses. Mais il s'avère un piètre stratège. Une fois sur place, il louvoie pendant de longues semaines, hésite à lancer une attaque contre les villages iroquois. Pendant ce temps, les vivres se tarissent, ses soldats en viennent à crier famine. Après un semblant de négociations, le gouverneur bat le rappel des troupes. Rien n'est réglé.

L'attaque préventive

Encouragés par les Anglais, les Iroquois s'attaquent impunément aux alliés amérindiens des Français installés plus à l'ouest, ce qui nuit au commerce des fourrures. Pour permettre à nouveau à ce commerce de fleurir, Denonville croit qu'il est impératif de lancer une attaque préventive. Il envisage également une offensive contre New York, dont les autorités approvisionnent les tribus ennemies en armes. Le roi lui interdit d'aller de l'avant avec ce projet. En novembre 1686, le gouvernement de Louis XIV conclut un traité de neutralité avec l'Angleterre concernant les enjeux américains.

Après avoir réuni ses troupes au fort Cataracoui, le gouverneur part à l'assaut des Tsonnontouans, la nation iroquoise ciblée. Après une victoire facile obtenue le 13 juillet 1687, Denonville ordonne à ses hommes d'abattre le bétail et d'incendier les récoltes ainsi que quatre villages. Un témoin, le baron de La Hontan, écrit : «Nous fûmes occupez pendant cinq ou six jours à couper le bled d'Inde avec nos épées». Partis combattre les Iroquois, les combattants franco-canadiens se contentent d'affamer tout un peuple pour l'hiver à venir. Cette politique de la terre brûlée semble, à court terme, donner les résultats escomptés. En plus d'avoir pris possession du territoire, la Nouvelle-France retrouve une certaine quiétude et reprend ses activités commerciales.

L'horrible massacre de Lachine

Mais il faut se méfier de l'ours qui dort… Après une année d'accalmie, le climat politique change du tout au tout. Le 7 mai 1689, l'Angleterre de Guillaume III, un nouveau roi protestant, se joint à la ligue d'Augsbourg et déclare la guerre à la France. Fini la neutralité en Amérique! Quelques semaines plus tard, les Cinq-Nations iroquoises se réunissent à Albany dans la colonie de New York et promettent non seulement de prendre leur revanche suite à l'attaque préventive de 1687, mais aussi de combattre aux côtés des Anglais contre la France.

Durant la nuit du 4 au 5 août, près de 1 500 guerriers iroquois traversent le Saint-Laurent dans son segment le plus large de la région de Montréal, celui du lac Saint-Louis. Sur l'autre rive, les habitants du canton de Lachine dorment paisiblement. À cause des pluies diluviennes, ils n'entendent pas l'ennemi rôder autour de leurs maisons. À la levée du jour, l'attaque est lancée. Elle est terrible et sans pitié. Après avoir tué les hommes qui défendent vaillamment leurs maisons et leur famille, les Iroquois incendient les fermes. Les prisonniers sont victimes des pires tortures, les ventres de femmes enceintes sont ouverts, de très jeunes enfants sont embrochés, rôtis, mangés… Durant les jours et les semaines qui suivent, les Iroquois «firent tout ce que la rage peut inspirer à une nation féroce, et qui se croit outragée», écrit le baron de La Hontan. Le gouverneur Frontenac, qui vient tout juste de remplacer le marquis de Denonville à la tête de la colonie, entend jusqu'à plus soif les effroyables récits de cette nuit d'horreur. «Il serait difficile de vous représenter, écrit-il à son ministre, la consternation générale que je trouvai parmi tous les peuples et l'abattement qui était dans la troupe.» En tout, 200 personnes sont massacrées et 125 sont faites prisonnières.

L'escalade

Une telle boucherie ne pouvait rester sans réplique. Comme Denonville, Frontenac envisage une attaque contre New York, mais il ne dispose pas des effectifs pour envisager une opération d'une telle envergure. Les Anglais, pourvoyeurs en armes, restent cependant sa cible privilégiée. Trois raids surprises sont prévus en février 1690 contre des villages de la Nouvelle-Angleterre. L'attaque la plus spectaculaire est celle de Schenectady, un village fortifié de la colonie de New York. Durant la soirée du 18 février, les attaquants franco-canadiens, appuyés par leurs alliés amérindiens, prennent les villageois par surprise. Ceux qui résistent sont tués, le feu est partout répandu. Des massacres équivalents à ceux de Lachine sont perpétrés par les assaillants ; 60 habitants sont abattus, 25 sont faits prisonniers. Un bien triste épisode…

Les colons anglais n'allaient évidemment pas rester les bras croisés. N'étant pas directement à l'origine du massacre de Lachine, ils ont le sentiment d'avoir été injustement attaqués. Avec leurs alliés iroquois, ils entendent donc porter un coup fatal à la Nouvelle-France. Et le plus rapidement possible. Deux corps d'armée sont mobilisés. Le premier devait attaquer Montréal par l'intérieur des terres, alors que le second devait prendre Québec en passant par la route du golfe du Saint-Laurent. Cette stratégie de la «mâchoire» allait obliger Frontenac à diviser ses troupes et à combattre sur deux fronts. Mais à la guerre comme dans la vie, les choses se passent rarement comme prévu. Les combattants qui prennent la route de Montréal sont vite stoppés par une épidémie de vérole. Environ 300 des 1 500 Iroquois rassemblés au lac Champlain en meurent. Le moral des troupes est atteint, le général John Winthrop préfère abandonner. Pendant ce temps, la flotte de William Phips quitte le port de Boston et s'empare facilement de Port-Royal au milieu du mois de mai. Le 10 octobre, le gouverneur apprend que les troupes ennemies s'approchent de Tadoussac. Frontenac prend la décision de concentrer toutes ses forces à Québec.

« Par la bouche de mes canons »

La partie est loin d'être gagnée ; l'heure est grave. L'évêque, Mgr de Saint-Vallier, publie une lettre pastorale dans laquelle il invite tous les habitants de la colonie à combattre ces «ennemis, non seulement de nous Français, mais de notre foi et de notre sainte religion». Le 16 octobre, les 34 navires de la flotte anglo-américaine et leurs 2 000 hommes font face à Québec. Le lendemain, Phips envoie un émissaire muni d'un drapeau blanc. Les yeux bandés, l'homme est amené au château Saint-Louis, la résidence officielle du gouverneur. Son message est clair : pour éviter un bain de sang, les Français doivent rendre la ville. Phips donne une heure à Frontenac pour capituler. La réponse du vieux gouverneur, pleine de panache, fuse sur-le-champ : « Je ne vous ferai pas tant attendre [...]. Je n'ai point de réponse à faire à votre général, que par la bouche de mes canons et à coups de fusil ; qu'il apprenne que ce n'est pas de la sorte qu'on envoie sommer un homme comme moi [...]. » L'attaque de Phips, qui débute le lendemain, est un fiasco. Ses canons n'arrivent pas à atteindre l'intérieur de la ville et ses hommes sont facilement repoussés par les miliciens canadiens à Beauport. Craignant de devenir le prisonnier des glaces, il lance la serviette et quitte les lieux. Phips a perdu plusieurs centaines d'hommes. Après le départ des Anglais, l'église de Québec est baptisée « Notre-Dame-de-la-Victoire ».

LE SAVIEZ-VOUS ?

Qui défend la Nouvelle-France ?

L'envoi de troupes régulières en Nouvelle-France, comme celles du régiment de Carignan-Salières, par exemple, coûte très cher à la métropole. Jusqu'à la guerre de la Conquête (chapitre 5), la France préfère que la colonie assure sa propre défense. Pour y arriver, on mise sur deux institutions :

✔ **La milice.** Au tournant des années 1670, les autorités de la colonie reçoivent l'ordre de mettre en place un corps de miliciens. Celui-ci se constitue lentement mais sûrement. Il est composé de tous les hommes valides âgés de 16 à 60 ans. Ceux-ci doivent se rapporter à une compagnie, laquelle est dirigée par un capitaine. Chaque paroisse dispose de sa propre compagnie ; les plus populeuses en comptent deux, parfois trois. Faire partie de la milice est obligatoire. Chaque milicien doit fournir son arme, et aucun uniforme n'est fourni. Les miliciens canadiens sont reconnus pour leur combat « à l'indienne ». Ils combattent rarement en rangs serrés comme les soldats de l'armée régulière.

✔ **Les compagnies franches de la marine.** Le recours aux miliciens est davantage l'exception que la règle. Une fois parti le régiment de Carignan-Salières, la première force armée permanente de la Nouvelle-France sera surtout constituée des « compagnies franches de la marine ». Ce corps armé est créé officiellement en décembre 1690 par Louis XIV. Sa mission : défendre les colonies et les provinces françaises. Chacune des compagnies franches de la marine est formée d'environ 100 soldats. En moyenne, 28 d'entre elles seront postées en Nouvelle-France. Rapidement, ce corps armé est investi par les Canadiens intéressés par la carrière des armes. Sans grandes difficultés, certains d'entre eux deviennent même officiers. Plusieurs des soldats français de ce corps armé qui seront envoyés en Nouvelle-France vont s'installer dans la colonie.

Ce système de défense s'avère très efficace et relativement peu coûteux. La milice contribue certainement à créer une conscience aiguë des dangers qui guettent la colonie. Soldats de l'ombre, les miliciens sont constamment sur un pied d'alerte, prêts à prendre les armes pour défendre leurs terres.

Le déclin des Iroquois

Cette défaite est de bien mauvais augure pour les Iroquois, qui comptaient sur l'alliance avec les Anglais pour contrecarrer l'emprise des Français sur le commerce des fourrures. Au cours des années 1690, la puissance de frappe de la confédération iroquoise ne cesse de décliner. Les guerres et la maladie déciment les troupes, sans compter qu'un certain nombre d'Iroquois font défection, adoptent la foi chrétienne et vont vivre dans les villages jésuites de la Nouvelle-France. En 10 ans, le nombre de combattants iroquois passe de 2 550 à 1 230. Devant des représentants anglais, un chef iroquois déclare en 1694 : « La graisse fond de notre chair et s'égoutte sur nos voisins qui grossissent et vivent à l'aise alors que nous devenons maigres. » Une expédition menée contre les Iroquois en août 1696, dirigée par un Frontenac vieillissant porté sur un fauteuil à travers les forêts, est emblématique du désarroi des Cinq-Nations. Celles-ci n'affichent aucune résistance. Ces difficultés créent aussi des divisions politiques parmi les Iroquois. Certains souhaitent poursuivre le combat, alors que d'autres veulent entamer des négociations de paix avec les Français. Graduellement, les chefs des Cinq-Nations optent pour cette seconde option.

Paix aux hommes de bonne volonté

Le 4 août 1701, 40 nations amérindiennes se rassemblent à Montréal. Leurs représentants signent ce jour-là le traité de Montréal. Cette cérémonie est un événement dont les Montréalais vont se souvenir pendant longtemps. En tout, près de 1 300 Amérindiens vivent pendant trois semaines dans leur petite bourgade d'environ 2 600 habitants. La cérémonie prend place en même temps que la foire annuelle des fourrures. Pour éviter les débordements, les autorités interdisent la vente d'alcool. Les dignitaires sont reçus en grande pompe par le gouverneur Louis-Hector de Callière qui, ce jour-là, prononce un discours important : « Je ratifie aujourd'hui la paix que nous avons faite [...]. Je me saisy de nouveau de touttes vos haches, et de tous vos autres instrumens de guerre, que je mets avec les miens dans une fosse sy profonde que personne ne puisse les reprendre pour troubler la tranquilité que je rétablis parmy mes Enfans. » Cette paix, qui assure à la France une hégémonie à l'ouest, signifie que les Iroquois et les peuples amérindiens des Pays d'en haut vont cesser de se faire la guerre, que les uns et les autres pourront traquer librement la fourrure et circuler sans être embêtés. Aussi, les Iroquois s'engagent à rester neutres en cas de conflit entre la France et l'Angleterre. Une fois la signature apposée sur le document, on fume le calumet de la paix.

Un chapitre de l'histoire de la Nouvelle-France est désormais clos.

Chapitre 4

Province de France (1701-1754)

Dans ce chapitre :

▶ Une autre tentative des Anglais de prendre Québec

▶ Les freins au développement de l'économie

▶ La vie quotidienne en Nouvelle-France

L a Grande Paix de Montréal marque la fin des hostilités avec les Iroquois. Malheureusement, les menaces qui planent sur la Nouvelle-France ne disparaissent pas pour autant. Comme l'avait prédit Pierre Le Moyne d'Iberville dans un mémoire déjà cité, ce sont désormais les colonies anglaises, alors en pleine expansion, qui convoitent les vastes territoires explorés et conquis par l'empire français. Après quelques affrontements et une tentative d'invasion, le traité d'Utrecht (1713) inaugure une ère de paix et de concorde relative.

Pendant 30 ans, la Nouvelle-France se développe. Sa population s'accroît, sa structure sociale se complexifie, son économie se diversifie. Une vie quotidienne prend place, habitée par des croyances et des mœurs. Morceau d'un empire aux ramifications planétaires, ce peuple de la vallée du Saint-Laurent vit cependant en sursis… car il se développe à l'ombre d'une constellation de colonies anglo-américaines qui entendent se déployer sur tout le continent américain.

Affaiblir la Nouvelle-France

Les relations de la Nouvelle-France avec les colonies anglaises dépendaient directement de la politique de la France à l'égard de l'Angleterre. La Nouvelle-France ne pouvait attaquer ses voisins si la France était en paix avec l'Angleterre. Cette situation valait également pour les colonies anglaises, qui ne pouvaient prendre Québec ou envahir l'Acadie que si leur métropole avait déclaré la guerre à la France.

De 1702 à 1713, les deux métropoles s'affrontent dans ce qu'on appelle la « guerre de Succession d'Espagne ». En octobre 1700, le roi Charles II d'Espagne, qui n'a aucun héritier, lègue son royaume et son empire au duc d'Anjou. Le hic, c'est que ce dernier appartient à la grande famille des Bourbon qui règne sur la France. En désignant un tel successeur, craignent l'Angleterre et d'autres puissances, le roi d'Espagne permet à la France de dominer l'Europe et le monde. Soucieuse d'assurer un meilleur équilibre des forces sur le continent, l'Angleterre signe donc un pacte avec les Pays-Bas, auquel se joignent bientôt le Danemark et des principautés allemandes. L'une des préoccupations de l'Angleterre, c'est l'Amérique. En contrôlant les colonies espagnoles d'Amérique du Sud, la France pourrait facilement stopper l'expansion des colonies anglaises d'Amérique du Nord et, surtout, entraver son commerce.

Affrontements

La guerre entre l'Angleterre et la France étant officiellement déclarée, les colonies anglo-américaines avaient le feu vert. Elles pouvaient mobiliser des troupes et organiser une grande offensive.

Guérilla en Nouvelle-Angleterre

Les dirigeants de la Nouvelle-France sont bien conscients que la situation de leur colonie est précaire. Arrivé en poste en 1703, le gouverneur Vaudreuil adopte une stratégie simple : d'une part, entretenir de bons rapports avec les Iroquois et s'assurer qu'ils restent neutres ; d'autre part, soutenir les alliés abénakis de la Nouvelle-Angleterre, en guerre contre les Anglais. En 1703 et en 1704, une série de raids surprises sont organisés contre de petites bourgades de la côte est américaine. En août 1703, le village de Wells dans le Maine subit l'attaque surprise des Franco-Canadiens et des Abénakis. Près de 300 habitants sont faits prisonniers. Quelques mois plus tard, en février 1704, un autre contingent attaque cette fois Deerfield, un village du Massachusetts tout près de Boston. Près d'une vingtaine de maisons sont saccagées, 150 personnes sont capturées et 7 autres meurent au combat. Au mois d'août 1704, les Abénakis, forts du soutien des Français, attaquent Groton, un autre village tout près de Boston.

Parmi ceux qui sont ramenés comme prisonniers à Montréal, il y a le jeune Matthias Farnsworth, 14 ans, qui travaillait au champ au moment d'être capturé. Esclave, puis domestique, il francisera son nom et deviendra l'ancêtre de tous les Phaneuf du Québec.

L'invasion, un impératif !

Ces attaques surprises sèment la terreur en Nouvelle-Angleterre. Les dirigeants vont envoyer une mission diplomatique en Nouvelle-France, mais les pourparlers ne débouchent sur rien de concret. Les délégués américains en profitent quand même pour espionner la vallée du Saint-Laurent. Dans les colonies anglaises et à Londres, des voix plaident en faveur d'une invasion du Canada. Dans *Magnalia Christi Americana*, un ouvrage publié à Londres en 1702, un auteur soutient que le Canada constitue «la principale source des misères de la Nouvelle-Angleterre». Pour espérer s'étendre et prospérer, il faut envisager la conquête de la colonie voisine. La même année, le gouverneur de New York prétend que cette conquête serait facile, pour peu qu'on y consacre les moyens nécessaires. En 1708, un militaire américain, le colonel Samuel Vetch, achemine à Londres un mémoire qui aligne une série d'arguments en faveur d'une invasion de la Nouvelle-France. «Pour peu qu'ils connaissent la valeur du royaume britannique d'Amérique, écrit-il, aussi bien sous l'angle de la puissance que sous l'aspect du commerce, tous les esprits réfléchis ne peuvent que s'étonner de voir une nation aussi importante sur mer, aussi forte par le nombre et par ailleurs aussi sagement jalouse de son commerce souffrir avec autant de patience que des voisins gênants comme les Français s'installent en paix à côté d'elle, et surtout qu'avec une faible population dispersée, ils encerclent et refoulent entre eux-mêmes et la mer tout l'empire britannique du continent.» Au plus tôt, insiste le colonel, il faut prendre Québec et se débarrasser de cet encombrant voisin.

Londres met le paquet !

À la plus grande satisfaction des habitants de la Nouvelle-Angleterre, Londres décide de donner suite. En Europe, les armées de la France battent en retraite. L'heure est venue de donner un grand coup en Amérique, croit le gouvernement anglais. D'immenses moyens sont confiés à l'amiral Hovenden Walker : 14 vaisseaux de guerre, 80 canons et plus de 5 000 matelots. Les colonies américaines contribuent aussi au financement de l'expédition et fournissent des effectifs. En 1710, les Anglo-Américains prennent facilement Port-Royal mais remettent à l'année suivante l'invasion de la vallée du Saint-Laurent. Comme en 1690, on mise sur la stratégie de la mâchoire. Une armée prendra Montréal par le sud, et une autre, plus importante, attaquera Québec après avoir remonté le Saint-Laurent. Mais comme en 1690, les opérations ne se déroulent pas comme prévu...

Une expédition qui tombe... à l'eau

Durant l'été et l'automne 1711, toute la Nouvelle-France se prépare à une attaque. Vaudreuil fait élever des retranchements et ordonne aux femmes, aux enfants et aux vieillards de se refugier dans l'arrière-pays. Les miliciens canadiens sont également mobilisés. L'armée de 2 600 hommes dirigée par le général William Nicholson remonte la rivière Hudson, prête à envahir l'île de Montréal lorsque les vaisseaux de Walker mouilleront devant Québec. Mais les semaines passent et aucun signal n'est donné. Le 7 octobre, le Héros, un navire français, jette l'ancre devant Québec. Son capitaine affirme n'avoir aperçu aucun bateau anglais. Vaudreuil décide aussitôt de replier ses troupes vers la région de Montréal. Bientôt, le gouverneur apprend que les hommes de Nicholson ont rebroussé chemin et sont rentrés à Albany. Mais où sont donc les navires de Walker ? Que s'est-il donc passé ?

Une terrible catastrophe... Tard dans la nuit du 2 septembre, à la hauteur de l'île d'Anticosti, Walker est réveillé par des hommes qui croient avoir aperçu la rive nord du Saint-Laurent. Ordre est donc donné de changer de direction, de façon à remonter le fleuve. Les pilotes connaissent cependant très mal le fleuve et les conditions de navigation sont exécrables : le brouillard est très épais et les vents sont violents. À l'aube du 3 septembre, la mer se calme. Walker monte sur le pont et constate que le malheur vient de frapper sa puissante armada. Plusieurs de ses gros navires ont heurté les récifs de l'île aux Œufs, située à l'est de la Côte-Nord. Près de 1 000 membres de son équipage se sont noyés. D'autres naufragés, victimes des eaux glaciales de la région, meurent de froid. Pendant les jours qui suivent, on vient en aide aux survivants et on rafistole les vaisseaux abîmés. Impossible cependant de terminer la mission... La conquête de Québec, ce sera pour plus tard. La carrière de Walker est terminée. Jamais plus l'Angleterre ne lui confiera de mission.

Lorsqu'on apprend la nouvelle à Québec, on rebaptise l'église «Notre-Dame-de-la-Victoire» «Notre-Dame-des-Victoires»! Mais ce persiflage ne dure guère longtemps. Les habitants de la Nouvelle-France poussent un immense soupir de soulagement.

Le traité d'Utrecht

Quelques mois plus tard débute à Utrecht, aux Pays-Bas, une longue période de négociations entre la France, l'Angleterre et leurs alliés respectifs. Les ennemis de Louis XIV se sont peu à peu résolus à ce qu'un Bourbon règne sur l'Espagne. Ils s'attendent cependant à ce que le Roi-Soleil fasse des concessions significatives. Malheureusement pour les Canadiens, les vastes territoires de la Nouvelle-France vont servir de monnaie d'échange.

De grosses concessions en Amérique

Le traité d'Utrecht, signé le 16 avril 1713, met officiellement fin à la guerre de Succession d'Espagne. Les clauses qui concernent directement la Nouvelle-France sont à l'avantage de la Grande-Bretagne.

- ✔ **La baie d'Hudson aux Anglais.** «Toutes les terres, mers, rivages, fleuves & lieux» qui dépendent de la baie d'Hudson, ainsi que tous les «édifices & forts» de cette région nordique sont cédés aux Anglais. La Compagnie de la Baie d'Hudson bénéficie désormais d'un territoire sûr pour aller quérir ses pelleteries à l'ouest du continent. Les coureurs des bois de la vallée laurentienne devront donc composer avec un compétiteur féroce.

- ✔ **L'Acadie aux Anglais.** En 1710, les Anglais s'étaient emparés de Port-Royal, qu'ils avaient rebaptisé «Annapolis Royal». Grâce au traité d'Utrecht, ils peuvent y rester car ils sont désormais chez eux. L'Acadie devient en effet une possession anglaise. L'île porte désormais le nom de «Nouvelle-Écosse».

> ✔ **Terre-Neuve aux Anglais.** «L'isle de Terreneuve avec les isles adjacentes, peut-on lire à l'article 12 du traité, appartiendra & absolument à la Grande-Bretagne.» Difficile d'être plus clair! La France abandonne toutes prétentions sur cette immense île. Le triomphe de Pierre Le Moyne d'Iberville, c'est chose du passé.

> ✔ **L'île du Cap-Breton… aux Français.** Si les concessions à l'est sont importantes, les Français souhaitent conserver l'île du Cap-Breton, qu'ils rebaptisent aussitôt «Île Royale». Cette présence dans l'Atlantique vise plusieurs objectifs. D'abord, la France souhaite offrir une terre d'asile aux Acadiens. Ensuite, pour des raisons de sécurité, elle entend disposer d'une porte d'entrée vers le golfe Saint-Laurent. Enfin, la France souhaite avoir accès à un port de mer ouvert à l'année.

Toutes ces concessions assombrissent considérablement l'avenir de la Nouvelle-France. Le traité montre noir sur blanc que cette colonie n'est pas la priorité des Français. On peut même avancer que la cession définitive de la colonie à la Grande-Bretagne, inscrite dans le traité de Paris de 1763, était annoncée dans le traité d'Utrecht…

La Nouvelle-France assiégée

Mais n'anticipons pas. En 1713, la Nouvelle-France fait toujours partie de la France. Comme la colonie est plus exposée qu'auparavant, la métropole entreprend de grands travaux de fortifications, comme si la colonie était tout à coup assiégée. On fait construire une impressionnante forteresse sur l'Île Royale, à Louisbourg, une ville que l'on vient tout juste de fonder. La construction de la forteresse commence en 1717 et coûte très cher. Non sans difficultés, on tente de faire venir des colons. Les Français installés à Terre-Neuve y immigrent, mais très peu d'Acadiens quittent leurs terres. Malgré tout, la population de Louisbourg, en 1740, s'élève à près de 4 000 habitants. Grâce aux entrepôts qu'on y aménage, la ville devient la plaque tournante d'un important commerce triangulaire qui relie la vallée du Saint-Laurent aux Antilles. La plupart sont des engagés, des marchands et des militaires. Les autorités ont parfois du mal à faire régner l'ordre. L'alcool et la contrebande intéressent davantage certains militaires que la défense de la Nouvelle-France. En 1744, une mutinerie provoque beaucoup de désordre.

D'autres forteresses seront érigées. Autour de Montréal, on construit un mur de pierre à partir de 1716. Quatre ans plus tard, on commence également à fortifier Québec. Les Grands Lacs et le lac Champlain sont également l'objet d'une attention particulière. Entre les lacs Ontario et Érié, on construit le fort Niagara. D'autres suivront. Les forts érigés le long de la rivière Richelieu sont aussi renforcés.

Une société d'Ancien Régime

Les habitants de la Nouvelle-France sentent que les assises de leur colonie sont pour le moins fragiles. Mais cela ne les paralyse pas pour autant. Entre 1713 et 1744, la paix règne, ce qui favorise le développement de la colonie. Ses institutions, son mode d'organisation, la mentalité de ses habitants sont en grande partie ceux d'une société de l'Ancien Régime français.

Une population diversifiée

Jusqu'à la Conquête, la Nouvelle-France continue d'accueillir des immigrants. Le peuple qui se constitue n'est pas fait d'un seul bloc. Il est composé de gens de diverses origines et de divers ordres sociaux.

Quelques données de base

Les dernières recherches démographiques révèlent qu'environ 30 000 Français ont entrepris la grande traversée vers la Nouvelle-France avant 1760. De ce nombre, 27 000 seraient arrivés vivants… En effet, le voyage était souvent difficile. Certains bateaux s'échouaient et les conditions d'hygiène à bord étaient souvent lamentables. En tout et pour tout, 14 000 de ces 27 000 immigrants se sont établis en Nouvelle-France, soit un peu plus de la moitié. Est-ce beaucoup ou peu? Tout dépend du point de vue. Évidemment, par rapport aux colonies anglaises, c'est bien peu. Toutefois, si on compare la Nouvelle-France aux autres colonies françaises d'Amérique (Antilles), le portrait est différent. La rétention d'immigrants français a été plus importante au nord qu'au sud. En Nouvelle-France, la grande majorité des nouveaux arrivants étaient soit des militaires, soit des «engagés». Avant de traverser l'Atlantique, ces hommes avaient signé un contrat qui prévoyait un séjour d'une durée déterminée. Pour la plupart d'entre eux, il s'agissait d'un contrat de travail temporaire, non d'un départ définitif. Que plus de la moitié d'entre eux soient néanmoins restés en Nouvelle-France montre que celle-ci possédait un vrai pouvoir d'attraction. Sous l'Ancien Régime, la possibilité d'acquérir une terre et de se constituer un patrimoine que l'on pourrait léguer à ses descendants en convainquait plusieurs de faire souche. Des terres, la Nouvelle-France n'en manquait pas!

Même si elle est moins spectaculaire qu'à l'époque de l'intendant Jean Talon, l'immigration se poursuit au 18e siècle. De 1714 à 1754, environ 4 500 immigrants s'installent en Nouvelle-France. Qui sont-ils? Des engagés, encore, des militaires qui restent sur place, mais surtout des personnages qu'on dirait peu recommandables… Parmi ceux-là, des centaines de faux-sauniers qui vendent du sel illégalement et dont la France cherche à se débarrasser. La colonie les accepte sans rechigner car une fois en Nouvelle-France, la plupart adoptent un comportement irréprochable. La Nouvelle-France du 18e siècle reçoit aussi quelques «libertins». Ces fils de bonnes familles françaises sont considérés comme des débauchés. Leurs mœurs sexuelles font souvent scandale. On croit qu'un séjour en Nouvelle-France leur remettra les idées à la bonne place! L'évêque ne voit évidemment pas leur arrivée d'un bon œil.

Ces quelques immigrants ne font cependant pas le poids par rapport à la croissance naturelle de la population. Le taux de natalité en Nouvelle-France était supérieur à celui des autres sociétés préindustrielles. Les habitants de la colonie avaient-ils le sang chaud? Difficile à dire! La principale explication du phénomène résiderait dans les mariages précoces. La terre étant facilement accessible, on pouvait rapidement s'installer et fonder une famille. Dès le milieu de l'adolescence, les femmes avaient leur premier enfant. La vie était aussi plus saine qu'en France. Les famines étaient plus rares, le bois de chauffage plus facile à trouver, la chasse ouverte à tous… de sorte que le taux de mortalité infantile était plus faible qu'en France.

Évolution de la population de la vallée du Saint-Laurent à l'époque de la Nouvelle-France

Les techniques de recensement sous l'Ancien Régime étaient moins sophistiquées qu'aujourd'hui. Néanmoins, l'État français souhaite régulièrement connaître le nombre d'habitants qui vivent dans les colonies. Voici ce qu'indiquent les chiffres trouvés dans les documents de l'époque et révisés par les démographes spécialistes de ces questions.

Cette croissance démographique est relativement importante, compte tenu des faibles contingents d'immigrants. La population double en effet à tous les 25 ans. Nous sommes cependant loin des chiffres des colonies anglaises. En 1700, celles-ci comptent déjà 275 000 habitants, et 50 ans plus tard, 1,2 million. L'écart semble insurmontable.

1640	400
1653	1 500
1661	2 500
1666	4 219 (2 657 pour la région de Québec ; 602 aux Trois-Rivières ; 760 à Montréal)
1673	6 705
1681	10 077
1692	13 041
1706	18 842
1718	25 971
1727	34 355
1737	45 108
1750	58 100

De France... et d'ailleurs

La grande majorité des immigrants qui s'installent dans la vallée du Saint-Laurent avant 1760 sont d'origine française. On aurait cependant tort de croire que la population était parfaitement homogène au plan ethnique. En plus des Français, la population comptait :

✔ **Des prisonniers originaires de la Nouvelle-Angleterre.** Victimes de raids surprises, environ 1 000 captifs de la Nouvelle-Angleterre vont séjourner et parfois s'établir dans la vallée du Saint-Laurent avant 1760.

✔ **Des esclaves noirs.** Avant 1760, environ 455 Noirs vivent en Nouvelle-France. Il s'agissait d'esclaves achetés par des seigneurs, des membres du clergé et des bourgeois. S'il n'y en eut pas davantage, c'est que l'économie ne s'y prêtait pas. Leur statut était encadré par le Code noir adopté par la France de Louis XIV en 1685.

✔ **Des Amérindiens.** Deux classes d'Amérindiens faisaient partie de la population : les «domiciliés» et les esclaves. Les premiers vivaient dans des villages dirigés par des jésuites. C'est ainsi qu'on retrouve par exemple des Hurons à la Jeune-Lorette, près de Québec ; des Abénakis à Saint-François et à Bécancour, dans la banlieue des Trois-Rivières ; des Iroquois installés au Sault-Saint-Louis et au lac des Deux Montagnes. Avant 1760, environ 1 500 Amérindiens ont le statut d'esclave. Comme les Noirs, ils sont domestiques ou travailleurs agricoles. Domiciliés ou esclaves, les Amérindiens ne se sont pas «assimilés» à cette société française d'Ancien Régime, malgré les nombreux efforts des autorités. Attachés à leurs coutumes et à leur histoire, ils ont, pour la très grande majorité, conservé leur identité distincte.

Parce qu'ils souhaitaient accroître plus rapidement la population, Champlain et Richelieu auraient souhaité que les Français épousent des Amérindiennes. Ils n'entretenaient aucun préjugé particulier contre ce type d'union. Au début du 18e siècle, le discours des autorités de la colonie change complètement. En 1709, le gouverneur et son intendant écrivent au ministre : «Il ne faut jamais mêler un mauvais sang avec un bon, l'expérience que l'on en a en ce pays, que tous les Français qui ont épousé des sauvagesses sont devenus libertins, fainéants ou d'une indépendance insupportable […] doit empêcher qu'on ne permette ces sortes de mariage.» Entre 1644 et 1760, on compte, au plus, 180 mariages mixtes.

Mobilité sociale et plafond de verre

Sous l'Ancien Régime français, la société était constituée en trois ordres : la noblesse, le clergé et le tiers état. Très rarement, la France convoquait ces trois ordres lors d'«états généraux», lesquels permettaient de faire le point sur l'état du royaume et de légitimer la levée de nouvelles taxes. À l'automne 1672, le gouverneur Frontenac convoque, selon le même mode, des représentants de la colonie, mais le ministre Colbert désapprouve l'initiative. L'exercice ne sera jamais répété. Il faut dire que les clivages sociaux sont beaucoup moins lourds qu'en France. Dans les villes de la Nouvelle-France, qui regroupent environ 20 % de la population, cette configuration sociale d'Ancien Régime apparaît plus nettement. Dans les régions rurales, cependant, la Nouvelle-France, c'est l'Amérique. Un colon travaillant et courageux, le moindrement capable de se faire apprécier des autres, peut se voir concéder une seigneurie ou devenir un marchand de fourrures prospère. Comme dans toutes les sociétés coloniales, cependant, les postes les plus prestigieux – ceux de gouverneur, d'intendant et d'évêque, par exemple – sont réservés à des Français. En 1725, on refuse de nommer un Canadien gouverneur. Paris craint de perdre le contrôle. La seule exception qui confirme la règle : la nomination du Canadien Pierre Rigaud de Vaudreuil en 1755 au poste de gouverneur de la Nouvelle-France.

Une économie qui bat de l'aile

Pendant la longue période de paix qui suit la signature du traité d'Utrecht, les autorités encouragent la diversification de l'économie. Malgré plusieurs embûches, quelques initiatives portent fruit.

Plusieurs freins

Pour développer les affaires et prospérer, les entrepreneurs dynamiques doivent pouvoir compter sur des conditions minimales. En Nouvelle-France, ce cadre était pour le moins déficient. Pourquoi ? Au moins cinq facteurs peuvent l'expliquer :

- **Le manque d'artisans et d'ouvriers.** Pour développer des industries, il faut une main-d'œuvre spécialisée, des travailleurs qualifiés. La Nouvelle-France en a cruellement manqué à partir du milieu du 17e siècle. Même si les salaires étaient plus élevés qu'en France et qu'il était possible de devenir «maître» plus rapidement que dans la métropole, très peu d'artisans et d'ouvriers spécialisés ont immigré au 18e siècle. Régulièrement, les intendants en réclament davantage, mais leurs appels donnent très peu de résultats.

- **Monnaie de papier... ou de singe ?!** Pour échanger des produits, faire du commerce, une économie doit disposer d'une «monnaie». Jusqu'au 18e siècle, cette monnaie était constituée de pièces. Après le long règne de Louis XIV, marqué par des guerres très coûteuses, ces pièces en viennent à faire défaut. Influencée par l'Écossais John Law, la France commence donc à émettre une monnaie de papier, échangeable au besoin contre des pièces. Pour stimuler le crédit, on procède en Nouvelle-France à plusieurs émissions de cette monnaie de papier. Mais le système n'est pas encore au point. Sa valeur réelle fluctue au gré des conjonctures, ce qui crée beaucoup d'incertitudes. Rien pour favoriser l'activité économique.

✔ **Au royaume des monopoles, nul ne devient riche !** La fourrure reste un pivot de l'économie de la Nouvelle-France au 18ᵉ siècle. De 1670 à 1760, à Montréal seulement, 13 055 contrats d'engagement sont signés pour aller quérir des pelleteries dans l'Ouest. Quel que soit le nombre de coureurs des bois ou de trappeurs, il n'y avait toujours qu'un seul et même client au retour. Le commerce des fourrures était donc rigoureusement encadré par le gouvernement de la France. De 1700 à 1706, le monopole est octroyé à la Compagnie de la Colonie, gérée par des intérêts canadiens. L'entreprise fait banqueroute mais d'autres compagnies prendront la relève. Cette absence de concurrence rend ce secteur moins compétitif et entraîne un commerce de contrebande. Pour obtenir de meilleurs prix, plusieurs trappeurs canadiens iront vendre leurs fourrures à des marchands anglais.

La découverte des Rocheuses

Après Joliet, Cavelier de La Salle et Le Moyne d'Iberville, Pierre Gaultier de La Vérendrye (1685-1749) est certainement l'un des explorateurs les plus impressionnants de l'histoire de la Nouvelle-France.

Petit-fils de Pierre Boucher, fils de René Gaultier, un militaire du régiment de Carignan-Salières devenu seigneur et gouverneur des Trois-Rivières, La Vérendrye vise au départ une carrière de militaire. Il prend part au raid contre Deerfield en 1704, s'enrôle dans l'armée française, est grièvement blessé en Europe lors d'une bataille de la guerre de Succession d'Espagne. Après son retour en Nouvelle-France, il se marie et défriche une terre… Une vie calme et réglée. Apparemment sans histoire.

Et pourtant, de nouveaux horizons se dessinent pour lui à partir de 1730. Cette année-là, il part pour le lac Supérieur où il a été nommé commandant d'un fort. Comme Cartier, Champlain et Cavelier de La Salle, il rêve de découvrir cette fameuse mer de l'Ouest. Grâce aux contacts qu'il développe avec les Amérindiens, il entend parler de rivières et de lacs qui y mèneraient. Les autorités de la Nouvelle-France et le ministre de la Marine lui donnent l'autorisation d'explorer ces nouveaux espaces. De 1731 à 1741, il fonde au moins six forts.

Pour financer ses expéditions, La Vérendrye s'associe à des marchands de fourrures. Sa mission s'en trouve brouillée. Doit-il se consacrer aux explorations ou simplement ramener des pelleteries ? Comme les précédents explorateurs, il doit aussi composer avec différentes nations amérindiennes en guerre les unes contre les autres. L'un de ses fils est d'ailleurs massacré par des guerriers de la nation des Sioux le 6 juin 1736.

Son exploit est de s'être rendu, en canot, jusqu'au lac Winnipeg. En janvier 1743, l'un de ses fils se rend même jusqu'aux Rocheuses, par l'un des affluents de la rivière Saskatchewan. Les routes explorées par La Vérendrye et ses fils deviendront familières aux coureurs des bois de la vallée du Saint-Laurent qui partiront des mois dans l'Ouest pour y chercher des fourrures et y aimer des femmes. En effet, la rencontre de ces aventuriers et de ces Amérindiennes donnera naissance, un siècle plus tard, à la nation métis.

✔ **Le manque de routes.** Le premier obstacle au commerce, c'est un fleuve gelé six mois par année! Il s'agit là d'une entrave majeure que n'ont pas les colonies anglaises, dont les ports sont ouverts à l'année. En plus de ce problème de taille, il y a celui des déplacements à l'intérieur de la colonie. Jusqu'au début du 18e siècle, on s'en remet aux routes fluviales, mais ce n'est pas toujours commode. Entre 1706 et 1737, on construit enfin sur la rive nord un «chemin du roy» qui relie Québec et Montréal en quatre jours. C'est la première véritable route de la colonie. Ce sera pendant longtemps la seule.

✔ **La corruption.** Sous l'Ancien Régime français, la ligne de démarcation entre l'intérêt public de l'État et l'intérêt privé des dirigeants n'était pas toujours nette. Le gouverneur Frontenac, complètement fauché à son arrivée, a clairement tiré avantage de sa situation pour empocher d'importants profits grâce au commerce des fourrures. Durant la période qui nous intéresse, Michel de Bégon, intendant de 1711 à 1726, abusera lui aussi de ses fonctions. Et que dire de l'intendant Bigot (dont nous reparlerons dans le prochain chapitre)…

Que ces multiples entraves au commerce ne freinent pas complètement l'activité économique de la Nouvelle-France tient presque du miracle. Malgré ces nombreuses embûches, la production agricole de la colonie s'améliore durant les années 1720 et 1730, et ce, en dépit de plusieurs mauvaises récoltes causées par les caprices de dame Nature.

Le blé supplante la fourrure

En 1714, rien n'annonçait pourtant de tels progrès. Vaudreuil et Bégon écrivent à leur ministre : «Il y a tout lieu de craindre que la plupart des terres ne deviennent incultes.» Le pain se fait rare et coûte cher. Des habitants de la région de Québec s'en plaignent d'ailleurs publiquement. À qui la faute? Pour les autorités, les seuls coupables, ce sont les habitants eux-mêmes, de bien piètres agriculteurs selon eux, trop fainéants pour innover. Une accusation injuste. Pouvait-on vraiment blâmer les habitants de pratiquer une agriculture de subsistance? Quels étaient les incitatifs à produire des surplus s'il n'y avait aucun marché pour les écouler? Avec les années, c'est précisément cette donne qui change. En effet, la population des Antilles, surtout formée d'esclaves, ne cesse de croître. Les habitants de la vallée du Saint-Laurent y trouvent un marché actif, très intéressé par le blé produit par les fermiers de la vallée du Saint-Laurent. Voilà une belle incitation à développer une culture plus intensive. De 1721 à 1734, la superficie de terres en culture triple et la production annuelle de boisseaux de blé par habitant double. La production canadienne transite par Louisbourg. Le commerce du blé peut donc se faire pendant toute l'année. À partir de 1736, la valeur des exportations de blé supplante même celle des exportations de fourrures.

Du bois et du fer

«La France périra faute de bois», aurait un jour déclaré Colbert. Le manque de bois est effectivement un grave handicap pour un pays qui souhaite construire des bateaux, se constituer une marine de guerre et développer le commerce maritime. Les forêts de la Nouvelle-France regorgent de chênes, de merisiers, d'épinettes et d'ormes. L'idée d'exploiter cette richesse, ardemment défendue par l'intendant Jean Talon, refait surface au 18e siècle. Dans un premier temps, le ministre Maurepas accepte que la France importe des mâts pour les galères, mais ceux-ci coûtent cher à transporter et sont de piètre qualité. Il consent ensuite à ce que la France importe des planches, ainsi que de la résine et du goudron. Un projet de chantier maritime est aussi discuté. Maurepas en accepte le principe, mais à la condition que le Canada produise lui-même toutes les pièces nécessaires à la construction de navires de guerre. Après de nombreux pourparlers, on débute enfin la construction du Canada, une flûte de 500 tonneaux, en juin 1742. Durant les années qui suivent, on construit le Caribou, puis le Castor et le Carcajou, des vaisseaux de guerre. Pour bâtir ces bateaux, il fallait aussi du fer. La Nouvelle-France en possédait beaucoup. En 1736, les forges du Saint-Maurice sont mises en chantier. Deux ans plus tard, le premier haut fourneau est fonctionnel. On y produit des pièces pour les bateaux et des canons de bonne qualité.

Ces deux industries n'arrivent malheureusement pas à s'imposer. Dans les deux cas, les coûts de production sont beaucoup trop élevés. Les ouvriers spécialisés sont recrutés en France et demandent des salaires élevés. Les bateaux canadiens déçoivent car le bois utilisé ne serait pas tout à fait approprié. Quant aux forges du Saint-Maurice, l'État français y engloutit des sommes importantes mais n'en tire aucun profit. Les partenaires commerciaux auxquels le gouvernement octroie le monopole d'exploitation des mines de fer meurent prématurément ou sont insolvables.

Croyances au quotidien

Chaque époque a ses croyances et ses mœurs. Elles sont conditionnées par les institutions religieuses et ceux qui les représentent, par des idées qui sont dans l'air et qui sont tenues pour vraies. Les habitants de la Nouvelle-France n'échappaient pas à ces conditionnements de l'Ancien Régime.

La Nouvelle-France, une théocratie ?

L'idée de séparer l'Église et l'État est inconcevable sous l'Ancien Régime. Les deux institutions doivent fonctionner main dans la main. Le roi est à la fois un chef politique et spirituel. Cela dit, même si les dévots et les mystiques ont joué un rôle très important dans le développement de la colonie, la Nouvelle-France n'a jamais été une «théocratie», c'est-à-dire une société assujettie à l'Église. Le pouvoir de celle-ci et des plus influentes congrégations religieuses (jésuites, récollets, sulpiciens) était limité par celui de l'État, jaloux de ses prérogatives. Au départ, Mgr de Laval aurait voulu relever directement de Rome et être, au plan de la hiérarchie, un personnage plus important que le gouverneur, mais le roi s'y oppose. Après avoir reçu son titre d'évêque, il est forcé de prêter un serment de fidélité au roi, le 23 avril 1675. Les autorités politiques ont constamment favorisé une décentralisation de l'Église. Elles approuvent la création de « fabriques » où siègent de simples paroissiens qui voient à l'administration des biens de la paroisse. Elles pressent aussi le successeur de Laval de rendre les curés « inamovibles ». Une fois nommés, ces curés ne pouvaient être destitués par l'évêque selon son bon plaisir. En 1756, la Nouvelle-France compte 44 paroisses. À leur tête, on retrouve des curés canadiens formés au Séminaire de Québec, la seule institution de la colonie qui offre une formation « classique ». Ces personnages étaient enracinés dans leur communauté et respectés par la population. La carrière ecclésiastique n'était pas la plus populaire. Au 18e siècle, on manquait même de prêtres en Nouvelle-France.

La peur de l'enfer

La religion relie et unit. Elle rassemble les habitants de la Nouvelle-France tous les dimanches et lors des moments les plus fondamentaux de la vie de chaque individu : la naissance, le mariage, la mort. Le Dieu des habitants de la Nouvelle-France n'avait cependant rien du barbu sympathique et bienfaisant d'aujourd'hui. C'était un Dieu vengeur qui inspirait la peur. Au moment de rendre son dernier souffle, ce Dieu faisait le décompte des « péchés », ces fautes morales commises durant toute une vie. Ceux qui ne s'étaient jamais repentis de leurs fautes allaient brûler en enfer pour l'éternité. Aux yeux des clercs, les tremblements de terre ou les mauvaises récoltes étaient des châtiments infligés par Dieu.

La religion de l'Ancien Régime était faite de devoirs. Pour éviter la colère de Dieu, les habitants de la Nouvelle-France devaient pratiquer des rituels exigeants et souvent humiliants. Il fallait se priver de viande les vendredis et pendant le « carême » qui précédait les fêtes de Pâques. Pour manifester leur piété, certaines femmes mariées se refusaient à leur mari lors des jours de « pénitence ». Les fidèles devaient aussi confesser leurs péchés, une pratique qui en rebutait plusieurs. Il était également impératif que les femmes respectent un code vestimentaire assez strict.

Se résigner à la maladie

Loin des grands centres intellectuels et scientifiques européens, les habitants de la Nouvelle-France accueillaient la mort avec résignation. Son moment était choisi par Dieu. La mort, ils la côtoyaient au quotidien. Si un certain nombre d'habitants franchissait la soixantaine, l'espérance de vie ne dépassait guère la quarantaine. La maladie était aussi accueillie avec résignation. Les tumeurs, les diarrhées, les dysenteries étaient fréquentes. On en mourait souvent. Évidemment, les moyens de la médecine n'étaient pas ce qu'ils sont maintenant. Mais les causes de ces maladies sautent aujourd'hui aux yeux.

Les conditions d'hygiène étaient exécrables. Dans l'imaginaire populaire, la saleté était non seulement une fatalité mais une vertu ! Des proverbes de l'Ancien Régime en font foi : « Si tu veux devenir vieux, n'enlève pas l'huile de ta peau » ; « La crasse nourrit les cheveux » ; « Gens de bains, gens de peu d'années ». Bien des hommes pensaient aussi qu'en sentant mauvais, ils attireraient plus facilement des femmes : « Plus le bouc pue, plus la chèvre l'aime », répétaient certains !

Les épidémies se répandaient souvent à la vitesse de l'éclair. Rien d'étonnant : les égouts étaient à ciel ouvert, l'eau souvent gâtée. Quant à l'alimentation, elle ne fournissait pas toutes les vitamines requises, surtout l'hiver. Malgré la résignation, on se tournait vers toutes sortes de méthodes, d'onguents et de produits plus ou moins loufoques pour guérir. Ainsi, contre les maux de dents, on prescrivait de se couper les ongles le lundi ; contre la toux, boire son urine pouvait aider ; pour combattre le rhumatisme, on suggérait d'appliquer un hareng fumé sur la partie douloureuse, etc. Dans certains cas, on se tournait vers des saints particuliers qui pouvaient aider à guérir certaines maladies. L'Église officielle rejetait ces superstitions, qui relevaient de la pensée magique.

Se résigner aux mauvais maris

Choisir un bon mari est une grande affaire pour les femmes de la Nouvelle-France. Sous l'Ancien Régime, les relations sexuelles avant le mariage sont strictement interdites. Voilà pourquoi les conceptions prénuptiales sont rares (à peine 8 % au début du 18e siècle). Autant pour l'homme que pour la femme, une grossesse avant le mariage est très risquée. L'homme qui se défile peut être traîné devant la justice et accusé de « rapt de séduction ». Pour éviter un mariage, il doit démontrer au juge que la femme engrossée n'a pas des mœurs convenables et qu'elle n'est pas digne d'être sa future épouse. C'est donc pour conserver leur honneur que les femmes enceintes portent de telles accusations. Sans cela, elles risquaient de passer, aux yeux de tous, pour des filles faciles.

Pour les couples en formation, la phase du flirt était très courte. Le jeune homme intéressé s'invitait à veiller chez la famille de la jeune femme convoitée. Souvent, il regardait à peine cette dernière et ne conversait pas avec elle. À la quatrième visite environ, il devait clairement signifier au père son intention d'épouser la jeune femme. « Il faut parler mariage ou cesser tout commerce, explique le baron de La Hontan, sinon la médisance attaque les uns et les autres comme il faut. » La plupart des habitants recherchaient des femmes robustes et bien enveloppées. Les délicates et les maigrichonnes n'avaient pas trop la cote : elles risquaient d'avoir du mal à supporter les gros travaux de la ferme. Les rondeurs étaient synonyme de santé !

Si on se marie le plus souvent entre voisins, les mariages n'étaient pas forcés. Le consentement de la femme était essentiel. Heureusement, parce qu'une fois mariée, il était presque impossible de revenir en arrière. La coutume de Paris, le régime de lois qui encadrait le mariage à l'époque de la Nouvelle-France, prévoyait que le mari devenait le chef de famille et que sa femme lui était assujettie. L'épouse perdait donc son autonomie juridique. « Quand le coq a chanté, la poule doit se taire », disait-on. Bien sûr, dans l'intimité des familles, bien des femmes donnaient leur point de vue et participaient aux décisions. Mais sur la place publique, elles n'avaient plus droit de cité.

Qu'arrivait-il lorsqu'une femme tombait sur un homme fainéant, débauché ou violent ? Avait-elle un recours ? Selon l'Église, elle devait se résigner. C'est du moins ce que prêchait Antoine Déat, le curé de Notre-Dame de Montréal, dans un sermon prononcé en 1751. Pour faire face aux maris violents, il proposait aux épouses un « grand secret ». Plutôt que de condamner la violence de leur mari, elles devaient « avoir recours à la douceur et à la patience ». « Cessez d'être une femme impérieuse et votre mari peut-être cessera d'être un homme emporté. »

Encore la guerre

En mars 1744, un nouveau conflit éclate entre la France et la Grande-Bretagne. La guerre de Succession d'Autriche durera quatre ans. Comme en Espagne quelques décennies plus tôt, l'empereur d'Autriche meurt le 20 octobre 1740 sans laisser d'héritier mâle. Des puissances rivales contestent la légitimité de Marie-Thérèse, l'héritière désignée. La France décide de s'allier à la Prusse de Frédéric II qui convoite certains morceaux de l'empire autrichien. Les premières victoires franco-prussiennes poussent l'Angleterre dans la mêlée. Cette guerre européenne donne à nouveau le feu vert aux colonies anglo-américaines.

« Bête comme la paix »

Dès l'annonce du déclenchement de la guerre, ce sont les Français qui lancent les premiers raids contre des postes anglais de l'ancienne Acadie. Le gouverneur de Louisbourg aurait souhaité reprendre Port-Royal mais les Acadiens préfèrent rester neutres. Quelques mois plus tard, c'est au tour des Bostonnais d'organiser une grande expédition contre Louisbourg et sa forteresse, que les Français croient imprenable. Les ressources mobilisées sont impressionnantes. L'expédition arrive au large de l'Île Royale le 11 mai 1745. Une délégation de Bostonnais tente de convaincre le gouverneur d'abandonner son poste mais il refuse. Pendant 47 jours, la ville française est pilonnée sans arrêt. Le 27 juin, les Français capitulent. Le ministre de la Marine organise l'année suivante une contre-attaque. Mais le malheur et la malchance s'acharnent contre cette expédition. En 1748, les puissances européennes signent le traité d'Aix-la-Chapelle. En échange d'une possession aux Indes, l'Angleterre accepte de rétrocéder Louisbourg aux Français. Les Bostonnais sont furieux. Tout cela pour ça! Dans la métropole, plusieurs trouvent que Louis XV n'a pas su s'imposer lors des négociations. «Bête comme la paix», répètent les mauvaises langues en France...

Le mémoire de La Galissonnière

Gouverneur de la Nouvelle-France à la fin des années 1740, La Galissonnière tente de convaincre l'État français de redonner un nouvel élan au développement de la colonie. Dans un mémoire qui date de décembre 1750, il convient que cet effort demandera de gros investissements. «On ne peut nier que cette Colonie n'ait toujours été à la charge à la France et il y a apparence qu'elle sera très longtemps sur le même pied; mais elle est en même tems la plus forte digue que l'on puisse opposer à l'ambition des anglois.» Il propose la construction d'une série de forts dans les régions les plus stratégiques, une recommandation qui sera en partie suivie au cours des années à venir.

Mais cela suffira-t-il pour contenir les ambitions anglo-américaines?

Deuxième partie

Conquis mais toujours vivants (1754-1867)

Dans cette partie...

Nous allons tenter de comprendre pourquoi la Nouvelle-France tombe aux mains des Anglais lors de la guerre de Sept Ans. Et aussi de voir comment, dans ce nouvel Empire qui leur est hostile, les ancêtres des Québécois vont résister aux tentatives d'assimilation, tourner le dos à la Révolution américaine, tirer profit des nouvelles institutions parlementaires. Nous allons enfin tenter de comprendre le sens des rébellions de 1837, la conséquence de l'échec des Patriotes du Bas-Canada, le réveil religieux des années 1840 et les origines de la Confédération canadienne... Une période d'un peu plus de 100 ans, mais pleine de rebondissements !

Chapitre 5

Les Anglais débarquent (1754-1763)

S'il faut s'arrêter à ces quelques années et prêter attention aux événements qui surviennent en Nouvelle-France, en Amérique du Nord et aussi en Europe durant cette courte période, c'est que les enjeux sont énormes.

La France de Louis XV et la Grande-Bretagne de George II (remplacé par George III en 1760) jouent leur avenir en tant que civilisations. De 1756 à 1763, les deux nations s'affrontent sur de nombreux champs de bataille aux quatre coins de la planète. Si la France de l'époque est la puissance dominante, la Grande-Bretagne dispose d'une marine redoutable et aspire à dominer le monde. Nul doute que l'hégémonie actuelle de la culture anglo-saxonne trouve son origine dans cette guerre du milieu du 18e siècle.

Ce qui se joue aussi, c'est le destin d'un peuple. En 1754, les Canadiens de la vallée du Saint-Laurent sont encore des sujets français. Voilà qu'en 1763, ils font désormais partie d'un empire qui leur est étranger. Étranger... et hostile : à leur culture, à leurs lois, à leurs traditions et, surtout, à leur religion. Ce peuple, qui vient à peine de naître et de prendre conscience de lui-même, est donc confronté très tôt à la tragique possibilité de sa disparition.

La Nouvelle-France convoitée

Au milieu du 18e siècle, la Nouvelle-France impressionne par son étendue. Ce territoire immense s'étend du golfe du Saint-Laurent jusqu'aux bouches du Mississippi et comprend les Grands Lacs ainsi que la vallée de l'Ohio.

Cette colonie-continent est cependant très peu peuplée – à peine 70 000 habitants, ou un peu plus si on inclut les colons de la Louisiane qui commencent à s'enraciner. La majorité vit dans la vallée du Saint-Laurent. Peuple de paysans et de coureurs des bois, les Canadiens ont dû composer avec ce vaste continent. Des Amérindiens, ils ont appris beaucoup de choses, dont l'art de faire la guerre – une guerre d'embuscades et d'attaques surprises qui sèment la panique chez les adversaires, souvent plus nombreux.

Ces adversaires, ce sont les Anglo-Américains du sud. Leurs 13 colonies, très prospères, sont concentrées sur le littoral atlantique. Elles comptent déjà 1,5 million d'habitants. À elle seule, la ville de New York compte 50 000 habitants, soit six fois plus que Québec. Formées par des dissidents religieux au 17e siècle, ces colonies sont très autonomes et presque toutes pourvues d'un Parlement et d'une milice locale. Des visionnaires comme Benjamin Franklin voudraient unir ces colonies et en faire une grande nation. Au milieu du 18e siècle, ce projet est accueilli plutôt froidement. Chacune reste jalouse de ses prérogatives.

Ce déséquilibre démographique entre Franco-Canadiens et Anglo-Américains donne à penser que la fin de la Nouvelle-France est imminente. En vérité, rien n'est joué… Pour remporter la mise, les Britanniques doivent mobiliser leurs meilleurs hommes et investir des sommes colossales.

La détermination des Anglo-Américains

Comme nous l'avons vu au chapitre précédent, l'Acadie est cédée aux Anglais en 1713 (traité d'Utrecht). Peu après, ceux-ci fondent une nouvelle colonie : la Nouvelle-Écosse. Pour limiter l'influence des Anglais dans la région, les Français font construire la forteresse de Louisbourg sur l'île Royale, ainsi que les forts Saint-Jean, Beauséjour et Gaspareaux, à la frontière est de l'Empire. D'autres Américains convoitent des terres plus à l'ouest. Des habitants de la Virginie et de la Pennsylvanie aimeraient bien s'installer dans la vallée de l'Ohio, mais les Franco-Canadiens leur barrent la route. Durant la seule année 1753, ces derniers érigent les forts Presqu'île, Le Bœuf et Machault tout près du lac Érié, au cœur de la région convoitée. À l'est comme à l'ouest, les Anglo-Américains se sentent encerclés ou bloqués dans leur développement. S'ils ont du mal à fixer une stratégie commune, ils sont impatients de déloger leurs adversaires.

Les débuts de George Washington

En 1754, les Français terminent le fort Duquesne. Une pure provocation, selon les Américains de la Virginie! Ils envoient sur les lieux George Washington, un jeune lieutenant-colonel de 22 ans appelé à une très grande carrière militaire et politique (il sera le premier président des États-Unis d'Amérique). Il est à la tête d'une troupe d'environ 120 miliciens de la Virginie. Les Français réagissent aussitôt en dépêchant une trentaine d'hommes, dont Joseph Coulon de Villiers de Jumonville. Ce dernier va à la rencontre des miliciens virginiens et leur ordonne de quitter les « terres du Domaine du Roi ».

Pendant qu'il lit sa sommation, de Jumonville est attaqué par un Amérindien allié aux Virginiens qui lui fend le crâne avec son tomahawk. Cette scène d'épouvante est suivie d'un affrontement sanglant remporté par les hommes de Washington. Un mois plus tard, une troupe de 500 miliciens canadiens et d'alliés amérindiens dirigés par le frère de de Jumonville contre-attaquent et remportent une victoire facile. Le fort « Necessity », érigé par les Virginiens tout près du fort Duquesne, est démoli. Cet épisode déclenche des hostilités ouvertes. Les Franco-Canadiens sont choqués par l'attaque sauvage perpétrée contre l'un des leurs, alors que les Anglo-Américains ont le sentiment que la menace est à leurs portes.

Le « Grand Dérangement »

Cet affrontement renforce sûrement la détermination des Anglo-Américains de la Nouvelle-Écosse, qui se méfient énormément des Acadiens. Pour conserver leurs terres et leur religion, ces catholiques de descendance française s'étaient engagés à rester neutres en cas de conflit entre la Grande-Bretagne et la France. Les 16 et 17 juin 1755, les Anglo-Américains prennent facilement les forts de Beauséjour et de Gaspareaux, un premier pas pour briser l'encerclement à l'est. Après ce coup de filet, les vainqueurs exigent des Acadiens qu'ils mettent de côté leur neutralité et servent l'empire britannique. Sans quoi, c'est la prison. Fidèles à leurs traditions et à eux-mêmes, les Acadiens refusent.

Ce refus héroïque de la soumission aura un prix : la déportation, ou ce que la mémoire acadienne appelle « le Grand Dérangement ». Parce qu'ils souhaitent simplement rester neutres, tous les Acadiens sont désormais considérés comme des rebelles. Leur seule présence en Nouvelle-Écosse paralyserait les progrès de la colonisation, selon les Anglo-Américains. La décision est prise d'expulser toute une population de ses terres et de la transporter le plus loin possible. Durant l'été et l'automne 1755, des hommes, des femmes et des enfants sont regroupés comme du bétail et disséminés dans les colonies américaines au sud du Massachusetts. Plus de 7 000 personnes (sur environ 12 000) auraient été victimes de cette triste opération de nettoyage ethnique. Plusieurs vont mourir de faim; d'autres reviendront s'installer sur des terres de l'actuel Nouveau-Brunswick où une partie du peuple acadien s'est reconstitué au 19e siècle ; d'autres encore vont se réfugier dans la vallée du Saint-Laurent et raconter ce qui est arrivé.

Les Anglais mettent le paquet

Mais pour venir à bout de la Nouvelle-France, les Américains ont besoin de leur métropole. Jusqu'en 1756, le conflit se limite au territoire américain. Entre la France et la Grande-Bretagne, cependant, le ciel ne cesse de s'assombrir.

Le 8 juillet 1755, les deux métropoles rompent officiellement leurs relations. Cette décision survient après qu'un amiral anglais ait coulé au large de Terre-Neuve l'Alcide et le Lys, deux vaisseaux de guerre français. Dans les mois qui suivent, plusieurs bateaux français sont arraisonnés par les Britanniques.

L'Angleterre déclare officiellement la guerre à la France le 18 mai 1756. Elle n'est pas seule dans la bataille, cependant. Son alliance avec la Prusse lui assure un appui de taille sur le continent européen qui lui permet de se concentrer sur ses colonies et sa marine. La France s'est quant à elle alliée à l'Autriche, son ennemie héréditaire. Ce pacte n'est pas de bon augure pour la Nouvelle-France, car il contraint sa métropole à concentrer le gros de ses forces sur le continent européen.

Pitt au pouvoir

Le 19 mai 1756, les Français remportent une victoire retentissante sur l'île de Minorque, une possession stratégique des Anglais en plein cœur de la Méditerranée. Jugé responsable de cette humiliation, l'amiral Byng est fusillé l'année suivante. Cette défaite crée une énorme secousse politique à Londres. Le roi George II et son Parlement cherchent un nouvel homme, un sauveur, qui replacera le royaume sur le sentier de la victoire. Ils pensent l'avoir trouvé dans la personne de William Pitt, un orateur passionné qui n'a rien d'un courtisan. C'est en effet l'un des premiers politiciens britanniques à s'appuyer sur l'opinion publique plutôt que sur les intrigues de la cour. Proche du courant dit « patriote », il croit que les guerres, menées par les miliciens du pays plutôt que par des mercenaires étrangers, forgent l'esprit national. Il croit surtout que le véritable destin de la Grande-Bretagne est sur les mers et dans les colonies plutôt qu'en Europe. À ses yeux, c'est en Amérique que les Anglais pourront vaincre leur vieil ennemi français, non sur les champs de bataille du Vieux Continent.

L'arrivée de Montcalm

Mais il faudra un certain temps avant que la stratégie de Pitt ne donne ses premiers fruits. En 1756, la France confie le commandement de son armée de la Nouvelle-France à Louis-Joseph de Montcalm. À 44 ans, c'est un militaire d'expérience qui compte à son actif quelques campagnes importantes et la plus haute distinction militaire du royaume : la croix de Saint-Louis. Ses jeunes assistants sont d'une classe à part. Son second, le chevalier de Lévis, un futur maréchal, est un commandant courageux, intrépide et fin diplomate. Son aide de camp, Louis-Antoine de Bougainville, est déjà un homme de science reconnu qui laissera à la postérité d'importants récits de voyage autour du monde.

Drôle d'armée

Montcalm est à la tête d'une armée pour le moins bigarrée. D'abord, les bataillons de l'armée régulière venue de France, formée d'environ 8 500 militaires de carrière ; ensuite, les soldats locaux des compagnies franches de la marine ; enfin, les 15 000 miliciens canadiens, mal équipés mais courageux. Quant aux alliés amérindiens, Montcalm ne sait trop quoi en faire. Les méthodes guerrières des Canadiens et des Amérindiens ne lui disent rien qui vaille. Sur cet enjeu, et sur plusieurs autres, il n'est pas sur la même longueur d'onde que le gouverneur Vaudreuil, un Canadien de naissance, de qui relève officiellement la défense de la Nouvelle-France. La tension entre les deux hommes nuira aux opérations.

Rapidement, les troupes de Montcalm remportent des victoires significatives qui montrent que le sort de la Nouvelle-France n'était pas perdu d'avance.

✔ **La victoire de William-Henry (1757)** : Durant l'été 1757, Montcalm réunit 8 000 hommes, dont 1 800 alliés amérindiens, et attaque le fort anglais William-Henry, à l'extrême sud du lac Saint-Sacrement, à moins de 100 kilomètres au nord d'Albany (État de New-York). Après deux ultimatums et un bombardement intensif, les Anglo-Américains acceptent de se rendre le 9 août. L'honneur des Anglo-Américains est sauf et Montcalm fait escorter les belligérants ennemis et leurs familles vers un autre fort. Les choses tournent mal cependant. En cours de route, plusieurs prisonniers sont agressés, voire massacrés, par les alliés amérindiens, souvent ivres. Ce non-respect des honneurs de la guerre choque énormément l'opinion publique américaine.

✔ **La victoire de Carillon (1758)** : La riposte ennemie est spectaculaire. Les Anglo-Américains tentent d'ouvrir la route du sud, celle du lac Champlain et de la rivière Richelieu, qui doit mener leurs troupes aux portes de Montréal. Premier objectif : le fort Carillon. Un énorme contingent de miliciens américains et de soldats anglais est mobilisé pour prendre le fort français – en tout, près de 15 000 hommes, dirigés par le major général Abercromby. Face à ce contingent, les Franco-Canadiens ne disposent que de 3 500 hommes. Après un feu nourri contre l'ennemi, la victoire est acquise le 8 juillet. Les pertes des Anglo-Américains sont énormes. Les forts français du sud tiennent bon. Si les Anglais ne désespèrent pas de prendre Montréal par le sud, tous les regards se tournent désormais vers l'est.

Des femmes refusent de manger du cheval !

Durant l'hiver 1757-1758, une famine sévit en Nouvelle-France. Les mauvaises récoltes de l'été expliquent le phénomène, mais aussi l'accroissement imprévu de la population, provoqué par l'arrivée des soldats et des 2 000 réfugiés acadiens. Ajoutons que les hommes en âge de combattre ont moins de temps à consacrer à leurs terres, que les cargaisons en provenance de la France sont souvent interceptées par des navires anglais, et que l'intendant François Bigot, déjà soupçonné de corruption, aurait caché des vivres pour faire monter les prix et empocher de beaux profits.

Lorsque l'hiver arrive, la population voit son pain rationné. On remplace la farine par le riz. Pire encore : on interdit la consommation de bœuf. Pour garnir les assiettes, il reste la morue, le lard ou... le cheval. En décembre 1757, les femmes sortent manifester. Dans son Journal de campagne, le chevalier de Lévis parle même d'une « émeute ». Elles réclament de plus importantes portions de pain et refusent, pour des raisons religieuses, de manger du cheval – cet « ami de l'homme », disent-elles. Le gouverneur Vaudreuil ne bronche pas et menace même de les emprisonner si jamais elles avaient le malheur de contester à nouveau ses ordres.

Mais la résistance ne vient pas que des femmes. Quelques jours plus tard, c'est au tour des soldats de refuser de manger du cheval. Vaudreuil menace de pendre les soldats qui défieront son autorité. Lévis demande aux soldats de faire preuve de compréhension. Pendant ce temps, alors que plusieurs centaines d'Acadiens meurent de faim, l'intendant Bigot organise de grands banquets où il ne manque de rien...

La prise de Louisbourg

L'autre route pour attaquer la Nouvelle-France est celle du Saint-Laurent. Mais avant d'y accéder, les Anglais doivent faire tomber la ville-forteresse de Louisbourg. Les Britanniques ne lésinent pas sur les moyens. Ils équipent 24 vaisseaux de guerre, 18 frégates et 16 000 hommes pour prendre l'île Royale. Le débarquement se produit le 8 juin 1758. Ils encerclent rapidement la citadelle et la pilonnent sans relâche. Les assiégés, beaucoup moins nombreux et sans renforts, capitulent le 26 juillet. Parmi les officiers qui se distinguent durant cette attaque, le jeune James Wolfe montre beaucoup d'ardeur et de combativité. C'est à lui qu'on confie la mission de prendre Québec.

Conquête des Anglais ou abandon de la France ?

La prise de Louisbourg par les Anglais efface leurs nombreuses défaites en Amérique. Pour les Britanniques, cette victoire s'ajoute à celle de leur allié prussien à Rossbach, le 5 novembre 1757. Ces gains consolident le pouvoir de Pitt et légitiment sa stratégie. Les yeux du premier ministre restent rivés sur l'Amérique. Son plan est simple : envahir la Nouvelle-France par le sud et par le nord-est. Cette stratégie « de la mâchoire » est bien connue des Franco-Canadiens, qui concentrent, au printemps 1759, le gros de leurs effectifs dans la capitale.

Le siège de Québec et la bataille des plaines d'Abraham

Pour prendre Québec, les Anglais ne lésinent pas sur les moyens. Cette fois, ce sont près de 40 000 hommes qui sont mobilisés : des marins, des soldats de l'armée régulière, des miliciens américains qui rêvent de prendre leur revanche. Âgé de 32 ans, le général James Wolfe souhaite également régler le cas des Canadiens : « J'aurai plaisir, je l'avoue, à voir la vermine canadienne saccagée, pillée et justement rétribuée de ses cruautés inouïes », écrit-il au printemps 1759 à un correspondant. La marine anglaise quitte le port d'Halifax en direction de Québec le 5 mai 1759. Deux semaines plus tard, les habitants du Bic aperçoivent les premiers navires anglais. Des feux sont allumés tout le long du Saint-Laurent pour annoncer aux villages plus au sud que les ennemis arrivent. Le gouverneur Vaudreuil ordonne l'évacuation des villages et la mobilisation de tous les miliciens.

Wolfe déjoué

Les troupes du général Wolfe s'installent en face de Québec à la fin juin. Son plan est de prendre Québec par la côte de Beauport, mais les fortifications aménagées nuit et jour par les troupes de Montcalm l'obligent à renoncer au débarquement. Protégée par un impressionnant cap rocheux, la capitale de la Nouvelle-France est très difficile d'accès. Wolfe tente une diversion et trouve le moyen de faire distribuer un manifeste aux habitants : « Je promets aux habitants ma protection et je les assure qu'ils pourront, sans craindre les moindres molestations, jouir de leurs biens… ». Peine perdue ! Les Canadiens font bloc. Âgés d'entre 16 et 60 ans, près de 15 000 miliciens répondent à l'appel de leur compagnie. Lorsque des marins ou des soldats anglais s'approchent trop près des berges ou s'aventurent dans les terres, déplore Wolfe, « des vieillards de 70 ans et des garçons de 15 ans se postent à la lisière des bois, tirent sur nos détachements, tuent et blessent nos hommes ».

Québec bombardée

Incapable de rallier les Canadiens, le général anglais installe des troupes à la Pointe-Lévy, sur la rive sud du fleuve Saint-Laurent, à moins d'un kilomètre de la capitale. Le 12 juillet, le bombardement de Québec commence pour de bon. La plupart des boulets atteignent la Haute-Ville mais personne n'est tué. Presque toutes les nuits, les bombardements recommencent. Le 16 et le 23 juillet, des bombes incendiaires font des ravages. En septembre, la jolie cathédrale est en ruine et plus de 530 maisons ont été saccagées ou brûlées. Des rapports indiquent que plus de 13 000 boulets de fer auraient pilonné la ville durant l'été. Encore aujourd'hui, les habitants de Québec en découvrent, enfouis dans le sol. Il n'était pas courant à l'époque de viser des populations civiles. L'objectif du bombardement est surtout psychologique.

Débarquements ratés

Le 31 juillet, Wolfe tente un premier débarquement plus à l'est, du côté de la rivière Montmorency. Un gros vaisseau de guerre anglais pilonne la côte pendant plusieurs heures. Entre 17 h et 18 h, près de 2 000 soldats anglo-américains foulent le sol et se lancent, de manière désordonnée, à l'assaut des troupes franco-canadiennes. La discipline des hommes de Lévis et un gros orage ont raison de l'ennemi, qui essuie d'importantes pertes et bat en retraite. Quelques jours plus tard, des troupes anglaises tentent un autre débarquement, plus à l'ouest, près du petit village de Neuville. Cette fois, c'est Bougainville qui repousse l'ennemi avec succès.

La politique de la fureur

Ces deux revers sont difficiles à encaisser pour les hommes de Wolfe. À défaut d'affronter des militaires, on décide d'attaquer les populations civiles qui vivent paisiblement le long des deux rives du Saint-Laurent. Le 9 août, des Américains débarquent à Baie-Saint-Paul et brûlent une quarantaine de maisons. Le lendemain, des soldats anglais incendient les villages de Saint-Antoine, de Sainte-Croix et de Saint-Nicolas, situés plus au sud. Le 19 août, les habitants de Portneuf et de Deschambault sont victimes de saccages et de pillages. La semaine suivante, un affrontement sanglant se produit à Saint-Joachim, un peu à l'est de Québec. Le curé René Portneuf et quelques habitants résistent courageusement aux Rangers. Une fois capturés, ils sont scalpés, martyrisés et tués. Le 31 août, 1 200 hommes quittent la Pointe-Lévy. Leur mission ? Incendier tous les villages de la Côte-du-Sud, de Kamouraska jusqu'à Québec…

Le tout pour le tout !

L'été passe et Québec n'est toujours pas aux mains des Anglais… La citadelle tient bon ! Atteint d'une violente fièvre à la fin du mois d'août, Wolfe montre des signes de découragement. Les troupes de Montcalm ne bronchent pas. Elles attendent l'hiver, leur meilleur allié dans les circonstances. Mais le jeune général anglais prend du mieux et décide que ses troupes vont débarquer à un endroit tout à fait inusité : l'anse au Foulon. Située tout juste au sud-ouest de la capitale, cette anse est surveillée nuit et jour. Une fois débarquées, les troupes devront gravir un rempart de plus de 50 mètres avec leurs armes et leurs équipements. Wolfe veut prendre ses ennemis par surprise. Son état-major trouve cette décision carrément suicidaire. Jusqu'à la veille du débarquement, qui se produit durant la nuit du 12 au 13 septembre, on tente de dissuader le jeune général. Rien à faire !

La bataille fatidique

Le matin du 13 septembre 1759, une sentinelle française postée à l'anse au Foulon perçoit du mouvement sur le fleuve. Une voix lui répond dans un excellent français... La sentinelle est déjouée et les troupes anglaises atteignent péniblement, avec leurs lourds équipements, le plateau des plaines d'Abraham, situé tout juste à l'ouest de la capitale. Montcalm est pris par surprise et accepte l'affrontement – une décision qui lui sera reprochée. Vers 10 h, les deux armées se font face. Wolfe laisse venir les Français et les Canadiens qui tirent sur leurs ennemis de manière dispersée. Puis sa voix retentit : «*Fire !*» La première salve des Anglais crée une onde de choc. «Une fusillade brutale à très courte distance, écrit un témoin, la plus remarquable que j'aie jamais vue.» D'autres salves meurtrières suivent. Les troupes franco-canadiennes battent en retraite et se réfugient derrière les murs de la ville. Le nombre total des victimes ne dépasse pas le millier. Les deux généraux sont mortellement atteints.

Les erreurs de Montcalm

La décision du général français d'engager le combat contre les Anglais a été beaucoup discutée par les historiens. Ses critiques lui reprochent d'avoir engagé les hostilités trop rapidement. Il aurait dû s'emmurer à Québec et attendre des renforts de Bougainville et de Lévis. Les troupes du premier, postées à Neuville, auraient pu prendre les troupes de Wolfe à revers. Quant au second, il avait été dépêché à Montréal au mois d'août avec quelques bataillons qui auraient pu faire la différence.

Une autre erreur qui lui a été reprochée est d'avoir intégré à son armée régulière les miliciens canadiens. Après la première salve des Anglais, ces derniers se sont couchés et sont allés se cacher, au lieu de continuer leur avance en phalange serrée. Cette éclipse des Canadiens, qui n'avaient pas reçu l'entraînement des soldats professionnels, a laissé croire que les troupes françaises étaient complètement décimées, d'où l'impact psychologique de la première salve.

Les défenseurs de Montcalm estiment qu'il n'avait pas le choix d'engager le combat. Cette attaque de Wolfe pouvait être perçue comme une diversion qui faciliterait le débarquement des troupes anglaises à Beauport. Une victoire rapide et préventive contre les Anglais sur les plaines d'Abraham aurait anéanti leur moral.

La reddition de Québec

Durant la nuit du 13 au 14 septembre, les troupes françaises quittent Québec et s'installent plus à l'ouest, le long de la rivière Jacques-Cartier. L'objectif est de reprendre la capitale le plus tôt possible, avant l'hiver. Mais les miliciens et les soldats emmurés dans la ville l'ignorent et craignent d'être assiégés pendant longtemps. Or, les vivres risquent rapidement de manquer. Jean-Baptiste-Nicolas-Roch de Ramezay, le commandant de la garnison de Québec, reçoit une requête des notables de la ville qui anticipent la fureur des soldats ennemis. « Il n'est point honteux de céder quand on est dans l'impossibilité de vaincre », écrivent-ils. Le 17 septembre, des pourparlers débutent. Le lendemain, une reddition est signée et les troupes anglaises pénètrent l'enceinte de la ville. L'Union Jack est aussitôt hissé à l'endroit le plus visible.

Les réactions dans les villes américaines et à Londres sont extatiques… Pour les Anglais, Wolfe devient le symbole même du courage et du patriotisme.

La capitulation de Montréal

Si la capitale est aux mains des Anglo-Américains, la Nouvelle-France existe toujours. Les villes de Trois-Rivières et de Montréal restent aux mains des Français. Le découragement gagne certains esprits, mais plusieurs croient encore la victoire possible et organisent une riposte.

Lévis aux commandes

C'est le cas du chevalier de Lévis qui, après la mort de Montcalm, hérite du commandement des troupes françaises en Amérique. Sa grande obsession ? Reprendre Québec au plus vite. Il est conscient que le moral de ses troupes est au plus bas et parie sur une reprise de la capitale pour fouetter les ardeurs, ce qui amènerait les miliciens canadiens, découragés, à reprendre du service. Il invite d'ailleurs ses officiers à avoir plus de considération pour les Canadiens. « Vous savez qu'on nous accuse d'agir avec trop de sévérité envers eux ; il est d'ailleurs essentiel de les bien traiter, et qu'ils vivent en bonne intelligence avec nos troupes », leur écrit-il.

Victoire de Sainte-Foy

Cette stratégie donne rapidement des résultats lors de la bataille de Sainte-Foy. Lévis attend la fonte des glaces d'avril pour reprendre la capitale. Tous les hommes disponibles des troupes régulières et de la milice sont mobilisés. Si les Britanniques disposent d'une artillerie plus puissante, les manœuvres des troupes de Lévis sur le terrain et le courage de ses hommes font la différence. Les Anglais n'ont d'autre choix que de se replier derrière les murs de la ville. Québec est à nouveau assiégée, mais cette fois par les

Français et les Canadiens. Avant de lancer l'assaut final contre la ville, Lévis préfère attendre des renforts de la France. Durant les jours et les semaines qui suivent la bataille de Sainte-Foy, lui et ses hommes ont les yeux rivés sur le fleuve, car ils espèrent voir surgir des navires qui battraient pavillon français. Ces renforts ne viendront pas. Pire encore : le 15 mai, ce sont des navires anglais qui remontent le Saint-Laurent. À l'intendant François Bigot, Lévis écrit : «Je crains bien que la France ne nous ait abandonnés». Le lendemain, le siège est levé et les troupes se dirigent vers Montréal.

Montréal tombe

Non sans raison, les Anglais sentent que la victoire est à portée de main. Toutes leurs armées d'Amérique du Nord convergent vers Montréal. C'est qu'entre-temps, les principaux forts français situés à l'ouest, dans la région des Grands Lacs, et au sud, autour du lac Champlain et le long du Richelieu, sont tous tombés aux mains des Anglo-Américains. Pour les hommes d'Amherst, de Haviland et de Murray, la voie est donc libre. Contrairement aux habitants de Québec, ceux de Montréal ne disposent d'aucune barrière naturelle pour se protéger. Lucide, le gouverneur Vaudreuil ne voit d'autre issue que la capitulation. Des négociations débutent et un premier texte est mis sur la table. Mais les discussions achoppent sur la question des honneurs de la guerre que réservaient généralement les vainqueurs aux perdants. Comme les Anglais les refusent aux Français, Lévis s'oppose au traité de capitulation. Avec un certain panache, il préfère brûler ses drapeaux plutôt que de les remettre à l'ennemi.

Le texte de la capitulation

Le 8 septembre 1760, Vaudreuil signe le texte final de la capitulation. Canadien de naissance, le gouverneur pense d'abord à ses compatriotes qui devront vivre les lendemains de cette défaite. Cette reddition comprend 55 articles. Les Britanniques se montrent magnanimes, dans les circonstances. À moins qu'ils ne soient tout simplement pragmatiques. Ils savent bien qu'ils ne pourront contraindre tout un peuple par la force. La reddition prévoit donc :

- ✔ **La liberté de culte.** Pas question d'obliger les Canadiens à abjurer leur foi catholique.

- ✔ **Le respect du droit de propriété.** Pas question non plus de déposséder les Canadiens ou leurs congrégations religieuses de leurs biens.

- ✔ **Qu'aucun Français ou Canadien ayant combattu ne sera fait prisonnier et envoyé en Angleterre ou dans une colonie britannique.** Ceux qui ont combattu conservent leur liberté de mouvement. Ils peuvent rester ou repartir en France sans être inquiétés, mais à la condition de ne plus prendre part à la guerre en cours.

Le traité de Paris de 1763

Les Anglo-Américains ont remporté d'importantes victoires militaires dans le Nouveau Monde, mais le sort de la Nouvelle-France n'est pas encore tout à fait scellé. C'est que la guerre entre la Grande-Bretagne et la France se poursuit en Europe et ailleurs. Des pourparlers de paix débutent dès la chute de Québec, mais une alliance nouvelle de la France avec l'Espagne, paraphée le 15 août 1761, laisse croire aux Français qu'ils pourront négocier de meilleures conditions. Ce Pacte des familles (allusion à la famille des Bourbon qui règne en France et en Espagne) prolonge le conflit.

L'occupation militaire

Pendant que les armées françaises et britanniques s'affrontent sur d'autres champs de bataille, la vallée du Saint-Laurent est occupée militairement. À Québec, Montréal et Trois-Rivières, trois administrations dirigées par des militaires se mettent en place en attendant l'issue finale. Par l'intermédiaire du général Amherst, ils reçoivent du roi George III lui-même des indications très claires : « empêcher qu'aucun soldat, matelot ou autre, n'insulte les habitants français qui sont maintenant sujets du même prince ; défendant à qui que ce soit de les offenser en leur rappelant d'une façon peu généreuse cette infériorité à laquelle le sort des armes les a réduits, ou en faisant des remarques insultantes sur leur langage, leurs habillements, leurs modes, leurs coutumes et leur pays ».

Malgré ces politesses, une partie importante de l'élite canadienne décide de quitter la Nouvelle-France occupée. Ces 4 000 Canadiens sont des fonctionnaires, des militaires, des commerçants. Si leurs départs commencent avant la reddition de Montréal, ils s'accélèrent en 1760. La majorité retourne en France, mais un certain nombre s'installe en Guyane (Amérique du Sud) et ailleurs dans l'Empire.

Chez les Canadiens qui restent, on ne voit poindre aucune velléité de rébellion. On est plutôt soulagé que la guerre soit enfin terminée. Plusieurs en veulent aussi à la France d'avoir suspendu le paiement des lettres de change en octobre 1759. (Plutôt que de drainer des pierres précieuses dans la colonie, la France avait émis cette monnaie de papier que les habitants pouvaient convertir en pièces, au besoin. Cette décision de la France en accule plusieurs à la faillite.) D'autres sont bien heureux que la colonie soit débarrassée de François Bigot, l'intendant accusé de malversations et aussitôt rentré en France.

Bigot, un bouc émissaire ?

La perte du Canada ne passe pas inaperçue en France. Le gouvernement de Choiseul cherche des coupables. En 1761, Bigot est envoyé à la Bastille, la prison politique de l'ancien régime français. Débute alors ce qu'on appelle à Paris «l'affaire du Canada», un immense procès qui mobilise l'attention publique pendant deux ans. On accuse Bigot et ses complices d'avoir «abusé du nom et de l'autorité de Sa Majesté» et de s'être construit une «fortune considérable sur le fondement du malheur public». Dans un mémoire de plus de 1 000 pages, Bigot nie toutes les accusations portées contre lui, mais un verdict de culpabilité est néanmoins prononcé le 14 novembre 1763. Après avoir hésité entre la pendaison ou la décapitation, on opte finalement pour le bannissement à vie du royaume. Jusqu'à sa mort en 1778, Bigot tentera de laver sa réputation.

Finie la Nouvelle-France...

Le 10 février 1763, la France et la Grande-Bretagne signent le traité de Paris. L'article 4 traite spécifiquement du Canada et de la Nouvelle-France. À l'est du continent, la France renonce à toutes prétentions sur la Nouvelle-Écosse (Acadie) et cède l'île Royale (renommée «Cap-Breton»). Le Canada et tout l'ouest du continent sont également cédés aux Britanniques, qui deviennent les maîtres de l'Amérique du Nord. En ce qui a trait aux Canadiens eux-mêmes, l'article 4 prévoit qu'ils pourront conserver leur religion et quitter la colonie au cours des 18 mois suivant la signature du traité. Rien n'est mentionné sur la langue. Le français était la langue internationale de l'époque, maîtrisée par les membres de l'élite européenne.

Les Français ne conservent en Amérique du Nord que les îles Saint-Pierre et Miquelon, au large des côtes de Terre-Neuve, pour la pêche. La Guadeloupe, la Martinique et des îles des Antilles avaient été conquises par l'Angleterre durant la guerre. Elles sont rétrocédées à la France, qui conserve également l'île de Saint-Domingue, une colonie esclavagiste productrice de sucre.

Voltaire et les « arpents de neige »

Philosophe du siècle des « Lumières », défenseur de la liberté de conscience, ami et conseiller des rois, grand admirateur des institutions britanniques, Voltaire (1694-1778) était opposé à la guerre de Sept Ans. Il trouvait absurde que la France s'endette ainsi pour envoyer des troupes en Amérique dans le but de conserver la Nouvelle-France.

En 1758, il publie *Candide*, où un des personnages s'écrie : « Vous savez que ces deux nations (France et Angleterre) sont en guerre pour quelques arpents de neige vers le Canada, et qu'elles dépensent pour cette belle guerre beaucoup plus que le Canada ne vaut ». L'expression restera gravée dans les mémoires. L'année suivante, le philosophe fait scandale en organisant une fête qui célèbre la prise de Québec. Le 6 septembre 1762, il invite Choiseul à abandonner sa colonie : « J'aime beaucoup mieux la paix que le Canada et je crois que la France peut être heureuse sans Québec ». Son principal argument ? Le Canada coûte cher et ne rapporte presque rien. Dans son *Précis du siècle de Louis XV*, il décrit un gâchis : « Si la dixième partie de l'argent englouti dans cette colonie avait été employé à défricher nos terres incultes en France, on aurait fait un gain considérable ; mais on avait voulu soutenir le Canada, et on a perdu cent années de peine avec tout l'argent prodigué sans retour. »

Mais le destin du Canada n'est pas l'affaire d'un seul homme, si influent soit-il ! Dès la chute de Québec, le gouvernement français aurait décidé de céder la Nouvelle-France aux Anglais – pour des raisons essentiellement économiques, et parce que les intérêts de sa politique étrangère le commandaient, à court et moyen terme. Deux siècles plus tard, un président français tentera de payer la dette de Louis XV !

Chapitre 6

La tentation américaine (1763-1790)

· ·

Dans ce chapitre :

▶ Les premières années de la «Province of Quebec»

▶ Les concessions de l'Acte de Québec

▶ Les conséquences de la Révolution américaine

· ·

*L*e 20 juin 1763, une grande célébration est organisée à Paris. Les fêtards sont soulagés : la paix est enfin revenue! La perte de la Nouvelle-France semble déjà oubliée… Choiseul, le chef du gouvernement de Louis XV, croit que la Grande-Bretagne hérite d'un cadeau empoisonné. «Il n'y aura que la révolution d'Amérique, écrit-il dans un mémoire au roi en 1765, qui arrivera mais que nous ne verrons vraisemblablement point, qui remettra l'Angleterre dans l'état de faiblesse où elle ne sera plus à craindre en Europe.» Dit autrement : la «perfide Albion» (le surnom que les Français ont longtemps donné à l'Angleterre!) a certes remporté une grande victoire en Amérique du Nord, mais ce n'est pas demain la veille qu'elle dominera le monde. Cette «révolution d'Amérique» dont il parle, elle viendra beaucoup plus vite que prévu. Le royaume de George III sort peut-être victorieux de la guerre de Sept Ans mais ses coffres sont vides et les attentes des Américains, très élevées.

La tâche ne sera guère plus simple dans l'ancienne Nouvelle-France. Même s'ils sont peu nombreux, les marchands anglais qui s'installent dans la vallée du Saint-Laurent exigent des institutions britanniques. Leurs attentes sont rapidement déçues. Les premiers gouverneurs de la colonie québécoise constatent rapidement que l'assimilation de ce peuple de souche française et de confession catholique risque d'être beaucoup plus longue que prévu. Il faut dire que, pour les Britanniques, l'expérience québécoise est alors inédite. Pour la première fois de son histoire, l'empire britannique devra composer avec un peuple d'origine occidentale mais de religion et de langue étrangères. Un peuple, de surcroît, issu d'un royaume puissant que l'on combat depuis le Moyen Âge… Par un curieux retournement des choses, ce même peuple pourrait s'avérer un allié important pour une Grande-Bretagne défiée par ses colonies du sud.

Assimiler ou amadouer ?

Après la signature du traité de Paris par la France et l'Angleterre, il reste à donner une forme plus concrète aux institutions de la nouvelle colonie. Le gouvernement anglais demande au Board of Trade d'y réfléchir. Ses membres ont l'habitude de conseiller le gouvernement sur les grandes politiques reliées au commerce et aux colonies.

La Proclamation royale

Le 7 octobre 1763, la Proclamation royale énonce les règles qui régiront l'ancienne colonie française. Un mois plus tard, le gouverneur James Murray reçoit ses instructions. Les principaux éléments à retenir sont les suivants :

✔ **Un nouveau nom : la « Province of Quebec » (province de Québec).** Auparavant, Québec désignait uniquement une ville. À partir de 1763, Québec désigne non seulement la capitale mais un territoire et une population, celle de la vallée du Saint-Laurent. Il faudra cependant attendre deux siècles avant que ses habitants se perçoivent prioritairement comme des « Québécois ».

✔ **Un territoire considérablement restreint.** Le temps de la colonie-continent est bel et bien terminé. La province de Québec se résume à la vallée du Saint-Laurent. L'Abitibi, une grande partie du Témiscamingue, le Labrador, l'île d'Anticosti au large de la Gaspésie et le Grand Nord n'en font pas partie, de même que les Grands Lacs et la vallée de l'Ohio. Cette dernière région, tant convoitée par les Américains, est désormais sous tutelle britannique. La traite de la fourrure qui s'y pratique est soumise à une rude concurrence.

✔ **Une religion catholique sous surveillance.** Le traité de Paris garantissait aux catholiques de la Nouvelle-France la conservation de leur religion « en tant que le permettent les lois de la Grande-Bretagne » – une formulation ambiguë, puisque la Grande-Bretagne n'admet pas, à l'époque, que l'Église catholique romaine puisse s'immiscer dans les affaires religieuses de l'Empire. Dans ses instructions à Murray, le gouvernement indique qu'il faudra respecter la liberté de culte des catholiques, mais sans jamais « admettre aucune juridiction ecclésiastique émanant de Rome ». On ordonne également au gouverneur de faciliter l'implantation de l'Église anglicane afin que « lesdits habitants puissent être graduellement induits à embrasser la religion protestante ».

↙**Un pouvoir autoritaire.** Les habitants de la Nouvelle-France ne disposaient pas d'une chambre d'assemblée. Le gouverneur et son intendant, assistés d'un conseil souverain, prenaient les décisions importantes. À la même époque, la plupart des colonies britanniques disposaient d'une assemblée d'élus généralement formée par une petite élite de propriétaires terriens. Seule une telle chambre avait le pouvoir de lever des taxes. Aux yeux des dirigeants anglais, l'octroi d'une institution représentative à ce peuple récemment conquis était prématuré, car les habitants de souche française y auraient à coup sûr obtenu la majorité. On confie donc au gouverneur les pleins pouvoirs – dont celui d'instaurer un système de justice anglais.

Le serment du Test

Ce que vise au départ le gouvernement anglais, c'est la conversion graduelle des catholiques de la colonie au protestantisme et, à plus long terme, l'assimilation pure et simple des Canadiens à la culture anglaise. Fidèle aux intentions de son gouvernement, le gouverneur Murray exige donc, en 1764, le serment du Test de tous ceux qui souhaitent œuvrer au sein de l'administration coloniale : pour obtenir un poste ou une charge officielle, il faut prononcer un serment dans lequel il est stipulé qu'on renonce au culte des saints, à la «puissance du pape» et à l'autorité de l'Église romaine. Pour un catholique, c'est abjurer sa religion – chose impensable à l'époque! Le serment du Test exclut donc, dans les faits, tous les catholiques de la fonction publique. Évidemment, cette mesure réjouit les protestants qui viennent d'immigrer et les quelques protestants francophones de la colonie qui, bien que tolérés avant la Conquête, ne pouvaient alors pas obtenir de charge officielle.

Les débuts de la presse

À l'époque de la Nouvelle-France, il n'y avait aucune imprimerie, aucun journal. Tous les livres, périodiques et journaux étaient importés de France. Thomas Gilmore et William Brown, deux jeunes imprimeurs de Philadelphie, flairent la bonne affaire. Après avoir reçu l'appui formel du gouverneur Murray, les deux hommes achètent une presse à Londres et s'installent à Québec, rue Saint-Louis.

Le 21 juin 1764 paraît le premier numéro de *La Gazette de Québec*, le tout premier journal à être publié dans la colonie. Cette publication bilingue informe ses lecteurs de ce qui se passe dans le monde et dans la colonie. À partir d'octobre 1764, le gouverneur oblige d'ailleurs tous les curés à s'y abonner car les lois et les décrets y sont publiés. Le tirage est faible (environ 150 exemplaires), mais le nombre de lecteurs est limité. Cela dit, le journal bénéficie de lectures publiques et circule de main en main.

Le 3 juin 1778, un autre journal voit le jour : *La Gazette du commerce et littéraire, pour la ville et district de Montréal*. Fleury Mesplet et Valentin Jautard, deux esprits libres influencés par les idées des Lumières, en sont les initiateurs. Français d'origine, Mesplet rencontre Benjamin Franklin à Londres et émigre aux États-Unis en 1774. Mais l'hebdomadaire de langue française ne paraît que pendant un an. Après avoir critiqué les décisions du gouverneur Haldimand et fait de la prison, Mesplet lance, le 25 août 1785, *La Gazette de Montréal / The Montreal Gazette*, un journal bilingue qui adopte des positions plus réservées sur l'administration mais continue d'afficher des positions libérales, inspirées par l'esprit des Lumières. Vers 1810, *The Gazette* devient le journal de la minorité anglophone.

Une justice anglaise

Le 17 septembre 1764, le gouverneur Murray décrète l'implantation de nouvelles institutions judiciaires, tant criminelles que civiles. Il s'agit notamment d'introduire l'*habeas corpus*, un principe selon lequel toute personne privée de sa liberté doit subir un procès juste et faire l'objet d'une condamnation formelle par une cour reconnue. Les nouveaux sujets acceptent ce principe, ainsi que la pratique anglaise du procès devant jury.

En revanche, ils déplorent la confusion qu'introduit le décret de Murray dans l'administration de la justice locale. Les capitaines de milice, qui, sous le régime français, appliquaient la coutume de Paris, sont du jour au lendemain remplacés par des juges de paix qui ne parlent pas un traître mot de français – et qui appliquent un droit civil que les habitants ne comprennent pas. Rapidement, un système hybride de justice prend place et le droit civil français continue d'être utilisé. En juillet 1766, le gouverneur jette du lest. Les causes civiles qui concernent les francophones, décide-t-il, devront être jugées par des habitants qui parlent la même langue… un point c'est tout ! Mais ce n'est qu'une solution provisoire, car l'enjeu du cadre juridique n'est pas résolu pour autant.

Un nouvel évêque ? Une affaire compliquée

Pour être cohérent avec son serment du Test, le gouvernement anglais aurait normalement dû reporter à plus tard la nomination d'un évêque. Mais les curés des 113 paroisses ont besoin d'un supérieur, et le pouvoir anglais se cherche des alliés fidèles et formés à l'obéissance. Décédé en juillet 1760, le dernier évêque, Henri-Marie Dubreil de Pontbriand, avait demandé aux fidèles de prêter serment au nouveau roi George III et d'éviter le prosélytisme. Aux yeux du gouverneur Murray, Jean-Olivier Briand était le remplaçant idéal. Préféré à Étienne Montgolfier, le supérieur des sulpiciens de Montréal élu par les chanoines de la colonie, Briand est officiellement ordonné en mars 1766. Mais même s'il s'avère un allié indéfectible de la Couronne anglaise, la situation de l'Église catholique reste précaire, car sa nomination survient après des mois d'hésitations. Sa succession est d'ailleurs loin d'être assurée, ainsi que la pérennité de son Église en Amérique du Nord.

Des marchands anglais mécontents

En 1766, environ 500 habitants de la province de Québec sont d'origine anglaise. Ils forment bientôt ce qu'on appelle dans la colonie le «British Party» (le Parti britannique). Marchands pour la plupart d'entre eux, ils sont très mécontents des décisions du gouverneur Murray qui, à leurs yeux, n'en a que pour le «French Party» (le Parti français). La colonie n'a toujours pas de chambre d'assemblée – où ne seraient représentés que les seuls «vrais» sujets britanniques –, les lois civiles françaises ont toujours cours et, comble de la bêtise, un évêque vient d'être nommé!

Le gouverneur James Murray a, en effet, une assez bonne opinion des nouveaux sujets de l'Empire, comme le montre d'ailleurs sa correspondance à ses supérieurs. Les Canadiens, selon lui, forment «la race la meilleure et la plus brave de la terre», qui pourrait en très peu de temps devenir «le plus fidèle et le plus utile groupe d'hommes dans cet Empire d'Amérique». Autant il tient les Canadiens en haute estime, autant il affiche un mépris aristocratique pour ces marchands anglais fraîchement arrivés dans la colonie. Excédé par ces hommes qu'il décrit comme des «aventuriers sans éducation», voire comme des «rapaces fanatiques», il ne tient nullement compte de leurs avis et agit à sa guise.

Les Écossais de la North West Company

La plupart des premiers anglophones qui s'installent dans la colonie sont d'origine écossaise. Une première cohorte se fond à la majorité canadienne, alors qu'une autre développe sa propre identité et devient très prospère.

En 1763, le général Murray fait l'acquisition de plusieurs seigneuries, désertées par leur titulaire qui préfère retourner en France. Il offre aux officiers qui le désirent de s'installer sur l'une de ces vastes terres situées dans la magnifique région de Charlevoix. Entre 150 et 300 Écossais qui ont pris part au siège de Québec de 1759 vont accepter l'offre. L'un deux, Hugh Blackburn, épouse en 1776 Geneviève Gagnon et aura 13 enfants. Plusieurs de ses descendants, tous francophones, iront s'établir au Saguenay–Lac-Saint-Jean.

Autour de 1780, Simon McTavish, James McGill, Alexander Mackenzie et quelques autres, tous d'origine écossaise et impliqués dans le commerce des fourrures, forment la North West Company, basée à Montréal. Rapidement, l'entreprise domine complètement ce secteur névralgique. Seulement durant les années 1780, ils acheminent plus de 100 000 peaux de castor à l'étranger et mènent une concurrence féroce à la Compagnie de la Baie d'Hudson, propriété d'intérêts anglais. Fiers de leur succès, ils fondent en 1785 le Beaver Club. Pour devenir membre, il faut déjà avoir traqué la fourrure au moins un hiver aux confins du continent… et boire beaucoup d'alcool. Les rencontres du Beaver Club donnent lieu à de mémorables beuveries!

Carleton, le pragmatique

L'indifférence de Murray aux doléances des marchands lui coûtera son poste. Ces derniers réussissent à obtenir le rappel du gouverneur. Malheureusement pour eux, son remplaçant poursuivra la même politique. Guy Carleton est aussi un militaire. Il a notamment pris part au siège de Louisbourg et à la bataille des plaines d'Abraham, où il a été blessé à la tête. Cette nomination surprend, car c'est la première fois qu'il est appelé à diriger un gouvernement civil en temps de paix. Il arrive dans la colonie le 23 décembre 1766 et fait montre très tôt d'une grande indépendance d'esprit et de jugement, car il refuse de se laisser enrôler par quelque camp que ce soit.

Un peu moins d'un an après son arrivée, il se rend à l'évidence : l'assimilation, ce n'est pas pour demain la veille... Dans une lettre à ses supérieurs, datée du 25 novembre 1767, il fait preuve d'une grande lucidité. «Après avoir fait la revue des forces des anciens et des nouveaux sujets de Sa Majesté et avoir démontré la grande supériorité des derniers, il est peut-être opportun de faire remarquer qu'il n'est pas du tout probable que cette supériorité diminue à l'avenir.» Et pourquoi donc? Il le précise dans la suite de sa lettre. D'abord parce que le climat de cette colonie est «inhospitalier», ce qui n'est rien pour attirer de nouveaux colons. Ensuite parce que le taux de natalité des Canadiens est très élevé. (L'Église catholique parlera plus tard de «revanche des berceaux»!) «La race canadienne, écrit Carleton, dont les racines sont déjà si vigoureuses et si fécondes, finira par peupler ce pays à un tel point que tout élément nouveau qu'on transplanterait au Canada s'y trouverait entièrement débordé et effacé, sauf dans les villes de Québec et de Montréal.» L'avenir lui donnera raison...

L'Acte de Québec

Le projet initial du gouvernement anglais d'acculturer la nouvelle population n'allait donc nulle part. Mais ce plan aurait pu fonctionner. L'hypothèse d'une immigration massive n'était pas complètement farfelue. En effet, de 1764 à 1776, plus de 125 000 personnes quittent les îles britanniques et s'installent en Amérique. Il aurait fallu qu'un quart ou un tiers de cette population choisisse la vallée du Saint-Laurent pour que l'histoire de la province de Québec soit totalement différente. Mais comme le constate très rapidement le gouverneur Carleton, tel ne fut pas le cas. Il fallait donc envisager autre chose.

Pétition des Canadiens

Loin d'être des sujets passifs, les Canadiens réclament rapidement un changement de cap du nouveau pouvoir. Comme l'immigration britannique fait défaut, il devient nécessaire de reconnaître aux nouveaux sujets le droit de conserver leur langue, leurs lois civiles et leur religion. Aux tout premiers débuts du régime anglais, 95 Canadiens signent une pétition dans laquelle ils réclament le respect de leurs institutions. Neuf ans plus tard, en 1773, 75 Canadiens acheminent un mémoire à Londres. La liste des doléances ne manque pas de clarté. Dans un cas comme dans l'autre, on jure fidélité à la Couronne anglaise. Ces demandes, insiste-t-on, ne visent que la justice la plus élémentaire et la concorde entre les sujets de la colonie.

Reconnaissance d'une société distincte !

Le 22 juin 1774, après un long processus de consultation, le roi George III ratifie l'Acte de Québec. Plutôt que d'assimiler les Canadiens, on préfère (du moins à court terme) les accommoder en consentant à la plupart des doléances formulées dans leur mémoire de 1773 :

- ✔ **Un territoire agrandi.** La carte de la province de Québec est complètement redessinée. À la vallée du Saint-Laurent, on ajoute notamment le Labrador, la région des Grands Lacs et la vallée de l'Ohio. Les contemporains ont presque l'impression de voir revivre le territoire de l'ancienne Nouvelle-France !

- ✔ **L'abolition du serment du Test.** Grâce à l'Acte de Québec, les catholiques n'ont plus à abjurer leur foi pour obtenir une charge officielle. Un simple serment d'allégeance sera désormais demandé, mais celui-ci ne comportera aucune allusion aux questions religieuses. Des Canadiens pourront donc accéder à une nouvelle instance qui conseillera le lieutenant-gouverneur : le Conseil législatif.

- ✔ **L'Église catholique obtient sa dîme et son évêque.** Pour assurer sa survie, l'Église catholique devait pouvoir compter sur la « dîme ». En plus d'être reconnu par le pouvoir anglais, cet impôt défrayé par les fidèles redevient obligatoire. Quant à la nomination de l'évêque, une formule astucieuse est trouvée. Au lieu d'être nommé par Rome, ou un chapitre étranger, l'évêque de Québec devra désigner de son vivant un « coadjuteur », c'est-à-dire un second, plus jeune, qui lui succèdera lors de son décès. Cette trouvaille permet à Londres de sauver la face et garantit à l'Église catholique d'Amérique du Nord une forme de pérennité.

- ✔ **Le maintien des lois civiles françaises.** En ce qui a trait aux lois, l'Acte de Québec est très clair : « Tous les sujets canadiens de Sa Majesté [...] pourront conserver la possession et jouir de leurs propriétés et de leurs biens avec les coutumes et usages qui s'y rattachent et de tous leurs autres droits civils. » Pour « toute contestation relative à la propriété et aux droits civils, l'on aura recours aux lois du Canada, comme règle pour décider à leur sujet. » Le régime seigneurial est donc conservé ; les seigneurs se souviendront de cette largesse.

Largement inspiré par les réflexions de Guy Carleton, l'Acte de Québec ne passe cependant pas comme une lettre à la poste. À Londres, le député Edmund Burke croit que cette législation, qui permet aux sujets d'une colonie britannique de recourir au droit français, risque de «ruiner nos libertés anglaises» – un point de vue que partagent les marchands anglais de la colonie, qui ont le sentiment d'avoir été complètement abandonnés par leur mère patrie.

La Révolution américaine

En adoptant l'Acte de Québec, la métropole britannique semble faire preuve d'ouverture à l'égard de ses sujets d'origine française et de religion catholique. Mais pour saisir les vraies intentions gisant derrière cette apparente générosité, il faut prendre un peu de recul et situer l'Acte de Québec dans un contexte beaucoup plus large. C'est qu'en 1774, l'empire britannique est au bord de l'éclatement. Une majorité d'Américains, très mécontents de la politique de leur métropole, envisagent sérieusement de déclarer unilatéralement leur indépendance. L'Acte de Québec est donc une façon d'acheter la paix à bon compte et d'amadouer un peuple dont on pourrait avoir besoin. À Londres, les dirigeants anglais doivent se concentrer sur ces rebelles américains qui osent défier leurs décisions et remettre en cause leur pouvoir.

Les Américains en colère

Aux lendemains de la guerre de Sept Ans, le gouvernement britannique applique une politique impérialiste qui va à l'encontre de la tradition autonomiste des colonies. Guidée par ses propres intérêts, la métropole anglaise déçoit les attentes des Américains et abuse de son pouvoir.

Frontière ouest bloquée

Si plusieurs Américains avaient tant combattu la Nouvelle-France, c'est parce qu'ils convoitaient les terres plus à l'ouest, notamment celles de la vallée de l'Ohio. Or en 1763, Londres décide d'interdire l'établissement de colons à l'ouest de la crête des Appalaches. Ces belles terres appartiennent désormais à la Couronne. Londres souhaite ainsi réserver à des compagnies privées des territoires riches en fourrure et récompenser les alliés amérindiens qui ont combattu à ses côtés durant la guerre. Le pouvoir anglais craint également que l'ouest se développe de manière chaotique. Cette décision enrage les Américains de la Pennsylvanie et de la Virginie, ainsi que les «hommes de la frontière» (*frontiersmen*) qui rêvent d'aventure et espèrent s'enrichir rapidement. Elle freine surtout le développement des colonies américaines qui voient arriver, aux lendemains de la guerre, des dizaines de milliers d'immigrants.

Taxer, taxer, taxer...

Pour conquérir la Nouvelle-France, les Anglais n'avaient pas lésiné sur les moyens. Aux lendemains de la guerre de Sept Ans, le gouvernement britannique est énormément endetté. En 1763, aussitôt le conflit avec la France terminé, plusieurs colonies américaines sont attaquées par des tribus autochtones dirigées par un chef nommé Pontiac. Au Maryland, en Virginie et en Pennsylvanie, celles-ci font plus de 2 000 victimes. Le gouvernement britannique décide donc d'installer 10 000 soldats de son armée sur le sol américain. L'entretien des troupes coûte cher, cependant.

À Londres, on considère que les Américains doivent faire leur part. C'est dans un tel contexte que le gouvernement anglais impose une série de nouvelles taxes aux Américains : en 1764, une taxe sur le sucre et certains produits de luxe ; en 1765, une lourde taxe sur le papier qui sert des fins publiques (dite «taxe du timbre») ; en 1767, une série de taxes sur plusieurs produits, dont le thé. Celles-ci sont perçues comme un affront. La taxe sur le papier fait très mal aux imprimeurs de journaux et réduit la liberté d'expression. Aux yeux des Américains, seul le Parlement de leur État peut lever des taxes. Le principe invoqué ? *No taxation without representation* : seuls nos représentants élus ont le pouvoir de nous imposer des taxes.

Ça chauffe à Boston !

Pour contester ces taxes, des intellectuels américains écrivent des traités, des élus vont devant les tribunaux, de simples citoyens boycottent les produits anglais. Un climat d'affrontement gagne plusieurs colonies et les esprits s'échauffent. Le 5 mars 1770, un affrontement tourne mal entre un détachement de l'armée anglaise et des manifestants. Quelques américains sont tués. Le «massacre de Boston» fait monter la pression sur Londres qui, le mois suivant, suspend ses taxes impopulaires, sauf celle sur le thé. Cette dernière taxe, presque symbolique, est à l'origine d'un événement spectaculaire : le *Boston Tea Party*. Durant la nuit du 16 décembre 1773, un petit groupe de patriotes américains de Boston déguisés en Amérindiens et répartis dans trois vaisseaux britanniques jettent à la mer 343 caisses de thé. Cet acte de défi provoque la colère des dirigeants anglais.

Cinq lois «intolérables»

Aux yeux de la métropole, trop c'est trop! George III et son gouvernement ont la conviction que seule une démonstration de force fera entendre raison aux Américains. Durant l'hiver et le printemps 1774, le gouvernement anglais adopte une série de lois musclées : le port de Boston est fermé jusqu'à ce que les cargaisons soient remboursées et que la population montre du repentir ; les habitants du Massachusetts perdent le droit de choisir leur gouvernement ; les soldats ou fonctionnaires anglais postés dans les colonies ne seront plus jugés par des cours américaines ; les troupes anglaises pourront se loger chez les habitants à leurs frais.

Non sans raison, les Américains dénoncent cet abus de pouvoir. Ces lois sont qualifiées d'«intolérables» car elles bafouent les libertés anglaises les plus élémentaires.

Mais la pire de toutes ces loi, selon plusieurs, c'est l'Acte de Québec... qui prive à nouveau les Américains de l'ouest du continent et qui octroie des privilèges indus à des catholiques d'origine française que l'on avait combattus quelques années plus tôt. Aux yeux du jeune patriote Alexander Hamilton, futur grand penseur de la république américaine, «l'affaire du Canada est encore plus grave, si cela est possible, que celle de Boston». En accordant aux Canadiens tout ce qu'ils demandent, plusieurs Américains ont le sentiment que leur métropole cherche à entraver leur développement. Un lien de confiance se brise à jamais...

L'invasion américaine

Les délégués des 13 colonies américaines vont rapidement se réunir et organiser ensemble une riposte à ces lois intolérables. Le 5 septembre 1774, le premier congrès se tient à Philadelphie. Les délégués sont loin d'être d'accord sur tout. Ceux qu'on appelle les «loyalistes» sont très attachés aux institutions britanniques et rechignent à entériner une rupture définitive avec la mère patrie. Les «patriotes», cependant, croient que l'indépendance des colonies américaines est écrite dans le ciel. Non pas seulement parce que l'Angleterre a abusé de ses pouvoirs, mais parce que les Américains doivent rompre avec les institutions monarchiques, complètement vétustes et corrompues. Ces patriotes rêvent d'adopter une constitution républicaine grâce à laquelle les Américains pourraient aspirer au bonheur et vivre plus librement.

Vaincre l'armée britannique n'est toutefois pas une mince affaire. En vitesse, les Américains constituent une armée dont ils confient la direction à George Washington. Pour triompher, toutes les options sont mises sur la table... y compris celle de convaincre les Canadiens de combattre aux côtés des Américains.

Appels aux Canadiens

Le 26 octobre 1774, les congressistes américains conviennent de lancer un appel aux Canadiens. Le texte est assez dense. Les Canadiens, insistent les délégués américains, doivent se méfier des concessions accordées par la Couronne anglaise dans l'Acte de Québec. Ces changements ont été concédés de manière arbitraire et pourraient être révoqués d'un trait de plume. S'ils rejoignent les colonies américaines, promettent les congressistes, les Canadiens pourront conserver leurs lois civiles et leur religion, en plus de jouir d'une véritable liberté de presse, d'un système de justice plus équitable et d'une chambre d'assemblée. Cette adresse prendra un certain temps avant d'être traduite et acheminée dans la colonie. Deux autres appels aux Canadiens seront rédigés par des Américains, l'un par les délégués du Massachusetts (21 février 1775), l'autre par le congrès (27 mai 1775). Dans la dernière adresse, on flatte l'orgueil des voisins du nord : « Nous ne pourrons jamais croire que la génération actuelle de Canadiens soit dégénérée au point de ne plus posséder ni l'ardeur, ni la bravoure ni le courage de leurs ancêtres. »

Pendant qu'ils tentent de convaincre les Canadiens avec des arguments, les Américains élaborent un plan d'invasion. Un espion est venu prendre la température dans la colonie. L'arrivée des troupes est imminente.

« N'écoutez pas les séditieux »...

L'un des premiers à réagir officiellement à ces appels au soulèvement contre les Britanniques est l'évêque Jean-Olivier Briand. Le 22 mai 1775, il publie un mandement très clair. Pas question de soutenir les Américains : « Une troupe de sujets révoltés contre leur légitime souverain, qui est en même temps le nôtre, vient de faire irruption dans cette province [...] dans la vue de vous entraîner dans leur révolte. » Ce serait une grave erreur de concourir à « leur pernicieux dessein », compte tenu des « faveurs récentes » accordées par « Sa Très Gracieuse Majesté le roi George III » (référence à l'Acte de Québec). L'évêque rappelle aux Canadiens qu'ils ont prêté serment au roi et qu'y déroger serait manquer à l'un de leurs devoirs les plus sacrés. Mais surtout, insiste le prélat, il serait très grave de désobéir aux autorités : « N'écoutez pas les séditieux qui cherchent à vous rendre malheureux, et à étouffer dans vos cœurs les sentiments de soumission à vos légitimes supérieurs, que l'éducation et la religion y avaient gravés. »

Montréal occupée, Québec assiégée

À la fin de juin 1775, l'ordre est officiellement donné par le congrès américain. Deux contingents de soldats vont envahir la colonie du nord. Le premier, dirigé par le général Richard Montgomery, comprend 2 000 hommes et vise Montréal. Les troupes américaines empruntent la route du Richelieu et prennent, non sans difficultés, les forts de Saint-Jean et de Chambly, ce qui oblige les « habits rouges » (le surnom des troupes britanniques) à se replier jusqu'à Sorel. Le 13 novembre, les Américains sont à Montréal. Aux habitants, on promet qu'ils pourront conserver leurs propriétés et qu'aucun d'entre eux ne sera forcé de prendre les armes. Une fois fixée l'occupation de Montréal, les hommes de Montgomery remontent le Saint-Laurent et vont prêter main-forte au deuxième contingent de l'armée américaine, parvenu aux portes de la Vieille capitale par la rivière Chaudière. Postés à la Pointe-Lévy, les 1 000 hommes de Benedict Arnold assiègent Québec depuis le 8 novembre. Le 31 décembre, on tente une attaque contre Québec. Mais c'est peine perdue… Les Américains abandonnent la partie. En juin 1776, le Québec redevient britannique.

La dureté de l'hiver, la propagation d'une épidémie de petite vérole et de gros problèmes logistiques d'approvisionnement expliqueraient la défaite américaine. L'arrivée d'un important renfort de troupes britanniques, formées principalement de mercenaires allemands, aurait aussi pesé dans la balance. Sans parler de l'apparente apathie des habitants de la colonie pour leur cause. L'armée de Washington a beau recruter quelques centaines de Canadiens, la majorité de la population ne bronche pas. Est-ce parce qu'elle obéit au mandement de son évêque? Ou qu'elle est globalement satisfaite de l'Acte de Québec? Ou que l'enjeu la laisse simplement indifférente? Difficile de le savoir. Chose certaine, les Canadiens résistent à la tentation américaine.

Les Français envisagent-ils de reprendre le Canada?

Mais cette défaite n'empêche pas les Américains de poursuivre leur lutte. Le 4 juillet 1776, ils proclament officiellement leur indépendance de la Grande-Bretagne. L'ancienne mère patrie ne s'en laisse pas imposer pour autant. Le mois suivant, les armées britanniques prennent New York. Les batailles féroces se succèdent et la partie est loin d'être gagnée pour les patriotes Américains. Le 17 octobre 1777, ces derniers remportent une importante victoire à Saratoga. Le 6 février 1778, les Français entrent dans la mêlée et signent une alliance militaire avec les États-Unis – un appui de taille qui pourrait bien faire la différence!

Lors des négociations qui vont mener à cette alliance, les Américains sondent les intentions françaises. La France de Louis XV souhaite-t-elle reconquérir le Canada, et corriger ainsi certaines clauses du traité de Paris de 1763? C'est la rumeur que laissent courir les Britanniques dans les 13 colonies américaines en 1775. Sur cette question, Charles Gravier, comte de Vergennes, alors ministre des Affaires étrangères de France, est très clair. À son ambassadeur à Londres, il écrit, le 7 août 1775 : «Quant à l'épouvantail qu'on voudrait faire de nous aux Américains, il ne faut pas une habileté même médiocre pour imaginer les moyens de rassurer ce peuple, si jaloux de sa liberté et de son indépendance; le conseil du roi d'Angleterre se trompe grièvement *qu'il se persuade que nous regrettons autant le Canada qu'il peut se repentir d'en avoir fait l'acquisition.*» L'article 6 du traité de 1778 est d'ailleurs explicite : pas question de reprendre les Bermudes «ni aucune des parties du continent de l'Amérique septentrionale» concédées aux Britanniques en 1763. Dans l'esprit des Français, nuire à leur vieil ennemi anglais est une chose; reconquérir le Canada en est une autre.

Pour les francophones d'Amérique du Nord, c'est une décision lourde de conséquences. Ils ont désormais la certitude qu'ils devront se débrouiller tout seuls pour assurer la survie de leur culture.

La croisade de Pierre du Calvet

En juin 1778, un nouveau gouverneur fait son arrivée. Suisse d'origine, Sir Frederick Haldimand parle un excellent français. Ce mercenaire se fait rapidement remarquer par ses supérieurs. Après avoir participé à plusieurs batailles importantes de la guerre de Sept Ans en Amérique du Nord, il devient « gouverneur en chef pour la province de Québec » à un moment critique. Alors que les colonies américaines s'acheminent vers leur indépendance, il est impératif de conserver les colonies britanniques du nord. La méthode forte est donc de mise. La moindre sympathie pour les idées républicaines sera durement réprimée.

Pierre du Calvet en sait quelque chose. Né en France en 1735, il émigre en Nouvelle-France en 1758. Grâce à son commerce d'import-export, il devient un marchand prospère. Apprécié de Murray et de Carleton, il est nommé juge de paix. Mais le 27 septembre 1780, le vent tourne. Il est accusé d'intelligence avec l'ennemi américain et passera deux ans et sept mois derrière les barreaux, sans même avoir subi un procès. Des lettres incriminantes acheminées au congrès américain sont invoquées par le procureur général de la colonie. Clamant son innocence, il publie en juillet 1784 *Appel à la justice de l'État* et accuse Haldimand d'avoir violé les libertés anglaises les plus fondamentales, notamment l'*habeas corpus*. Emporté dans le naufrage d'un bateau en 1786, Pierre du Calvet ne pourra donner suite au procès qu'il comptait intenter au gouverneur. Mais son livre donne un aperçu du climat de suspicion qui règne alors dans la colonie.

L'arrivée des loyalistes

Forts de leur alliance française, les Américains triomphent. Leurs représentants signent, le 3 septembre 1783, le traité de Paris. Cette victoire est celle des patriotes et des républicains. Plusieurs loyalistes américains, qui sont environ 500 000, ont beaucoup de mal à accepter le verdict. Environ 50 000 d'entre eux décident de s'exiler. En plus d'être attachés à la Couronne et aux institutions britanniques, bon nombre se considèrent comme d'authentiques « patriotes anglais ».

Où vont-ils ?

Le réflexe de plusieurs milliers de loyalistes est de se réfugier au nord. La ville de Halifax, fondée en 1749, accueille plusieurs centaines d'entre eux, ainsi que l'île du Prince-Édouard et Terre-Neuve. Quant aux 7 000 loyalistes qui s'établissent au Québec, ils sont l'objet d'une attention particulière des autorités britanniques. D'une part, on souhaite les garder à distance de leur ancien pays et, d'autre part, on veut éviter qu'ils ne se fondent dans une population à majorité française et catholique – ce qui explique pourquoi 6 000 loyalistes s'installent à l'ouest de la rivière des Outaouais, au nord du lac Ontario. Environ 500 autres loyalistes vont s'établir sur la côte atlantique de la péninsule gaspésienne, entre Douglastown et New Carlisle. Cette première vague de réfugiés loyalistes n'a pas encore accès aux belles terres de l'Estrie, ce qui viendra plus tard.

Leurs attentes

Les marchands anglais accueillent ces nouveaux arrivants les bras ouverts. Enfin des renforts! Ces loyalistes s'attendent à être reçus avec égards par les autorités britanniques. Après tout, ne sont-ils pas restés fidèles à la Couronne? Dès leur arrivée, ils croient que cette fidélité sera reconnue et récompensée. Des terres leur sont concédées et les autorités leur promettent de vraies institutions anglaises. Ils ont cependant des institutions britanniques une conception très traditionnelle. On ne trouve pas parmi eux beaucoup de réformateurs, et encore moins des «démocrates» – un terme qui rime avec anarchie et désordre à cette époque.

Mais comment vont-ils considérer les Canadiens? Quels pouvoirs seront-ils prêts à leur concéder?

Chapitre 7

Naissance du Bas-Canada et du Parti canadien (1791-1822)

Dans ce chapitre :

▶ L'implantation difficile de l'Acte constitutionnel
▶ Le programme du *Canadien* et la crise de 1810
▶ Une nouvelle invasion américaine

L'indépendance américaine et l'immigration des loyalistes obligent la Grande-Bretagne à revoir l'organisation et le fonctionnement de ses colonies d'Amérique du Nord. En 1784, une pétition de près de 2 300 habitants de la province de Québec parvient à Londres. L'Acte de Québec de 1774 est jugé «inefficace», ce qui serait «cause de confusion dans nos lois». On réclame la mise en place d'une «chambre des représentants», mais à la condition qu'elle soit «composée indistinctement d'anciens et de nouveaux sujets de Votre Majesté». Pas question d'exclure les Canadiens catholiques ! Cette pétition est signée par 855 habitants originaires des îles britanniques et 1 436 Canadiens issus d'une classe sociale en émergence, formée d'avocats, de médecins et de commerçants. Les seigneurs, quant à eux bien représentés dans le conseil qui assiste le gouverneur, trouvent leur compte dans l'Acte de Québec.

Londres accuse réception... mais n'entend pas octroyer des institutions qui donneraient trop de pouvoir au peuple. Nombre de politiciens anglais ont été échaudés par la guerre d'indépendance américaine et par l'esprit démocratique des chefs «patriotes». Lorsqu'il rencontre le premier ambassadeur des États-Unis, en juin 1785, le roi George III est très clair : «Je serai franc avec vous, explique-t-il. J'ai été le dernier à consentir à la séparation; mais puisque la séparation est devenue inévitable et qu'elle est faite, je serai le premier à rechercher l'amitié des États-Unis comme pouvoir indépendant.» On veut bien concéder une chambre d'assemblée, mais pas question de laisser croire aux colons qu'ils seront les seuls maîtres à bord. Un empire reste un empire !

L'Acte constitutionnel

Après avoir examiné plusieurs scénarios, dont celui d'unir toutes ses colonies d'Amérique du Nord au sein d'une confédération (une idée qui reviendra plus tard), le gouvernement anglais adopte finalement l'Acte constitutionnel. La loi, officiellement proclamée le 26 décembre 1791, entraîne des changements importants et durables.

Un premier Parlement

Pour la première fois de leur histoire, les habitants de la vallée du Saint-Laurent peuvent élire des représentants dans un Parlement. Les Canadiens, majoritaires, disposent d'un lieu pour faire entendre leurs idées et leurs convictions. Par les lois adoptées, ils pourront imprimer une direction aux affaires de leur cité.

Le Haut et le Bas-Canada

Le gouvernement britannique vise à la fois à satisfaire les loyalistes qui ont fui la nouvelle république américaine et à convaincre les Canadiens de la supériorité des institutions anglaises. Mais pour obtenir des résultats satisfaisants, selon l'intellectuel Edmund Burke, influent député anglais, il ne fallait surtout pas unir les anciens et les nouveaux sujets dans une seule et même colonie. Comme les Canadiens avaient leur langue, leurs lois et leurs coutumes, Londres devait leur accorder leur propre colonie, même si cela mécontenterait une petite minorité britannique.

Convaincu par cette argumentation, le gouvernement anglais crée deux nouvelles colonies distinctes, autant par la géographie que par les lois. Situé à l'ouest de la rivière des Outaouais et sur la rive nord des Grands Lacs, le Haut-Canada est le cœur historique de l'Ontario actuel. Plusieurs milliers de loyalistes y sont déjà installés en 1791. L'autre colonie, qui recoupe le sud du Québec actuel, est appelée Bas-Canada. C'est le nouveau nom qu'on assigne à l'ancienne province de Québec. En 1791, sa population est d'environ 150 000 habitants.

Voter ses propres lois... sous la tutelle du gouverneur

L'Acte constitutionnel reconduit les dispositions les plus libérales de l'Acte de Québec. Pas question de revoir à la baisse les droits du clergé catholique. Pas question non plus de reculer sur les «lois, usages et coutumes du régime seigneurial et du droit civil français». Soucieux de trouver un juste équilibre entre le pouvoir du roi, des grands propriétaires (l'aristocratie) et du peuple, l'Acte de 1791 place à la tête de la colonie un gouverneur. Représentant de la Couronne anglaise, c'est lui qui sanctionne les lois. Aucune législation ne peut entrer en vigueur sans son consentement… et celui de Londres – car le Parlement anglais se réserve le droit de désavouer toute loi qui pourrait lui déplaire.

Ce n'est cependant pas le gouverneur qui conçoit le programme législatif, mais le Conseil exécutif et, surtout, deux instances législatives, dont l'une est complètement nouvelle :

✔ **Une Assemblée législative composée d'élus du peuple.** Les habitants du Bas-Canada pourront désormais élire 50 députés. La plupart des hommes peuvent voter. Il suffit d'avoir 21 ans, de ne pas avoir été trouvé coupable de «trahison ou de félonie», d'être «sujet britannique», de payer un loyer ou de posséder une toute petite propriété, et le tour est joué! Les femmes, les juifs et les Amérindiens ne sont pas explicitement exclus du corps électoral. L'Assemblée initie des lois et les fait adopter à la majorité, ainsi que celles qui émanent du Conseil exécutif. Mais avant d'être soumises au gouverneur, celles-ci doivent être étudiées et approuvées par une autre instance législative.

✔ **Le Conseil législatif, composé de personnes nommées par le gouverneur.** Équivalent de ce qu'on appelle aujourd'hui le Sénat ou la Chambre haute, le Conseil législatif est formé d'au moins 15 personnes nommées à vie par le gouverneur. Dans les faits, cette instance existe depuis 1774. Au départ, plusieurs seigneurs canadiens y sont nommés. Rapidement, l'institution devient le repaire de la grande bourgeoisie anglophone, qui utilise ses pouvoirs pour contrecarrer certains projets de la majorité canadienne ou pour imposer son propre programme.

Une fois les lois ratifiées par le gouverneur, il restait à les appliquer. Cette tâche allait relever du Conseil exécutif. Contrairement au Conseil des ministres d'aujourd'hui, ses membres étaient choisis et nommés par le gouverneur, et non choisis parmi la majorité des élus.

Réaction enthousiaste !

Même si les pouvoirs de l'Assemblée législative sont très limités, les élites du nouveau Bas-Canada célèbrent en grande pompe l'adoption de l'Acte constitutionnel. Des fêtes et des banquets sont organisés ; une nouvelle ère commence! Dans son journal personnel, le sculpteur François Baillairgé écrit que «1792 est la première année libre de ce pays». Le 14 janvier 1792, d'autres enthousiastes fondent à Québec un «club constitutionnel». L'objectif poursuivi par ses membres est d'approfondir leurs connaissances de la «Constitution britannique» et d'encourager le développement économique de la colonie. On se met à l'étude des grands philosophes anglais du droit et du parlementarisme, dans le but de mieux s'approprier les nouvelles institutions dont on hérite.

La langue, sujet chaud...

Dès le mois de mai 1792, la première campagne électorale de l'histoire du Québec bat son plein. Les candidats rivalisent pour gagner la confiance des électeurs. Toutes les tactiques semblent permises, y compris l'intimidation... Dans la *Gazette de Québec* du 17 mai, un «Avis aux Canadiens», attribué à Pierre-Amable de Bonne, dénonce la «coalition concertée» des «commerçants anglais», qui menacerait «notre bonheur et l'assurance de nos propriétés». Évidemment, les personnages concernés ne tardent pas à dénoncer ces insinuations «diffamatoires». «Le Marchand Britannique doit être regardé comme le meilleur ami du cultivateur des terres dont il récompense l'industrie», peut-on lire dans le feuillet électoral de l'un des candidats visés!

Qui présidera l'Assemblée ?

Les affrontements de la campagne donnent un avant-goût de ce qui attend les élus. Comme le poste de député n'offre aucune rémunération, une toute petite élite peut s'octroyer le luxe de s'engager en politique. Sur les 50 élus, 30 sont de prospères commerçants et la moitié possèdent une seigneurie. La minorité britannique, surreprésentée par rapport à son poids démographique, fait preuve d'une vraie solidarité ethnique en raflant le tiers des sièges de la nouvelle Assemblée.

Le 18 décembre 1792, les députés sont réunis dans la chapelle du palais épiscopal de Québec. C'est dans ce Parlement improvisé qu'on doit désigner l'«orateur», celui qui présidera les travaux de l'Assemblée – une fonction importante, car le président agit aussi comme porte-parole de la Chambre auprès du gouverneur. Les députés anglophones proposent trois candidats à ce poste, alors que les Canadiens se rallient autour de la candidature de Jean-Antoine Panet. C'est ce dernier qui l'emporte, ce qui fait enrager certains députés anglophones... C'est que Panet maîtrise mal l'anglais, la «langue de l'Empire», selon le député John Richardson. Qu'à cela ne tienne, c'est lui qu'on choisit! Le 20 décembre, le président élu prononce son discours en français – une première.

Et les débats, dans quelle langue ?

La langue française est celle des élites culturelles et politiques européennes du 18e siècle. Le prestige de la langue de Molière a sûrement joué en faveur des Canadiens lorsqu'est venu le temps de statuer sur la langue d'usage à l'Assemblée. En janvier 1793, un premier débat fait rage sur cette question sensible. Aux yeux du député John Richardson, la question ne devrait même pas se poser : «Être gouverné par des lois faites dans la langue anglaise est un droit de naissance de tout sujet britannique, et aucun pouvoir sur la terre, excepté le Parlement de la Grande-Bretagne, ne peut le destituer de ce privilège.» Le député Philippe de Rocheblave n'est pas d'accord.

En imposant l'anglais de force, l'Angleterre ne fera qu'attiser les «préjugés nationaux» et la «chicane», selon lui. Gabriel-Elzéar Taschereau dénonce quant à lui ces arguments «qui nous tiendraient dans l'esclavage». Plutôt que d'exalter la langue de leurs ancêtres ou le sentiment national, les députés francophones font appel à la prudence et au compromis. C'est leur point de vue qui en vient d'ailleurs à s'imposer. On convient que tous les projets de loi seront présentés dans les deux langues, mais que la version anglaise primera lorsqu'il s'agira de droit criminel, alors que la langue française aura préséance pour le droit civil.

C'est dans leur langue maternelle que les députés du Bas-Canada pourront donc s'approprier le parlementarisme. Rapidement, ils se donnent des règles claires, dont celle du quorum, fixé à 34. Les députés canadiens y tiennent beaucoup, car ils veulent éviter que la minorité n'adopte des lois sans leur consentement. Dès le départ, les députés conviennent aussi que toutes les questions qui engagent des subsides devront obligatoirement être approuvées par la Chambre. (Cet enjeu reviendra hanter les discussions politiques plus tard…) Pour le reste, le menu législatif des premières années n'est pas très élaboré.

LE SAVIEZ-VOUS ?

Les débuts laborieux du système scolaire

Dans le Québec de la première moitié du 19e siècle, le développement du système scolaire public connaît plusieurs ratés. Trois groupes ont des vues très divergentes sur la question.

La puissante minorité de marchands anglophones rêve d'un réseau d'écoles protestantes financées par la colonie. En 1801, elle conçoit le développement d'une institution royale, laquelle mettrait en place un réseau d'écoles primaires. L'Église catholique, quant à elle, dénonce ce projet, invitant même ses fidèles à boycotter ces nouvelles écoles.

En 1824, le Parlement du Bas-Canada adopte la Loi des écoles de fabriques, qui lui convient beaucoup mieux. Les fabriques gèrent les dîmes, ces taxes perçues par l'Église pour administrer les budgets des paroisses (l'Église,

le presbytère, les bonnes œuvres, par exemple). Chaque fabrique est gérée par un marguiller, un laïque, avec le concours du curé qui veille au grain. La loi de 1824 prévoit que les fabriques auront la possibilité, si elles le souhaitent, de fonder des écoles. Mais ce nouveau système ne fonctionne pas.

En 1829, le Parti canadien fait adopter la Loi des écoles de syndics – qui relèvent des notables locaux et de l'État, ce qui ne plaît guère à l'Église mais donne d'heureux résultats (du moins jusqu'à ce que la minorité anglophone ne bloque les budgets consentis par l'Assemblée à ce réseau public, à la veille des rébellions de 1837).

Parmi les personnages de cette époque qui se dévouent à la cause de l'éducation, mentionnons Joseph-François Perrault (1753-1844).

Aventurier, homme politique, traducteur d'un classique sur la pratique parlementaire qui paraît en 1803, il consacre la dernière partie de sa vie à l'éducation. Avec d'autres notables, il fonde en 1821 la Société d'éducation de Québec.

Ce qui caractérise son projet éducatif, c'est qu'il ne vise pas les élites mais le peuple. Contrairement à bien des gens d'Église de cette époque, il ne croit pas que la pauvreté soit une fatalité. Grâce à l'instruction, chacun pouvait devenir un meilleur agriculteur, améliorer son sort, mais à la condition que l'école soit gratuite pour les pauvres.

Aux yeux de Perrault, les écoles doivent transmettre des principes moraux, souvent inspirés par les religions. Mais il ne souhaite pas que les églises aient la mainmise sur le système scolaire. C'est d'abord aux parents de voir à l'éducation religieuse de leurs enfants, en dehors des heures de classe. Un point de vue très avant-gardiste !

Rester loyal, choisir la liberté

Malgré ces débats parfois acrimonieux sur la langue, l'heure est à l'optimisme. Plusieurs ont le sentiment de participer aux progrès politiques de l'époque. Une nouvelle guerre entre la France et la Grande-Bretagne et l'arrivée d'un gouverneur intransigeant vont modérer cet élan.

L'ombre de la Révolution française

Le soutien aux États-Unis a coûté cher à la France. Pour lever de nouvelles taxes, le roi Louis XVI convoque des états généraux en 1789. Les choses ne se passent cependant pas comme prévu. Les représentants du tiers état (ceux qui ne sont ni nobles, ni membres du clergé) se considèrent rapidement comme les seuls porte-parole légitimes de la nation. Le 14 juillet, des manifestants prennent d'assaut la prison de la Bastille et assassinent son gouverneur. Le 4 août, les députés de la nouvelle « assemblée nationale » abolissent les privilèges de la noblesse. Le 26 août, ils adoptent la Déclaration des droits de l'homme et du citoyen. Après avoir tenté de fuir son pays, Louis XVI prête finalement serment à une nouvelle constitution, le 14 septembre 1791. Le nouveau régime, une monarchie constitutionnelle, ressemble à celui qui prévaut en Grande-Bretagne.

« Ode » à la Révolution !

Dans l'ensemble, ces premiers événements qui secouent l'ancienne mère patrie sont considérés positivement par la presse et les esprits éclairés du Bas-Canada. Le 28 janvier 1790, on peut lire dans *La Gazette* une « Ode à la

Révolution », très inspirée par l'esprit des Lumières. Plusieurs comparent cette révolution à celle qui avait transformé l'Angleterre en 1688, comme si les Français se rapprochaient enfin de l'excellent modèle anglais. Quant à la nouvelle constitution de 1791, elle est saluée par *La Gazette de Québec*, qui y voit un « mélange sublime de l'esprit philosophique du 18e siècle et de l'énergie des anciens romains ».

Guerre et terreur

Mais le vent tourne rapidement. Le nouveau régime soumet l'Église et ses prêtres aux idées de la Révolution. Les « prêtres réfractaires » qui refusent de prêter serment au nouveau régime sont condamnés à la déportation. Le pape en est scandalisé et Louis XVI refuse d'appuyer cette décision de l'Assemblée. À partir de l'été 1792, un vent de radicalisation balaie tout sur son passage. La famille royale est emprisonnée, le roi exécuté le 21 janvier 1793, et la reine guillotinée en octobre de la même année. Après avoir déclaré la guerre à plusieurs monarchies européennes – dont l'Angleterre, le 1er février 1793 – la France se transforme en république révolutionnaire. Les dirigeants plus modérés sont exécutés, les contre-révolutionnaires de la Vendée exterminés. Cette « terreur » est orchestrée par Robespierre, le nouvel homme fort du régime.

Cette radicalisation est aussitôt dénoncée au Bas-Canada par la plupart des membres de l'élite. En avril 1793, les députés de l'Assemblée adoptent une motion qui déplore la déclaration de guerre contre la Grande-Bretagne et qui condamne sans ambiguïté l'exécution de Louis XVI – « le forfait le plus atroce et le plus déshonorant pour la société », peut-on lire dans le texte adopté. Le 7 mai, le juge William Smith déclare que la conquête du Canada a été un acte de la Providence, car elle aurait épargné aux nouveaux sujets les affres de la Révolution.

« Les Français libres à leurs frères du Canada »

Ce climat de suspicion est alimenté par l'ambassadeur de la France révolutionnaire aux États-Unis, Edmond-Charles Genêt, qui publie une adresse aux Canadiens en juin 1793. « Tout autour de vous vous invite à la liberté, écrit l'ambassadeur. Le pays que vous habitez a été conquis par vos pères. Il ne doit sa prospérité qu'à leurs soins et aux vôtres. Cette terre vous appartient. Elle doit être indépendante. Rompez donc avec un gouvernement devenu le plus cruel ennemi de la liberté des peuples. » Très volontaire, l'ambassadeur envisage même une invasion du Canada. Quelques Canadiens sont prêts à prendre les armes. Parmi ceux-là, le jeune Henri Mézière, gagné par « l'amour de la liberté », comme il l'écrit à ses parents, brûle de partir pour la France combattre aux côtés des révolutionnaires. Mais les républicains comme lui ne sont pas légion au Bas-Canada.

Un espion dans la colonie?

La France et l'Angleterre étant à nouveau en guerre, les loyalistes saisissent l'occasion pour lancer une chasse aux esprits libéraux et exiger une fidélité sans failles à la Couronne anglaise. En mai 1797, on ordonne à tous les ressortissants français de quitter la colonie, et les députés canadiens, gagnés par cette crainte de la subversion, acceptent de suspendre l'*habeas corpus*.

Le soir du 10 mai 1797, on arrête David McLane, un Américain originaire de Providence, la capitale de l'État du Rhode Island. Il affirme à qui veut l'entendre qu'il compte recruter une quinzaine de personnes dans le but de préparer une attaque surprise contre la garnison de

Québec. L'objectif : fomenter une révolution au Canada avec l'aide de la France ; rien de moins ! Le procès dure à peine quelques jours. On croit tenir un espion et on veut enseigner par l'exemple. La peine prévue pour McLane donne froid dans le dos. En plus d'être pendu, il sera éviscéré.

Le 21 juillet, on procède à son exécution. Il est pendu à Québec, sur la place publique. Après avoir charcuté l'accusé, le bourreau brûle ses entrailles – une scène de carnage qui sème l'effroi dans le public. Selon toute vraisemblance, David McLane était davantage un mythomane qu'un authentique espion. Un bon psychologue aurait probablement fait l'affaire.

Une conquête providentielle?

Après la chute de Robespierre en juillet 1794, la terreur s'atténue mais la guerre se poursuit. Le jeune général Napoléon Bonaparte remporte des victoires spectaculaires au nom de la république. Mais il essuie une importante défaite dans la baie d'Aboukir en Égypte, le 1er août 1798. Une partie des flottes françaises est coulée par les hommes de l'amiral Nelson. Ce revers de la France révolutionnaire offre l'occasion qu'attendait l'évêque de Québec pour réagir aux événements qui se déroulent en France. Le 10 janvier 1799, Joseph-Octave Plessis condamne violemment le projet philosophique de la Révolution, qui aurait fait germer l'impiété, le désordre et la guerre. À ses yeux, la Conquête anglaise aura permis aux Canadiens d'échapper à cette calamité et de bénéficier d'institutions plus saines et solides que celles introduites par les révolutionnaires (droit criminel, liberté de culte, etc.). La conclusion de son discours témoigne d'un loyalisme exalté. Plessis croit que la victoire de Nelson est celle de la divine Providence. « Réjouissons-nous de ce glorieux événement. Tout ce qui affaiblit la France tend à l'éloigner de nous. Tout ce qui l'en éloigne assure nos vies, notre liberté, notre repos, nos propriétés, notre culte, notre bonheur. »

L'émergence du Parti canadien

La guerre entre la Grande-Bretagne et la France a des répercussions positives sur l'économie du Bas-Canada. Le commerce du bois connaît un essor important. Cette prospérité consolide la position d'une bourgeoisie d'affaires, essentiellement anglophone. Cette classe dominante se réjouit de l'arrivée d'une seconde vague d'immigrants américains loyalistes qui, dans leur grande majorité, s'installent dans les Cantons de l'Est – les «Eastern Townships». Entre 1791 et 1812, la population anglophone passe de 10 000 à 30 000 habitants. Des porte-parole de cette minorité ne jurent que par la libre entreprise et le commerce. En janvier 1805, ils lancent un journal, le *Quebec Mercury*. Ses rédacteurs accusent la majorité canadienne de se complaire dans l'ignorance, d'être paresseuse, apathique, indifférente au progrès. Le ton devient particulièrement hargneux lorsque l'Assemblée décide de taxer le commerce plutôt que la terre pour financer la construction de nouvelles prisons. Alléguant qu'une telle taxe allait ralentir le commerce, les marchands combattent en vain le projet de l'Assemblée. Cette défaite en rend plusieurs amers…

Le combat de Pierre Bédard

Ces accusations répétées contre la majorité canadienne choquent le député Pierre Bédard. Ce fils de boulanger originaire de Charlesbourg étudie au Séminaire de Québec avant de devenir avocat. Élu député dès 1792, orateur sans éclat, il se démarque par son esprit encyclopédique. Passionné de science et de philosophie, il contribue à la fondation de la bibliothèque du Parlement en 1802, rapidement bien pourvue en ouvrages de référence. Il développe également une connaissance très approfondie du droit anglais. Les institutions britanniques, il les admire sincèrement! C'est d'ailleurs sur le terrain du constitutionnalisme britannique qu'il attaque les prétentions et les préjugés de la minorité anglophone. Sa loyauté à la Couronne ne peut être remise en cause. Mais s'il n'affiche aucune sympathie pour la république américaine et aucun engouement particulier pour l'ambition napoléonienne, il revendique pour lui et pour les siens les mêmes libertés consenties aux sujets d'origine britannique. Cette position est celle du Parti «canadien», dont il devient l'une des figures de proue.

Le programme réformiste du Parti canadien

En réaction aux attaques du *Mercury*, Pierre Bédard fonde *Le Canadien*, un journal qui paraît la première fois le 22 novembre 1806. Son programme comprend les idées suivantes :

> ✔ **Le caractère sacré de la liberté de presse.** L'une des plus importantes libertés anglaises est celle de s'exprimer librement sur le gouvernement de la colonie sans courir aucun risque.

✔ **L'égalité devant la loi.** Qu'ils soient d'origine française ou anglaise, les sujets de la colonie devraient être égaux devant la loi et bénéficier des mêmes libertés. En défendant ce principe, Bédard et ses acolytes n'ont pas les Amérindiens ou les juifs à l'esprit. En 1808, ils s'objectent même à l'élection d'Ezekiel Hart. Aucun juif ne peut briguer un poste de député dans l'empire britannique à cette époque. En vérité, ils souhaitent surtout écarter un allié de la minorité anglophone.

✔ **L'indépendance de l'Assemblée.** Pour assurer le bon fonctionnement de la Chambre, on croit qu'il faut offrir une indemnité aux députés, un salaire au président, et exclure les officiers de la colonie (juges ou fonctionnaires nommés par le gouverneur). De telles mesures permettraient d'éviter la concentration du pouvoir et de mieux refléter la volonté des électeurs.

✔ **Un meilleur contrôle des dépenses par l'Assemblée.** Selon Bédard, c'est aux élus de l'Assemblée de contrôler les dépenses de l'administration coloniale, y compris celles qui permettent au gouverneur de fonctionner. En système anglais, seuls les élus sont habilités à lever des taxes. En toute logique, on considère que les ministres chargés d'appliquer les lois qui engagent des budgets devraient répondre de leurs actes devant la Chambre. Au début du 19e siècle, cette conception de la «responsabilité ministérielle» est très avant-gardiste.

La crise de 1810

Malgré la modération des réformes proposées, certains sont outrés. Dans une lettre adressée au président de l'Assemblée et datée du 6 juin 1808, le secrétaire du gouverneur considère *Le Canadien* comme une «publication séditieuse et diffamatoire» qui se donne pour mission de «mécontenter les citoyens et de créer un esprit de discorde et d'animosité».

Craig, le «petit roi»

Ce sentiment est partagé par James Craig, le gouverneur du Bas-Canada de 1807 à 1811. Né en 1748, ce militaire de carrière préfère la ligne dure au compromis. En cette période de guerre contre Napoléon, il se méfie de tout ce qui est français. Les Canadiens reprennent d'ailleurs le surnom qu'on lui donne dans l'armée : «Craig, le petit roi» («little king Craig»). Irrité par les textes du *Canadien*, il se laisse facilement convaincre par ses conseillers les plus rigides qu'il faut suspendre l'Acte constitutionnel et unir le Haut et le Bas-Canada. Les marchands sont convaincus que seules des mesures aussi drastiques permettront d'améliorer le commerce est-ouest et de réduire pour de bon les Canadiens au rang de minorité.

Mais les Canadiens voient les choses autrement. En 1808, ils élisent
une majorité de députés du parti de Pierre Bédard. Aussitôt arrivés en
Chambre, ceux-ci défendent les grandes lignes du programme exposé dans
Le Canadien, notamment une loi qui interdit aux juges d'être candidats à des
élections. Craig y voit presque un affront et déclenche de nouvelles élections
qui se tiennent à l'automne 1809. Pas de chance pour lui : les électeurs
réélisent les mêmes députés. Le peuple se montre têtu !

Le Canadien fermé, Bédard emprisonné

Même si Londres l'invite à se montrer plus conciliant, Craig ne démord
pas. Le gouverneur veut une nouvelle majorité. Il décide donc à nouveau
de proroger la session qui vient tout juste de commencer et de dissoudre
l'Assemblée. Craig croit que cette action est nécessaire pour freiner le
« développement de l'influence démocratique ». Le 17 mars, il fait un pas
de plus et ordonne la saisie du *Canadien* et l'arrestation de l'imprimeur
Charles Lefrançois. Deux jours plus tard, Pierre Bédard, François Blanchet
et Jean-Thomas Taschereau sont arrêtés et emprisonnés. Les trois députés
du Parti canadien sont accusés de « pratiques traîtresses ». Le 21 mars, une
proclamation du gouverneur est imprimée et distribuée sur l'ensemble du
territoire. Craig présente les chefs arrêtés comme des « personnes méchantes
et mal intentionnées ».

L'Église dans l'eau chaude...

L'évêque Joseph-Octave Plessis n'apprécie guère le programme du Parti
canadien, qui « tend à anéantir tous les principes de subordination », écrit-il à
un correspondant en décembre 1809. Mais de là à soutenir très ouvertement
la politique du gouverneur Craig, il y a un pas... Il craint en effet que l'Église
y perde au change, car la majorité de ses fidèles appuie le Parti canadien.
L'évêque accepte néanmoins de faire lire la proclamation du gouverneur
par les curés et continue de prêcher « le respect et la soumission ». Lors
de l'élection de 1810, il encourage même les électeurs à voter contre les
candidats du parti de Pierre Bédard. Plessis regrettera cette intervention
directe, car les électeurs, encore une fois, n'en feront qu'à leur tête !
La victoire de Bédard est complète. Même s'il est derrière les barreaux, il est
réélu, ainsi que François Blanchet.

Faute de preuves, Blanchet et Taschereau sont finalement relâchés par
Craig. La mort dans l'âme, les deux députés paient une importante caution
et signent une déclaration dans laquelle ils reconnaissent leurs « crimes »
et demandent pardon. Pierre Bédard, quant à lui, refuse de signer quoi que
ce soit et exige un procès en bonne et due forme. Cette résistance opiniâtre
le prive de liberté pendant 391 jours. Elle prive également sa famille d'un
revenu, ce qui oblige sa femme à louer leur maison à des étrangers.

L'empire britannique

Le gouvernement anglais n'approuve pas la conduite de son représentant au Bas-Canada. Ces dissolutions répétées freinent le travail législatif et plongent la colonie dans un climat d'affrontement. Tout cela arrive à un bien mauvais moment, car la métropole a besoin des ressources de ses colonies. Depuis 1806, la France napoléonienne pratique un blocus continental qui oblige l'Angleterre à se tourner vers l'Amérique du Nord pour s'approvisionner en bois et en blé. Alors qu'elle traverse sa « révolution industrielle », premier phénomène du genre dans le monde, que Londres devient une immense capitale manufacturière, la Grande-Bretagne doit pouvoir s'appuyer sur des colonies prospères et stables. Désavoué, Craig est rappelé à Londres et remplacé par George Prévost. Ce militaire d'origine suisse est plus fin diplomate et parle un excellent français.

Seconde invasion américaine

Le mandat du nouveau gouverneur est surtout marqué par une nouvelle invasion américaine. Durant cette guerre qui oppose la France et l'Angleterre, les États-Unis tentent de rester neutres. Les commerçants ne peuvent cependant se priver du vaste marché européen. En juin 1807, une frégate américaine est interceptée par un navire anglais. On dit rechercher des déserteurs mais, en réalité, on souhaite dissuader les Américains de commercer avec les Français. Ces arraisonnements répétés, dont certains provoquent mort d'hommes, nuisent aux affaires et font monter la tension entre les États-Unis et leur ancienne métropole. En guise de représailles, la jeune république cesse d'importer des produits européens. Pour une partie de l'élite politique américaine, il faut cependant aller plus loin et carrément déclarer la guerre à la Grande-Bretagne. C'est ce que fait le président James Madison en juin 1812. Leur cible ? Les deux Canadas au nord.

Le Haut-Canada, principal champ de bataille

En 1812, la république américaine est une puissance montante. Sa population est de 7,5 millions d'habitants et son armée compte environ 12 000 hommes. Ses dirigeants font le pari que l'Angleterre attache beaucoup plus d'importance à sa guerre contre Napoléon qu'à ses colonies d'Amérique du Nord, qui comptent à peine 500 000 habitants. Dès le début du conflit, les États-Unis attaquent les villes et les côtes du Haut-Canada, beaucoup plus facilement accessibles que les Maritimes ou le Bas-Canada. Durant les mois qui suivent la déclaration de guerre, presque toutes les attaques américaines sont repoussées par les soldats, les miliciens et les alliés autochtones du Haut-Canada. Dans la jeune colonie, ces victoires renforcent le sentiment d'appartenir à une communauté nationale distincte.

Les Voltigeurs, des combattants canadiens à la rescousse de l'Empire

Pierre Bédard et la plupart des chefs du Parti canadien ont alors une vision négative de la république américaine. De 1806 à 1810, *Le Canadien* dénonce la cupidité des « yankees », leur manque d'intérêt pour les choses de l'esprit. Cet antiaméricanisme, ajouté à la solde intéressante qu'offre l'armée, explique probablement pourquoi on arrive assez facilement à recruter des volontaires canadiens dans une unité d'infanterie légère qu'on baptise « Les Voltigeurs ».

À la tête de cette unité, on nomme Charles-Michel de Salaberry, l'un des rares officiers canadiens de l'armée britannique. Né en 1778, fils d'une famille de la bonne société qui a ses entrées dans l'aristocratie anglaise, Salaberry s'enrôle dans l'armée alors qu'il n'a que 14 ans. Il fait ses premières armes dans les Antilles, puis sert en Irlande et aux Pays-Bas. Promu lieutenant-colonel, c'est tout naturellement vers lui qu'on se tourne pour former le corps des Voltigeurs.

Victoire de Châteauguay

La nouvelle unité est rapidement mobilisée. En novembre 1812, elle repousse les Américains à Lacolle. Afin de stopper les renforts anglais qui se rendent au Haut-Canada, les Américains envisagent d'occuper Montréal. Le 21 octobre 1813, 3 000 soldats américains franchissent la frontière et remontent la rivière Châteauguay en direction de Montréal. À la hauteur de Allan's Corner, un affrontement rude qui dure quatre heures a lieu le 26 octobre. Même s'il n'est à la tête que de 29 officiers et 481 soldats, Salaberry donne l'impression de diriger une armée beaucoup plus importante. Pour mieux camoufler ses effectifs réels, il fait construire un monticule au détour de la rivière. Les 2 000 soldats américains engagés dans la bataille par le commandant Wade Hampton battent rapidement en retraite et abandonnent le projet d'occuper Montréal. Pour cette brillante victoire, Salaberry reçoit une médaille commémorative. La mémoire du chef militaire sera constamment évoquée par les Canadiens français des générations suivantes pour démontrer leur loyauté à la Couronne. Cette guerre se termine en 1814 par un match nul.

Pax Britannica

La défaite française de Waterloo du 18 juin 1815 marque la fin du règne de Napoléon. Pour les Britanniques, l'empereur des Français était le dernier obstacle sur la route de l'hégémonie mondiale. Leur marine marchande est la plus imposante, leur économie la plus dynamique du monde. Ils exploitent avant les autres la vapeur, ce qui accélère le transport de leurs produits manufacturés à travers le monde. Cette force économique est doublée d'une puissance politique. La Grande-Bretagne a peut-être perdu ses colonies américaines, mais elle contrôle des sites clés de la Méditerranée et reste solidement implantée en Amérique du Nord et en Extrême-Orient (Australie, Nouvelle-Zélande, Singapour en 1819 et Hong-Kong en 1842). Si elle se tient à l'écart des conflits du continent européen, elle déploie une diplomatie efficace qui assure un juste équilibre des forces.

Crise agricole... malgré les Corn Laws

En 1815, Londres adopte les Corn Laws (lois sur le blé), qui garantissent un tarif préférentiel sur le blé et les céréales. Cette mesure profite surtout aux agriculteurs du Haut-Canada, dont la population passe de 75 000 en 1812 à 1,4 million en 1860. Cette prospérité par le blé explique le début des grands travaux de canalisation du Saint-Laurent qui débutent en 1820. Cette année-là, le Bas-Canada compte 420 000 habitants, dont 80 000 sont d'origine britannique. Au lieu de profiter de ce tarif préférentiel, les agriculteurs du Bas-Canada font face à de graves difficultés. Les causes de cette crise qui débute en 1815 sont multiples. La fatigue des sols, comme dans le nord-est américain, aurait joué un rôle, ainsi que le peu d'intérêt des agriculteurs canadiens pour des techniques nouvelles et la quasi-impossibilité de percer le marché anglais. Le modèle qui prédomine au Bas-Canada est celui de l'agriculture de subsistance, non celui d'une production plus intensive. Ce modèle stagne rapidement car les terres gratuites de la zone seigneuriale se font de plus en plus rares. Les zones produisent peu de surplus et deviennent peu à peu surpeuplées... ce qui n'augure rien de bon.

La puissance d'une grande bourgeoisie

Pendant ce temps, la grande bourgeoisie anglophone poursuit sa lancée, notamment grâce au commerce du bois. Pour financer ses activités, elle fonde la Banque de Montréal en 1817, et la Banque de Québec l'année suivante. À partir de 1822, le Montreal Board of Trade regroupe les marchands anglophones qui comptent vraiment – c'est-à-dire des hommes comme John Molson père (1763-1836), qui fonde une brasserie qui porte son nom en 1785 et lance le premier bateau vapeur qui fait la navette entre Québec et Montréal à partir de 1809. Son fils, John Junior (1787-1860), poursuit les activités du père, en plus de fonder une banque. De la même génération que ce dernier, John Redpath (1796-1869), impliqué dans la construction des canaux et de bâtiments publics mais surtout connu pour sa raffinerie de sucre, occupe une place importante – tout comme William Price (1789-1867), de Québec, un autre entrepreneur extrêmement prospère et influent : grand exportateur de bois équarri à la marine britannique, il contrôle durant les années 1840 près de 20 000 kilomètres carrés des réserves forestières du Saguenay–Lac-Saint-Jean. Tous ces hommes, à un moment ou à un autre, s'occupent un peu de politique et défendent leurs intérêts.

Projet d'union

En 1822, cette grande bourgeoisie est exaspérée par certaines décisions de l'Assemblée. Les députés canadiens tiennent à l'autonomie de la politique douanière de leur colonie, alors que leurs vis-à-vis du Haut-Canada recherchent une harmonisation. Par ailleurs, les députés canadiens continuent de réclamer un meilleur contrôle des subsides. C'est dans ce contexte tendu qu'un projet d'union du Haut et du Bas-Canada est présenté au Parlement anglais. Sans avoir consulté la population du Bas-Canada, le projet de loi est piloté en catimini par le député britannique Edward Ellice, le seigneur de Beauharnois et porte-parole des marchands du Bas-Canada. C'est le projet Craig qui renaît de ses cendres. Comme toujours, les objectifs sont commerciaux autant que politiques. On souhaite faire disparaître la frontière artificielle entre le Haut et le Bas-Canada pour accélérer le commerce est-ouest et minoriser la population catholique d'origine française.

Mais la rumeur du projet parvient jusqu'à Québec et provoque une mobilisation sans précédent non seulement du Parti canadien mais de toute la population du Bas-Canada. Une pétition est rédigée pour dénoncer ce projet de loi qui «établirait en faveur de la minorité une préférence humiliante aux habitants de cette province, contraire à leurs droits comme sujets britanniques et dangereux pour leurs intérêts». Le texte est signé par 60 000 habitants du Bas-Canada. Devant ce tollé, le gouvernement anglais recule.

Ce projet suscite la méfiance d'une nouvelle génération du Parti canadien, à la tête de laquelle on retrouve l'un de ceux qui se rendront à Londres pour convaincre le gouvernement anglais de faire marche arrière...

Cette étoile montante s'appelle Louis-Joseph Papineau.

Chapitre 8

De la répression des Patriotes à l'Acte d'Union (1823-1840)

Dans ce chapitre :

▶ Les stratégies de Louis-Joseph Papineau pour faire entendre la cause du peuple

▶ Les réactions de l'influente minorité anglophone et de Londres

▶ L'échec des Patriotes et ses conséquences

Inspiré par des mouvements libéraux et anticoloniaux d'Europe et d'Amérique, le Parti canadien, dirigé par Louis-Joseph Papineau, réclame plus de justice et de démocratie. Ses 92 résolutions seront cependant rejetées par Londres, ce qui provoquera des affrontements armés en 1837 et en 1838. L'échec militaire des Patriotes sera suivi d'une période de répression. Lord Durham, l'envoyé spécial du gouvernement anglais, propose alors l'union du Haut et du Bas-Canada, ce qui devait conduire, à son avis, à l'assimilation des Canadiens français. La proposition sera en partie suivie. En 1840, le gouvernement anglais adopte l'Acte d'Union et crée une nouvelle colonie : le Canada-Uni.

Louis-Joseph Papineau, chef républicain

Pierre Bédard meurt en 1829. Depuis déjà quelques années, une nouvelle génération émerge au Parti canadien. Pour affronter les défis politiques auxquels la colonie fait face, il faut du sang neuf et des idées nouvelles. Louis-Joseph Papineau n'en manque pas.

L'Ancien et le Nouveau Monde

Mais ces idées nouvelles, elles ont un écho dans un contexte international bien particulier. Partout, les peuples cherchent à renverser le vieil ordre établi. Sur toutes les lèvres, un seul mot : liberté!

Le droit des peuples en Europe

Les rébellions de 1837-1838 qui prennent place au Bas-Canada n'ont rien d'un soulèvement isolé. Elles s'inscrivent dans un mouvement occidental beaucoup plus large. En France, la révolution de juillet 1830 met fin au pouvoir de la vieille dynastie autoritaire des Bourbons qui régnait depuis la chute de Napoléon. En Angleterre, un nouveau parti «radical», qui dénonce les inégalités entre les pauvres et les riches, force l'adoption de réformes démocratiques importantes – dont le *Reform Bill* de 1832, qui donne le droit de vote à un plus grand nombre de Britanniques. En Irlande, le grand Daniel O'Connell milite courageusement en faveur de l'émancipation des catholiques.

Un vent de changement en Amérique

Même vent de changement en Amérique. Les États-Unis continuent de se développer et de prospérer au point de devenir un modèle pour les peuples qui rêvent d'un monde plus égalitaire et démocratique. De leur côté, les nations latino-américaines s'affranchissent une à une de leurs anciennes métropoles. L'Argentine proclame son indépendance en 1816, le Chili fait de même deux ans plus tard, alors que la Colombie, inspirée par le grand Simón Bolivar, devient une république indépendante en 1819, ainsi que le Mexique en 1821. L'année suivante, c'est au tour du Brésil de s'affranchir du Portugal. Qu'elles soient du nord ou du sud, les élites d'Amérique sont convaincues que c'est le Nouveau Monde qui offre les plus belles promesses d'avenir aux femmes et aux hommes de bonne volonté.

Papineau, un destin en marche

Les habitants du Bas-Canada sont témoins de tous ces changements et veulent prendre part à la marche du siècle. Les journaux d'ici rapportent et discutent ces événements qui secouent le monde.

Un fils de bonne famille

Plus que d'autres, Louis-Joseph Papineau (1786-1871) sait ce qui se passe ailleurs. Originaire de Montréal, fils de bonne famille, c'est un homme très cultivé et très au fait de l'actualité politique. C'est aussi un orateur impressionnant dont les discours fleuves parsemés de citations d'auteurs classiques captivent les auditoires, au Parlement comme lors des grandes assemblées publiques. Avocat, il est élu pour la première fois en 1808.

Âgé de 29 ans, il est désigné président de la Chambre par ses collègues députés en 1815 – le poste le plus prestigieux pour l'époque, après celui de gouverneur. En 1817, il devient officiellement le chef du Parti canadien. La même année, il achète à son père la seigneurie de la Petite-Nation en Outaouais, ce qui fait de lui un véritable «seigneur». Trois ans plus tard, il épouse Julie Bruneau, une femme de tête, tout aussi informée, et fille de député, avec qui il aura une correspondance très riche.

Le chef politique républicain fut à ce point respecté et admiré pour sa culture et son intelligence que son nom est toujours associé à une expression bien connue, fréquemment utilisée par les Québécois. Lorsqu'une idée est simple et facile, on dira que *ça ne prend pas la tête à Papineau* pour la comprendre!

Choqué par la misère

Louis-Joseph Papineau a beau être cultivé et avoir les bonnes manières d'un seigneur, il fait sienne la cause du peuple. Jusqu'à son voyage à Londres en 1823, il défend énergiquement les institutions britanniques, qui offrent à ses yeux les meilleures garanties de stabilité et d'ordre tout en permettant au peuple d'élire ses représentants. Son voyage dans la capitale britannique lui donne toutefois de la Grande-Bretagne une vision bien différente, plus réaliste. Papineau est choqué par la misère qu'il y découvre. Il en conclut graduellement que le Vieux Monde, l'Europe, a quelque chose de corrompu et de décadent. Pour améliorer les institutions politiques du Bas-Canada et accroître ainsi les pouvoirs du peuple, mieux vaut désormais s'inspirer des expériences du Nouveau Monde.

Une caste d'aristocrates

L'Amérique, en vient à marteler Papineau, n'est pas censée avoir d'aristocratie héréditaire qui vit aux dépens du peuple. Les hommes du Nouveau Monde doivent être libres et égaux. Au Bas-Canada, déplore-t-il, une petite élite se comporte comme une caste d'aristocrates. Composée pour l'essentiel de marchands anglophones arrivés récemment dans la colonie, cette élite contrôle des institutions politiques clés de la colonie, comme le Conseil exécutif et le Conseil législatif. Elle spécule également sur les terres des Cantons de l'Est, où de nombreux Canadiens aimeraient s'installer et fonder une famille. Selon Papineau, cette élite de privilégiés entrave les aspirations populaires en bloquant des projets de lois importants qui émanent de l'Assemblée législative, grâce à laquelle la majorité francophone du Bas-Canada peut s'exprimer.

L'émancipation des juifs

Les revendications de Papineau ne concernaient pas seulement les descendants de Français. Ce que réclame le chef canadien, c'est plus de justice pour tous les citoyens de la colonie, quelles que soient leurs origines. À cet égard, le 19 mars 1832, son parti adopte une loi importante qui prévoit que «toute personne professant le judaïsme» qui habite la colonie et qui est née sujet britannique pourrait désormais disposer de «tous les droits et privilèges des autres sujets de Sa Majesté». Cette émancipation des juifs est une première dans l'empire britannique.

La querelle des subsides et l'élection de 1832

Une grande partie de la population soutient les doléances du Parti canadien, et, parmi celles-là, le contrôle des «subsides» par l'Assemblée législative. Les subsides, ce sont ces sommes que les élus consentent au gouverneur pour l'administration courante de la colonie.

Des milliers de signatures !

En 1828, une pétition signée par 87 000 habitants du Bas-Canada est acheminée à Londres. On y dénonce :

- **Un gouverneur autocrate.** On se plaint des agissements du gouverneur Dalhousie qui souhaite gérer seul les budgets consentis par l'Assemblée législative.

- **Des fonctionnaires incompétents.** On peste aussi contre l'incurie des fonctionnaires qui, souvent, ne parlent pas un traître mot de français mais reçoivent tout de même de gros salaires puisés à même les coffres de la colonie.

- **La surreprésentation des anglophones au Conseil législatif.** Non seulement les anglophones sont surreprésentés au Conseil législatif, mais certains d'entre eux sont carrément malhonnêtes, car ils profitent de leurs postes pour tirer des bénéfices personnels.

- **La carte électorale.** On critique également le découpage des circonscriptions qui avantage outrageusement la minorité anglophone.

- **Le vrai pouvoir.** Surtout, on défend les pouvoirs de l'Assemblée législative sur le budget. Plus question à l'avenir que les taxes soutirées au peuple profitent à quelques privilégiés de l'élite marchande. Les pétitionnaires ont à l'esprit le cas du conseiller John Caldwell qui, en 1823, avait détourné 96 000 £ à des fins personnelles. Les pétitionnaires sont d'accord pour que leurs élus exercent un vrai contrôle sur les subsides qui sont versés au gouverneur.

Une situation délicate

Pour le gouvernement britannique, la situation est délicate. Il est difficile de s'opposer au «No taxation without representation» (pas de taxe si l'on n'est d'abord représenté au Parlement), ce vieux principe invoqué par le Parti canadien, de plus en plus influencé par la rhétorique des révolutionnaires américains. Cette volonté de mieux contrôler les dépenses de la colonie donne d'ailleurs lieu à une nouvelle stratégie axée sur les rapports de force. Pour faire pression sur le gouverneur, l'Assemblée refuse périodiquement de voter les subsides. Papineau espère ainsi forcer la main aux représentants de la Couronne anglaise et provoquer de salutaires réformes des institutions.

La tension monte

Cette «querelle des subsides» fait monter la tension dans la colonie. Peu après son arrivée en 1830, le gouverneur Aylmer tente de trouver une solution. Il propose de distinguer les dépenses fixes de l'administration (qui permettraient par exemple de payer le salaire des fonctionnaires de la colonie) des autres dépenses, consacrées à des projets plus spécifiques. Sur les premières dépenses de cette «liste civile», qui auraient représenté moins de 20 % du budget, les élus de l'Assemblée législative n'auraient aucun droit de regard, alors que sur les secondes, ils obtiendraient le plein contrôle. Aylmer va même plus loin. En 1832, il propose à Papineau et à John Neilson, lieutenant du Parti canadien dans la région de Québec, de faire partie du Conseil exécutif – autrement dit, de devenir des ministres de la Couronne. Il propose également d'accroître les nominations de francophones au Conseil législatif.

Émeute à Montréal : trois morts

Papineau et Neilson, peut-être influencés par l'arrivée de jeunes députés plus intransigeants élus en 1830, jugent ces propositions insuffisantes. Il faut dire que cette fin de non-recevoir survient en 1832, une année marquée par une spectaculaire émeute dans l'ouest de Montréal, lors d'une élection partielle. Deux candidats s'affrontent : Stanley Bagg, favorable aux positions de l'élite anglophone, et Daniel Tracey, Irlandais d'origine, qui épouse totalement la cause du parti de Louis-Joseph Papineau. Les positions de Tracey sont d'ailleurs celles d'Edmund O'Callaghan, un autre habitant du Bas-Canada d'origine irlandaise qui dirigera après lui le journal *The Vindicator*.

Le 21 mai, au terme de la période électorale qui dure plusieurs jours, Tracey obtient une légère avance. Des fiers-à-bras du camp adverse intimident des électeurs, et s'ensuit un affrontement musclé entre les partisans des deux camps. L'Acte d'émeute est décrété; l'armée britannique intervient et fait feu. Bilan : trois personnes qui n'avaient rien à voir avec les affrontements sont tuées. Elles sont toutes les trois francophones. L'enquête du gouverneur Aylmer donne raison à l'armée, tandis que les deux enquêtes commandées par l'Assemblée législative accusent les forces de l'ordre d'avoir abusé de leur pouvoir. Toute cette affaire jette de l'huile sur le feu.

L'épidémie de choléra et l'ouverture de la Grosse Île

Ce qui marque aussi les Bas-Canadiens, en 1832, c'est l'épidémie de choléra qui se répand à partir de juin. Portée par des immigrants européens qui arrivent de plus en plus nombreux, cette épidémie fait des ravages dans les villes de Québec et de Montréal. Informées de la propagation de ce terrible mal qui emporte ses victimes en moins de 24 heures, les autorités de la colonie aménagent, dès 1831, des bureaux de santé publique sur la Grosse Île, tout près de Québec. Tous les immigrants européens doivent y subir un examen médical. Les malades et les bateaux gagnés par la maladie sont rigoureusement désinfectés. Ces préventions n'arrivent cependant pas à freiner le choléra, une maladie qui vient d'Asie, sur laquelle on ne sait à peu près rien à l'époque.

Quelques années plus tard, la Grosse Île accueillera des bateaux remplis d'Irlandais fuyant la famine qui sévit dans le pays de 1845 à 1849. Affamés, malades, plus de 5 000 Irlandais y seront enterrés, ce qui fait de la Grosse Île un lieu de mémoire important pour la nation irlandaise. De nombreux enfants irlandais vont perdre leurs parents durant la tragique traversée de l'Atlantique. Grâce au concours de l'Église catholique, qui agit alors comme une organisation humanitaire, plusieurs d'entre eux sont adoptés par des familles canadiennes-françaises. La plupart du temps, ces enfants conservent leur nom d'origine : O'Neil, Ryan, Johnson, Burns, etc. Les descendants de ces enfants construiront le Québec moderne.

Les 92 résolutions et les résolutions Russell

La tension politique au Bas-Canada est exacerbée par le ralentissement de l'économie des années 1830. Les récoltes sont mauvaises, les terres de la zone seigneuriale sont rares ou exploitées par les seigneurs, et celles des Cantons de l'Est sont trop coûteuses pour les jeunes Canadiens. En 1837, les États-Unis sont frappés par une importante crise financière. En 1833, l'Assemblée législative refuse de voter les subsides au gouverneur. D'avril 1833 à janvier 1834, le Parti canadien organise des assemblées populaires dans plusieurs circonscriptions. Si on cherche des solutions concrètes pour sortir de la crise, l'atmosphère est à l'affrontement et les discours sont vindicatifs ; un vent de réforme souffle sur le Bas-Canada. La « querelle des subsides » ne peut durer indéfiniment ; il faut donner un coup de barre et proposer à Londres des changements clairs.

Les doléances du Parti canadien

C'est à cette tâche que s'attelle Louis-Joseph Papineau, assisté du jeune député Augustin-Norbert Morin. Ensemble, ils rédigent les 92 résolutions qui représentent la liste des doléances du moment.

Ce que veulent les « résolutionnaires »...

Ce document explosif de plus de 80 pages est adopté par l'Assemblée législative du Bas-Canada le 21 février 1834. Parmi les idées les plus importantes contenues dans cette grande charte du Parti canadien, on retrouve les suivantes :

✔ **On confirme la loyauté des habitants du Bas-Canada à l'égard de la Couronne britannique.** Les réformes proposées ne visent pas l'indépendance ou la sécession. Ce que souhaitent avant tout les habitants du Bas-Canada, c'est d'être considérés comme de vrais sujets britanniques, et non comme des citoyens de seconde zone à cause de leur origine française.

✔ **On réclame que les membres du Conseil législatif ne soient plus nommés par le gouverneur mais élus par la population**, car le Bas-Canada étant une terre de liberté, il n'existe pas, ici, de noblesse.

✔ **On souhaite que le Conseil exécutif soit responsable de ses actes devant le Parlement, et non plus seulement devant la Couronne, représentée dans la colonie par le gouverneur.** Pour exécuter des lois, décréter des mesures importantes, le Conseil exécutif doit toujours jouir de la confiance des élus du peuple.

✔ **Les « résolutionnaires » réclament aussi pour l'Assemblée le plein contrôle sur les dépenses de la colonie et l'octroi de terres.**

✔ **On laisse enfin entendre que si la métropole en venait à rejeter toutes ces doléances, les « résolutionnaires » pourraient se tourner vers d'autres modèles politiques viables et prometteurs qui existent sur le continent, comme celui choisi par les États-Unis.**

Cette liste de doléances est adoptée après un long débat entre les députés : 56 votent pour, 23 contre. La nouvelle stratégie de Papineau ne fait pas l'unanimité. Plusieurs députés de Québec jugent le document trop radical et craignent un affrontement brutal avec l'armée anglaise, la plus puissante du monde à l'époque. Dans sa grande majorité, le peuple se range du côté de Papineau. Les élections de l'automne 1834 donnent une éclatante victoire au Parti canadien, qui remporte 77 des 88 sièges.

L'hostilité aux réformes

Après la « querelle des subsides », l'adoption des 92 résolutions et le triomphe du Parti canadien font encore monter la tension. La puissante minorité des marchands anglais dispose, grâce à sa présence aux conseils législatif et exécutif, d'un droit de veto sur toutes les lois adoptées par l'Assemblée du peuple. Elle met donc sur pied plusieurs associations clairement hostiles aux réformes proposées par le Parti canadien.

L'intolérance des marchands

Parmi les grands marchands qui financent ces associations, on retrouve Peter McGill, George Moffatt et plusieurs autres qui œuvrent dans les secteurs du bois, des banques, des transports et de l'alcool. Les idées de cette minorité qui se prétend «loyale» aux vrais principes du constitutionnalisme britannique sont relayées par la *Gazette* de Montréal et le *Herald*, un journal alors dirigé par Adam Thom qui tient régulièrement des propos racistes à l'endroit des Canadiens français. Cette intolérance caractérise la pensée des membres du Doric Club, une association semi-clandestine qui menace de recourir aux armes si les vues du Parti canadien devaient l'emporter. «Si le gouvernement et le peuple britanniques nous abandonnent, nous sommes déterminés, plutôt que de nous soumettre à la condition dégradante de sujets d'une république canadienne-française, à travailler de nos propres mains à notre libération», peut-on lire dans leur déclaration publique du 22 mars 1836.

Les députés divisés

Les 92 résolutions sont acheminées à Londres et présentées par Augustin-Norbert Morin les 12 et 13 juin 1834 aux élus d'un comité spécial formé par la Chambre des communes. Pris de court par cette liste de doléances, le gouvernement anglais nomme lord Gosford, un nouveau gouverneur qui entre en fonction en 1835. Mandaté pour faire rapport sur la situation au Bas-Canada, le représentant de la Couronne n'a pas une tâche simple. Les vues de la majorité et de la minorité sont si différentes que les compromis semblent impossibles. Les députés du Parti canadien sont divisés quant à la marche à suivre.

Certains, comme le journaliste Étienne Parent du *Canadien*, croient qu'il faut laisser la chance au coureur et permettre au nouveau gouverneur de faire son travail ; d'autres, dont Papineau lui-même, jugent qu'il faut continuer d'exercer une pression forte en ne votant qu'une partie des subsides demandés par l'administration coloniale. Quant aux marchands anglais, ils se méfient de ce gouverneur qui, le 15 janvier 1836, ordonne la dissolution du British Rifle Corps, un corps de miliciens hostile au Parti canadien. Ils sont loin d'être convaincus que Londres ira dans leur sens.

La réaction de Londres

Le rapport que remet Gosford le 2 mars 1837 montre une certaine ouverture aux revendications du Parti canadien. Mais le gouvernement anglais opte finalement pour la ligne dure.

Le 6 mars 1837, le ministre John Russell présente aux membres de la Chambre des communes les 10 résolutions censées mettre fin à la crise au Bas-Canada. C'est une fin de non-recevoir pour le Parti canadien, et les marchands anglais sont soulagés.

✔ **Pas question d'élire les membres du Conseil législatif**, car cela aurait pour effet d'écarter les habitants d'origine britannique, selon le ministre.

✔ **Pas question non plus de rendre le gouvernement responsable de ses actes devant la Chambre.** Une telle réforme, plaide le ministre, dénaturerait le fonctionnement des institutions monarchiques de la Grande-Bretagne.

✔ **Le gouvernement anglais refuse que l'Assemblée législative ait une totale mainmise sur les budgets et les dépenses.** Le gouverneur aura désormais le pouvoir de prélever les sommes dont il a besoin à même le Trésor de la colonie, ce qui mettra abruptement fin à la «querelle des subsides» et enlèvera au Parti canadien son rapport de force.

Cette dernière décision choque énormément les habitants du Bas-Canada. Même le journal *Le Canadien*, reconnu pour ses prises de position modérées, y voit un «acte d'agression» qui rompt, dans les faits, le «contrat social» qui liait la colonie à la métropole anglaise. Dans l'esprit de plusieurs, les jeux sont faits…

La défaite des Patriotes et ses conséquences

Les résolutions Russell plongent le Bas-Canada dans un climat d'affrontement. Chaque camp fourbit ses armes et attend son heure. L'été et l'automne 1837 s'annoncent chaud.

Assemblées populaires

Mais avant d'agir, encore faut-il se mobiliser et discuter de la marche à suivre. C'est ce que font «Patriotes» et «Loyaux» lors de grandes assemblées publiques qui se tiennent de La Malbaie à Vaudreuil, et de Sainte-Scholastique à Saint-Hyacinthe. Aucune région importante n'est oubliée. Tout au long de l'année 1837, ces assemblées auraient attiré près de 50 000 personnes, soit un peu moins de 10 % de la population de l'ensemble de la colonie.

Résister à un pouvoir tyrannique

La première assemblée organisée par le Parti canadien se tient à Saint-Ours, un village de la vallée du Richelieu. Les résolutions Russell, proclame-t-on, ont pour effet de retirer au peuple «toute garantie de liberté et de bon gouvernement pour l'avenir dans cette province». Les habitants du Bas-Canada se doivent donc de résister à un «pouvoir tyrannique». Inspirée par l'expérience révolutionnaire américaine, une résolution adoptée par les Patriotes de Saint-Ours propose le boycott du thé, du tabac, du vin et du rhum importés d'Angleterre et suggère de rendre licites les produits de contrebande. Durant les semaines qui suivent, les Patriotes du Bas-Canada vont étendre ce boycott aux vêtements et revêtir les étoffes du pays. Dans une autre résolution, on évoque enfin la figure héroïque de Louis-Joseph Papineau, notre Daniel O'Connell. «Pour opérer plus efficacement la régénération de ce pays, il convient, à l'exemple de l'Irlande, de se rallier tous autour d'un homme. »

La solution révolutionnaire

Durant l'été 1837, tous les regards se portent en effet sur le chef du Parti canadien. Accompagné par des jeunes députés comme Louis-Hippolyte La Fontaine et Augustin-Norbert Morin, mais aussi par des chefs plus expérimentés comme Wolfred Nelson et Edmund O'Callaghan, il parcourt le Bas-Canada et prononce des discours. Le 15 mai, on le retrouve à l'assemblée de Saint-Laurent à Montréal, et deux semaines plus tard, à Sainte-Scholastique. Ses longs discours sont ceux d'un chef révolutionnaire qui dénonce la sujétion du Bas-Canada à un empire étranger aux idées du Nouveau Monde.

« Qui dit colonie, dit pillage ! »

«Le système colonial européen doit être refait et refondu, lance-t-il à la foule de Saint-Laurent ; ou la misère, la paralysie de l'esprit et de l'industrie, les haines et les dissensions en sont le résultat si naturel et si constant, que toutes les colonies ont les motifs les plus urgents d'avancer l'heure de leur séparation. Qui dit colonie, dit pillage et insolence chez les gouvernants, abaissement et pénurie chez les gouvernés. [...] Le gouvernement des nobles de l'Angleterre vous hait pour toujours ; il faut le payer en retour. Il vous hait parce qu'il aime le despotisme, et que vous aimez la liberté. » Dans chacun de ses discours, Papineau rappelle les doléances de son parti, dénonce l'action souvent fourbe des gouverneurs et des «parasites» qui les entourent, explique l'impasse à laquelle conduisent les résolutions Russell, vante les institutions républicaines qui préfèrent le talent à l'argent.

Les autorités craignent le pire

Ces discours et certaines résolutions plus radicales qui s'en prennent aux seigneurs, voire même à l'Église, font craindre le pire aux autorités. Le 15 juin, le gouverneur Gosford interdit les assemblées publiques, une proclamation qui ne sera pas respectée par le Parti canadien. Les Loyaux tiennent aussi des assemblées publiques. Rassemblés à Rawdon et à Montréal les 29 juin et 6 juillet, ils condamnent «toute désobéissance à la loi» qui ne peut conduire qu'au «démembrement de l'Empire».

L'Église prêche la soumission

Quelques mois plus tard, c'est au tour de l'Église catholique de condamner les discours des chefs patriotes. Jean-Jacques Lartigue, le premier évêque de Montréal, invite les fidèles à se soumettre aux autorités et à se détourner des appels à la révolution et aux affrontements qui, à ses yeux, ne peuvent mener qu'à une guerre civile. Cet appel à la soumission était directement inspiré de l'encyclique du pape Grégoire XVI qui, en août 1832, avait condamné les idées libérales qui animaient les mouvements de libération irlandais et polonais. Le mot d'ordre de l'évêque ne sera pas suivi par tous les membres du bas-clergé. Certains, comme Étienne Chartier, le curé de Saint-Benoît, n'hésitent pas à appuyer la cause du Parti canadien.

Désaccord sur la stratégie

Du 18 au 26 août 1837, les députés sont invités à adopter les subsides nécessaires au bon fonctionnement de la colonie. Au sein du Parti canadien, deux camps se dessinent. Les modérés, qu'inspire la voix du journaliste Étienne Parent, estiment qu'il faut faire baisser la pression et adopter le budget. Sans un appui clair et net des États-Unis, le mouvement patriote risque de frapper un mur. Les plus radicaux, dont Papineau, croient pour leur part que l'heure n'est plus au compromis mais à la mobilisation. Résultat : le budget n'est pas adopté et Gosford décide de dissoudre le Parlement, une décision capitale qui prive le Parti canadien de sa principale tribune.

Le tout pour le tout

Les 23 et 24 octobre, Loyaux et Patriotes se réunissent à Montréal et à Saint-Charles. Les premiers reprennent leurs griefs contre le Parti canadien et présentent Papineau comme un démagogue dangereux inspiré par les idées les plus néfastes du républicanisme français. Les seconds brandissent fièrement des bannières sur lesquelles on peut lire «INDÉPENDANCE», «Les Canadiens meurent mais ne savent pas se rendre», ou encore «Liberté, nous vaincrons ou mourrons pour elle!». Sur l'une d'elle se dessine le rêve d'une plus grande solidarité avec les réformistes anglophones de la colonie voisine : «Nos amis du Haut-Canada : notre force est dans notre union». Les orateurs se succèdent à la tribune. Chacun se dit prêt au plus grand sacrifice «pour arracher au vil esclavage le sol qui nous a vus naître». L'adresse adoptée a toutes les allures d'une déclaration d'indépendance.

Rixes et batailles

Le sort en est maintenant jeté. La phase politique se termine; celle des champs de bataille commence. Les Patriotes ont un grand tribun, Papineau, mais ils n'ont pas de véritables chefs militaires. Les marchands, de leur côté, sont appuyés par l'armée de l'Empire et des miliciens bien équipés et décidés d'en finir.

Affrontement rue Saint-Jacques

Le 6 novembre, les partisans des deux camps s'affrontent à Montréal, rue Saint-Jacques. Ce jour-là, les membres de l'Association des «Fils de la Liberté», après une assemblée politique paisible, sont pris à partie par des membres du Doric Club. Ces derniers sont rapidement rejoints par des sympathisants qui, dans un moment de fureur, attaquent la maison de Papineau, saccagent les bureaux du *Vindicator* et fracassent les fenêtres de la librairie d'Édouard-Raymond Fabre, reconnu pour sa sympathie à la cause patriote. La maison de Robert Nelson, un autre chef du Parti canadien, est également endommagée par des manifestants en colère qui acceptent mal que des anglophones puissent soutenir la cause de Papineau. Durant les jours qui suivent, Gosford révoque tous les magistrats soupçonnés d'être favorables au Parti canadien et nomme des Loyaux.

La tête de Papineau mise à prix

Peu après, Sir John Colborne, commandant des forces armées britanniques au Bas-Canada, décide de passer à l'offensive et d'attaquer les rebelles canadiens à Saint-Charles, dans la vallée du Richelieu. Le chef militaire dispose de 1 700 soldats de l'armée régulière et de plusieurs centaines de miliciens volontaires, moins expérimentés mais souvent plus déterminés à écraser l'ennemi. Le 23 novembre, une partie des troupes de Colborne sont défaites par les 1 500 hommes de Wolfred Nelson à Saint-Denis. L'affrontement dure près de six heures. Deux jours plus tard, les troupes anglaises battent les Patriotes à Saint-Charles. Aux grands maux les grands moyens : le gouverneur Gosford lance plusieurs mandats d'arrestation contre les principaux chefs du Parti canadien. On promet 4 000 £ à quiconque mettra la main au collet de Papineau. La loi martiale est décrétée : plus besoin de mandat pour emprisonner quelqu'un.

Saint-Benoît réduit en cendres...

Le cas de la vallée du Richelieu étant réglé, Colborne se tourne vers la région des Deux-Montagnes, à l'ouest de Montréal, sur la rive nord du Saint-Laurent. Le 14 décembre, un affrontement violent a lieu à Saint-Eustache, où près de 200 Patriotes se sont repliés dans l'église. Aux combattants qui craignent pour leur vie, le chef patriote Jean-Olivier Chénier lance : «Soyez tranquilles ; il y en aura de tués, et vous prendrez leurs fusils.» Cette détermination ne suffit pas puisque les troupes que dirige personnellement Colborne sont plus nombreuses et beaucoup mieux armées. Après quatre heures de combat, 70 Patriotes sont tombés au champ d'honneur et 118 autres sont faits prisonniers. Fiers de leur victoire, les miliciens incendient une soixantaine de bâtiments, confisquent des papiers qui pourraient incriminer d'autres Patriotes et volent les dépouilles qui gisent sur le sol. Le lendemain, le village de Saint-Benoît qui se rend sans résistance est réduit en cendres.

Le coup fatal

Durant ces semaines d'affrontements, plusieurs chefs du Parti canadien se réfugient aux États-Unis, dont Louis-Joseph Papineau, qui tente en vain de convaincre le gouvernement américain de soutenir la cause du Parti canadien. Cette absence de soutien explique son refus de prendre part à la seconde insurrection de novembre 1838. À Lacolle et Odelltown, deux villages situés tout près de la frontière américaine, la riposte patriote est écrasée par les milices locales fidèles à la Couronne britannique. Cette seconde insurrection porte un coup fatal au mouvement canadien.

La déclaration d'indépendance du Bas-Canada

Le 28 février 1838, Robert Nelson, le chef autoproclamé du gouvernement provisoire, lit une déclaration unilatérale d'indépendance du Bas-Canada qui contient 18 articles. On promet un régime républicain et démocratique, le droit de vote pour tous les hommes de 21 ans et plus, la séparation de l'Église et de l'État, l'éducation publique pour tous, l'indépendance de la presse, l'abolition du système seigneurial et de la peine de mort, sauf en cas de meurtre. L'article 3 prévoit un nouveau traitement pour les... « sauvages ». Dans la république du Bas-Canada, les Amérindiens jouiraient des mêmes droits que les descendants européens. La nouvelle république serait bilingue puisque l'anglais et le français seraient « en usage dans toutes les affaires publiques ». La déclaration se termine par une promesse de sacrifice : « nous, par ces présentes, engageons solennellement les uns et les autres nos existences, nos fortunes et notre honneur le plus sacré. » Comme les troupes patriotes seront écrasées en novembre 1838, cette déclaration n'entrera jamais en vigueur, mais le rêve d'une république libre restera bien vivant.

Émouvant testament de Chevalier de Lorimier

Dans les semaines qui suivent, 855 personnes sont arrêtées, 108 accusées de haute trahison, 58 déportées en Australie, et 12 sont pendues à la prison du Pied-du-Courant de Montréal. Chevalier de Lorimier, l'un des condamnés à mort, laissera un testament politique bouleversant, écrit la veille de son exécution qui aura lieu le 15 février 1839 : « Malgré tant d'infortune, mon cœur entretient encore du courage et des espérances pour l'avenir, mes amis et mes enfants verront de meilleurs jours, ils seront libres, un pressentiment certain, ma conscience tranquille me l'assurent. [...] Vive la liberté, vive l'indépendance! » À la fin de l'année 1839, l'une des plus sombres dans l'histoire du Québec, plusieurs broient du noir. Le Parlement est suspendu, la minorité des marchands est au pouvoir et Papineau s'est réfugié en France, d'où il ne reviendra qu'en 1845.

L'Acte d'Union de 1840

Le gouvernement britannique cherche une solution durable à cette crise qui secoue non seulement le Bas-Canada, mais aussi la colonie voisine du Haut-Canada, elle-même déchirée par une crise politique entre loyaux et réformistes.

Le rapport Durham

C'est lord Durham qui est choisi pour faire un rapport sur la situation qui prévaut dans les deux colonies. Proche des cercles les plus réformateurs de son pays, l'homme a des vues libérales sur le monde. Les modérés du Parti canadien attendent beaucoup de lui. L'envoyé britannique arrive à Québec le 27 mai 1838 et repart à l'automne, après avoir rencontré les réformistes du Haut-Canada et les représentants de la minorité anglophone du Bas-Canada. Assisté d'une batterie d'experts, il dépose son rapport le 4 février 1839 au ministère des Colonies.

« Lutte de races »

Son analyse est contrastée. Il donne raison aux réformateurs du Haut-Canada mais ne reconnaît nullement le bien-fondé des principes défendus par le Parti canadien. Lorsqu'il se penche sur le Bas-Canada, il écrit : « Je m'attendais à trouver un conflit entre le gouvernement et le peuple ; je trouvai deux nations en guerre au sein d'un même État ; je trouvai une lutte, non de principes, mais de races. » Peuple « sans histoire et sans littérature », soutient lord Durham, les francophones du Bas-Canada devaient être assimilés à la culture anglaise pour devenir d'authentiques sujets britanniques.

Comment sortir de l'impasse ?

Pour sortir les deux colonies de l'impasse, il propose deux solutions :

- **L'union du Haut et du Bas-Canada en une seule colonie.** Cette proposition vise clairement l'assimilation des Canadiens français, à plus ou moins brève échéance.

- **L'octroi du gouvernement responsable.** Le Conseil exécutif de la future colonie devrait, pour gouverner, obtenir la confiance non pas seulement du représentant de la Couronne britannique, mais des élus du peuple qui siègent à l'Assemblée législative.

La sanction royale

Le 23 juillet 1840, l'Acte d'Union reçoit la sanction royale. Cette loi prévoit les éléments suivants :

✔ **L'union du Haut et du Bas-Canada en une seule colonie**, qui s'appelle désormais le Canada-Uni. La langue officielle de la nouvelle colonie est l'anglais.

✔ **Le même nombre de représentants pour les sections est et ouest.** Cette égalité désavantage l'ancien Bas-Canada, dont la population est alors nettement supérieure à celle de l'ancien Haut-Canada.

✔ **Le versement des budgets des deux anciennes colonies dans un seul même fonds consolidé.** Là encore, cette disposition désavantage les habitants du Bas-Canada, qui devront éponger les lourdes dettes de la colonie voisine.

✔ **La proscription de la langue française.** La seule langue reconnue du Canada-Uni sera l'anglais.

Pas question en 1840 de concéder le gouvernement responsable aux habitants d'une colonie. Le Canada-Uni sera dirigé par un gouverneur nommé par Londres.

Cette situation changera quelques années plus tard, à la suite d'une alliance étonnante que n'avait pas prévue lord Durham !

Chapitre 9

Le gouvernement responsable et le réveil religieux (1840-1860)

Dans ce chapitre :

▶ La conquête du gouvernement responsable par Louis-Hippolyte La Fontaine

▶ Quelques réalisations du grand ministère de 1848

▶ Les signes d'un réveil religieux

▶ Le programme d'Ignace Bourget

L'échec du Parti canadien provoque un changement de stratégie. Après la confrontation sur les champs de bataille, on opte pour une réforme plus modeste des institutions britanniques qui, espère le parti dirigé par Louis-Hippolyte La Fontaine, permettra de conserver la culture héritée des ancêtres. Au cœur de cette réforme, il y a la conquête du gouvernement responsable, qui prend place en 1848.

En même temps que s'opèrent ces changements politiques, on assiste à un véritable réveil religieux dans le Québec du milieu du 19e siècle. Ce réveil, qui prend plusieurs formes, permet à l'Église catholique d'accroître son pouvoir et son influence. Deuxième évêque de Montréal, Mgr Ignace Bourget s'active énormément pour imposer sa conception particulière de la religion, très hostile aux grands idéaux de liberté qui gagnent de nombreux esprits à cette époque.

Louis-Hippolyte La Fontaine, le réformiste

Originaire de Boucherville sur la rive sud de Montréal, fils d'un modeste menuisier, avocat montréalais, Louis-Hippolyte La Fontaine (1807-1864) est élu pour la première fois en 1830. Considéré comme l'une des brillantes recrues du Parti canadien, il est rapidement perçu comme un radical. Cette réputation lui vient d'un pamphlet qu'il fait paraître en 1834 et dans lequel il attaque férocement deux Canadiens qui, après avoir soutenu la cause de Papineau, acceptent d'être nommés ministres de la Couronne par le gouverneur de la colonie. En plus de dénoncer ces « girouettes », La Fontaine défend vigoureusement les institutions libres et ne rejette pas l'option de la confrontation armée, si jamais la Grande-Bretagne n'accédait pas aux demandes du Parti canadien.

Lors des grandes assemblées de l'été 1837, le jeune politicien accompagne son chef dans presque tous ses déplacements et, durant la courte session d'août 1837, il défend la ligne dure contre l'administration coloniale. Comme les autres militants patriotes, lui et sa femme Adèle portent les étoffes du pays. Un journaliste qui s'était moqué des « accoutrements de bergère » de cette dernière se voit asséner un solide coup de poing au visage par La Fontaine en personne. Le bouillant député n'en laisse pas passer une !

Éviter le sort des Acadiens

Le schisme avec Papineau survient en novembre 1837, à quelques jours des premiers affrontements contre les armées de Colborne. Comme le journaliste Étienne Parent du *Canadien*, La Fontaine croit qu'un tel face-à-face pourrait mener à la disparition de sa nationalité. Il craint pour son peuple le sort réservé aux Acadiens. Face à l'imminence de la catastrophe, il essaie de convaincre le gouverneur de convoquer à nouveau le Parlement en vue de trouver une solution politique à la crise. Alors que Papineau cherche des appuis aux États-Unis, La Fontaine part pour Londres et tente de faire entendre raison aux députés britanniques. Malgré ses démarches, on se méfie de lui ; son passé de radical le rattrape. Quelques mois après son retour d'Europe, il est d'ailleurs fait prisonnier pendant quelques semaines. Du fond de son cachot, La Fontaine conçoit une nouvelle stratégie qui permettrait de conserver l'essentiel.

Le manifeste aux électeurs de Terrebonne

Une fois l'Acte d'Union décrété par Londres, la population des sections est et ouest du nouveau Canada-Uni est appelée aux urnes pour élire les représentants de la colonie. Plusieurs candidats du Québec promettent, s'ils sont élus, de combattre cet Acte d'Union, adopté sans le consentement des habitants. De son côté, La Fontaine entrevoit les choses autrement. Il présente sa nouvelle stratégie dans un manifeste publié le 25 août 1840.

Pas question de baisser les bras !

Selon le jeune chef politique de 33 ans, revenir en arrière serait contre-productif. Il faut se résigner à l'union, même si elle a été imposée de force, et prendre part à la vie politique de la nouvelle colonie – pas au point cependant de s'humilier et de renier tous ses principes ! Car les habitants de la nouvelle colonie vivent en Amérique, et ils ont l'habitude de l'égalité sociale. Jamais ils n'accepteront d'être dirigés par une minorité de privilégiés qui méprisent le peuple.

Quoi faire alors ? Comment, dans un tel contexte, barrer la route à l'arbitraire ? Comment accroître les pouvoirs du Parlement ? Simple, de répondre La Fontaine :

✔ **Il ne faut accepter de postes au gouvernement que lorsque Londres reconnaîtra la « responsabilité ministérielle ».** Au lieu de choisir arbitrairement les ministres du gouvernement parmi les amis du régime, le gouverneur de la colonie doit plutôt nommer des membres du parti qui aura obtenu la majorité des voix lors des élections. Ces ministres, pense La Fontaine, incarneront les véritables aspirations du peuple et auront toute la légitimité pour lancer des réformes et procéder à des nominations. Sans cette « responsabilité ministérielle », les tensions politiques s'accroîtront et le constitutionnalisme britannique perdra toute crédibilité.

✔ **Il faut aussi faire alliance avec les réformistes du Haut-Canada qui, comme ceux du Bas-Canada, se sont battus pour obtenir plus de justice et de démocratie.** Fondé sur des principes communs d'action, un tel pacte permettra de faire triompher des principes que défendent plusieurs esprits libéraux de la Grande-Bretagne.

Élu par des... anglo-protestants

La Fontaine avance des idées claires qui s'inspirent de ce qui se fait de mieux en Angleterre. Reste maintenant à se faire élire aux élections de février 1841, ce qui ne sera pas une mince affaire. Ses ennemis de la veille, aidés par le gouverneur, installent le bureau de scrutin de sa circonscription de Terrebonne dans un village hostile à La Fontaine. Les électeurs favorables au chef réformiste doivent parfois parcourir jusqu'à 20 kilomètres pour exercer leur droit de vote. Une fois sur place, ils sont intimidés par des fiers-à-bras.

S'il se retire de la course, La Fontaine n'a pas dit son dernier mot. Son ouverture aux réformistes du Haut-Canada donne rapidement des résultats. Robert Baldwin, son nouvel allié, accepte de lui céder un siège, ce qui provoque une élection partielle quelques mois plus tard. Catholique d'origine française, La Fontaine est donc élu dans la circonscription de York par une majorité anglo-protestante : du jamais vu ! En 1844, le même phénomène se produira, mais dans la circonscription de Rimouski, où Baldwin sera élu. Cet échange de bons procédés marque les débuts d'une franche collaboration entre les élites anglophones et francophones du Canada. Célébrée par certains, dénoncée par d'autres, cette alliance réformiste fait entrer la colonie dans une nouvelle ère politique.

Parler français, « je me le dois à moi-même » !

Lorsque, en septembre 1842, La Fontaine se présente pour la première fois au Parlement de la colonie, il sait que sa langue maternelle n'a plus droit de cité. C'est une langue bannie, proscrite, même si les francophones forment la majorité de la population du Canada-Uni – ce qui sera le cas jusqu'au tournant des années 1850.

Cela n'empêche pas La Fontaine de se lever en Chambre et, le 13 septembre 1842, de prononcer son premier discours en français. «Quand même la connaissance de la langue anglaise me serait aussi familière que celle de la langue française, déclare-t-il devant un parterre de députés anglophones médusés, je n'en ferais pas moins mon premier discours dans la langue de mes compatriotes canadiens-français, ne fût-ce que pour protester solennellement contre cette cruelle injustice de cette partie de l'Acte d'Union qui tend à proscrire la langue maternelle d'une moitié de la population du Canada. Je le dois à mes compatriotes ; je me le dois à moi-même.»

Ouvert aux idées réformistes, le gouverneur Charles Bagot, arrivé dans la colonie en 1842, nomme La Fontaine et Baldwin ministres. Mais ce premier gouvernement ne donne guère de résultats. Bagot, qui s'éteint prématurément en mai 1843, est remplacé par Charles Metcalfe, qui a une conception très autoritaire du pouvoir. Résultat : La Fontaine et Baldwin démissionnent. En 1845, on tente de convaincre La Fontaine de se joindre au gouvernement, mais comme il sait que celui-ci n'aura pas les coudées franches, il refuse. Trois ans plus tard, son heure viendra.

La guerre des éteignoirs

Dès 1841, il est convenu que les sections est et ouest auront des administrations scolaires différentes. Mais cela ne résout pas pour autant la question du financement de l'éducation. Si l'État en assure une partie, c'est loin d'être suffisant. Il est bientôt question d'une taxe scolaire qui serait levée par les municipalités, puis par les commissions scolaires. Jean-Baptiste Meilleur, le premier surintendant à l'Instruction publique, sent bien que cette taxe est impopulaire. Il propose donc, en 1845, qu'elle soit volontaire et que les propriétaires donnent selon leurs moyens. Ces derniers rechignent, et s'estiment déjà suffisamment taxés par les curés ou les seigneurs. Plusieurs ne se sentent pas concernés, prétextent que leurs enfants ne sont plus en âge d'aller à l'école ou qu'ils doivent travailler sur la terre. La taxe volontaire est un échec.

En 1846, on impose donc une taxe obligatoire. Cette mesure, jugée trop coercitive, soulève la colère de certains habitants. Mais les élites politiques, cléricales et intellectuelles l'appuient en bloc et condamnent cette «guerre des éteignoirs» menée par ceux qui s'opposent aux Lumières de l'instruction, jugée essentielle pour conduire à la prospérité et au relèvement national. Les «éteignoirs» utilisent toutes sortes de moyens pour faire entendre leur cause. Plusieurs refusent tout simplement de payer la taxe, d'autres chahutent les commissaires d'école, quelques-uns vont même mettre le feu à leurs écoles !

Le problème en était surtout un de confiance. Le système éducatif de cette époque était mal organisé, les enseignants mal formés. L'arrivée des inspecteurs d'écoles en rassurera plusieurs, et tout rentrera graduellement dans l'ordre au cours des années 1850.

Le grand ministère réformiste de 1848

À partir de 1848, les habitants du Canada-Uni ont un contrôle effectif sur leurs affaires locales. Leur gouvernement, formé du parti majoritaire, peut désormais initier des réformes d'envergure, lancer de grands projets, sans être constamment bloqué par le gouverneur et sa clique. Le gouvernement responsable signifie que le représentant de la Couronne ne pourra plus, désormais, s'identifier à un parti ou prendre position lors des élections. Il perd aussi le pouvoir de nommer les fonctionnaires et de siéger au Conseil des ministres. Cette réforme institutionnelle est mise en place par le gouverneur lord Elgin, arrivé en janvier 1847. Celui-ci appelle La Fontaine et Baldwin au gouvernement après qu'ils aient remporté l'élection générale. L'envoyé britannique applique ainsi des consignes données par son gouvernement.

Londres prend du recul...

Cette conquête du gouvernement responsable prend place dans un contexte particulier. Dans l'Angleterre du milieu des années 1840, plusieurs souhaitent donner un peu de lest aux colonies. D'une part parce qu'elles coûtent cher et qu'elles doivent subvenir davantage à leurs besoins, d'autre part parce que certains militent pour la libéralisation du commerce. Pour ces «libre-échangistes», plus question de privilégier les produits des colonies, surtout lorsqu'ils coûtent plus cher! En 1846, le gouvernement britannique décide de se procurer le blé au meilleur prix sur le marché. Cette mesure choque bien des marchands du Canada-Uni, qui avaient un accès privilégié au marché anglais. Ils se sentent carrément abandonnés par leur mère patrie.

Trop c'est trop !

Pour ces mêmes marchands, l'octroi du gouvernement responsable constitue un autre affront de la métropole. Comment l'Angleterre peut-elle accepter qu'un homme comme La Fontaine, un catholique, issu d'un peuple conquis par les armes, puisse exercer le pouvoir dans une colonie britannique? C'est à n'y rien comprendre! Comme si ce n'était pas assez, l'une des premières mesures adoptées par le nouveau gouvernement est de permettre l'usage du français au Parlement. Pire encore, le ministère réformiste entend indemniser les habitants du Bas-Canada dont les biens ont été saccagés ou carrément détruits durant la répression souvent sauvage des troubles de 1837-1838. Une indemnisation comparable avait été offerte en 1841 aux habitants du Haut-Canada. Pour le nouveau ministère, il ne s'agit pas de récompenser des rebelles, mais de réparer une injustice. Pour les plus radicaux de la minorité anglophone – ceux qu'on appelle les «orangistes» –, c'en est trop!

Le Parlement en feu

Le 25 avril 1849, la capitale du Canada-Uni est Montréal. (Comme on n'arrive pas à s'entendre sur un site, la capitale de la colonie change tous les quatre ans.) Ce jour-là, plus d'un millier de manifestants se rassemblent devant l'hôtel du Parlement à l'occasion de l'ouverture de la session. Lord Elgin, qui vient de s'adresser aux députés, est chahuté par des manifestants en colère qui décident de prendre le Parlement d'assaut. Les députés sont pourchassés, l'édifice saccagé, les milliers de livres et documents de la bibliothèque brûlés. Toute la mémoire d'une époque s'envole en fumée. Hélas! la furie des manifestants ne s'arrête pas là. La Fontaine est poursuivi jusque dans sa maison et menacé de mort. Les forces de l'ordre, qui arrivent à peine à contenir la colère de cette foule enragée, protègent *in extremis* le domicile du chef réformiste. De justesse, La Fontaine et sa femme échappent à cette vindicte. Mais cette intimidation ne l'impressionne guère, car la loi sur les indemnités sera votée.

La fin du régime seigneurial

Des lois importantes sont adoptées par les réformistes au cours des années 1850, qui entraînent notamment la décentralisation de la justice et la création de trois premières écoles normales, destinées aux futurs enseignants. La plus importante réforme, opérée par les successeurs de La Fontaine qui se retire de la vie politique en 1851, est l'abolition du régime seigneurial. À partir de 1854, les terres seront libres d'être vendues comme des biens. Les seigneurs sont dédommagés équitablement pour les pertes encourues. Ce changement structurel se fait sans révolte ni bain de sang.

Les femmes perdent leur droit de vote

Parmi les réformes adoptées par le gouvernement La Fontaine-Baldwin en 1849, l'une concerne la loi électorale. Parmi les changements apportés, il y a la durée de la période électorale. Depuis l'entrée en vigueur de l'Acte constitutionnel, l'élection se poursuivait tant que des électeurs se présentaient au bureau de scrutin. La période électorale pouvait durer des jours et des jours et se terminer dans la bagarre générale, surtout lorsque les résultats étaient serrés... En effet, comme le vote secret ne sera introduit qu'en 1875, le décompte était public. Les partisans de chaque camp pouvaient facilement être identifiés. Il arrivait que des fiers-à-bras intimident leurs adversaires, pour les empêcher de se rendre au bureau de vote. La réforme électorale prévoit désormais que les bureaux de vote ne seront ouverts que deux jours. Autre nouveauté, tous les électeurs devront être inscrits sur des listes avant d'exercer leur droit de vote.

Pour être électeur, il fallait aussi être propriétaire et avoir plus de 21 ans. Ces qualités n'excluaient pas nécessairement les femmes. De 1792 à 1849, dans le seul district de Montréal, 857 femmes exerceront leur droit de vote (74 % sont des veuves, 60 % des francophones), ce qui représente 2 % de l'ensemble du corps électoral. Lors de l'élection de 1827, des pétitionnaires se plaignent d'un officier rapporteur de la Haute-Ville de Québec qui aurait empêché deux veuves d'exercer leur droit de vote, alorsqu'elles étaient en situation de le faire. « Les pétitionnaires n'ont pas appris qu'il n'existe dans l'esprit des femmes aucune imperfection qui les place plus bas que l'homme dans l'échelle intellectuelle. »

La réforme de 1849 précise que, même si elles sont propriétaires, les femmes ne pourront plus voter. L'enjeu ne soulève alors aucun débat public – comme si, pour les politiciens du milieu du 19ᵉ siècle, il allait de soi que les femmes soient confinées à la sphère domestique ou restent indifférentes aux enjeux politiques ! Lorsque la question refait surface en 1874, un journaliste de *La Minerve* écrit, le 20 novembre de cette même année, que permettre aux femmes de voter serait la « dernière utopie à proposer à l'adoption de la bêtise humaine [qui] ne devrait venir qu'après l'abolition de la propriété et la proclamation du communisme alors que la famille serait abolie et que le communisme dispenserait les parents d'avoir soin de leurs enfants et de les élever. Les femmes auraient alors le temps de s'occuper de politique » !

Un renouveau religieux

Le milieu du 19ᵉ siècle est donc marqué par de vives tensions entre francophones et anglophones. L'arrivée massive d'immigrants des îles britanniques accentue parfois cet antagonisme. Catholiques et protestants irlandais importent avec eux leurs guerres de clans. Les premiers accusent les Anglais d'avoir affamé leur peuple ; les seconds craignent la domination mondiale des papistes. Rien pour faciliter la concorde entre francophones et anglophones du Québec ! Mais à ces tensions ethniques et politiques, conséquences de l'échec des rébellions de 1837-1838, s'ajoutent des crises souterraines, moins visibles, mais non moins importantes, qui génèrent beaucoup d'anxiété, surtout chez les jeunes.

Les signes du réveil

Depuis 1815, la production céréalière est en baisse et les exportations de blé ne cessent de diminuer. L'agriculture devient routinière ; les récoltes de chaque ferme suffisent à peine à nourrir la famille. Les jeunes des années 1830 et 1840 cherchent des débouchés. Les terres de la vieille zone seigneuriale le long du Saint-Laurent sont presque toutes occupées, alors que celles des Cantons de l'Est, sur lesquelles spéculent de cupides marchands ou des étrangers, sont plus ou moins accessibles. Résultat : plusieurs Canadiens français décident de s'installer dans les villes, à Québec et à Montréal surtout (majoritairement anglophones au milieu du 19ᵉ siècle), ou partent vivre aux États-Unis pour s'y refaire une nouvelle vie. En 1849, un comité spécial de l'Assemblée législative publie un premier rapport sur l'émigration des Canadiens français. Cette préoccupation ne fait que commencer, comme nous le verrons plus loin.

Une quête de sens

Ces tensions politiques, ces difficultés économiques, cette absence d'horizon pour une partie de la jeunesse expliquent le renouveau religieux des années 1840. Durant ces années d'incertitudes, plusieurs cherchent un sens à donner à leur vie et à celle de leur patrie. On veut croire en quelque chose de solide, obtenir des réponses claires qui permettront d'affronter une vie difficile. Selon plusieurs, pour se régénérer et repartir du bon pied, la société aurait besoin d'un renouveau moral. Voilà un terreau fertile pour les gens d'Église, qui sauront répondre efficacement à cette soif spirituelle.

Un prédicateur attire les foules

Parmi les signes de cette quête spirituelle, il y a la tournée triomphale d'un prédicateur venu de France : Mgr de Forbin-Janson. Cet ancien évêque de Nancy d'origine provençale prononce son premier sermon à Québec le 6 septembre 1840, quelques semaines après l'adoption de l'Acte d'Union. C'est un orateur puissant et théâtral qui a l'habitude des grandes foules. Le monde qu'il décrit est manichéen. D'un côté les péchés des révolutionnaires, qui ont cru tout réinventer sans l'aide de Dieu, de l'autre les croyants, qui continuent d'œuvrer au sein de l'Église en prêchant l'exemple d'une vie saine, inspirée par celle du Christ. D'un côté le désordre, l'anarchie et la démocratie, de l'autre l'autorité divine, la monarchie et les promesses d'une vie meilleure. Pendant que Forbin-Janson critique les péchés de la Révolution française, les Canadiens français se souviennent du douloureux échec des Rébellions.

Sa tournée du Québec attire des foules nombreuses et enthousiastes. Le mot se répand de paroisse en paroisse. Personne ne veut manquer ce spectacle impressionnant. À Trois-Rivières et à Sainte-Marie-de-Beauce, près de 10 000 personnes viennent l'entendre. Durant les fêtes de Noël de l'an 1840, 25 000 personnes se rassemblent au mont Saint-Hilaire pour y planter une immense croix longue de 20 mètres. Un engouement similaire se reproduira quelques années plus tard lors de la tournée de Chiniquy, un autre prédicateur de talent. Le clergé canadien-français nourrit cette ferveur en organisant des processions et des retraites. Plusieurs sortent de ces grands rassemblements transformés et souhaitent prolonger cette expérience spirituelle.

L'appel de Dieu

Les plus pieux sentent l'appel de Dieu et décident de revêtir la soutane. La carrière ecclésiastique n'avait pas été très populaire au début du 19e siècle. Pendant longtemps, le Québec avait manqué de prêtres pour desservir toutes les paroisses. Cette situation change de façon radicale à partir des années 1840. La montée soudaine des vocations est en effet très nette, autant pour les hommes que pour les femmes. Et elle se poursuivra ! Le Québec devient une société très cléricale. Pour cette génération du réveil religieux, souvent d'origine modeste, l'Église offre des perspectives de carrière stimulantes. Ces Canadiens français sont tentés par une vie différente de celle de leurs parents : éducation gratuite, cure aux revenus intéressants, postes d'enseignants ou de travailleuses sociales auprès des plus démunis au sein de congrégations multiples. Pour plusieurs femmes, la vocation religieuse permettait d'échapper à une existence de misère et de conduire sa vie de façon autonome. Aussi, entrevoir une vie réglée et confortable dans un établissement bien tenu ou dans l'un de ces beaux presbytères aménagés à côté de l'église, plus luxueux que les maisons d'habitants, n'était pas du tout repoussant ! Bref, la vocation religieuse avait ses attraits.

Chez les laïcs, le réveil religieux des années 1840 se manifeste de plusieurs manières. Avant de quitter pour l'au-delà, les mourants refusent de moins en moins l'absolution. Chaque dimanche, les fidèles sont de plus en plus nombreux à communier. On érige des croix à l'entrée des villages, on fonde des associations volontaires, le plus souvent pour combattre le vice de l'intempérance. Si l'Église catholique devient puissante et influente comme jamais auparavant, c'est d'abord parce qu'elle s'appuie sur un peuple de croyants qui accepte de s'investir dans les causes qui lui sont chères. Sans ce besoin spirituel, la hiérarchie catholique ne serait arrivée à rien.

Ignace Bourget

L'homme qui canalise cette ferveur religieuse avec énergie et beaucoup d'efficacité s'appelle Ignace Bourget (1799-1885). Né à Lauzon, Bourget fait son cours classique au Petit Séminaire de Québec. Ordonné prêtre à 23 ans, il devient le secrétaire de Jean-Jacques Lartigue, un personnage influent, reconnu pour son hostilité aux idées libérales et démocratiques – comme l'Église de Rome, d'ailleurs. En 1840, Bourget succède à Lartigue et devient le deuxième évêque de Montréal, un poste qu'il occupera jusqu'en 1877. Organisateur hors pair, homme de pouvoir, convaincu que le pape était infaillible, que l'Église était un rempart contre les dérives de la modernité, Ignace Bourget marque profondément la communauté montréalaise et les catholiques de son temps. Attentif aux circonstances, soucieux de tuer dans l'œuf les premiers balbutiements du prosélytisme protestant, Bourget sent que son peuple sort perturbé des Rébellions, et il souhaite lui proposer une nouvelle mission, plus conforme à la conception spirituelle qu'il se fait du monde.

Recruter des clercs en France

Dès son arrivée en poste, il fonde un journal, *Les Mélanges religieux*, qui sera la voix de la hiérarchie catholique. Durant l'été 1841, il se rend en Europe et rencontre les dirigeants d'importantes congrégations. Il souhaite les convaincre d'envoyer des représentants en Amérique française. Bourget cherche des clercs qui viendront encadrer les fidèles en fondant des institutions. Son voyage donne d'importants résultats.

Des oblats de Marie-Immaculée débarquent en septembre 1841. Ils organisent des retraites dans les paroisses, s'installent à Longueuil, puis s'implantent à

Ottawa – qu'on appelle Bytown à l'époque – et y fondent une université qui existe toujours. Les jésuites sont de retour en 1842. Très active à l'époque de la Nouvelle-France, cette congrégation avait été interdite par l'État français, et le dernier jésuite de la colonie était mort en 1800. Bourget souhaite que les jésuites se consacrent à l'éducation des élites, ce dans quoi ils excellent. On leur doit notamment la fondation des collèges Sainte-Marie et Brébeuf à Montréal, des institutions qui formeront plusieurs personnages clés de l'histoire québécoise. Les Dames du Sacré-Cœur et les religieuses du Bon-Pasteur envoient des représentantes en 1842 et 1844. Les premières se vouent à la formation des religieuses, alors que les secondes se consacrent surtout aux orphelines.

Femmes d'exception !

L'évêque de Montréal soutient aussi les initiatives des laïcs québécois. En 1848, il participe à la fondation de la Société Saint-Vincent-de-Paul, une œuvre imaginée en France qui vient en aide aux plus démunis. Ce dévouement inspiré par la foi est aussi le fait de Canadiennes françaises exceptionnelles qui, avec l'appui de l'évêque de Montréal, vont fonder des institutions importantes. Ces femmes s'appellent Émilie Gamelin (Sœurs de la Providence), Eulalie Durocher (Sœurs des Saints Noms de Jésus et de Marie), Rosalie Jetté (Sœurs de Miséricorde) ou Marie-Anne Blondin (Sœurs de Sainte-Anne). Elles consacrent le meilleur d'elles-mêmes à l'enseignement, aux déficientes mentales, aux filles-mères et à bien d'autres laissées-pour-compte. Grâce à elles, c'est tout un réseau d'entraide et de solidarité qui se met en place. Comme l'État n'intervient pas directement à l'époque, ce réseau survit grâce aux dons des philanthropes et au dévouement de personnes qui avaient décidé de passer de la parole aux actes.

Le ciel est bleu, l'enfer est rouge !

S'il soutient la responsabilité ministérielle, Ignace Bourget condamne le libéralisme plus radical ou tout ce qui pourrait prendre la forme d'une révolution. En 1848, la France et l'Europe vivent des bouleversements politiques significatifs, au point qu'on parle d'un « printemps des peuples ». Le régime de Louis-Philippe d'Orléans s'effondre et une révolution instaure une nouvelle république (la Deuxième République). L'événement a beaucoup de retentissement au Québec et inspire l'ancien chef patriote.

Papineau prône l'annexion aux États-Unis

Revenu de son exil en 1845, Louis-Joseph Papineau reprend le combat mené en 1837 et condamne la politique réformiste de La Fontaine. Son reproche principal : l'union des deux Canadas n'est pas démocratique parce que le Québec ne compte pas assez de représentants au Parlement. Il appelle à rompre tous les liens qui unissent la colonie à l'Angleterre. Ses discours ne passent pas inaperçus. Il reçoit le soutien de plusieurs jeunes de l'Institut canadien, un cercle de discussion fondé en décembre 1844 pour favoriser les débats éclairés. Ces jeunes lancent *L'Avenir* en juillet 1847, un journal qui s'inspire clairement du libéralisme français, à l'origine des idées révolutionnaires de 1848. L'activisme de Papineau et de ses partisans va loin. En 1849, ils signent un manifeste qui prône rien de moins que l'annexion du Canada-Uni aux États-Unis.

Une alliance fructueuse

Ignace Bourget se méfie de ces idées comme de la peste. Sa condamnation prend un tournant politique en janvier 1849, lorsqu'il publie une lettre pastorale qui appelle à respecter les «autorités légitimement constituées» et réprouve les «discours séditieux». Ignace Bourget vise clairement Papineau et ses partisans qui, peu à peu, se constituent en parti politique. L'Église et les défenseurs de La Fontaine assimilent malicieusement ce nouveau parti aux «rouges» français qui viennent de faire la révolution – une façon de les stigmatiser et de faire peur à la population. Graduellement, le parti de La Fontaine et de ses successeurs est identifié aux «bleus» qui, peu à peu, formeront le Parti conservateur. L'alliance de l'Église et des bleus est puissante et durera longtemps. Pour convaincre les fidèles de bien voter, on répètera souvent que si le ciel est bleu, l'enfer est rouge !

La doctrine importée d'Europe qui incite Ignace Bourget à prendre position contre les idées libérales et le parti qui les défend est celle de l'«ultramontanisme». Pour les «ultramontains», l'autorité véritable vient de Dieu, représenté sur terre par le pape installé à Rome, la grande capitale des catholiques qu'Ignace Bourget visite à sept reprises. En 1870, le pape est d'ailleurs déclaré «infaillible» par les autorités de l'Église. Guidé par l'Esprit saint, il ne peut jamais se tromper ou errer. Obligé de choisir entre l'État ou l'Église, le fidèle doit donc toujours obéir à ses chefs religieux, car pour les ultramontains, le spirituel prime sur le temporel. La religion n'est pas une affaire privée et personnelle. Elle doit inspirer chaque loi, guider quotidiennement chaque fidèle. Ce mouvement est encouragé par le pape Pie IX, qui dirige l'Église de 1846 à 1878 et auquel Bourget voue un véritable culte. En 1864, le souverain pontife dresse d'ailleurs la liste des «erreurs de la modernité» dans un document marquant qui symbolise le combat de l'Église contre la démocratie, le socialisme et toutes les nouvelles idées politiques de l'époque.

Censurer les « mauvais livres »

Les années 1850 sont marquées par des affrontements entre l'Église d'Ignace Bourget et les libéraux plus radicaux. L'évêque de Montréal dénonce les «mauvais livres» détenus par l'Institut canadien, qui répandent selon lui des idées allant «contre la foi et les mœurs». Pour contrecarrer ces idées soi-disant subversives, il fonde l'Œuvre des bons livres en 1845, puis l'Union catholique neuf ans plus tard, une institution culturelle concurrente qui respecte l'orthodoxie religieuse du prélat montréalais. Les esprits libéraux ne s'en laissent pas imposer et condamnent avec force cette ingérence de l'Église. Mais leurs voix sont peu entendues. C'est le début d'une pratique de censure des livres et des idées qui pèsera très lourd pendant des générations. Mais elle n'empêchera pas les plus dégourdis de se procurer les livres interdits par l'Église. Transgresser les règles, n'est-ce pas le propre de la jeunesse ?

Bourget, infaillible ?

L'intransigeance d'Ignace Bourget ne fait pas que des adeptes. Lorsqu'il refuse la sépulture ecclésiastique à des libres penseurs, de nombreux catholiques trouvent qu'il fait du zèle. Plusieurs politiciens conservateurs se méfient de lui et refusent de confier le système d'éducation à l'Église. Ses supérieurs s'objectent à ce qu'on ouvre une université catholique à Montréal, un projet que chérit Ignace Bourget depuis toujours. Fondée en 1852, l'Université Laval de Québec ouvrira une petite succursale à Montréal en 1878. Même au Saint-Siège, on se méfie de lui. Toujours très présents à Montréal, les sulpiciens français ont leurs entrées et n'apprécient guère les changements qu'apporte l'évêque. Il en est de même des Irlandais catholiques, qui vont réussir à convaincre Rome de fonder une paroisse anglophone en plein de cœur de la métropole. L'impressionnante basilique que fait construire Ignace Bourget – la cathédrale Marie-Reine-du-Monde, aujourd'hui sur René-Lévesque – avait beau s'inspirer de celle de Rome, l'évêque de Montréal n'était pas… infaillible !

Des retrouvailles émouvantes

Durant l'été 1855, le tricolore français flotte un peu partout le long de la vallée du Saint-Laurent. On souhaite la bienvenue à l'équipage du commandant Paul-Henry de Belvèze qui, à bord de La Capricieuse, remonte le fleuve. C'est la première fois depuis la Conquête qu'un bateau de guerre français visite cette ancienne colonie d'Amérique du Nord. L'objectif officiel de cette visite est de développer des liens commerciaux avec le Canada-Uni en vue d'ouvrir ce marché aux produits français. D'aucune façon n'est-il question de reprendre l'ancienne colonie perdue lors de la guerre de Sept Ans. C'est qu'en 1855, la France de Napoléon III et l'Angleterre de la reine Victoria sont devenues des alliées et combattent côte à côte la Russie en Crimée. En visite à Paris, Joseph-Guillaume Barthe, un membre actif de l'Institut canadien, publie la même année *Le Canada reconquis par la France*. Son livre ne reçoit aucun écho.

Si les Canadiens français qui rêvent d'une reconquête de la France sont rares, le commandant Belvèze n'en est pas moins accueilli très chaleureusement. Un grand bal est organisé à Québec. On inaugure en sa présence un monument aux Braves en l'honneur des soldats français et anglais décédés lors de la bataille des plaines d'Abraham. Le représentant français est invité à prononcer de nombreuses allocutions. Prudent, il évite soigneusement d'alimenter les antagonismes nationaux. Cette visite inspire le poète romantique Octave Crémazie, que le départ de La Capricieuse rend mélancolique : *Adieu noble drapeau ! Te verrons-nous encore ? […] Ah ! du moins, en partant, laissez-nous l'espérance / De pouvoir, ô Français ! chanter votre retour.* En 1859, la France envoie son premier consul au Québec.

Chapitre 10

La Confédération (1860-1867)

Dans ce chapitre :

▶ L'impasse du Canada-Uni

▶ Les 72 résolutions de la conférence de Québec

▶ Les arguments des défenseurs et des adversaires de la Confédération

A u tournant des années 1860, les dirigeants du Canada-Uni sont très pessimistes. L'instabilité politique et la menace américaine forcent une réflexion autour du regroupement des colonies britanniques d'Amérique du Nord et d'un nouveau régime politique de type fédéral.

Au Québec, ce projet a ses défenseurs résolus et ses opposants farouches. Les premiers y voient une occasion formidable de développer un grand pays dans lequel les Canadiens français pourraient jouer un rôle de premier plan. Les seconds craignent la marginalisation politique, voire l'assimilation.

Il se joue durant ces années quelque chose de fondamental pour l'avenir du Québec.

Au Canada-Uni, rien ne va plus...

En 1860, la colonie du Canada-Uni est tiraillée de l'intérieur et menacée de l'extérieur. Ses dirigeants politiques arrivent difficilement à élaborer un programme de gouvernement qui pourrait rallier une majorité de députés. Pire encore, plusieurs réclament des réformes majeures. Ils ont l'impression que les institutions de la colonie les représentent mal.

Cette instabilité ne pouvait survenir à un pire moment, car la Grande-Bretagne prend ses distances des colonies. L'Empire protège de moins en moins les frontières de ses colonies, et ses banquiers hésitent à financer les chemins de fer. Sans voies ferrées, pas de développement économique moderne ; sans armée, le Canada-Uni risque d'être envahi par les troupes américaines. L'heure est grave ; quoi faire ?

Instabilité politique

Une fois obtenu le gouvernement responsable, on se rend vite compte qu'administrer le Canada-Uni n'est pas un jeu d'enfant. Constituer un gouvernement devient un véritable casse-tête! De 1854 à 1864, l'Assemblée législative va former, puis défaire, neuf gouvernements. Les députés n'arrivent pas à s'entendre sur un programme commun. Pourquoi? Trois raisons.

Deux sections, deux administrations

C'est d'abord parce que chaque section est administrée de façon différente. La section ouest, l'Ontario, est anglophone et protestante. Et les protestants sont regroupés au sein d'Églises concurrentes. C'est pourquoi plusieurs réclament une certaine neutralité de l'État dans le domaine religieux. La section est, le Québec, est majoritairement francophone, et l'Église catholique y joue un rôle clé. L'Église et l'État y collaborent étroitement. Chaque section dispose de son système scolaire, de ses lois particulières, de ses us et coutumes. Une fois au gouvernement, les dirigeants de chaque section font leur propre nomination, pratiquent leur propre patronage. Et pas question que ceux de l'autre section viennent mettre leur nez dans nos affaires!

Le casse-tête des partis

C'est aussi parce que le jeu des partis politiques se transforme durant les années 1850 et 1860. Si les conservateurs de l'Ontario consentent à partager le pouvoir avec des Canadiens français, plusieurs continuent de se méfier d'eux et rêvent de constituer une grande nationalité britannique en Amérique, de religion anglicane et de langue anglaise. Cette méfiance gagne aussi les libéraux ontariens dirigés par George Brown, un leader qui s'impose peu à peu dans la section ouest. Contrairement à Robert Baldwin, son prédécesseur, il entretient de lourds préjugés à l'égard des catholiques, qu'il soupçonne de vouloir dominer le monde. Cette méfiance ne facilite pas la collaboration avec les libéraux de la section est qui, même s'ils s'opposent aux idées ultramontaines d'Ignace Bourget, ne peuvent complètement s'aliéner l'Église catholique. De sensibilité plus conservatrice, les successeurs de La Fontaine ne peuvent non plus s'allier à Brown. Comme ils se sont opposés à l'annexion aux États-Unis, ils se tournent naturellement vers les conservateurs de l'ouest, attachés au lien impérial. Mais la collaboration entre ces deux tendances politiques conservatrices ne va pas de soi non plus.

Vive le « Rep by pop » !

C'est enfin parce que l'immigration et la démographie jouent en faveur des anglo-protestants de l'ouest. Autour de 1850, la population de la section ouest en vient même à dépasser celle de la section est. Or l'Acte d'Union de 1840 prévoyait que chaque section disposerait d'un nombre égal de représentants. Très rapidement, George Brown fait du «Rep by pop» (*Representation by the population*, ce qui signifie «représentation au Parlement selon la population») la grande cause de son parti. Il milite pour que le nombre de députés de chaque section reflète la population réelle.

Il en fait même une condition de participation au gouvernement. Le problème, c'est que la majorité des Canadiens français s'oppose farouchement au «Rep by pop» parce qu'ils craignent que, une fois devenus majoritaires, les anglo-protestants s'ingèreront dans leurs affaires.

Obligés de se défendre tout seuls

Pour la Grande-Bretagne, l'octroi du gouvernement responsable à sa colonie du Canada-Uni aura un prix : le désengagement. L'idée même d'empire n'a plus la cote dans certains milieux anglais. Les colonies veulent plus de liberté et d'autonomie? Eh bien qu'elles se débrouillent! Qu'elles financent elles-mêmes le maintien d'une armée sur leur territoire et la construction des chemins de fer. S'il est facile à comprendre, ce désengagement tombe à un bien mauvais moment pour les habitants du Canada-Uni.

Rumeur d'invasion américaine

De 1861 à 1865, les États-Unis sont déchirés par une guerre civile entre le sud esclavagiste et le nord abolitionniste. Pendant cet affrontement fratricide, les États du sud forment une nation indépendante qui reçoit un appui tacite des élites anglaises, ce qui irrite énormément le nord. Le 8 novembre 1861, les Américains du nord interceptent un navire britannique et y trouvent des partisans du sud. La tension atteint des sommets. Les nordistes, dirigés par le président Abraham Lincoln, envisagent différents scénarios, dont celui d'envahir les colonies britanniques du nord. Cette idée circule dans certains journaux américains. Une fois le sud vaincu, la rumeur continue de se propager. Plusieurs rêvent d'une revanche contre la Grande-Bretagne.

La participation des Canadiens français à la guerre de Sécession

Dans les armées nordistes, on compte entre 10 000 et 15 000 soldats canadiens-français qui ont émigré aux États-Unis durant les décennies précédentes. Ces soldats sont jeunes, souvent issus de milieux défavorisés. Ils rêvent d'aventure et souhaitent améliorer leur sort. La perspective d'une solde régulière en attire plusieurs. Mais cette guerre industrielle est d'un type nouveau. Elle annonce les batailles inhumaines de la Grande Guerre de 1914-1918. Les désertions seront donc nombreuses, particulièrement chez les soldats d'origine canadienne-française. Dès lors qu'on se rend compte que la guerre réelle est plus brutale, moins héroïque qu'on l'avait imaginée, la tentation est grande de retourner à la maison. Cela dit, plusieurs Canadiens français vont participer aux grandes batailles de cette guerre civile, notamment celle de Gettysburg en juillet 1863. De 1861 à 1865, on estime qu'un soldat canadien-français sur sept périra durant cette guerre.

La perspective d'une invasion américaine donne froid dans le dos aux dirigeants du Canada-Uni. Si jamais les Américains passaient aux actes, aucune armée digne de ce nom ne pourrait leur barrer la route. En effet, les Britanniques retirent graduellement leurs troupes des colonies d'Amérique du Nord au cours des années 1850. Ce retrait s'accélère lors de la guerre de Crimée de 1855. Pour soutenir l'effort de guerre, une milice canadienne est mise en place cette année-là. Quelques années plus tard, les volontaires se font cependant plus rares. Les habitants du Canada-Uni se sentent très vulnérables. Presque plus personne ne réclame l'annexion aux États-Unis. Plusieurs croient donc que la colonie doit se doter d'une véritable armée. Cette future armée pourrait assurer le contrôle des vastes prairies de l'Ouest canadien qui, au milieu du 19e siècle, appartiennent à une compagnie privée. Ces terres sont également convoitées par les colons du Far West américain.

Attaque des Fenians

Cette hantise d'une invasion est alimentée par de véritables attaques qui surviennent en 1866. Celles-ci sont orchestrées par des Irlandais catholiques des États-Unis, regroupés au sein d'associations semi-clandestines. Ces «Fenians» projettent d'attaquer les colonies britanniques du nord pour faire pression sur l'Angleterre dans le dossier irlandais. Une attaque des Fenians, facilement repoussée, survient le 31 mai 1866 au sud de l'Ontario. Si les troupes rassemblées par ces révolutionnaires irlandais ne sont guère impressionnantes, la crainte d'autres attaques aux frontières se répand comme une trainée de poudre et fait craindre le pire aux autorités. Ces peurs donnent des munitions à ceux qui plaident pour la mise en place d'une armée permanente.

Une économie bloquée

Au milieu des années 1860, la préoccupation des habitants du Canada-Uni n'est pas seulement militaire. Pour que la colonie devienne vraiment prospère, il lui faut des lignes de chemin de fer et un accès à un grand marché pour écouler les surplus agricoles. Sur ces deux tableaux, les perspectives sont très sombres.

Fini l'accès au marché américain

Après avoir adopté une politique libre-échangiste, la Grande-Bretagne consent à ce que le Canada-Uni puisse commercer librement avec les États-Unis. En 1854, la colonie signe un traité de réciprocité avec son voisin du sud. Les Américains obtiennent notamment le droit de pêcher en eaux canadiennes, en retour de quoi les habitants du Canada-Uni peuvent vendre leur bois, leur blé, leur charbon et leur poisson sur le territoire états-unien sans qu'on n'impose à leurs produits une taxe douanière. Cette entente fait bien l'affaire des marchands du Canada-Uni et rend inutile l'annexion politique aux États-Unis. Toutefois, dès le tournant des années 1860, le gouvernement américain informe les Canadiens que ce traité, signé pour 10 ans, ne serait pas reconduit. Cette perspective crée beaucoup d'anxiété chez les marchands. L'idée d'unir toutes les colonies britanniques du nord dans le but de constituer un vaste marché commence à germer dans les esprits.

Les chemins de fer

Et puis il y a les chemins de fer, qui comptent beaucoup dans le développement économique des pays occidentaux de l'époque, surtout pour un territoire aussi vaste que le Canada-Uni. Au milieu du 19e siècle, la colonie accuse de sérieux retards dans ce domaine, du moins par rapport aux États-Unis. Avec le concours de plusieurs hommes politiques, des compagnies, financées notamment par les villes et le Trésor public, lancent la construction de lignes de chemin de fer. De 1850 à 1860, on passe de 100 à 3 300 kilomètres de voies ferrées. On cherche à unir le territoire d'est en ouest. En 1859, un premier pont enjambe le Saint-Laurent (nommé «Victoria» en l'honneur de la souveraine britannique) – une prouesse technique pour l'époque. Ces compagnies empruntent des sommes colossales pour développer l'infrastructure ferroviaire. Le plus souvent, les emprunts sont endossés par le gouvernement de la colonie, mais celui-ci dispose encore de moyens limités. Au début des années 1860, les barons des chemins de fer se tournent vers les banques britanniques, mais ces démarches ne donnent pas les résultats escomptés. Là encore, l'idée d'unir toutes les colonies britanniques apparaît comme la meilleure solution. Le nouvel État, espèrent ces hommes d'affaires, aurait les reins plus solides pour soutenir le développement de grandes lignes de chemin de fer allant de l'Atlantique au Pacifique.

Les colonies britanniques d'Amérique du Nord en 1860

✔ **Le Canada-Uni.** Formé à la suite de l'Acte d'Union de 1840, le Canada-Uni comprend l'ancien Haut-Canada (Ontario) et l'ancien Bas-Canada (Québec).

✔ **Terre-Neuve.** Il a fallu un certain temps avant que des habitants ne s'installent sur cette île, longtemps utilisée pour la pêche. En 1832, la Grande-Bretagne accorde à ses habitants des institutions représentatives, et en 1855, la responsabilité ministérielle. Très liée à l'économie anglaise, cette colonie ne joint la confédération canadienne qu'en 1949.

✔ **L'Île-du-Prince-Édouard.** Ancienne île Saint-Jean, longtemps habitée par des Acadiens, cette île devient britannique après la Conquête. De grands propriétaires se partagent les terres et forment une première chambre d'assemblée en 1773. La colonie adhère à la confédération en 1873, à la condition qu'un pont la relie au continent. Ce pont de 12,8 kilomètres sera inauguré… en 1997!

Le Nouveau-Brunswick. Formé de loyalistes ayant fui la Révolution américaine, d'Acadiens anciennement déportés, d'immigrants irlandais et écossais arrivés au 19ᵉ siècle, le Nouveau-Brunswick devient une colonie en 1784 et acquiert graduellement des institutions représentatives. La colonie joint la confédération en 1867.

La Nouvelle-Écosse. Berceau des loyalistes depuis la déportation des Acadiens, la Nouvelle-Écosse reçoit le statut de colonie en 1758. En 1820, l'île du Cap-Breton, où les Français avaient construit la célèbre forteresse de Louisbourg, est annexée à la colonie, qui joint la confédération en 1867.

La Colombie-Britannique. En 1843, des Britanniques érigent le fort Victoria à l'extrême ouest du continent américain, sur la côte du Pacifique. En 1849, l'île de Vancouver devient une colonie « royale » et un gouverneur y est dépêché. La découverte d'or dans la région donne une impulsion décisive. Formée en 1866, la Colombie-Britannique joint la confédération en 1871.

Une solution : la Confédération

Mettre fin à l'instabilité politique, protéger les frontières, relancer l'économie, telles sont les grandes priorités de l'élite politique du Canada-Uni, qui cherche désespérément une solution pour sortir de l'impasse. Tout converge vers l'union des colonies britanniques. Reste à concevoir une constitution et à imaginer des institutions qui pourront accommoder chaque colonie et la majorité des partis.

Mais avant d'en arriver là, beaucoup de questions doivent être débattues. Faut-il instaurer un gouvernement unitaire, comme en France ou en Grande-Bretagne, ou une confédération d'États autonomes, comme aux États-Unis ? Dans le cas d'une confédération, quels pouvoirs seraient dévolus au gouvernement central et aux États fédérés ? Et qui trancherait en cas de conflits de juridiction ?

La maquette d'une constitution

Ce sont des circonstances politiques favorables et des conférences au sommet à Charlottetown, la capitale de l'Île-du-Prince-Édouard, et à Québec, la « vieille capitale » du Canada-Uni, qui rendent le projet d'union des colonies de plus en plus concret.

La Grande Coalition de 1864

Le 22 juin 1864, coup de théâtre au Parlement du Canada-Uni. Le premier ministre conservateur John A. Macdonald, qui vient à peine d'être désigné par le gouverneur à la suite d'un vote de l'Assemblée législative, annonce que George Brown et quelques membres du Parti libéral ont accepté des postes de ministres au gouvernement. Brown pose une seule condition à cette grande coalition : la mise en place d'une fédération des colonies britanniques. Autant que les Canadiens français du Québec, Brown souhaite que la future province de l'Ontario puisse gérer ses affaires internes de manière autonome. Ce soutien des libéraux ontariens offre une base solide au gouvernement Macdonald, ce qui met fin à l'instabilité politique. Mais cet appui est conditionnel à la réussite du projet d'union.

Conférences de Charlottetown et de Québec

En septembre 1864, les colonies britanniques des Maritimes organisent une conférence à Charlottetown. L'objectif ? Discuter d'un projet d'union entre elles. Au départ, pas question d'inviter des délégués du Canada-Uni. Mais ceux-ci se présentent quand même… et ils arrivent bien préparés ! Aucune résolution n'est officiellement adoptée, mais on convient de se revoir rapidement.

Le 10 octobre 1864 s'ouvre une deuxième conférence à Québec, qui sera déterminante. Les délégués des cinq colonies britanniques se réunissent pour discuter de l'avenir de leurs communautés. On les surnommera plus tard les «pères de la Confédération». Seulement 4 des 33 délégués sont canadiens-français. Leurs noms ? George-Étienne Cartier, Hector-Louis Langevin, Jean-Charles Chapais et Étienne-Paschal Taché. Il s'agit donc moins de convenir d'un pacte d'égal à égal entre deux peuples fondateurs – l'un d'origine française, l'autre d'origine britannique – que de discuter les modalités d'une entente entre cinq colonies qui ont chacune leur histoire et leurs intérêts à défendre. La majorité des délégués souhaitent préserver l'autonomie de leur colonie. Après plusieurs jours de débats et de négociations, les délégués s'entendent sur 72 propositions. La maquette de la future constitution du Dominion du Canada est pour l'essentiel tracée.

Les idées clés de ce document sont les suivantes :

- ✔ **Une monarchie.** Pas question de devenir une république comme les États-Unis. Les délégués conviennent que le chef d'État de la future colonie sera le souverain de Grande-Bretagne, représenté dans sa colonie par un gouverneur général et des lieutenants-gouverneurs.

- ✔ **Une union fédérale.** La souveraineté de la future colonie sera partagée entre un gouvernement central, qu'on dira plus tard «fédéral», et des gouvernements locaux, qu'on dira plus tard «provinciaux». Le premier palier sera responsable de tout ce qui est général, alors que le second veillera aux questions locales. Chaque État fédéré disposera d'un nombre égal de sénateurs au Conseil législatif du Parlement central, qu'on appellera le Sénat. À l'Assemblée législative, cependant, le nombre de représentants sera proportionnel à la population.

✔ **Les pouvoirs du gouvernement central.** Le gouvernement central sera responsable de l'armée, des postes, de la monnaie, des pêches sur les côtes, du recensement, du droit criminel, du divorce et du mariage, des infrastructures de transport qui permettent de passer d'une colonie à une autre, des droits de douane et, surtout, de «toutes les matières d'un caractère général qui ne seront pas spécialement et exclusivement réservées au contrôle des législatures et des gouvernements locaux».

On dira de ce dernier pouvoir qu'il est «résiduaire». Par exemple, en 1867, la radio et la télévision n'existaient pas. Au nom de ce pouvoir «résiduaire», le gouvernement fédéral soutiendra plus tard que les télécommunications tombent sous sa juridiction – ce que contestera le Québec, pour qui ces nouveaux secteurs permettent l'expression d'une culture.

✔ **Les pouvoirs des gouvernements locaux.** Les gouvernements locaux seront entre autres responsables de l'éducation, des terres publiques, des institutions sociales qui viennent en aide aux malades et aux marginaux, des municipalités, des licences accordées aux auberges et des impôts directs.

✔ **En cas de litige, c'est le gouvernement central qui tranche.** Mais qu'arrive-t-il si les deux ordres de gouvernement ne s'entendent pas sur un pouvoir? La proposition 45 de la conférence de Québec est très claire : en cas de conflit d'interprétation, ce sont les lois du gouvernement central qui l'emporteront. Ce droit de désaveu sera peu à peu balisé par le Conseil privé, une cour britannique qui agira comme arbitre, puis par la Cour suprême du Canada qui, fondée en 1875, aura pleine juridiction sur les questions constitutionnelles à partir de 1949.

✔ **Les pouvoirs consentis au Québec.** Dans la future colonie, le Canada-Uni sera scindé en deux provinces : à l'ouest l'Ontario, à l'est le Québec. Chaque entité dispose de son parlement et de son gouvernement. Au Parlement central et au Parlement québécois, la langue française aura le même statut que la langue anglaise. Dans l'Assemblée législative du Parlement central, le Québec disposera de 65 représentants. Et ce nombre de représentants lui serait garanti, même si les recensements à venir devaient être défavorables au Québec. Ses lois civiles, d'inspiration française (celles qui régissent les relations qu'ont les individus entre eux), seront protégées. La pérennité de son système éducatif catholique sera aussi garantie, à la condition que les droits des protestants du Québec soient assurés.

Les femmes et le Code civil de 1866

Quelques mois avant que la confédération ne soit approuvée par Londres, le Parlement du Canada-Uni adopte un code civil qui s'appliquera sur le futur territoire de la province de Québec. Inspiré par le code Napoléon et la coutume de Paris, cette législation importante confirme la spécificité juridique du Québec. Avec la langue et la religion catholique, le droit civil constitue alors l'un des piliers de la distinction québécoise.

Le Code civil de 1866 consolide les pouvoirs que détenaient les hommes sur les femmes dans la société de l'époque. Une fois mariées, les femmes étaient considérées par la loi comme des mineures ou des simples d'esprit. Elles ne pouvaient signer un contrat ou intenter une action en justice. Il était clairement dit qu'elles devaient se soumettre à leur mari, en échange de quoi celui-ci devait leur assurer sa protection. Il va de soi qu'elles devaient prendre le nom du mari. L'exercice d'une profession différente de celle de leur époux était proscrit. Lancer un commerce sans son autorisation, une hérésie ! Les quelques-unes qui travaillaient devaient remettre leur salaire à leur mari. À la mort de ce dernier, elles étaient toutefois responsables… de ses dettes.

Les femmes qui souhaitaient conserver une certaine indépendance devaient rester « vieilles filles » (célibataires) ou devenir membres d'une congrégation religieuse. Les plus jeunes acceptaient des postes d'institutrices dans des écoles de rang. Mal payées, ces femmes devaient cependant quitter leur emploi lorsqu'elles se mariaient.

Les défenseurs et les adversaires

Avant d'être envoyées à Londres pour approbation, les 72 propositions de la conférence de Québec doivent être débattues dans les législatures de chacune des colonies. Elles sont à prendre ou à laisser. Au Canada-Uni, le gouvernement de coalition appuie le projet. Seuls les libéraux du Québec s'y opposent.

George-Étienne Cartier, politicien ou homme d'affaires ?

Au Québec, l'un des plus ardents défenseurs de la Confédération s'appelle George-Étienne Cartier (1814-1873). Issu d'une famille relativement aisée de Saint-Antoine-sur-Richelieu, il se fait très tôt remarquer. Alors qu'il commence sa carrière d'avocat à Montréal, il côtoie les milieux patriotes, signe des manifestes, compose une chanson : *Ô Canada, mon pays, mes amours*. En septembre 1837, il fait partie des 500 jeunes Patriotes qui fondent l'association des Fils de la Liberté. Le 23 novembre suivant, il contribue à la victoire de Saint-Denis, puis se réfugie aux États-Unis.

À son retour d'exil, l'homme est transformé. En plus de se ranger derrière la politique réformiste de La Fontaine, il devient un admirateur de la Grande-Bretagne. Anglophile, il se vante d'écrire son prénom «George», sans «s»! Élu pour la première fois en avril 1848, réélu jusqu'à sa mort, il succède à La Fontaine, fait alliance avec John A. Macdonald et fonde le Parti conservateur. Monarchiste convaincu, il s'oppose énergiquement au suffrage universel et plaide à plusieurs reprises pour que le pouvoir soit confié aux seuls propriétaires. En plus de devenir un politicien clé, George-Étienne Cartier est un avocat brasseur d'affaires qui défend de puissants intérêts, notamment ceux des sulpiciens de Montréal et de grandes entreprises de chemin de fer. En 1853, il devient l'avocat de la compagnie du Grand Tronc qui, au cours des années 1860, planifie la construction d'un chemin de fer «intercolonial» – un immense projet qui, pour prendre forme, nécessite beaucoup de capitaux. Mondain, grand bourgeois, homme de pouvoir, George-Étienne Cartier est un incontournable.

Le 7 février 1865, c'est à son tour de prendre la parole et de défendre les propositions de la conférence de Québec. Dans un discours qu'il prononce en français, il se fait rassurant. Les Canadiens français n'ont rien à craindre, leurs droits et privilèges seront protégés par le Parlement québécois. S'il rêve à la création d'une «nouvelle nationalité», il s'oppose à l'«unité des races», une utopie selon lui. La confédération, avec son principe fédératif, assure donc le respect de la diversité des cultures, tout en favorisant l'union des forces et des talents. En réalité, plaide-t-il, les habitants des colonies britanniques n'ont que deux choix : «avoir une confédération de l'Amérique britannique du Nord, ou bien être absorbés par la confédération américaine». Après avoir agité le spectre d'une invasion états-unienne, il explique que les Canadiens français n'ont jamais voulu vivre en république. «Nous qui avons eu l'avantage de voir le républicanisme à l'œuvre, durant une période de 80 ans, de voir ses défectuosités, nous avons pu nous convaincre que les institutions purement démocratiques ne peuvent produire la paix et la prospérité.» La confédération, insiste-t-il, sera profitable à l'économie du Canada-Uni, car en s'unissant aux colonies maritimes, les marchands de Montréal et de Toronto auront un accès à la mer à l'année longue. Enfin, il se réjouit de l'appui du clergé au projet et dépeint ses opposants comme de dangereux extrémistes.

Et le peuple dans tout cela ?!

Le 16 février suivant, c'est au tour du chef libéral de réagir. Antoine-Aimé Dorion (1818-1891) est le petit-fils de Pierre Bruneau, un ancien député, grand admirateur de Papineau et fervent défenseur de la cause patriote. Avec son frère Jean-Baptiste-Éric, il fonde le journal *L'Avenir* en 1847 et réclame le suffrage universel. Influencé par le printemps des peuples de 1848, se disant «démocrate par conscience et canadien-français d'origine», il croit que chaque nationalité devrait disposer d'elle-même, que les peuples devraient être consultés lorsque leur destin est en jeu. Même s'il rejette les actions radicales et qu'il reste un catholique pratiquant, ses prises de positions sont tout naturellement associées à celles des « rouges », ces anticléricaux qui rêvent d'instaurer la république. Pour offrir de son mouvement une vision plus modérée, Dorion fonde le journal *Le Pays* en 1852. Élu député en 1854, il participe à quelques gouvernements et tisse des alliances avec George Brown, ce qui suscite la grogne de l'Église catholique.

Dans son discours prononcé en anglais, Dorion ne passe pas par quatre chemins. Les raisons officielles invoquées par Cartier pour justifier le projet de confédération camouflent quelque chose d'autre. Ce n'est pas le bien commun qui guide le gouvernement, mais de puissants intérêts financiers dont Cartier se fait le porte-parole. Si on presse le Parlement du Canada-Uni d'entrer dans une nouvelle confédération, croit-il, c'est d'abord pour satisfaire les dirigeants de la compagnie du Grand Tronc, qui cherchent de nouvelles sources de financement. Par ailleurs, Dorion voit dans ce projet une union législative à peine déguisée « dont l'objet est d'assimiler le peuple du Bas-Canada ». Sur quoi base-t-il son jugement ? Sur les pouvoirs importants qu'auront le gouvernement central et la Couronne. Au lieu d'être nommés par les provinces, les futurs sénateurs du Parlement fédéral devront leur nomination au premier ministre du gouvernement central. Ce projet, déplore-t-il, qui n'a pas été soumis au peuple, défend une vision très hiérarchique de la société : « nous nous trouvons avec la constitution la plus conservatrice qui ait jamais été implantée dans aucun pays régi par un gouvernement constitutionnel ».

S'il s'oppose farouchement au projet soumis par Cartier, il n'est pas fermé à l'idée d'une confédération. Plus démocratique, celle qu'il souhaite former serait constituée de ce qui était anciennement le Haut et le Bas-Canada. Les Canadiens français y conserveraient un poids démographique et politique plus important.

L'Acte de l'Amérique du Nord britannique (AANB)

Le 10 mars 1865, la proposition du gouvernement sur la confédération est mise aux voix. Elle est appuyée par 91 députés, et 33 votent contre elle. Dans la section est, celle du Québec, le vote est plus serré : 37 lui donnent leur appui, 24 le lui refusent. Le 15 août 1866 se termine la dernière session de la dernière législature de la colonie du Canada-Uni. Le gouvernement de coalition a obtenu le feu vert. Une délégation part pour Londres afin de faire approuver le projet.

Médéric Lanctôt, premier chef ouvrier

Pendant que l'AANB est négocié à Londres, les forces d'opposition n'entendent pas rester les bras croisés. Fils d'un Patriote exilé en Australie, élevé dans le culte de la république et de la liberté, membre de l'Institut canadien, animateur du journal *L'Union nationale*, Médéric Lanctôt (1838-1877) organise, au cours du printemps 1867, une mobilisation exceptionnelle.

Projet du grand capital et du patronat, la confédération canadienne est jugée beaucoup trop hostile aux intérêts du peuple. Lanctôt met sur pied la « Grande association pour la protection des ouvriers du Canada ». Le 27 mars 1867, près de 5000 personnes répondent à son appel en se rendant au Champ-de-Mars à Montréal. Le 10 juin, c'est plus de 8000 personnes qui manifestent à nouveau dans les rues de Montréal – du jamais vu ! Chaque corps de métier est dignement représenté, et tout se passe sans heurts. Le drapeau vert-blanc-rouge des Patriotes est brandi. Lanctôt s'appuie sur de nombreuses sociétés de secours mutuels, fondées par les travailleurs au cours des années. Inspiré par l'expérience de celles-ci, il fonde des boulangeries populaires, qui ne connaissent pas le succès escompté.

La riposte des conservateurs est sans merci. Dépeint par ses adversaires comme un « mangeur de curé » et un « révolutionnaire », Lanctôt est battu aux élections fédérales de l'automne 1867. Cette défaite politique porte un coup fatal à sa Grande association, mais n'ébranle pas ses convictions. En 1872, il fait paraître un texte dans lequel il plaide en faveur d'une « association du capital et du travail ». Plutôt que d'adopter le discours marxiste de la lutte des classes, Lanctôt souhaite une franche collaboration entre patrons et ouvriers et un meilleur partage de la richesse. À ses yeux, « c'est la conscience humaine, c'est la force sympathique de la charité incarnée, qui nous commandent à tous de nous associer et de nous unir ! »

Une loi... britannique

En décembre 1866 s'ouvre une dernière conférence à Londres. Les négociations sont vigoureuses. George-Étienne Cartier et Hector-Louis Langevin tentent de résister aux pressions de John A. Macdonald, qui souhaite instaurer un gouvernement central fort. Le 1er juillet 1867, l'Acte de l'Amérique du Nord britannique, adopté sans grands débats par le Parlement anglais, entre en vigueur. La séparation des pouvoirs législatifs, prévue dans les importants articles 91 et 92 de la nouvelle constitution, est conforme aux propositions adoptées lors de la conférence de Québec.

Ce qui tient lieu de Constitution canadienne n'est en fait qu'une simple loi votée par les parlementaires d'une assemblée étrangère. Ce lien colonial sera maintenu jusqu'à ce que la Constitution canadienne soit « rapatriée » en 1982 (voir le chapitre 20). De 1867 à 1982, toutes les modifications constitutionnelles devront passer par Londres. Le Canada qui naît en 1867 est un « Dominion » qui ne peut signer de traités internationaux ou déclarer la guerre – des pouvoirs qui lui seront consentis en 1931 – mais qui reste autonome au plan intérieur, même si, en théorie, le représentant du monarque peut refuser de ratifier des lois adoptées par le Parlement. Le Canada de 1867 comprend quatre provinces, soit le Nouveau-Brunswick, la Nouvelle-Écosse, l'Ontario et le Québec. Six autres provinces se joindront plus tard à la confédération, soit le Manitoba (1870), la Colombie-Britannique (1871), l'Île-du-Prince-Édouard (1873), la Saskatchewan (1905), l'Alberta (1905) et Terre-Neuve (1949). Selon le recensement de 1871, le nouveau Dominion compte 3,5 millions d'habitants. Avec ses 1,2 million d'habitants, le Québec y pèse lourd.

Naissance de la « province » Québec

Le Québec tel que nous le connaissons encore aujourd'hui naît donc le 1er juillet 1867. Malgré les pressions exercées par des intérêts montréalais, la ville de Québec devient la capitale du nouvel État fédéré. Comme au Parlement central, le Parlement québécois est composé de deux chambres : l'Assemblée législative, où siègent les 65 élus du peuple, et le Conseil législatif, l'équivalent du Sénat, formé des 24 conseillers nommés à vie par le lieutenant-gouverneur. En 1968, un peu plus de 100 ans plus tard, le Conseil législatif sera aboli et l'Assemblée législative deviendra l'Assemblée « nationale ». L'AANB prévoit des protections pour la minorité anglo-protestante. Douze sièges lui sont réservés à l'Assemblée législative. L'éducation a beau relever du gouvernement québécois, les écoles de confession protestante sont protégées. Si jamais la majorité catholique s'avisait de les abolir, cette minorité pourrait demander au gouvernement central d'intervenir pour rétablir ses droits.

Troisième partie
La survivance (1867-1939)

Dans cette partie...

*V*ous découvrirez la survie par la politique et l'économie... Majoritaires
à Québec, minoritaires à Ottawa, les Québécois se mobilisent contre la
pendaison du chef métis Louis Riel, luttent contre l'impérialisme britannique et la
conscription de 1917. Ils prennent surtout conscience de l'infériorité économique de
la majorité francophone, constatent l'américanisation de leur économie, envisagent
graduellement la possibilité d'avoir recours à l'État pour mieux maîtriser leur destin.
Comme les autres Occidentaux, les Québécois sont durement frappés par la Crise
des années 1930 et cherchent toutes sortes de solutions pour y mettre fin.

Chapitre 11

« Riel, notre frère, est mort »
(1867-1896)

. . . .

Dans ce chapitre :

▶ La mainmise de l'Église sur l'éducation

▶ Les débuts de l'autonomisme québécois

▶ L'infériorité économique des Canadiens français

. . . .

*E*n apparence, la période qui suit l'entrée en vigueur de l'Acte de l'Amérique du Nord britannique est bien calme. Aucune guerre, aucune révolution ne viennent bouleverser la vie paisible des habitants de la vallée du Saint-Laurent! Et pourtant… Des choses fondamentales se mettent en place; une vie nationale prend forme.

L'hégémonie du Parti conservateur se poursuit, mais les catholiques les plus orthodoxes font des vagues. Divisés entre une aile modérée et des catholiques plus intransigeants, les conservateurs abolissent le ministère de l'Instruction publique et cèdent le secteur éducatif à l'Église. De leur côté, les libéraux adoptent des positions plus conciliantes sur les questions religieuses. Leur nouveau chef, Honoré Mercier, se fait le champion de l'autonomie du Québec et le défenseur de la cause canadienne-française lors de la pendaison du chef métis Louis Riel, en 1885. Deux ans plus tard, il prend le pouvoir.

Surtout, cette époque permet d'observer un phénomène capital : l'infériorité économique des Canadiens français. Pour la majorité francophone du Québec, la révolution industrielle est vécue comme un déclassement. Faute de perspectives d'avenir, plusieurs émigrent aux États-Unis et servent de main-d'œuvre à bon marché dans les usines de textile de la côte est américaine. D'autres s'établissent à Montréal et acceptent des conditions de travail dérisoires. Sauf exception, le véritable pouvoir économique est accaparé par une petite élite montréalaise d'origine britannique.

Main basse de l'Église sur l'éducation

De 1867 jusqu'au début des années 1880, les conservateurs dominent la vie politique québécoise, car les libéraux continuent d'être associés aux dangereux «rouges». Mais leur étoile commence à pâlir. Influencés par des évêques ultramontains, certains catholiques font pression pour que le gouvernement conservateur se soumette davantage aux vues de l'Église, notamment en matière d'éducation.

Chauveau, premier ministre par défaut

Le premier premier ministre de l'histoire moderne du Québec s'appelle Pierre-Joseph-Olivier Chauveau (1820-1890). C'est un homme d'une grande valeur, un fin lettré qui, tout jeune, compose des poèmes, écrit des billets pour le *Courrier des États-Unis* et publie en 1852 un roman, *Charles Guérin : roman de mœurs canadiennes*, l'un des premiers de la littérature canadienne-française. Candidat des réformistes, il remporte une victoire spectaculaire en 1844 contre le vétéran John Neilson dans le comté de Québec. Après avoir exercé des fonctions de ministre dans divers gouvernements, Chauveau est nommé surintendant à l'Instruction publique en 1855. La tâche est lourde car, de 1844 à 1866, le nombre d'écoles au Québec passe de 1 569 à 3 826, et le nombre d'élèves, de 57 000 à 206 820. Les principaux soucis du surintendant Chauveau sont d'offrir aux élèves des maîtres compétents et de convaincre les commissaires d'écoles de leur offrir des salaires décents. L'Église se méfie de lui, car c'est un conservateur modéré qui souhaite que l'éducation reste l'affaire des laïcs. Homme de son temps, il tient également à développer un enseignement technique adapté aux progrès du siècle.

Un chef... introuvable !

Au début de l'année 1867, Chauveau effectue une tournée en Europe et discute d'éducation avec des responsables irlandais, français, belges et allemands. Pas d'Internet ou de téléphone pour le joindre... Dommage, car on veut lui offrir le poste de... premier ministre du Québec! Au départ, George-Étienne Cartier et Hector-Louis Langevin – les vrais maîtres du Parti conservateur, qui préfèrent œuvrer sur la scène fédérale – envisagent une autre candidature, celle de Joseph-Édouard Cauchon; mais, pour diverses raisons, celle-ci horripile les dirigeants de la minorité anglophone. Chauveau est donc le second violon... Enfin joint, il accepte, mais à une condition : qu'il conserve ses responsabilités en éducation. Même si l'Église ne voit pas la chose d'un bon œil, on accepte donc de créer un ministère de l'Instruction publique et de placer Chauveau à sa tête.

Québec, une succursale d'Ottawa ?

Ce mode de nomination de Chauveau en dit long sur le fonctionnement du Canada à ses débuts. Dans l'esprit des premiers dirigeants politiques québécois, le véritable pouvoir était à Ottawa, au niveau fédéral. Aux yeux de tous, le gouvernement québécois était subordonné au gouvernement fédéral, et les partis conservateur et libéral du Québec n'étaient que des succursales des partis fédéraux.

Cette situation s'explique essentiellement par deux facteurs :

- **Le double mandat.** De 1867 à 1874, il était possible d'être député au Parlement fédéral et au Parlement québécois. Après l'élection de l'automne 1867, 19 des 65 députés de la nouvelle Assemblée législative du Parlement québécois disposent d'un « double mandat ». Le plus souvent, ces double-mandataires utilisent leur tribune pour faire adopter des décisions du gouvernement central. Ce conflit d'allégeance est très tôt dénoncé, y compris dans les autres provinces canadiennes.

- **La faible marge de manœuvre de l'État québécois au plan budgétaire.** Ce qui limite surtout les pouvoirs et l'autonomie du nouvel État québécois, c'est sa dépendance aux subventions fédérales. S'ils en avaient le pouvoir, les gouvernements provinciaux de l'époque n'auraient jamais osé taxer directement les revenus des citoyens. En 1869, 60 % des revenus du trésor québécois étaient constitués des subventions fédérales. Cette proportion fléchit graduellement, passant de 50 % en 1874 à 25 % en 1896. Ajoutons que l'État québécois hérite d'une partie des dettes du Canada-Uni et qu'il investit énormément dans les infrastructures ferroviaires et routières. Ses marges de manœuvre sont très minces.

Même s'il est animé par de bonnes intentions, le premier ministre Chauveau n'a pas les coudées franches pour développer les grandes institutions éducatives et culturelles auxquelles il rêve. Ce sont au contraire les nécessités de l'économie qui l'accaparent. Sans compter qu'il doit constamment transiger avec son aile ultramontaine.

Le programme catholique

Les catholiques les plus intransigeants croient que les Canadiens français doivent toujours se soumettre aux décisions de l'Église – y compris leurs politiciens. La séparation stricte de l'Église et de l'État ? Une hérésie !
La Vérité ne doit pas être confinée à la sphère privée mais propagée partout. Le pape n'est pas seulement un guide spirituel, c'est un chef. Menacé par les républicains italiens, Pie IX demande d'ailleurs le soutien des catholiques du

monde entier. Les ultramontains parcourent les campagnes pour recruter des soldats. De novembre 1867 à septembre 1869, plus de 500 jeunes volontaires canadiens-français s'embarquent pour l'Italie. Leur devise ? «Aime ton Dieu, va ton chemin»! À leur retour, ces contingents de «zouaves» sont accueillis triomphalement.

Si leur zèle n'est pas partagé par tous, les ultramontains sont influents et pèsent lourd politiquement. En plus de s'appuyer sur les lettres pastorales et les écrits des évêques de Montréal (Ignace Bourget) et de Trois-Rivières (Louis-François Laflèche), les ultramontains ont leurs journaux et leurs propagandistes. L'écrivain et journaliste Jules-Paul Tardivel, directeur du journal *La Vérité*, et l'un des premiers intellectuels à promouvoir l'indépendance du Québec, est l'un d'entre eux. Ce courant actif qui avance en phalange serrée est un élément essentiel de la coalition conservatrice.

Plus catholique que... l'archevêque !

Le 20 avril 1871, ces militants ultramontains publient un «Programme catholique». Le document lance un avertissement à tous les candidats qui comptent obtenir le suffrage des électeurs : «Il est impossible de le nier, la politique se relie étroitement à la religion, et la séparation de l'Église et de l'État est une doctrine absurde et impie.» Les programmistes appellent donc à voter pour les candidats «dont les principes seront parfaitement sains et sûrs». S'ils reconnaissent que le Parti conservateur est «le seul qui offre des garanties sérieuses aux intérêts religieux», les programmistes croient que «ce loyal appui doit être subordonné aux intérêts religieux». Dit autrement : vous vous soumettez à l'Église, sans quoi nous ne voterons pas pour vous ! L'initiative déplaît à l'archevêque de Québec, qui s'en dissocie. Ni lui ni les membres du clergé n'ont été consultés lors de la rédaction du Programme. Aux élections de juin, un seul candidat ouvertement «programmiste» est élu. Malgré cet échec relatif, les ultramontains continuent de s'activer dans les coulisses.

Fini l'État en éducation

Chauveau se retire définitivement de la politique en 1873. Il est remplacé par Gédéon Ouimet, puis par Charles-Eugène Boucher de Boucherville, un proche des ultramontains. Dès son arrivée en poste, ce dernier abolit le ministère de l'Instruction publique. L'État québécois renonce ainsi à son pouvoir direct en éducation. À la tête du système éducatif québécois, on retrouve désormais un surintendant qui ne relève ni du gouvernement ni du Parlement, mais du Conseil de l'Instruction publique. Cette réforme fait l'affaire de la minorité anglophone, puisque le nouveau Conseil est composé de deux comités confessionnels distincts, l'un catholique, l'autre protestant. Chaque comité détermine les programmes dispensés dans son réseau. Au comité catholique, les évêques québécois sont membres d'office. L'État consent des budgets mais n'ose plus dire son mot dans les orientations générales en éducation. « L'éducation, aurait déclaré de Boucherville, est une affaire trop importante pour être confiée à des politiciens. » C'est une énorme victoire pour les ultramontains et pour l'Église ! Malgré quelques tentatives infructueuses, personne ne remettra en question cette réforme jusqu'aux années 1960.

La victoire d'Honoré Mercier

Les libéraux n'avaient cependant pas dit leur dernier mot. Traités de « radicaux » et de « subversifs » par leurs adversaires, ils n'en continuent pas moins de proposer une alternative de gouvernement aux électeurs. Des leaders marquants joignent bientôt leurs rangs. En plus de se distinguer de leurs aînés par un nouveau discours sur le libéralisme et l'autonomie provinciale, ils savent profiter des erreurs de leurs adversaires.

Trafic d'influence et... modération

Et des erreurs, les conservateurs ne manquent pas d'en commettre !
Il faut dire que le système d'octroi des contrats de l'époque était propice à faire éclater des scandales. Le « patronage » est une pratique normale et courante. Pour obtenir un contrat du gouvernement, il faut soutenir le parti au pouvoir en contribuant à sa caisse électorale. Entre le monde politique et celui des affaires, les cloisons ne sont pas très étanches. Nombre de ministres de la Couronne siègent à des conseils d'administration de grandes entreprises. Celles qui exploitent les richesses naturelles ont le plus souvent un accès direct au pouvoir. Grâce à des cadeaux ou à des faveurs donnés aux ministres clés, voire parfois au premier ministre lui-même, certaines compagnies obtiennent des droits de coupe dans les forêts pour des redevances dérisoires.

« Scandale, Monsieur le Président ! »

En 1873, on apprend que Cartier et Macdonald avaient promis un contrat lucratif à l'homme d'affaires montréalais Hugh Allan pour la construction du Canadien Pacifique, un chemin de fer promis aux habitants de la Colombie-Britannique, qui allait relier l'est et l'ouest. En retour des largesses du gouvernement fédéral, Allan verse 350 000 dollars à la caisse électorale du Parti conservateur. Le scandale est tel qu'il entraîne la défaite des conservateurs fédéraux au profit des libéraux lors des élections de 1874. Quelques mois plus tard, le premier ministre conservateur du Québec, Gédéon Ouimet, est forcé de démissionner. Son gouvernement aurait acheté une ferme à un prix exorbitant (25 fois sa valeur – une bonne affaire pour quelques députés conservateurs qui empochent les profits !)

Être libéral... et bon catholique

Mais pour gagner la confiance du peuple, les libéraux québécois doivent aussi le rassurer, et se défaire de leur image antireligieuse. C'est ce que tente Wilfrid Laurier qui, le 26 juin 1877, prononce un discours important à Québec. Né en 1841, ce jeune avocat diplômé de l'Université McGill, très à l'aise dans les deux langues, est élu député libéral au Parlement québécois en 1871. Trois ans plus tard, il est élu au niveau fédéral, et deviendra ministre du gouvernement d'Alexander Mackenzie en 1877. Le politicien maîtrise parfaitement le cadre biculturel du nouveau Dominion canadien. Dans son discours, Laurier prend d'abord acte d'un fait important : « Nous Canadiens français, déclare-t-il, nous sommes une race conquise. C'est une vérité triste à dire, mais enfin c'est la vérité. » Le bon côté des choses, poursuit-il, c'est que cette « race » a hérité des libertés britanniques qui lui permettent de choisir les élus qui incarnent le mieux ses aspirations. Les prêtres et l'Église ont bien sûr le droit de donner leur avis sur les affaires politiques, mais ils ne devraient pas empêcher les citoyens de prendre fait et cause pour l'un ou l'autre des partis. Selon Laurier, on peut être un bon catholique et croire aux vertus du progrès de la science et de la civilisation. Dans la mesure où l'on respecte les droits de l'Église, bien sûr.

Ce discours arrive à point, car plusieurs évêques souhaitent que l'Église du Québec parle d'une seule voix. Aux yeux d'un émissaire du pape, les querelles doctrinales doivent cesser et le clergé doit faire preuve de « la plus grande réserve » lorsque les électeurs sont appelés à voter. Maintenant que l'Église contrôle le système éducatif, elle doit laisser les affaires courantes aux politiciens et prendre ses distances de la vie politique.

Un coup d'État en 1878 !

Ministre fédéral de l'Agriculture depuis 1874, Luc Letellier de Saint-Just est nommé lieutenant-gouverneur du Québec en décembre 1876. Militant libéral et homme de pouvoir, il a du mal à se résoudre au devoir de réserve qu'impose sa fonction. Aussitôt en poste, il exige d'être consulté par de Boucherville, le premier ministre conservateur. Officiellement, toute loi ou proclamation qui n'a pas été signée de sa main ne peut entrer en vigueur.

En mars 1878, Letellier de Saint-Just fait parvenir au premier ministre un mémoire dans lequel il se plaint de ne pas avoir été écouté ou consulté par rapport à des décisions importantes. Il refuse également de ratifier un projet de loi qui concerne un chemin de fer. Cette décision provoque une crise politique unique dans l'histoire québécoise. Le premier ministre de Boucherville remet illico sa démission et le lieutenant-gouverneur demande à son vis-à-vis libéral, Henri-Gustave Joly, de former sur-le-champ un nouveau gouvernement. Les conservateurs dénoncent aussitôt ce « coup d'État ». Aux élections suivantes, les libéraux obtiennent un député de moins que les conservateurs mais réussissent à gouverner quelques mois. En octobre 1879, le gouvernement Joly tombe et Letellier de Saint-Just est destitué.

« Riel, notre frère, est mort »

En 1882, un autre scandale éclabousse les conservateurs. Le gouvernement d'Adolphe Chapleau vend le tronçon Montréal-Québec de la Québec, Montréal, Ottawa et Occident (la Q.M.O. & O), une entreprise publique de chemin de fer, à un groupe d'hommes d'affaires dirigé par un certain Louis-Adélard Senécal, argentier des conservateurs et homme de confiance du premier ministre. Ce trafic d'influence fait scandale, même chez les ultramontains, qui dénoncent ce manque flagrant de moralité.

La conjoncture est excellente pour les libéraux. La grogne populaire se fait sentir ; le pouvoir est à portée de main. Il ne manque que deux ingrédients pour rafler la mise : un chef et un événement…

Mercier, l'autonomiste

Avocat, journaliste au *Courrier de Saint-Hyacinthe*, adversaire de la Confédération durant ses jeunes années, Honoré Mercier (1840-1894) rêve très tôt de fonder un parti national qui unirait les Canadiens français, qu'ils soient d'obédience libérale ou conservatrice. Élu au niveau fédéral en 1872, il s'engage en politique québécoise à partir de 1879 et devient chef du Parti libéral en 1883. Plus nationaliste que libéral, Mercier a du panache et beaucoup de prestance. Autonomiste, il s'oppose aux velléités centralisatrices du gouvernement fédéral, car il considère que la vraie souveraineté réside dans les provinces – un point de vue que partagent, à l'époque, le premier ministre de l'Ontario et le Conseil privé britannique, appelé à trancher certains litiges entre Ottawa et les provinces. Honoré Mercier croit qu'en 1867, ce sont les provinces qui ont délégué des pouvoirs au gouvernement fédéral, non l'inverse. L'État du Québec est à ses yeux l'outil de développement d'un peuple distinct. Cette conception du fédéralisme canadien aura de nombreux adeptes par la suite. Les libéraux ont donc un chef solide, modéré sur les questions religieuses, nationaliste au plan politique. Il ne leur manque qu'une circonstance hors du commun pour faire pencher la balance…

50 000 personnes au Champ-de-Mars

Le 22 novembre 1885, plus de 50 000 personnes sont rassemblées au Champ-de-Mars à Montréal. Quelques jours plus tôt, Louis Riel a été pendu. Francophone et catholique, Riel appartient au peuple des Métis, issu d'un croisement entre des Amérindiennes et des Canadiens français traqueurs de fourrures dans l'ouest. Après avoir été à la tête d'une première insurrection dans les prairies canadiennes, Riel s'exile aux États-Unis mais revient soutenir ses frères d'armes qui se révoltent à nouveau contre la colonisation sauvage de l'ouest. Les affrontements de 1885 sont violents et Riel est fait prisonnier. Lors de son procès, on lui reproche l'assassinat d'un certain Thomas Scott. Condamné à mort, Riel voit ses avocats plaider la clémence de la Couronne. Mais le premier ministre Macdonald fait la sourde oreille : «Il sera pendu, même si tous les chiens du Québec aboyaient en sa faveur.»

La pendaison de Riel provoque une immense émotion populaire et patriotique. Une «Marseillaise rielliste» est même composée pour l'occasion, fredonnée par de nombreux manifestants qui se rassemblent au Champ-de-Mars : *Enfants de la Nouvelle-France / Douter de nous est plus permis! / Au gibet Riel se balance / Victime de nos ennemis…*

À la tribune, on retrouve Wilfrid Laurier et plusieurs autres dirigeants canadiens-français. On retrouve surtout Honoré Mercier, qui exprime alors en des mots simples toute la tristesse et la colère de ses compatriotes : «Riel, notre frère, est mort, victime de son dévouement à la cause des Métis dont il était le chef, victime du fanatisme et de la trahison.» Il compare le sacrifice de Riel à ceux des Patriotes de 1837. Il propose un vibrant plaidoyer en faveur de l'unité. «Nous unir […]. Voilà vingt ans que je dis à mes frères de sacrifier sur l'autel de la patrie en danger les haines qui nous aveuglaient et les divisions qui nous tuaient.» Mais cette union, précise-t-il aussitôt, «ce n'est pas une union de race contre d'autres races, de religion contre d'autres religions. Nous ne voulons pas réparer un crime par un autre crime.»

Victoire… à l'arrachée

L'appel de Mercier est entendu. Il transforme le Parti libéral en Parti national et tente de rallier à sa cause les conservateurs dissidents, choqués par l'intransigeance de Macdonald. Mais si plusieurs sont en effet troublés, très peu franchissent le Rubicon. Durant l'automne 1886, Mercier mène une campagne sur le thème de l'unité et de l'autonomie. Son parti est élu, mais par une mince majorité. S'il obtient 51 % du suffrage, les conservateurs sont toujours bien vivants, avec 49 % des votes. Dès son arrivée en poste, Mercier met en branle son programme de réformes. Il organise, avec son vis-à-vis ontarien, une première conférence interprovinciale en octobre 1887 et s'attaque au grand fléau de l'époque : l'émigration de son peuple vers les États-Unis.

Être nés pour un petit pain

Si Mercier rêve d'unité, s'il espère que les querelles partisanes s'atténuent, c'est aussi parce qu'il est conscient que le grand drame des Canadiens français de son temps est d'abord économique. Pour les élites québécoises de cette époque, l'émigration vers les États-Unis est une saignée à laquelle il faut à tout prix trouver un remède efficace.

Le Québec à l'heure de l'industrialisation

Cette saignée débute lentement au milieu du 19e siècle. Elle prend place alors que le Québec traverse une période de grandes transformations, provoquées par ce qu'on appelle la Révolution industrielle. Celle-ci débute à la fin du 18e siècle en Angleterre et se propage dans tous les pays occidentaux tout au long du 19e siècle. Le processus est toujours le même. Des inventions permettent de produire davantage à des coûts moindres. L'agriculture de subsistance est peu à peu délaissée, ce qui entraîne un déplacement des populations vers les villes où se trouvent des manufactures et des usines. Dans chaque pays, l'industrialisation a des effets sociaux. Une bourgeoisie puissante exploite une main-d'œuvre qui, peu à peu, se regroupe en associations et en syndicats pour défendre ses intérêts.

Le Canada et le Québec sont parmi les dernières sociétés occidentales à entrer dans l'ère industrielle. Le phénomène s'explique simplement : depuis le 17e siècle, les ressources naturelles avaient été la base de la richesse collective. Après le poisson et la fourrure, ce fut le bois et, dans une moindre mesure, le blé. Les produits transformés venaient de la France, de l'Angleterre, et plus tard des États-Unis. Durant la période de ralentissement économique qui frappe l'Occident à partir de 1873, cette situation ne peut plus durer. La survie économique du Dominion canadien est en jeu. C'est dans ce contexte que le gouvernement fédéral adopte une «politique nationale». Pour forcer l'émergence d'une industrie canadienne, on impose une taxe très élevée à tous les produits étrangers et on investit massivement dans les infrastructures de transport. Le pari est risqué, mais les résultats ne se font pas attendre. En quelques décennies, le Québec s'industrialise.

Trois options pour les cultivateurs

Chauveau et ceux qui œuvrent dans le secteur de l'éducation vont très tôt plaider pour une meilleure formation des agriculteurs. En 1859, on crée une école d'agriculture à La Pocatière. Des journaux spécialisés en agriculture voient également le jour. En plus de maîtriser les techniques d'assolement et de connaître les meilleurs engrais disponibles, il faut acheter des faucheuses et des moissonneuses pour améliorer le rendement des terres. Malgré cette bonne volonté, on constate très tôt que la mécanisation des fermes est moins rapide au Québec qu'en Ontario. Les cultivateurs québécois ont dès lors trois options :

✔ **Se faire agriculteur l'été, bûcheron l'hiver.** La première option, très répandue, mais guère lucrative, consiste à combiner l'agriculture à la coupe de bois. On s'occupe de la ferme l'été, on est bûcheron l'hiver. Hélas, le salaire et les conditions de travail dans ces camps de bûcherons, de plus en plus éloignés, sont souvent indécents. C'est que les compagnies forestières ont le gros bout du bâton. Seules pourvoyeuses de travail dans des régions éloignées comme le

Saguenay–Lac-Saint-Jean ou le Bas-du-fleuve gaspésien, ces compagnies disposent d'un monopole consenti par l'État. Graduellement, on en vient à transformer le bois sur place – en planches, puis en pâtes et papiers –, notamment en Mauricie.

- **Se spécialiser.** La seconde option pour les cultivateurs est de trouver une nouvelle niche de développement. Plusieurs empruntent cette voie en se spécialisant dans les produits laitiers, l'élevage du bétail ou la production de tabac. On retrouve ces agriculteurs dans les Cantons de l'Est, dans Bellechasse et Montmagny, ou dans la région de Joliette.

- **Aller travailler en ville.** Pour les autres, il reste une troisième option, celle d'aller travailler en ville. C'est dans les centres urbains qu'émergent les industries qui embauchent cette main-d'œuvre souvent non qualifiée. De 1881 à 1901, le taux d'urbanisation au Québec passe de 23,8 % à 36,1 % – un bond prodigieux. Les secteurs industriels en plein essor sont ceux du textile et surtout du cuir. À la fin du 19e siècle, les deux tiers des chaussures vendues au Canada sont produites à Montréal. Le secteur de l'alimentation, de même que celui du fer et de l'acier, offrent également de nombreux emplois.

Les chevaliers du travail, premier syndicat

De 1815 à 1879, il y aura 137 grèves au Québec. Ce n'est cependant qu'à partir de 1872 que les patrons sont contraints de négocier des conventions collectives. En 1885, le gouvernement québécois développe un cadre réglementaire pour les ouvriers. On décrète que les femmes et les enfants ne pourront travailler plus de… 60 heures par semaine. Quant aux hommes, la limite est fixée à 72 heures. On interdit le travail des enfants de moins de 12 ans pour les garçons, et de moins de 14 ans pour les filles. Pour vérifier l'application de ces mesures, le gouvernement du Québec n'embauche cependant que trois enquêteurs…

Des ouvriers décident donc de se regrouper, au cours des années 1880, au sein d'une organisation, les « chevaliers du travail ». Le modèle est importé des États-Unis, ce qui rebute l'Église qui craint la confrontation et la désobéissance. En 1886, les archevêques québécois demandent aux ouvriers de ne pas joindre cette organisation. Plus réformistes que révolutionnaires, ces chevaliers du travail militent en faveur de conditions de travail plus saines et d'un salaire versé à date fixe. Entre 1882 et 1887, l'organisation recrute environ 2 500 membres.

Montréal : du « *Golden Square Mile* » à Saint-Henri

À la fin du 19e siècle, Montréal devient la capitale économique du Québec et du Canada. De 1861 à 1901, sa population passe de 90 000 à 268 000 habitants, alors que celle de Québec passe de 42 000 à 69 000 habitants. C'est à cette époque que Montréal surpasse donc définitivement la ville de Québec aux plans démographique et économique. Comme toutes les grandes métropoles industrielles, Montréal offre un portrait contrasté. Dans les quartiers chics qui se développent sur les flancs du Mont-Royal, on retrouve une grande bourgeoisie, celle du « Golden Square Mile », qui se construit de luxueuses villas. Plus bas, sur les rives du Saint-Laurent, là où les industries s'installent, s'agglutinent les ouvriers vivant dans leurs taudis souvent insalubres. Les conditions de vie y sont difficiles ; le taux de mortalité infantile à Montréal est l'un des plus élevés au monde. En 1885, une épidémie de variole fait 3 234 victimes à Montréal. La maladie frappe huit fois plus les Canadiens français que les autres. Pour combattre ces fléaux, le gouvernement québécois force chaque municipalité à se doter d'un bureau de santé et met sur pied le Conseil d'hygiène de la province de Québec.

Le clivage entre ces deux mondes n'est pas seulement social. Il est aussi ethnique. Si les anglophones ne sont pas tous riches et puissants – on pense aux Irlandais catholiques installés à « Griffintown », au sud-ouest de Montréal –, ils forment néanmoins une minorité nettement privilégiée par rapport à la majorité canadienne-française. Cette minorité dirige les principales industries et contrôle le monde financier. Quant aux activités du Montreal Board of Trade, elles se déroulent en anglais. Montréal a d'ailleurs toutes les allures d'une ville britannique – par son aménagement urbain, l'architecture de ses grands édifices du centre-ville, l'affichage de ses commerces. Il faut dire qu'entre 1831 et 1861, la ville avait été majoritairement anglophone. À la fin du siècle, l'arrivée massive des paysans canadiens-français change cependant la donne. Il faut attendre 1882 avant que les francophones de Montréal soient majoritaires au conseil municipal.

Prendre en main son économie, mais comment ?

Malgré toutes les possibilités nouvelles qu'offre l'industrialisation, plusieurs ne trouvent pas leur place et préfèrent émigrer vers les États-Unis. Même si bon nombre reviennent, ce mouvement migratoire est perçu comme une hémorragie. De 1870 à 1900, c'est près de 410 000 Québécois qui traversent la frontière. À chaque décennie qui passe, c'est plus ou moins 10 % de la population qui migre vers le sud, surtout vers les usines de textile de la côte est américaine. Entre 1861 et 1901, la proportion de Canadiens français vivant à l'extérieur du Québec passe de 14 % à 45 %. Le mouvement se poursuivra jusqu'aux années 1930. Diverses solutions sont envisagées pour renverser la tendance.

Le rêve du curé Labelle

La première solution avancée est la colonisation de l'arrière-pays. C'est le grand projet d'un personnage haut en couleur, le curé François-Xavier-Antoine Labelle (1833-1891). Responsable de paroisses à la frontière américaine pendant plus de 10 ans, il assiste au départ des milliers de ses compatriotes. Ce colosse au tempérament fougueux n'a rien du petit curé distant et résigné, enfermé dans son presbytère, acceptant le sort que la Providence aurait réservé aux siens. Muté dans la paroisse de Saint-Jérôme dans les Basses-Laurentides, il convainc des hommes d'affaires de construire le «petit train du nord». Jusqu'à sa mort en 1891, il fait des pieds et des mains pour attirer des Canadiens français dans ses terres des «pays d'en haut». La personnalité de l'homme et son travail acharné attirent l'attention. En 1888, Honoré Mercier en fait son sous-ministre à la colonisation. Parmi les mesures spectaculaires inspirées par le curé Labelle, il y a la célèbre loi des 100 acres : une terre gratuite pour toutes les familles de 12 enfants… et plus! La vie dans l'arrière-pays n'est cependant pas facile, et les moyens de communication se développent trop lentement. Malgré beaucoup de bonne volonté, plusieurs abandonnent ou ne peuvent se résoudre à cette vie de misère.

Attirer des immigrants français

Pour faire contrepoids à l'émigration des Canadiens français vers les États-Unis, le gouvernement du Québec développe une première politique d'immigration qui, pour l'essentiel, vise les Français de l'ancienne métropole.

L'un des artisans de cette politique s'appelle Siméon Le Sage. Membre de la toute nouvelle fonction publique québécoise de 1867 à 1888, il publie une brochure : *La province de Québec et l'émigration européenne*, tirée à 80 000 exemplaires. Il souhaite convaincre des Français de s'installer dans les terres lointaines du Témiscamingue qui, à son avis, offrent un énorme potentiel.

En 1882, le gouvernement québécois nomme Hector Fabre, alors sénateur, à titre d'agent général du Québec en France. Il s'installe à Paris et devient en même temps commissaire général du Canada. Son premier mandat est d'attirer des immigrants français et de stimuler les relations économiques et culturelles entre le Québec et la France. Si elles sont appuyées et soutenues par des intellectuels français (Rameau de Saint-Père, par exemple), ces initiatives ne donnent pas les résultats escomptés.

Emparons-nous de l'industrie !

Pour d'autres, la véritable solution, c'est le développement d'une mentalité entrepreneuriale. Dans *Emparons-nous de l'industrie* (1901), l'intellectuel Errol Bouchette pose des questions embarrassantes : «Où sont les industriels, les armateurs et surtout les ingénieurs canadiens-français? Qui construit et exploite les chemins de fer dont le pays est sillonné et pour lesquels nous avons fourni l'argent? […] Qui exploite les forêts, la source principale de notre richesse?» Comme Bouchette, plusieurs croient que la salut de la majorité francophone du Québec passe par le développement d'une industrie canadienne-française. C'est pour cette raison que l'on crée, en 1886, une chambre de commerce francophone à Montréal. Pour s'initier aux réalités du commerce et de l'industrie moderne, on lance deux périodiques : *Le moniteur du commerce* et *Le prix courant*. On réclame également du gouvernement québécois la mise en place d'écoles spécialisées pour les ingénieurs et les industriels. On donne suite à ces demandes en fondant l'École polytechnique (1873) et l'École des hautes études commerciales (1907). Mal desservis par les banques qui sont contrôlées par la minorité anglophone, des Canadiens français fondent aussi des institutions comme la Banque nationale (1859) et la Banque Hochelaga (1874).

Naissance du Mouvement Desjardins

Fonctionnaire fédéral originaire de Lévis, Alphonse Desjardins fonde la première « caisse populaire » en 1900. La motivation première du fondateur du mouvement coopératif qui portera son nom est moins politique ou nationale que morale et sociale.

Il s'agit d'une part de combattre les usuriers qui exploitent les personnes pauvres n'ayant pas un accès facile au crédit. Les grandes banques de l'époque ouvrent rarement des succursales dans les quartiers ouvriers ou dans les régions éloignées. D'autre part, Desjardins souhaite promouvoir la frugalité chez les classes populaires. La pauvreté, croit-on alors, découle d'une faiblesse morale : plutôt que d'épargner, les pauvres gaspillent leur argent, ou le dilapident dans les tavernes – un préjugé injuste, compte tenu des salaires de l'époque.

La formule de Desjardins fait mouche. Plutôt que d'appartenir à quelques riches « capitalistes », les caisses populaires imaginées par Alphonse Desjardins appartiennent à tous ceux qui y déposent leurs épargnes. Ces « coopératives » sont démocratiques, puisque tous les cotisants ont la possibilité d'élire leurs représentants. De plus, les profits sont partagés équitablement.

L'infériorité économique des Canadiens français est la grande affaire de cette époque. Si certains théologiens, qui maudissent le « matérialisme » des sociétés capitalistes et libérales, prêchent la résignation, la plupart tentent d'esquisser des solutions pour remédier aux inégalités. Il faudra des décennies et plusieurs crises politiques pour y arriver.

Chapitre 12

La conscription (1897-1928)

• •

Dans ce chapitre :

▶ Wilfrid Laurier, Henri Bourassa et l'impérialisme britannique

▶ La crise de la conscription

▶ Les années folles et le développement de l'État québécois

• •

Durant les premières décennies du 20ᵉ siècle, le territoire québécois prend de l'expansion et sa population double. L'Abitibi est annexée en 1898, l'Ungava en 1912. Mais le Labrador est perdu en 1927.

De 1901 à 1931, la population du Québec passe de 1,6 à 2,9 millions d'habitants. À partir d'environ 1915, la majorité des Québécois vivent en ville. Si, jusqu'aux années 1930, des dizaines de milliers de Québécois tentent encore leur chance aux États-Unis, leur gouvernement libéral cherche par tous les moyens à développer l'industrie.

Pendant que ces transformations ont cours, d'intenses débats sur l'avenir du Canada font rage. Ces affrontements mobilisent les élites québécoises, qui se méfient des ambitions impériales de la Grande-Bretagne. La Première Guerre mondiale permettra de constater l'immense fossé qui sépare encore les Canadiens français des Canadiens anglais quant au rôle que doit jouer, selon eux, le Canada dans le monde.

Contrer l'impérialisme

En 1896, le chef libéral Wilfrid Laurier devient premier ministre du Canada. Cette victoire rejaillit sur les libéraux du Québec, qui sont portés au pouvoir l'année suivante. C'est le début d'un long règne libéral au Québec… qui ne se terminera qu'en 1936! Les libéraux du Québec conserveront le pouvoir pendant 39 ans.

Laurier est le premier Canadien français qui se retrouve à la tête du gouvernement fédéral. De nombreux Québécois ont le sentiment d'avoir élu un des leurs. Sa tâche ne sera pas facile, car il doit composer avec des électeurs qui ont des visions bien différentes de l'avenir du Dominion.

Les compromis de Laurier

Pour de nombreux Canadiens anglais, le Canada est un morceau de l'empire britannique. En 1911, 834 000 d'entre eux sont nés sur les îles britanniques (pour une population canadienne totale de 7,2 millions d'habitants). Certains militent d'ailleurs dans des mouvements « impérialistes » et souhaitent que le Canada serve les immenses ambitions de cet empire tentaculaire et mondial sur lequel, répète-t-on alors, le soleil ne se couche jamais ! Laurier sait que ses compatriotes canadiens-français voient les choses autrement, mais il ne peut complètement ignorer ce courant politique influent, qui a d'importantes assises en Ontario et en Nouvelle-Écosse.

Combattre ou non les Boers en Afrique du Sud ?

En 1897, les Anglais célèbrent en grande pompe le 60e anniversaire du règne de la reine Victoria. Le 12 juin 1897, Laurier prononce un discours important dans lequel il assure la fidélité de tous les Canadiens à la Couronne britannique. Dans les années qui suivent, cette loyauté se traduit par l'adoption d'un tarif préférentiel accordé aux produits anglais et par l'envoi en Afrique du Sud d'un contingent de 7 300 soldats canadiens.

En 1899, l'armée anglaise fait la guerre aux Boers, des descendants de colons hollandais qui avaient fondé la république du Transvaal quelques années auparavant. Ce qui est en jeu, c'est le pouvoir et le prestige de la Grande-Bretagne dans une région du monde qui est riche en or et en métaux précieux. Les Canadiens français sont contre la participation du Canada à cette guerre « impérialiste ». Le problème, c'est que le Canada n'a pas encore de politique étrangère autonome. Les guerres de l'Empire deviennent automatiquement les siennes. Laurier ne remet pas la chose en question, mais la participation canadienne à la guerre contre les Boers à laquelle il consent est tout de même bien en deçà de ce que souhaitent les impérialistes.

Le premier ministre canadien est tiraillé entre deux visions incompatibles. D'un côté les autonomistes canadiens, de l'autre les impérialistes. Il navigue constamment en eaux troubles. En 1910, il projette la mise en place d'une marine canadienne qui, en plus de soutenir l'Empire à l'occasion, aurait surtout pour mission de protéger les côtes canadiennes. Encore là, le projet choque les impérialistes, qui souhaitent que les bateaux canadiens soient intégrés à la marine royale britannique.

Quelle place pour les francophones hors Québec ?

Sur un autre front, celui de la dualité culturelle et linguistique du Canada, Laurier tente aussi des compromis. Au Manitoba, une province officiellement bilingue, un débat fait rage sur la langue d'enseignement dans les écoles publiques. Le premier ministre de la province et Laurier conviennent d'une entente : il sera possible d'y enseigner la religion catholique, mais après les heures de classe ; on pourra aussi y enseigner en français, mais seulement là où le nombre d'élèves le justifie. Dans les provinces voisines de l'Alberta et de la Saskatchewan, officiellement créées en 1905, les catholiques et les francophones subissent le même compromis.

Le «nombre», voilà bien ce qui manque aux Canadiens français... surtout dans l'Ouest canadien ! Responsable de la politique fédérale d'immigration, le ministre Clifford Sifton souhaite peupler l'Ouest d'agriculteurs anglo-saxons. Le Canada dont il rêve serait protestant et britannique. Ses efforts seront en partie récompensés. Qu'ils soient allemands, autrichiens ou scandinaves, la plupart des nouveaux fermiers qui colonisent l'Ouest appartiennent à la grande famille protestante.

Henri Bourassa et le mouvement nationaliste

Les compromis de Laurier déçoivent beaucoup de Québécois qui, même s'ils continuent à voter pour les libéraux, prêtent davantage attention aux discours des chefs d'un mouvement nationaliste qui gagne en influence.

Pour l'indépendance... du Canada

Jusqu'au tournant des années 1920, Henri Bourassa (1868-1952) est la grande figure du nationalisme au Québec. Fils de Napoléon Bourassa, un artiste de renom, il est par sa mère le petit-fils de Louis-Joseph Papineau. S'il a le panache et l'indépendance d'esprit du grand-père, il n'a cependant rien d'un chef révolutionnaire. C'est un catholique fervent et un homme austère qui adopte des vues très conservatrices sur les questions sociales. Farouche adversaire du droit de vote des femmes, il s'oppose à l'assouplissement des procédures de divorce. Pour ce père de huit enfants, la famille est l'assise de la nation. D'aucune manière ne faut-il la fragiliser.

Les féministes s'organisent

En 1907, Marie Gérin-Lajoie (1867-1945) fonde avec d'autres femmes la Fédération nationale Saint-Jean-Baptiste, la FNSJB. Elle avait auparavant milité au sein de la section montréalaise du Conseil national des femmes du Canada. La FNSJB favorise la création d'associations professionnelles féminines. De 1901 à 1931, les femmes passent de 15,6 % à 19,7 % de la population active sur le marché du travail. Leurs conditions de travail sont à ce point mauvaises que le gouvernement québécois adopte en 1919 la Loi du salaire minimum des femmes.

Mais la grande cause de Marie Gérin-Lajoie et des premières féministes, c'est le droit de vote des femmes. Au niveau fédéral, elles peuvent exercer ce droit dès 1917. Au Québec,

cependant, comme dans la plupart des sociétés catholiques, l'Église s'oppose farouchement à cette mesure.

La conception que se fait Marie Gérin-Lajoie de la femme est pourtant très traditionnelle. C'est la maternité qui confère des connaissances particulières aux femmes, croit-elle. Si elles doivent obtenir le droit de vote, c'est avant tout parce qu'elles sont des mères, et qu'à ce titre elles comprennent mieux que les hommes les enjeux de santé publique et savent mieux qu'eux ce qui est bon pour les enfants à l'école. « C'est plus au nom de la différence que de sa ressemblance avec l'homme que la femme doit jouir des franchises électorales », explique Gérin-Lajoie en 1922.

Henri Bourassa est d'abord un homme d'idées, non de gouvernement. En 1910, il fonde *Le Devoir*, un quotidien indépendant qui lui offre une tribune de choix. L'indépendance dont il rêve n'est pas celle du Québec, mais celle du Canada. Comme son grand-père patriote, il souhaite que le Canada s'affranchisse du joug impérial britannique et vole de ses propres ailes. Il rêve aussi d'un Canada binational et biculturel dans lequel les Canadiens français se sentiraient chez eux d'un océan à l'autre. À 27 ans, il est élu sous la bannière du Parti libéral de Wilfrid Laurier. Lorsqu'il apprend que le gouvernement canadien participe à la guerre contre les Boers, il démissionne avec fracas et prend la tête d'un mouvement nationaliste.

Lancement d'organisations patriotiques

Des figures montantes comme Armand Lavergne, Olivar Asselin et Jules Fournier le suivent et fondent, en 1902, la Ligue nationaliste et, deux ans plus tard, *Le Nationaliste*, un journal de combat qui s'oppose à la participation du Canada aux guerres impériales. En 1904, des élèves des collèges classiques fondent l'Association catholique de la jeunesse canadienne-française, l'ACJC, une organisation patriotique. En 1902, des gens de Québec fondent la Société du parler français, qui vise la promotion et la protection de la langue française au Canada.

« Nous avons le droit de vivre »

Tour à tour député indépendant à Ottawa et à Québec, Bourassa n'est chef d'aucun parti, mais il a de l'influence. À son combat contre l'impérialisme anglais s'ajoute sa défense de la langue française, dont le statut est même remis en question par la hiérarchie catholique. De passage à Montréal en 1910 lors d'un important congrès eucharistique international, le chef de l'Église catholique d'Angleterre explique à ses coreligionnaires canadiens-français que pour se développer, les catholiques d'Amérique doivent se convertir à l'anglais. L'arrivée des immigrants irlandais justifie amplement ce virage, selon lui. Le 10 septembre, lors d'un discours célèbre prononcé à l'église Notre-Dame de Montréal, Henri Bourassa offre une réplique cinglante au prélat anglais : « Que l'on se garde, oui, que l'on se garde avec soin d'éteindre ce foyer intense de lumière qui éclaire tout un continent depuis trois siècles [...]. Nous ne sommes qu'une poignée, c'est vrai ; mais nous comptons pour ce que nous sommes, et nous avons le droit de vivre. » La foule applaudit à tout rompre.

Mais il faut plus qu'un discours pour assurer la survie du français dans les autres provinces canadiennes. En 1912, l'Ontario adopte le règlement 17, qui fait de l'anglais la seule langue admise dans les écoles publiques et confessionnelles de la province à partir de la 3e année du primaire. Longtemps devant les tribunaux, la cause des Canadiens français de l'Ontario mobilise le Québec au grand complet. Le 11 janvier 1915, le premier ministre du Québec offre son soutien à ceux qu'on appellera plus tard les « Franco-Ontariens ». Le gouvernement québécois accepte également que les commissions scolaires recueillent des dons pour cette cause. En novembre 1916, le Conseil privé de Londres reconnaît la légalité du règlement 17. Les Québécois découvrent peu à peu que les règles du bilinguisme prévues par la constitution de 1867 ne s'appliquent qu'au Québec et au gouvernement fédéral.

La crise de la conscription

Ces affrontements linguistiques tombent à un bien mauvais moment... De 1914 à 1918, le Canada est plongé dans un terrible conflit mondial.

Au début du 20e siècle, l'impérialisme n'est pas le propre de la Grande-Bretagne. Chez les dirigeants d'autres pays occidentaux, on retrouve aussi cette volonté d'agrandir son territoire, d'accaparer de nouveaux marchés et d'imposer ses valeurs, sa langue et ses coutumes. Les Italiens et les Allemands, qui ont complété leur unification politique au 19e siècle, sont également gagnés par cette fièvre impérialiste. Ceux-ci constatent cependant que les continents asiatique et africain ont déjà été partagés par d'autres puissances. Cette compétition féroce crée beaucoup de tension et de méfiance. Une alliance est concoctée entre l'Allemagne et l'Autriche-Hongrie. La France tente d'encercler son puissant voisin germanique en paraphant un traité avec la Russie. De lourds investissements sont consacrés à l'armée. L'Europe de 1914 est une poudrière qui éclate le 28 juin, à la suite de l'assassinat du prétendant au trône de l'Autriche-Hongrie. C'est le début de la Première Guerre mondiale – une grande catastrophe pour l'Angleterre et la France, des alliées durant ce conflit qui fera huit millions de victimes.

Le Canada se mobilise

L'Angleterre déclare la guerre à l'Allemagne le 4 août 1914. Le Dominion du Canada et toutes les colonies de l'empire britannique sont automatiquement entraînés dans cette guerre que l'on prévoit de courte durée. Les conservateurs de Robert Borden, qui dirige le gouvernement fédéral depuis 1911, s'empressent de mobiliser toutes les ressources du Canada pour soutenir la Grande-Bretagne. Le 7 août, un contingent de 25 000 soldats est annoncé. Le 22 août, le gouvernement adopte la Loi des mesures de guerre, qui confère au gouvernement fédéral des pouvoirs exceptionnels. Quiconque critiquera l'effort de guerre ou gênera sa bonne marche risque la censure, voire l'emprisonnement. L'économie est également mobilisée. Les femmes sont sollicitées par les usines d'armement.

Oui à l'effort de guerre...

Dans l'ensemble, les élites québécoises soutiennent cet effort de guerre. À commencer par l'Église : « Sujets loyaux, écrit l'archevêque de Montréal en septembre 1914, reconnaissant en elle la protectrice de nos droits, de notre paix, de notre liberté, nous devons à l'Angleterre notre plus généreux concours. » De son côté, le gouvernement du Québec vote une somme d'un million de dollars en 1916. Les nationalistes sont plus partagés. Henri Bourassa se méfie de l'Angleterre mais ne s'oppose pas formellement à la participation du Canada à la guerre. Très attaché à la terre des ancêtres, Olivar Asselin incite les Canadiens français à s'enrôler : « La France immortelle nous regarde. [...] Nous, les Français d'Amérique, nous ne resterons Français que par la France. »

...Non à la conscription

Malgré la formation, par le gouvernement canadien, d'un bataillon d'infanterie exclusivement francophone en octobre 1914, l'appel d'Asselin reçoit peu d'échos. À peine 12 % des volontaires de la Première Guerre mondiale sont des Canadiens français. Ces derniers se sentent visiblement moins concernés par cette guerre que les Canadiens anglais. Fait à noter : près de 40 % des soldats canadiens qui vont combattre en Europe sont nés sur les îles britanniques. Par ailleurs, les emplois à Montréal sont nombreux et les conditions de travail intéressantes. Et la guerre elle-même est moins héroïque que ce qu'on avait imaginé au départ. Lors de chaque offensive, les pertes se comptent par milliers. Les soldats endurent des conditions de vie terribles dans les tranchées, loin des leurs. En octobre 1915, le gouvernement canadien annonce un corps expéditionnaire de 250 000 hommes. En avril 1917, près de 424 000 Canadiens se sont portés volontaires – une énorme contribution pour un Dominion d'à peine huit millions d'habitants. Aux yeux du premier ministre Borden, qui revient d'une visite en Europe, ce n'est pas encore assez...

Le 29 août 1917, le Parlement canadien adopte finalement la Loi sur le service militaire, qui prévoit l'enrôlement obligatoire de tous les hommes en âge de combattre, de 20 à 35 ans, veufs ou célibataires. Cette mesure exceptionnelle est annoncée par Borden dès le mois de mai. Au Québec, la « conscription »

suscite une colère immédiate. Le 9 août, une bombe explose à la résidence du propriétaire du *Montreal Star*, un journal favorable à la conscription. Des manifestations se succèdent, partout au Québec, et culminent le soir du 29 août. Les élites québécoises, hostiles à la conscription, se sentent débordées et craignent une émeute de grande envergure qui menacerait l'ordre public.

Les arguments de Bourassa

Allergique au désordre, Henri Bourassa lance très tôt un appel au calme. Il craint que ces émeutes ne donnent des munitions aux impérialistes du Canada anglais, qui rêvent de museler les nationalistes et de fermer *Le Devoir*. Dans une série d'articles publiés en mai 1917, Bourassa explique pourquoi il s'oppose à la conscription :

- **Le Canada a déjà fait suffisamment de sacrifices.** La solidarité à l'égard de la Grande-Bretagne a des limites. Si le Canada était lui-même attaqué par les Américains, la mère patrie enverrait-elle autant d'hommes ?

- **Une promesse trahie.** Le gouvernement Borden s'était engagé à ne jamais décréter l'enrôlement obligatoire. Il trahit donc une promesse solennelle, en plus de violer les libertés les plus fondamentales.

- **Le danger d'éclatement.** L'opposition des Canadiens français du Québec à la conscription est d'une virulence telle que la loi du gouvernement risque de provoquer une guerre civile.

Une motion « séparatiste »

Ces arguments n'arrivent pas à convaincre Borden qui forme, en octobre 1917, un gouvernement de coalition avec des libéraux qui appuient son programme. Vieux chef fatigué, Wilfrid Laurier s'oppose à la conscription. Lors des élections fédérales du 17 décembre 1917, les conservateurs sont battus à plate couture au Québec, n'obtenant que 4,6 % du suffrage et trois sièges dans les circonscriptions anglophones. Ils remportent cependant une éclatante victoire dans le reste du Canada. Certains parlent d'un « vote de race ». Dans le nouveau cabinet fédéral, plus personne ne parle au nom des Canadiens français. Le Dominion est plus divisé que jamais.

Face à un gouvernement conservateur hostile, les libéraux québécois au pouvoir ne savent trop comment réagir. Dans les jours qui suivent l'élection fédérale, le député libéral Joseph-Napoléon Francoeur se lève en chambre et fait la lecture d'une motion historique : « Que cette Chambre est d'avis que la province de Québec serait disposée à accepter la rupture du pacte fédératif de 1867 si, dans les autres provinces, on croit qu'elle est un obstacle à l'union, au progrès et au développement du Canada ». Faut-il rester au Canada ou en sortir ? Pour la première fois depuis 1867, la question de l'indépendance du Québec est mise sur la table. Un débat s'engage. Le premier ministre Lomer Gouin demande au député de retirer sa motion mais déplore, comme Francoeur, la campagne de dénigrement orchestrée contre les Canadiens français dans la presse impérialiste durant la campagne électorale.

«Nous nous plaignons des injures, explique-t-il, des appels répétés aux préjugés ; mais nos pères en ont toujours souffert.» Cela dit, il estime que la confédération canadienne reste le «meilleur mode de gouvernement que notre pays puisse adopter.»

Émeute à Québec : quatre morts...

Pendant que les élus québécois réfléchissent à l'avenir, des officiers recruteurs traquent les hommes en âge de combattre. Les «déserteurs» risquent cinq ans de prison. Plusieurs d'entre eux se cachent dans les forêts, avec la complicité de cultivateurs canadiens-français hostiles au gouvernement Borden. Du 28 mars au 1er avril 1918, des émeutes éclatent à Québec. Le gouvernement fédéral décrète la Loi des mesures de guerre et suspend les libertés civiles. Une assemblée du chef nationaliste Armand Lavergne, interdite par les autorités, tourne à l'affrontement. L'armée fait feu sur la foule ; quatre hommes sont tués, dont Georges Demeule, un adolescent de 15 ans.

À peine 48 000 conscrits canadiens iront combattre en Europe. Cette Première Guerre mondiale se termine le 11 novembre 1918 lorsque les Allemands acceptent finalement de signer l'armistice. Le statut international du Canada est renforcé par ce conflit, mais la crise de la conscription laisse des séquelles profondes au Québec.

L'époux d'une féministe se distingue à la Société des Nations !

À la suite de la Première Guerre mondiale, les pays belligérants fondent la Société des Nations, l'ancêtre de l'Organisation des Nations Unies. Ce forum international, espère-t-on, favorisera un meilleur dialogue entre les pays et assurera au monde une plus grande sécurité collective.

Avocat, homme de confiance de Laurier, sénateur libéral à partir de 1898, habile diplomate, Raoul Dandurand (1861-1942) est élu président de la 6e assemblée de la Société des Nations en septembre 1925. Grâce à son action, le Canada devient un membre à part entière de cette organisation internationale.

Dandurand est l'époux de Joséphine Dandurand-Marchand, une femme de lettres et journaliste. De 1892 à 1896, elle publie *Le Coin du feu*, une revue qui fait la promotion de l'éducation des femmes. «Plus nous serons instruites et éclairées, déclare-t-elle en 1901, et plus nous serons de bonnes mères.» Elle s'oppose cependant au suffrage féminin.

Prospérer... grâce aux capitaux étrangers

Si la politique provoque la confrontation des idées, le développement de l'économie suscite aussi de vives discussions. Assurer la prospérité du Québec est une chose ; vendre ses richesses à des étrangers en est une autre. Sans parler des inégalités sociales, qui sautent aux yeux de plusieurs.

Triomphe du libre marché

Pour les libéraux au pouvoir, la prospérité dépend de l'entreprise privée. Seul le libre marché peut générer de la richesse. L'État doit intervenir le moins possible dans l'économie, sinon pour favoriser sa bonne marche grâce aux infrastructures routières. Au Québec comme ailleurs en Occident, c'est l'âge d'or d'un libéralisme qu'on dit « sauvage ». Une telle conception de l'économie se heurte à des critiques qui se réclament soit du nationalisme, soit de la classe ouvrière.

Prospérité avant tout !

À partir de 1896, le Canada et le Québec connaissent une vague de prospérité sans précédent. Les experts parlent d'une seconde révolution industrielle. Au Québec, les secteurs suivants sont les plus prospères :

- **L'hydroélectricité.** L'énergie reste l'élément clé du développement industriel. Plutôt que de miser sur le charbon, comme plusieurs autres régions d'Amérique du Nord, le Québec harnache ses rivières et construit des barrages hydroélectriques. De 1900 à 1930, la production de chevaux-vapeur passe de 83 000 à 2 322 000. Contrairement à l'Ontario, qui nationalise ses compagnies d'hydroélectricité en 1905, le gouvernement québécois laisse de grandes entreprises contrôler le secteur. C'est ainsi que la Shawinigan Water & Power Co., la Montreal Light, Heat & Power, la Southern Canada Power et plusieurs autres corporations en viennent à posséder des droits exclusifs sur des cours d'eau.

- **Les pâtes et papiers.** Ce secteur connaît une croissance vertigineuse. Entre 1900 et 1930, la valeur de la production passe de 5 millions à 130 millions de dollars. Ce développement est en partie dû à l'interdiction décrétée par le gouvernement québécois en 1910 d'exporter du bois à pâte coupé sur les terres publiques. Cette mesure oblige les entreprises américaines à transformer au Québec le bois destiné à la production de papier. La région de la Mauricie bénéficie grandement de la richesse générée par ce secteur.

✔ **L'aluminium et le secteur minier.** Grâce à l'importation de bauxite, le Québec devient un gros producteur d'aluminium. Ce secteur crée beaucoup d'emplois dans la région du Saguenay, plus précisément à Arvida, qui plus tard sera fusionnée à Jonquière. Le secteur minier se développe aussi. L'amiante (Asbestos, en Estrie) ainsi que le cuivre et l'or (Rouyn, Noranda et Val-d'Or, en Abitibi) sont exploités par des entreprises privées.

✔ **Les industries.** Durant les trois premières décennies du 20ᵉ siècle, la transformation des aliments reste le secteur industriel le plus important au Québec. La production de bière (Molson) et le raffinage du sucre (Redpath) créent beaucoup d'emplois, sans parler de la production du pain et du beurre. L'industrie du cuir est peu à peu supplantée par celle des produits du papier, mais le secteur du vêtement se maintient. Si, de 1900 à 1929, la production industrielle québécoise s'accroît énormément – sa valeur brute passe de 154 millions à 1,1 milliard de dollars –, son poids par rapport à l'ensemble canadien diminue légèrement.

Au Québec comme ailleurs dans le monde, cette seconde vague de développement économique et industriel est marquée par deux phénomènes capitaux. D'une part, on observe une concentration de la richesse dans les mains de quelques entreprises et individus. Les secteurs bancaire et financier, de même que celui des ressources naturelles, sont contrôlés par une petite élite très puissante. D'autre part, ce sont souvent des investissements étrangers qui permettent le développement économique du Québec – britanniques d'abord, puis de plus en plus américains. Premier ministre libéral durant les années 1920, Louis-Alexandre Taschereau n'y voit aucun problème. En 1927, il déclare : «Laissons les capitaux d'Angleterre et des États-Unis venir ici autant qu'ils le désirent et multiplier nos industries, de telle sorte que nos gens auront de l'emploi. [...] Je préfère importer des dollars américains que d'exporter des travailleurs canadiens.»

« Maîtres chez nous »

Groupés autour de l'abbé Lionel Groulx (1878-1967), des nationalistes critiquent cette philosophie libérale. Ceux-ci déplorent la faible présence des Canadiens français dans les cercles du pouvoir économique. À leurs yeux, le redressement national du peuple canadien-français doit passer par la reconquête des richesses naturelles du territoire et par une présence accrue dans l'industrie. En 1922, *L'Action française*, une revue nationaliste de combat fondée en 1917, publie un dossier retentissant intitulé «Notre avenir politique». «Notre province a trop de richesses et de trop belles, écrit l'abbé Groulx ; vers elle les grandes convoitises se sont tournées. Le problème n'est plus de savoir si ces ressources seront exploitées, mais si elles le seront par nous et pour nous, ou par des étrangers contre nous. [...] Le seul choix qui nous reste est celui-ci : ou redevenir les maîtres chez nous ; ou nous résigner à jamais aux destinées d'un peuple de serfs.»

Les solutions avancées par ces nationalistes sont cependant plus morales que politiques. Pas question de nationaliser les compagnies hydroélectriques, par exemple. Ce qu'il faut avant tout, c'est pratiquer «l'achat chez nous» en encourageant les commerçants francophones. Quant aux rares industriels canadiens-français, ils doivent cesser de dilapider leurs richesses et apprendre à mieux la transmettre à leurs descendants.

Des syndicats «catholiques»

Malgré la prospérité, les conditions de vie des ouvriers restent difficiles. Même si, durant cette période, le gouvernement québécois crée des bureaux de placements pour les chômeurs et une commission des accidents de travail, les ouvriers continuent de se regrouper en syndicats pour défendre leurs intérêts. De 1901 à 1931, le nombre de syndicats passe de 136 à 501. Quant au taux de syndicalisation des travailleurs québécois, il évolue au même rythme que celui de l'Ontario. Alors que l'Église était au départ réfractaire au regroupement des travailleurs, elle consent désormais au syndicalisme, mais à la condition qu'il soit «catholique». Se présentant comme une alternative aux partis communistes ou ouvriers et aux unions internationales américaines, les syndicats catholiques, supervisés par des «aumôniers», prêchent une franche collaboration entre patrons et travailleurs. En 1921, la Confédération des travailleurs catholiques du Canada, la CTCC, est créée. Les 17 600 syndiqués catholiques des 120 associations représentent, en 1922, 25 % des effectifs syndicaux du Québec. Les autres travailleurs syndiqués continuent d'être membres d'associations internationales. Même si, en 1925, Albert Saint-Martin fonde à Montréal une université ouvrière, le Québec ne semble pas un terreau fertile pour les idées socialistes.

Émergence de l'État québécois

Durant les premières décennies du 20e siècle, l'État québécois connaît un certain développement. De 1900 à 1921, ses effectifs passent de 625 à 2 285 employés. Son autonomie financière est beaucoup plus grande qu'en 1867. Les principales lignes de chemin de fer étant complétées, les budgets proposés par les ministres libéraux des finances sont équilibrés, ce qui a pour effet de réduire le service de la dette. Quant aux subsides du fédéral, ils ne comptent plus que pour 5,8 % des revenus de l'État québécois en 1929. Les redevances sur les terres et les forêts génèrent les principaux revenus de l'État. Les dépenses en voirie sont les plus importantes. Même s'il intervient peu dans l'économie, l'État québécois est tout de même sollicité par des enjeux sociaux.

La Loi sur l'assistance publique

Les sociétés libérales et capitalistes entraînent leur lot d'inégalités sociales. Pour venir en aide aux pauvres, aux miséreux et aux indigents, l'action des associations philanthropiques et des congrégations religieuses ne suffit plus. Malgré l'opposition de l'Église, qui craint la mainmise de l'État, le gouvernement libéral adopte la Loi sur l'assistance publique en 1921. Ce que prévoit cette loi, c'est que le financement des hôpitaux et des asiles sera également partagé entre l'État québécois, les municipalités et les institutions concernées. Pour financer cette activité de l'État, une nouvelle taxe d'amusement est instaurée.

Aurore l'enfant martyre

Le 12 février 1920, la petite Aurore Gagnon, âgée de 11 ans, est retrouvée morte. L'enquête du coroner montre que Marie-Anne Houde, la seconde épouse de Télesphore Gagnon, le père de la victime, serait à l'origine du drame. Battue à coups de rondin par cette marâtre sans pitié, fouettée régulièrement avec une *strap*, brûlée par un fer à friser, enfermée régulièrement dans le grenier, la jeune fille subit de très lourds sévices. Des voisins constatent les enflures, des rumeurs se répandent, mais personne n'ose intervenir directement. Le procès de l'accusée, très suivi par les journaux de l'époque, se déroule du 13 au 21 avril 1920. Marie-Anne Houde est condamnée à mort, mais sa peine est commuée en emprisonnement à vie. Quant au père, il est accusé de complicité et condamné à la prison à perpétuité. Après cinq ans d'incarcération, il est finalement libéré.

L'histoire bouleverse énormément les Québécois. Durant les années qui vont suivre, ils seront de plus en plus nombreux à dénoncer la violence faite aux enfants. Le drame restera gravé dans les mémoires grâce à une pièce de théâtre, jouée la première fois en 1921. Trente ans plus tard, le film *Aurore l'enfant martyre*, réalisé par Yves Bigras, prend l'affiche au cinéma. Le public se rue dans les salles pour revivre cette sordide histoire. En 2005, le réalisateur Luc Dionne propose une autre interprétation du drame. Il ne pointe pas seulement du doigt la marâtre mais tous les villageois restés indifférents au sort d'Aurore Gagnon, ainsi que le curé de la paroisse qui, selon lui, aurait tenté d'étouffer l'affaire. L'histoire a encore rencontré son public.

Une Commission des liqueurs

La même année, le gouvernement québécois met sur pied la « Commission des liqueurs », l'ancêtre de la Société des alcools (SAQ), qui existe toujours. Depuis le milieu du 19e siècle, des groupes dénoncent les effets sociaux de la consommation d'alcool et militent pour sa prohibition totale. Ceux qui s'opposent à cette mesure pour le moins draconienne craignent un commerce illicite orchestré par des trafiquants peu scrupuleux de la qualité. En créant la Commission des liqueurs, le gouvernement opte pour une solution mitoyenne qui n'est ni prohibitionniste, ni totalement libérale. Le commerce de l'alcool sera permis mais contrôlé par l'État. Pas question de vendre plus d'une bouteille à la fois, prévoit-on au départ ! Dès sa première année d'existence, la société d'État génère des revenus de quatre millions de dollars – ce qui, drôle de hasard, a pour effet de faire taire les critiques… À l'époque, le Québec est le seul endroit en Amérique du Nord où l'alcool n'est pas complètement prohibé.

Encourager la culture

Au cours des années 1920, l'État québécois intervient aussi dans le domaine de la culture, grâce aux efforts d'Athanase David, sorte de ministre de la culture sans le titre. Une série de prix sont créés pour soutenir les étudiants les plus prometteurs et pour encourager les écrivains. Il met sur pied une École des beaux-arts à Québec et à Montréal et crée la Commission des monuments historiques pour assurer la survie du patrimoine architectural québécois.

Arrivée de juifs et d'Italiens

Durant les premières décennies du 20e siècle, deux communautés s'installent à Montréal en assez grand nombre. Depuis longtemps, les juifs avaient été présents au Québec. À Trois-Rivières, la famille Hart, notamment, avait même joué un rôle important dans le commerce et en politique. En 1871, cependant, on recense uniquement 74 juifs au Québec. Trente ans plus tard, ils sont plus de 7600, et en 1931, plus de 60000. La plupart des nouveaux arrivants fuient les pogroms d'Europe de l'Est. Même si plusieurs juifs réclament des écoles séparées pour leurs enfants, ceux-ci seront intégrés au système protestant, ce qui provoque des débats parfois acrimonieux durant les années 1920. Cette « ouverture » des protestants s'arrête cependant aux portes de l'Université McGill, qui restreint l'admission des juifs dès la fin des années 1920.

La communauté italienne prend également de l'expansion durant la même période. En 1931, ils sont presque 25000 au Québec, alors que 30 ans plus tôt, ils étaient à peine 2800. La plupart sont originaires des régions agricoles du sud de l'Italie, très pauvres. Plusieurs de ces immigrants ont été recrutés par un certain Antonio Cordasco, un agent recruteur du Canadien Pacifique qui promet mer et monde. En 1905, celui-ci est sévèrement blâmé par une commission fédérale qui l'accuse d'avoir abusé de la confiance de ces nouveaux arrivants. Avec d'autres membres de sa communauté, l'homme d'affaires Charles-Honoré Catelli fonde une Société d'aide à l'immigration.

Chapitre 13

La Crise (1929-1938)

· ·

Dans ce chapitre :

▶ L'ampleur de la dépression économique et les premières réactions gouvernementales

▶ La recherche de coupables…. et de solutions

▶ La fondation et l'élection de l'Union nationale

· ·

Les années 1930 sont marquées par l'une des plus graves crises économiques de l'ère moderne. Le chômage atteint des sommets et fait des ravages dans toutes les grandes villes occidentales. Les gouvernements doivent imaginer de nouvelles mesures pour venir en aide aux indigents, sortir leur pays du marasme et retrouver le chemin de la prospérité.

Le Québec n'échappe pas à cette dure réalité. Les autorités gouvernementales improvisent des solutions, mais la Crise perdure tout au long des années 1930. Si plusieurs souhaitent aller à la racine du mal, seuls quelques groupuscules envisagent des solutions extrêmes. En 1936, un nouveau parti renverse le régime libéral. L'élection de l'Union nationale porte une nouvelle génération au pouvoir et soulève énormément d'espoir.

Les effets du krach boursier

Le 24 octobre 1929, la Bourse de New York s'effondre. L'événement est moins l'origine que le symptôme d'une crise beaucoup plus profonde du système économique de l'époque. Les effets sur l'économie du Canada et du Québec sont immédiats. Le réflexe des gouvernants est de faire confiance au marché et à la libre entreprise, non de recourir à l'État pour relancer l'économie. Mais la patience des chômeurs a des limites…

Les vices de l'économie libérale

Aux années folles succèdent des années de misère et de détresse, surtout dans les villes. Durant les années 1930, l'économie libérale et capitaliste montre son pire visage. Au Québec, comme ailleurs, les causes immédiates de cette crise sont d'abord économiques :

- **Pas de classe moyenne.** Grâce aux avancées techniques, on fabrique davantage de nouveaux produits de consommation. Mais comme les salaires stagnent, les ouvriers n'ont pas les moyens de se les procurer. En 1931, 141 000 voitures sillonnent les routes du Québec. Malgré leur fabrication en série, l'ouvrier moyen ne peut se les offrir. Résultat : crise de surproduction.

- **La jungle des banques.** À la fin des années 1920, la croissance devient donc artificielle. Elle n'est plus basée sur la production réelle et le travail mais sur les spéculations du monde financier. Les banques prêtent trop facilement à des gens et à des entreprises qui n'ont pas les reins assez solides. Au moindre soubresaut, c'est la faillite !

- **La reconstruction de l'Europe terminée.** Une grande partie de la prospérité occidentale des années 1920 découle de la reconstruction européenne qui suit la Première Guerre mondiale. En 1929, cette reconstruction est terminée, mais les pays européens restent très endettés.

Quel rôle pour l'État ?

Lorsque la Crise commence à sévir, les gouvernements ne savent comment réagir. On accepte volontiers de s'endetter pour aménager une route ou construire des édifices publics, mais pas pour relancer l'économie en temps de crise. Cette vision classique est remise en question par un économiste anglais, John Maynard Keynes, qui développe une conception nouvelle de l'État «providence». Selon Keynes, en plus de mieux partager la richesse entre pauvres et riches, l'État pouvait et devait stimuler la croissance. Inspiré par cette nouvelle vision de l'État, le président Franklin Delano Roosevelt, élu en 1932, met en place un «New Deal» et lance un ambitieux programme de relance. Il espère ainsi sortir les États-Unis de la Crise.

L'humiliation du chômage

Mais il faudra des années avant que les effets du «New Deal» se fassent sentir au Québec. L'économie canadienne est très dépendante des États-Unis. Entre 1929 et 1933, le produit national brut canadien diminue de 30 %, la production manufacturière de 33 %, les exportations… de 55 %. Quant au taux de chômage, il passe en trois ans de 4,2 % à 27 %. Au Québec, l'industrie du bois et des pâtes et papiers est frappée de plein fouet. Près de 12 500 emplois sont perdus dans ce secteur durant ces années de vaches maigres. Plusieurs corporations américaines ferment leurs filiales canadiennes ou remettent à plus tard les investissements prévus.

Une ville comme Montréal est très durement frappée. En 1934, on compte plus de 62 000 chômeurs, soit environ 30 % de la population active.

Bonheur d'occasion

Cette misère des quartiers ouvriers montréalais inspire une jeune romancière alors inconnue, Gabrielle Roy (1909-1983). Originaire du Manitoba, elle visite l'Europe, s'installe à Montréal et gagne sa vie en écrivant des articles pour *Le Jour*, un hebdomadaire libéral, ou *La Revue moderne*. Une série de reportages consacrés à Montréal et destinés au *Bulletin des agriculteurs* lui inspire l'idée d'un roman urbain dont l'action se déroulerait dans le quartier ouvrier de Saint-Henri.

Publié en 1945, *Bonheur d'occasion* raconte l'histoire de Florentine Lacasse et de sa famille, très durement éprouvée par la Crise des années 1930. Contrairement aux plus importants romans de cette époque (*Un homme et son péché* de Claude-Henri Grignon, *Menaud maître-draveur* de Félix-Antoine Savard ou *Le survenant* de Germaine Guèvremont), qui font l'éloge de la vie rurale et du terroir, le roman de Gabrielle Roy ne présente pas la ville comme un lieu de perdition et de décadence mais comme un espace dynamique où se jouent des luttes sociales.

Grâce à elle – et à Roger Lemelin, qui publie trois ans plus tard *Les Plouffe*, dont l'action se déroule dans le milieu ouvrier de Québec –, le roman québécois arrive en ville. Le livre de Gabrielle Roy obtient un immense succès critique et populaire et rafle le prix Femina en 1947, en plus d'être traduit en anglais.

Réactions immédiates des gouvernements

À Montréal et dans la plupart des villes, les chômeurs tentent en vain de trouver de l'emploi. Les plus indigents font aussi la queue à la Old Brewery Mission ou à l'un des bureaux de la Société Saint-Vincent-de-Paul pour avaler une soupe ou trouver du bois de chauffage. Jusqu'aux années 1930, cette charité privée arrivait à répondre à la demande. En ces temps de crise, il faut trouver d'autres solutions.

L'échec du « New Deal » canadien

Élus en 1930, les conservateurs de Richard B. Bennett lancent un ambitieux programme d'infrastructures et mettent sur pied une agence fédérale de crédits pour stimuler la construction domiciliaire. Pour encourager les investissements étrangers et contrer l'instabilité financière, le gouvernement fédéral négocie de meilleurs tarifs douaniers avec les États-Unis et crée la Banque du Canada en 1935. Le gouvernement Bennett va encore plus loin et propose une série de grands programmes d'assurances collectives pour les chômeurs, les malades et les personnes âgées. Pour le Québec et l'Ontario, ces initiatives fédérales contreviennent à la constitution de 1867, laquelle prévoit que les provinces sont seules responsables des questions sociales.

Le Conseil privé de Londres leur donne d'ailleurs raison. Cette querelle de juridiction entre le fédéral et les provinces ne fait que commencer ! En 1937, Ottawa met sur pied la commission Rowell-Sirois pour trouver une solution.

Le « secours direct »

Au Québec, le gouvernement libéral de Louis-Alexandre Taschereau lance également des travaux publics, mais le chômage est si élevé que cette initiative ne permet pas de stopper la Crise. Le nombre d'emplois disponibles est très limité. Seuls les pères de famille sont éligibles. Comme toujours, les amis du parti au pouvoir sont souvent favorisés… Tout le monde tente de sauver sa peau.

Mais il faut plus, et vite. Plusieurs familles n'ont plus rien à mettre sur la table et arrivent à peine à chauffer leur petit appartement. En toute hâte, on conçoit un programme de « secours direct », dont les frais seront partagés par les différents paliers gouvernementaux mais administrés par les municipalités, avec la collaboration des associations de charité. Au départ, il n'est pas question de donner de l'argent aux chômeurs. On offre plutôt des coupons échangeables contre de la nourriture, du bois de chauffage ou de l'électricité. Peu à peu, des chèques sont offerts aux chômeurs. Certaines municipalités exigent des chômeurs un travail d'utilité publique, mais la plupart en viennent à offrir ce « secours direct » sans rien demander en retour. C'est un premier pas vers ce qu'on appellera plus tard l'État « providence ». Personne cependant n'a envie de célébrer cet acquis social. Pour de nombreux pères de famille, recevoir ainsi l'aumône de l'État est l'humiliation suprême.

La Bolduc et Éva Circé-Côté : deux femmes en or !

Dans cette période de grisaille, les femmes jouent un rôle clé. En ville, plusieurs ménagères administrent, non sans difficultés, le budget familial. En plus de faire les repas, de confectionner les vêtements, certaines n'ont pas le choix de travailler à l'extérieur. Il faut bien payer le loyer ! Même si des curés pestent contre les femmes qui osent « empêcher la famille », de nombreux couples pratiquent les techniques d'espacement des naissances. De sorte que durant les années 1930, le taux de natalité diminue significativement.

Durant cette grande dépression économique, des femmes se distinguent, certaines en chantant, d'autres en militant pour une plus grande justice sociale.

C'est le cas de celle que tout le monde appelle familièrement La Bolduc (1894-1941), de son vrai nom Mary-Rose-Anna Travers. Originaire de Newport en Gaspésie, épouse du violoneux Édouard Bolduc, elle est une auteure-compositrice-interprète extrêmement populaire durant les années 1930. Son premier disque, enregistré en 1929, se vend à plus de 12 000 exemplaires. Elle effectue des tournées à travers le Québec, en Acadie et aux États-Unis. Dans une langue familière que parlent les Québécois, La Bolduc décrit avec humour les difficultés du présent. Certaines de ses chansons donnent espoir, invitent à la patience : « Ça va venir pis ça va venir mais décourageons-nous pas / Moi j'ai toujours le cœur gai et j'continue à turlutter… ». Ces airs connus, tout le monde les fredonne !

Même si elle est moins connue que La Bolduc et que ses idées sociales sont partagées par une petite frange de la population instruite, Éva Circé-Côté (1871-1949) se distingue aussi. Auteure et journaliste, elle écrit longtemps sous divers pseudonymes, dont celui de Julien Saint-Michel pour *Le Monde ouvrier*, un journal syndical. Sa grande cause est celle de l'égalité entre les sexes. Dans un texte publié en 1931, elle déplore que les femmes qui travaillent à l'extérieur du foyer soient souvent les premières remerciées par les industries en temps de crise. Le prétexte invoqué ? Il faudrait privilégier les chefs de famille. « Dans nombre de foyers, explique-t-elle, le père gaspille tout ce qu'il gagne, boit le plus clair de son revenu et ne fait guère que de brèves apparitions à la maison. C'est la mère et les filles qui se mettent à contribution pour assurer la subsistance des petits, payer le loyer, le chauffage, la lumière, etc. »

Le retour à la terre

Comme la Crise sévit surtout en ville, plusieurs sont convaincus que la vraie solution, c'est la colonisation de l'arrière-pays. Puisqu'on crève de faim à Montréal, allons vivre à la campagne! Même s'il a toujours été un grand partisan de l'industrialisation, le premier ministre Taschereau se laisse convaincre. « Que nos ouvriers qui chôment dans les villes aillent sur la terre. Faisons-en des colons », déclare-t-il en octobre 1931. Dans une lettre publiée le 10 juillet 1932, les évêques du Québec y voient « la plus profonde solution humaine ». La même année, le gouvernement fédéral offre une prime de 600 dollars aux chômeurs qui décident de s'installer sur une terre. Trois ans plus tard, le gouvernement du Québec met sur pied un ambitieux programme qui prévoit une série de primes pour le défrichement des terres, la construction des maisons et la mise en culture. Les sociétés de colonisation connaissent un second souffle. Les régions du Lac-Saint-Jean, de l'Abitibi et de la Gaspésie voient débarquer de nombreux « colons » avec leur famille. Au cours des années 1930, environ 50 000 Québécois participent à ces programmes de colonisation et fondent près de 150 paroisses.

À qui la faute ?

Cette crise sans précédent favorise les idéologies les plus subversives. Qu'ils s'en prennent aux bourgeois ou aux juifs, qu'ils soient inspirés par les bolcheviques russes ou les fascistes italiens, les révolutionnaires de gauche et de droite espèrent renverser les démocraties libérales et instaurer des régimes autoritaires, voire totalitaires. Dans plusieurs pays européens, les partis communistes font la pluie et le beau temps. En Allemagne, le parti national-socialiste d'Adolf Hitler prend le pouvoir en janvier 1933. À partir de 1936, l'Espagne est en proie à une terrible guerre civile où s'affrontent les pires extrémismes.

Au Québec comme ailleurs, cette profonde dépression génère des frustrations et sécrète du désespoir. On veut comprendre ce qui se passe et on prête plus d'attention à ceux qui proposent des solutions fortes. En ces temps de crise et de confusion, plusieurs rêvent d'ordre et espèrent l'émergence d'un chef. La démocratie libérale est souvent pointée du doigt. Heureusement, les prophètes qui annoncent la régénération du genre humain ont une bien faible audience.

Juifs et bourgeois

Une frange des élites québécoises développe une réelle sympathie pour les régimes autoritaires instaurés par Mussolini en Italie, Salazar au Portugal et bientôt Franco en Espagne. Ces régimes traditionalistes, proches de certains milieux catholiques, semblent avoir rétabli l'ordre. Le nazisme a aussi ses adeptes, mais ils sont plus rares. Admirateur d'Hitler, Adrien Arcand fonde en 1934 le Parti national social-chrétien, qui reprend les emblèmes des nazis, à commencer par la croix gammée. L'ennemi à abattre ? Les juifs. « La juiverie, explique-t-il dans un pamphlet publié en 1933, à cause de son essence même, à cause de ses instincts destructifs, à cause de son immémorial atavisme de corruption, à cause de son sentiment exclusivement matérialiste, voilà le grand danger, le seul, l'unique… » Son parti canadien, dénoncé par les grands journaux québécois, ne dépasse pas les 1 800 membres.

Quant aux communistes, ils n'obtiennent guère plus d'audience au Québec. Fondé en 1921, le Parti communiste du Canada adopte la stratégie des bolcheviques russes et prône la dictature du prolétariat. Les communistes ont cependant beaucoup de mal à recruter des militants au Québec. Leur vision matérialiste de la vie sociale rebute les élites québécoises, attachées au christianisme. Inspirés par la stratégie « antifasciste » de l'Internationale communiste, quelques intellectuels de la communauté anglophone de Montréal mettent sur pied le bataillon Mackenzie-Papineau et vont soutenir les « républicains » espagnols. L'un d'eux, le médecin Norman Bethune, se lie également d'amitié avec Mao et l'accompagne dans sa longue marche.

En finir avec le « trust » de l'électricité

L'une des cibles préférées des élites québécoises au cours des années 1930, ce sont les « trusts », ces quelques compagnies qui contrôlent des secteurs clés de l'économie. Ces trusts cristallisent l'opposition au capitalisme financier, à la minorité possédante, majoritairement anglophone ou étrangère, ainsi qu'à la classe politique libérale dont plusieurs membres, à commencer par le premier ministre Taschereau, siègent sur des conseils d'administration de grandes entreprises. Le « trust » le plus dénoncé reste cependant celui de l'électricité qui, aux yeux de plusieurs, contrôle une ressource naturelle vitale pour l'avenir économique du Québec. Pour faire baisser la pression, le gouvernement québécois met sur pied une commission d'étude sur l'électricité, présidée par le ministre fédéral Ernest Lapointe, mais se contente, en 1935, de créer une Régie de l'électricité.

« Notre État français, nous l'aurons »

Face à la Crise qui sévit, des jeunes développent une conscience générationnelle. Plusieurs ont le sentiment que cette dépression révèle l'échec des aînés. La nouvelle génération, pense-t-on, saura remettre de l'ordre et de la justice dans un monde en perdition. Les uns rêvent d'un grand redressement national. Un groupe d'intellectuels fondent les « Jeune-Canada » en 1932 et publient leurs textes dans *L'Action nationale*. Les Jeunesses patriotes et les animateurs du journal *La Nation* et de la revue *Vivre* militent carrément pour la séparation du Québec du reste du Canada. Certaines de leurs sorties sont xénophobes, voire antisémites. Plusieurs de ces jeunes rêvent d'un chef fort qui aurait la cohérence doctrinale de l'historien Lionel Groulx. Dans un discours retentissant, ce dernier déclare, le 29 juin 1937 : « Qu'on le veuille ou qu'on ne le veuille pas, notre État français, nous l'aurons. »

« Voir, juger, agir »

D'autres jeunes s'impliquent dans une nouvelle forme d'apostolat social : l'action catholique. Les intellectuels de cette mouvance fondent la revue *La Relève* en mars 1934. Les plus militants s'activent dans la « Jeunesse ouvrière catholique », la « Jeunesse étudiante », la « Jeunesse agricole catholique », des associations fondées durant les années 1930, et développent une nouvelle conception de l'engagement social. Leur devise ? Voir, juger, agir ! Ces jeunes catholiques rejettent à la fois le libéralisme sauvage et les solutions autoritaires. Ils croient que la crise qui sévit est avant tout morale et spirituelle. Le monde peut cependant être sauvé si les chrétiens laïques savent intervenir auprès des fidèles. Leurs manières de voir heurtent souvent la hiérarchie, soucieuse de conserver son ascendant sur les croyants et souvent plus fataliste.

L'Union nationale

La Crise économique des années 1930 pousse le régime libéral dans ses derniers retranchements. Même s'il obtient 55,6 % des voix et fait élire 79 députés aux élections de 1931, le gouvernement Taschereau est usé, essoufflé. Au pouvoir depuis 1897, les libéraux contrôlent les principaux journaux de masse et pratiquent un patronage efficace. Mais l'hégémonie du Parti libéral tire à sa fin.

L'opposition s'organise

Critiquer le gouvernement est une chose, proposer une alternative unie et crédible en est une autre. Au plan des idées et des doctrines, les années de la Crise sont pleines d'effervescence. Chaque groupe y va de son programme et de ses propositions. Reste à rassembler ces énergies dans un grand mouvement politique.

Le discrédit du Parti conservateur

Les conservateurs québécois ne se sont jamais vraiment remis de la crise de la conscription. De 1922 à 1929, ils sont dirigés par Arthur Sauvé, qui ne cherche pas à distinguer son parti du grand frère fédéral. Camillien Houde, son successeur, suscite de l'espoir. Maire de Montréal, orateur efficace, le nouveau chef conservateur carbure au ressentiment des gagne-petit. D'origine modeste, Houde a été commis de banque, représentant d'une compagnie de biscuits et agent d'assurance. Populiste, le chef de l'opposition a les allures d'un «duce» et croit incarner les colères d'un peuple méprisé. Réélu plusieurs fois à la mairie de Montréal, son étoile pâlit rapidement sur la scène québécoise. Battu aux élections de 1931, il quitte ses fonctions en septembre 1932.

Maurice Duplessis entre en scène

Maurice Duplessis (1890-1959) grandit à Trois-Rivières dans une famille de notables. Proche des ultramontains, son père a été député conservateur à la fin du 19e siècle, puis juge à la Cour supérieure. Avocat, le jeune Duplessis suit les traces de son père. Battu de justesse aux élections québécoises de 1923, ce célibataire endurci ne lâche pas prise. Très enraciné dans sa région, il met sa personnalité attachante et volontaire au service de son ambition politique. En 1927, il met fin à 27 ans de règne libéral dans sa circonscription. Esprit partisan, il attaque les libéraux sans relâche et devient l'un de leurs adversaires les plus coriaces à l'Assemblée législative. En octobre 1933, il est élu chef du Parti conservateur. Pour accéder au pouvoir, cet excellent parlementaire doit élaborer un programme de gouvernement crédible et rallier les forces vives de l'opposition... ce qui n'a rien d'une sinécure!

À la recherche d'une troisième voie

Pour accomplir cette tâche difficile, Duplessis peut compter sur des intellectuels catholiques et nationalistes qui, sans être liés au Parti conservateur, élaborent un «Programme de restauration sociale» qui lui servira plus tard de plate-forme électorale. Regroupés au sein de l'École sociale populaire, ces intellectuels sont très inspirés par une nouvelle doctrine sociale de l'Église, rendue publique en 1931. Leur programme propose une troisième voie. Si le libéralisme sauvage a montré ses effets délétères, les grandes révolutions totalitaires ne constituent pas non plus une alternative humaine et chrétienne. Le Programme de restauration sociale propose une intervention accrue de l'État. Il ne s'agit pas de tout nationaliser mais de mieux planifier le développement économique en réunissant les experts et les représentants des grands corps constitués de la société au sein d'un conseil économique qui assisterait le gouvernement. Cette solution «corporatiste» rallie la majorité des élites québécoises de l'époque.

Un nouveau parti, l'Action libérale nationale

Ce programme plaît aussi à des libéraux, et non aux moindres. Poète respecté, fils d'un ancien premier ministre libéral, Paul Gouin prend ouvertement ses distances du gouvernement Taschereau. Lors d'une conférence prononcée le 23 avril 1934 devant des jeunes libéraux, il estime qu'il «faut démocratiser, relibéraliser le Parti libéral». Avec d'autres libéraux dissidents, il fonde en juillet 1934 l'Action libérale nationale, l'ALN. Le nouveau parti politique rallie rapidement des personnages d'envergure comme Édouard Lacroix, homme d'affaires beauceron et bâilleur de fonds du Parti libéral, Ernest Lapointe, nouveau maire de Québec, et surtout Philippe Hamel. Docteur en art dentaire et professeur à l'Université Laval, Hamel dénonce depuis les années 1920 les tarifs exorbitants des compagnies d'électricité et leurs campagnes de peur contre l'étatisation, pour laquelle il milite. Ses arguments, très documentés, ont une grande portée politique et font mal au gouvernement libéral.

Lors de grandes assemblées tenues aux quatre coins du Québec et dans le cadre d'émissions radiophoniques, les libéraux-nationaux s'en prennent aux «vieux partis», aux caisses électorales occultes et aux trusts. Proche des idées de l'École sociale populaire, leur programme est ambitieux, mais plus réformiste que révolutionnaire, et plus conservateur que réactionnaire. Il prévoit :

- **De retrouver sa vocation paysanne.** Pour le nouveau parti, la colonisation n'est pas seulement une solution circonstancielle à la Crise. On croit que la vie rurale est plus saine et plus morale que la vie urbaine. Pour faciliter ce retour à la vocation paysanne, on propose d'instaurer un crédit agricole, d'électrifier les campagnes et d'organiser les agriculteurs en corporations.

- **De mieux protéger les ouvriers.** Pour venir en aide aux ouvriers, on propose l'adoption d'un Code du travail, la création d'une assurance invalidité, la construction de logements plus salubres et une application vigoureuse de la Loi sur l'observance du dimanche.

- **Le nationalisme économique.** L'ALN entend combattre tous les trusts, à commencer par celui de l'électricité, et n'exclut pas la nationalisation si c'est le seul moyen de faire baisser les tarifs. On propose d'interdire que des politiciens puissent être actionnaires d'entreprises recevant des contrats du gouvernement.

La chute du gouvernement Taschereau

La création de l'ALN suscite beaucoup d'espoir, mais leurs chefs craignent que la division de l'opposition ne fasse le jeu des libéraux au pouvoir. Pour éviter ce fractionnement du vote, Paul Gouin et Maurice Duplessis signent une entente qui prévoit que, dans chaque circonscription, un seul candidat de l'opposition affrontera les libéraux. L'alliance «Gouin-Duplessis» donne d'excellents résultats. Lors des élections du 25 novembre 1935, les libéraux remportent 48 sièges, soit 6 de plus que l'opposition. Cette victoire fragilise énormément le régime Taschereau.

Le 7 mai 1936, Duplessis convoque le Comité des comptes publics de l'Assemblée législative. Des fonctionnaires, des amis du régime et des membres de la famille du premier ministre Taschereau sont appelés à témoigner par le chef de l'opposition officielle. Des révélations accablantes montrent, noir sur blanc, que le patronage a atteint des proportions indécentes et que les fonds publics ont parfois été détournés de leur mission. Irénée Vautrin, le ministre de la colonisation, est la cible de plusieurs attaques, ainsi qu'Antoine Taschereau, comptable de l'Assemblée législative et frère du premier ministre. Le 11 juin 1936, Louis-Alexandre Taschereau remet sa démission au lieutenant-gouverneur. Des élections sont aussitôt déclenchées. Triomphal et goguenard, Maurice Duplessis déclare : «Avec un gouvernement aussi dissolu, la dissolution s'imposait!»

Un nouveau régime s'installe

Pour la première fois depuis le début du siècle, le régime libéral est affaibli. Une fois suspendus les travaux du Comité des comptes publics, Maurice Duplessis s'affaire à mettre sur pied une grande machine électorale. La partie est cependant loin d'être gagnée. Adélard Godbout, le successeur de Taschereau, est un homme de talent.

Un parti, un programme, un chef !

Maurice Duplessis propose aux libéraux-nationaux de fusionner l'ALN et le Parti conservateur et de créer un seul grand parti : l'Union nationale. Cette proposition est rejetée par Paul Gouin mais rallie la plupart des membres de son caucus, y compris Philippe Hamel. Le 20 juin 1936, le nouveau parti est officiellement lancé à Sherbrooke. Une campagne électorale passionnée marque les mois qui suivent. À la fin juillet, l'Union nationale publie son «Catéchisme des électeurs», inspiré du petit catéchisme que doivent apprendre par cœur tous les élèves québécois de confession catholique. Document de propagande d'une très grande efficacité, le programme de l'Union nationale est distribué dans tous les foyers.

Le 17 août 1936, le parti de Maurice Duplessis remporte une éclatante victoire. Les troupes de l'Union nationale obtiennent 57,5 % du suffrage et font élire 76 députés. Dans le ciel politique québécois, cette élection est un coup de tonnerre. Les libéraux étaient au pouvoir depuis 39 ans. Plusieurs croient que cette élection permettra enfin de sortir de la Crise.

Premières démissions

La formation du cabinet est le premier test du nouveau premier ministre. Apôtre de l'étatisation des compagnies d'hydroélectricité, grand pourfendeur des trusts, Philippe Hamel s'attend à recevoir un poste clé. En lui offrant un ministère sans portefeuille ou la présidence de la chambre, Maurice Duplessis l'exclut des grandes décisions économiques. Hamel se sent trahi et démissionne, entraînant avec lui quelques députés nationalistes.

Ce retournement ne surprend guère Lionel Groulx, qui s'était toujours méfié de Maurice Duplessis. Il écrit à l'un des députés démissionnaires : « Il n'a pas assez de personnalité pour être de son temps... Il nous faut faire notre deuil de la grande politique nationale que nous avions rêvée. »

Purges dans la fonction publique

Durant les trois années qui suivent, le nouveau gouvernement ne propose pas de « grande politique nationale ». Sa pratique du patronage est la même que celle du gouvernement précédent. Dès son arrivée, on annonce le congédiement du personnel de la Sûreté provinciale et de la Commission des liqueurs. Des 6 613 nominations effectuées entre 1936 et 1939, 120 seulement sont des réengagements de l'ancienne administration libérale. Pour conserver son poste dans la fonction publique ou obtenir une nomination, il faut être un fidèle de l'Union nationale. Même si, un temps, Maurice Duplessis avait été l'avocat de la Shawinigan Water & Power, les liens du nouveau régime avec la grande entreprise sont moins étroits que ceux qu'avait entretenus le Parti libéral. Une loi interdit désormais aux ministres de siéger sur des conseils d'administration.

D'importantes réformes

S'il a déçu les réformateurs les plus ardents et les nationalistes les plus militants, le bilan législatif du premier gouvernement de l'Union nationale est somme toute important :

- **Le crédit agricole.** La base électorale de l'Union nationale est formée par les agriculteurs. L'une des premières mesures s'adresse directement à eux. Grâce au « crédit agricole » mis en place par le nouveau régime dès l'automne 1936, les cultivateurs pourront plus facilement consolider leurs dettes et établir leurs enfants sur les terres voisines.

- **Les pensions aux mères nécessiteuses.** Les milieux ouvriers réclament depuis longtemps une aide pour les veuves ou les femmes abandonnées par leur mari. Le nouveau gouvernement innove au plan social en adoptant un programme de pensions aux mères nécessiteuses. Pour être éligibles, cependant, les mères devaient obtenir un certificat de leur curé attestant de leurs bonnes mœurs et de leur moralité irréprochable.

- **Le Syndicat national de l'électricité.** Maurice Duplessis ne procédera à l'étatisation d'aucune compagnie d'hydroélectricité. Comme bien des conservateurs de son temps, Duplessis associait instinctivement les nationalisations au socialisme. Il faisait davantage confiance aux initiatives locales et aux forces du marché. Cela dit, il est conscient que l'électrification rurale, surtout dans les régions éloignées, nécessite l'intervention de l'État. Le nouveau gouvernement met donc sur pied le Syndicat national de l'électricité. Pour mieux desservir les agriculteurs de l'Abitibi, on construit une petite centrale près de Cadillac.

L'œuvre de Marie-Victorin

Le gouvernement Duplessis remplace le « secours direct » par des travaux publics. Pour obtenir une aide de l'État, les chômeurs devront travailler. À travers le Québec, ceux-ci contribuent à de grands travaux. On aménage une route qui reliera Chicoutimi et Tadoussac, et on construit un centre civique à Trois-Rivières. À Montréal, 5 000 hommes sont conscrits pour transformer l'île Sainte-Hélène en parc de villégiature, et plus de 10 000 hommes transformeront une partie du parc Maisonneuve en « Jardin botanique ».

Comparable aux grands jardins aménagés par des villes comme Londres ou New York, ce splendide jardin est une œuvre imaginée et coordonnée par Conrad Kirouac (1885-1944), dit le frère Marie-Victorin, membre de l'Ordre des Frères des Écoles chrétiennes. Très jeune, il se consacre à l'étude de la flore laurentienne. Il enseigne au Collège de Longueuil et à la Faculté des sciences de l'Université de Montréal. Cofondateur en 1923 de l'Association canadienne-française pour l'avancement des sciences, l'ACFAS, il publie *La flore laurentienne* en 1935. Cette œuvre monumentale lui vaut une reconnaissance international et inspire une relève scientifique au Québec. Le Jardin botanique ouvre pour la première fois ses portes en 1939. C'est l'une des attractions importantes de Montréal.

Gare aux communistes !

Adoptée en mars 1937, la loi la plus spectaculaire du nouveau régime vise les communistes. La Loi du cadenas donne au procureur général le pouvoir de faire fermer tout établissement ou de saisir toute publication au service de la propagande communiste. Sauf deux députés, tous les membres de l'Assemblée législative appuient la nouvelle loi. Rigoureusement appliquée, la loi donne lieu à 124 ordonnances de saisie. Le premier ministre Duplessis se sert parfois de cette loi pour nuire à la gauche démocratique, pourtant hostile au bolchevisme. Des associations syndicales et l'Union des libertés civiles, dirigée par le professeur Frank R. Scott de l'Université McGill, tentent en vain de convaincre le gouvernement fédéral de désavouer la loi. En 1957, la Cour suprême la déclare illégale. Non parce qu'elle brime les libertés d'association ou d'expression, mais bien davantage parce qu'elle empiète sur la juridiction fédérale, seule responsable des lois criminelles.

Nouvelle alliance du trône et de l'autel

La Loi du cadenas permet un rapprochement entre l'Union nationale et l'Église catholique qui, depuis longtemps, réclamait une telle mesure. Clairement, le premier ministre Duplessis souhaite associer son parti et son gouvernement à la religion catholique. En octobre 1936, il fait installer un crucifix au-dessus du trône du président de l'Assemblée législative. Il s'agit d'une décision importante au plan symbolique, qui cherche à montrer que, contrairement aux gouvernements libéraux antérieurs, le nouveau régime entend se conformer aux principes de la morale chrétienne. Lors d'un important congrès eucharistique tenu en juin 1938, le premier ministre Duplessis offre au primat de l'Église canadienne un anneau et déclare sa «filiale affection» à la religion catholique. Le cardinal Villeneuve répond par cette phrase étonnante : «Je reconnais dans cet anneau le symbole de l'union de l'autorité religieuse et de l'autorité civile. »

Les miracles du frère André

Membre de la Congrégation de Sainte-Croix, Alfred Bessette (1845-1937), dit le frère André, est de santé fragile. Il sait à peine lire et écrire. Au Collège Notre-Dame de Montréal, c'est l'homme à tout faire : il agit comme portier et barbier, il fait les courses. Il accueille également les pauvres et les miséreux.

Durant les années 1870, plusieurs malades disent avoir été guéris par lui. Ses méthodes sont toujours les mêmes : quelques gouttes d'huile d'olive et une prière à Saint-Joseph, déclaré patron de l'Église universelle par le pape Pie IX en 1870. Cette réputation de guérisseur se répand comme une traînée de poudre. On vient de partout voir le frère André.

Pour répondre à la demande, on construit une chapelle, puis un immense oratoire sur le nord-ouest du Mont-Royal. Lorsqu'il meurt en janvier 1937, plus d'un million de personnes lui rendent un dernier hommage. Le 17 octobre 2010, 50 000 Québécois se réunissent au stade olympique pour célébrer la canonisation du frère André par le pape Benoît XVI.

Quatrième partie

La reconquête tranquille (1939-1967)

Dans cette partie...

Le relèvement par la politique... La guerre met fin pour de bon au marasme économique des années 1930 et à l'immigration des Canadiens français vers les États-Unis. L'économie du Québec se relève, se modernise et s'urbanise comme jamais auparavant. L'école devient obligatoire et les femmes obtiennent enfin le droit de vote! Déchirés entre leur attachement aux traditions et leur volonté de «rattraper» les autres sociétés occidentales, les Québécois votent tantôt pour l'Union nationale, tantôt pour les libéraux. Pour la première fois de leur histoire, ils commencent à croire en la politique. Au lieu de les diviser, celle-ci pourrait peut-être les sauver – en mettant fin à leur infériorité économique... et en leur permettant de devenir «maîtres chez nous».

Chapitre 14

La Guerre (1939-1944)

Dans ce chapitre :

▶ L'entrée en guerre du Canada et ses répercussions sur le Québec

▶ Un deuxième débat déchirant sur la conscription

▶ Les courageuses réformes d'Adélard Godbout

En septembre 1939 éclate le Seconde Guerre mondiale. Ce conflit, qui prend rapidement une dimension planétaire, réveille au Québec les vieux démons de la conscription et provoque la tenue d'un plébiscite. Par ailleurs, l'effort de guerre mobilise l'économie québécoise, ce qui met fin à la terrible dépression économique des années 1930.

L'année 1939 est aussi marquée par le retour des libéraux au pouvoir. Leur chef, Adélard Godbout, est un homme de réformes et d'ouverture. Les Québécois lui doivent une plus grande équité entre les femmes et les hommes, des changements importants en éducation. À la fin de son mandat, plusieurs lui reprochent cependant d'avoir mal défendu les intérêts du Québec au sein de la confédération.

L'ombre de la conscription

Le 1er septembre 1939, l'Allemagne nazie envahit la Pologne. Pour les démocraties d'Europe de l'Ouest, c'en est trop. Hitler a déjà annexé l'Autriche, conquis la Tchécoslovaquie et juré, lors de la conférence de Munich (1938), de calmer ses appétits de conquérant. Meurtris par l'hécatombe de la guerre de 1914-1918, les dirigeants français et anglais ont longtemps hésité avant de lancer leur pays dans une autre guerre mondiale. Mais ce nouvel affront d'Hitler ne leur donne pas le choix. Le 3 septembre 1939, la France et la Grande-Bretagne déclarent la guerre à l'Allemagne. Un autre cauchemar commence…

Les élections du 25 octobre 1939

Officiellement autonome depuis 1931, le Canada est désormais seul maître de sa politique étrangère. Son gouvernement aurait pu décider de rester à l'écart du conflit et d'opter, comme les États-Unis, pour une politique isolationniste. Le premier ministre libéral William Lyon Mackenzie King en décide autrement. Le 10 septembre 1939, c'est au tour du Canada de déclarer officiellement la guerre à l'Allemagne.

Participer ou rester neutre ?

Au Québec, cette décision du gouvernement d'Ottawa ne fait pas l'unanimité. Le député libéral fédéral Maxime Raymond s'oppose farouchement à la déclaration de guerre. Selon lui, le Canada devrait rester neutre, comme l'Irlande ou l'Afrique du Sud. «Le territoire canadien, explique-t-il à la Chambre des communes, il n'est ni attaqué ni menacé […]. Nous n'avons pas d'engagement envers la Pologne.» La force d'Hitler et de son régime sont la conséquence de la politique occidentale : «Depuis 20 ans, la Grande-Bretagne a été le meilleur avocat du redressement allemand.» Surtout, l'entrée en guerre du Canada risque de faire éclater le pays, comme en 1917, car «la participation entraînera logiquement la conscription si la guerre se prolonge».

La *conscription*, le mot est lancé! Lieutenant canadien-français du gouvernement King, Ernest Lapointe croit que les liens entre le Canada et la Grande-Bretagne sont trop étroits, que la neutralité est impossible. Mais il s'engage à ce que son gouvernement n'impose pas l'enrôlement obligatoire. Au nom de ses collègues québécois, il déclare : «nous ne serons jamais membres d'un gouvernement qui essaiera d'appliquer la conscription […]. Est-ce assez clair?»

Duplessis déclenche des élections

Eh bien non, pour Maurice Duplessis, le premier ministre du Québec, ce n'était pas assez clair... Il déclenche donc une élection précipitée sur le thème de la conscription. Aux yeux du chef de l'Union nationale, les enjeux sont clairs, nets et précis : un vote pour les libéraux, «c'est un vote pour la participation et pour la conscription. Un vote pour Duplessis, c'est un vote pour l'autonomie, contre la conscription.» Durant toute la campagne, le premier ministre sortant joue à fond la carte nationaliste. Attaché à l'autonomie du Québec, Duplessis présente son futur gouvernement comme le meilleur rempart contre la conscription. Cette position provoque la démission de deux candidats anglophones de son propre parti.

L'Union nationale battue

Adélard Godbout, le chef des libéraux québécois, ne se laisse pas démonter. Selon lui, Duplessis cherche à faire oublier son piètre bilan. Quant à la conscription, cette décision relève du gouvernement fédéral, non du gouvernement québécois. Tant que des ministres libéraux comme Ernest Lapointe siégeront au cabinet fédéral, les Québécois n'auront rien à craindre. Godbout va plus loin. Il s'engage à quitter son parti «et même à le combattre si un seul Canadien français, d'ici la fin des hostilités en Europe, est mobilisé contre son gré». De leur côté, Lapointe et les ministres libéraux fédéraux menacent de démissionner si jamais l'Union nationale était reportée au pouvoir.

Ces arguments – d'aucuns diraient ce chantage – portent fruit. Avec 54 % des voix et 70 sièges, les libéraux de Godbout remportent une victoire spectaculaire le soir du 25 octobre 1939. Au final, on peut penser que la position libérale reflète assez bien celle de la majorité québécoise, globalement favorable à la participation à la guerre mais opposée à l'enrôlement forcé.

Retour de la prospérité !

L'élection de l'Union nationale avait suscité énormément d'espoir en 1936. On espérait notamment que l'équipe Duplessis mette fin à la Crise. Or c'est la guerre qui permettra au Québec, et à l'Amérique, de sortir de l'épreuve. Pour soutenir la Grande-Bretagne, la France et le Canada dans son effort de guerre, les industries d'armement et d'approvisionnement tournent à plein régime. En quelques années, les effectifs militaires canadiens passent de 9 000 à 800 000. Non seulement le chômage diminue rapidement mais, avec le départ des hommes au front, la main-d'œuvre se fait plus rare. Comme ce fut le cas lors de la guerre précédente, les femmes sont donc appelées en renfort. Le clergé ne voit pas la chose d'un bon œil : on accuse ces mères-ouvrières de délaisser leurs foyers et de négliger leurs familles.

Durant ces années de la guerre, les grèves se multiplient car les syndicats ont le gros bout du bâton pour négocier de meilleures conditions de travail, notamment la semaine de 45 heures. En 1944, le gouvernement québécois adopte l'importante Loi des relations ouvrières, qui encadre le processus d'accréditation syndicale, oblige les patrons à négocier «de bonne foi» et force la conciliation lorsque les négociations ne vont nulle part.

Mobilisation générale

Le 10 mai 1940, Hitler lance ses troupes à l'assaut des démocraties occidentales. En quelques semaines, il envahit la Hollande, viole la neutralité belge et remporte une victoire foudroyante contre la France.

Grand frisson : la France est tombée

Si les rapports du Québec avec la France de l'époque sont plutôt distants (malgré les liens qu'entretiennent certains intellectuels et artistes, ou le nombre grandissant d'étudiants qui séjournent à Paris), la défaite de la France crée au Québec une onde de choc. Ce «bouleversement intime» étonne le jeune intellectuel André Laurendeau, qui croyait que l'attachement pour le pays des ancêtres était le fait d'une petite élite. Or en juin 1940, constate-t-il, les foules montréalaises «éprouvaient de la peine, de la déception, peut-être un peu de honte : car le nom français, dont elles se sentaient solidaires, était ébranlé».

Les Québécois tiraillés entre Pétain et de Gaulle

Le 1er août 1940, le général Charles de Gaulle, parti à Londres poursuivre la lutte contre l'envahisseur nazi, lance un appel aux Canadiens français : «L'âme de la France cherche et appelle votre secours.» Le chef de la France libre espère que les Québécois sauront se mobiliser et soutenir l'ancienne mère patrie.

Durant la Seconde Guerre mondiale, deux hommes parlent au nom de la France : le vieux maréchal Philippe Pétain et le général Charles de Gaulle. Le premier se résigne à s'entendre avec Hitler plutôt que de lui mener une guerre sans merci. À ses yeux, la défaite de la France résulte de ses mauvais choix politiques, de l'omniprésence des juifs et d'un relâchement moral. Pétain suspend les libertés démocratiques et rompt avec les idéaux républicains.

De Gaulle croit pour sa part que la défaite de la France résulte uniquement d'une défaillance militaire. Avec le soutien des Anglais, il tente de rallier l'empire colonial français à sa cause.

Les élites traditionalistes du Québec, longtemps hostiles aux idéaux de la république, sont au départ séduites par la «révolution nationale» du maréchal Pétain. Enfin, quelqu'un renoue avec la France catholique du Grand Siècle, celle de Louis XIV! Mais dès lors qu'on constate que Pétain est à la tête d'un régime fantoche à la solde d'Hitler, le soutien de ces élites ira en déclinant. Si quelques irréductibles resteront fidèles au maréchal, au point de venir en aide à certains sympathisants du régime après la guerre, la majorité voit bientôt en de Gaulle le seul authentique représentant de la France.

Loi fédérale controversée

Aussitôt la défaite française connue, le gouvernement de Mackenzie King annonce, le 18 juin 1940, l'adoption de la Loi de mobilisation des ressources nationales. Cette loi institue le service militaire obligatoire, mais seulement pour la défense du territoire canadien. Le service outre-mer reste donc volontaire. Les hommes appelés doivent être en bonne santé et célibataires. Au départ, les recrues sont soumises à un entraînement de 30 jours, puis de 4 mois, et retournent ensuite vaquer à leurs occupations. À partir de 1941, l'enrôlement devient permanent.

Pour se soustraire à la loi, plusieurs couples décident de précipiter leur mariage. Durant l'été 1940, le stade du parc Jarry à Montréal est pris d'assaut par les jeunes mariés qui célèbrent en même temps leur union éternelle… L'amour a parfois ses raisons!

Le maire de Montréal... en prison !

Pour les nationalistes québécois, cette loi fédérale est un premier pas vers la conscription. Le 19 juin 1940, le député René Chaloult soumet à l'Assemblée législative une motion qui réaffirme l'opposition du Québec à l'enrôlement obligatoire. Malgré son engagement solennel lors de la campagne électorale de 1939, le premier ministre Godbout vote contre la motion. Emphatique, il déclare : «Si, au moment où le Canada lui-même est menacé, le gouvernement canadien ne réclamait pas de chacun des fils du Canada le devoir de participer jusqu'à la dernière goutte de son sang à la défense du pays, il manquerait à son devoir. »

Le jusqu'au-boutisme de Godbout fait monter la pression d'un cran. Le 2 août 1940, le maire de Montréal et député indépendant de Sainte-Marie, Camillien Houde, se déclare ouvertement contre «l'enregistrement national» et incite ses concitoyens à désobéir à la loi fédérale. Malgré la censure exercée par les autorités fédérales en temps de guerre, *The Gazette* et *La Patrie* reproduisent l'acte de défiance de l'ancien chef conservateur. Le 6 août 1940, le maire est arrêté à sa sortie de l'hôtel de ville et envoyé au camp de Petawawa en Ontario. Il y rejoint d'autres prisonniers politiques, beaucoup moins recommandables, dont Adrien Arcand, le chef pronazi du Parti de l'Unité nationale. Houde ne sera libéré que le 14 août 1944.

Les Québécois, tous des déserteurs ?

La peur de la conscription est une arme efficace entre les mains des isolationnistes, surtout présents dans le mouvement nationaliste. Ceux-ci plaquent sur la Seconde Guerre mondiale leurs souvenirs de la précédente. Ils se méfient du vieil impérialisme britannique et craignent que les soldats canadiens-français ne servent de chair à canon. Mais la chute de la France et les succès spectaculaires remportés par Hitler jusqu'en janvier 1943 donnent des munitions à ceux qui croient que la contribution à l'effort de guerre doit être accrue. C'est le cas du cardinal Jean-Marie-Rodrigue Villeneuve. En juillet 1941, il accepte de se faire photographier au volant d'un véhicule de l'armée. Le primat de l'Église catholique considère Hitler comme l'incarnation du Mal et tente de convaincre ses compatriotes de prendre part à ce grand combat pour la défense du christianisme et de la liberté.

Durant toute la Seconde Guerre mondiale, 131 618 Québécois se portent volontaires. Toutes proportions gardées, c'est moins que dans les autres provinces canadiennes mais davantage que lors de la Première Guerre mondiale. Les motivations des volontaires sont moins patriotiques que matérielles. Après les dures années de la Crise, plusieurs cherchent un revenu stable, souhaitent recevoir une formation gratuite et rêvent d'aventure. À cause des débats sur la conscription, ces volontaires seront oubliés ou peu écoutés à leur retour.

Le plébiscite de 1942

Le 7 décembre 1941, les Japonais attaquent les bases américaines de Pearl Harbor sur une île de l'archipel d'Hawaï, au milieu du Pacifique. Le 11 décembre suivant, c'est l'Allemagne qui déclare la guerre aux États-Unis. Au même moment, les troupes d'Hitler combattent sur le front russe et les autorités nazies s'apprêtent à entériner la Solution finale, qui entraînera l'extermination de six millions de juifs.

L'ennemi allemand est à nos portes. Au printemps 1942, des pêcheurs gaspésiens aperçoivent des «tuyaux de poêle» qui sortent des eaux du Saint-Laurent. Ils n'ont pas d'hallucinations! Ce sont d'authentiques périscopes rattachés à des U-Boots, ces dangereux sous-marins allemands qui coulent les navires de la marine marchande, censés ravitailler la Grande-Bretagne. Au total, on recensera 28 attaques et 23 bateaux coulés, ce qui provoquera la mort de centaines de personnes.

Les libéraux divisés

Pour de nombreux Canadiens anglais, la cause est entendue. Le gouvernement canadien doit absolument décréter l'enrôlement obligatoire. La mobilisation des volontaires ne suffit plus. Pour vaincre l'ennemi nazi, il faut mettre le paquet. Les pressions sur le premier ministre Mackenzie King sont très fortes. Seul problème : il s'est formellement engagé auprès des Québécois à ne jamais voter la conscription. Politicien astucieux, le chef du gouvernement décide d'en appeler au peuple et demande à la population de le dégager de ses engagements. Le 27 avril 1942, tous les Canadiens doivent répondre à la question suivante : «Consentez-vous à libérer le gouvernement de toute obligation résultant d'engagements antérieurs restreignant les méthodes de mobilisation pour le service militaire?»

Les libéraux fédéraux font campagne pour le OUI, mais ceux du Québec sont profondément divisés. Une douzaine de députés et trois ministres libéraux québécois appellent à voter NON. Le premier ministre Godbout reste pour sa part assez discret tout au long de la campagne.

Les forces du NON

Le 11 février 1942, la Ligue pour la défense du Canada lance son manifeste. Les principaux arguments invoqués pour voter NON sont les suivants :

✔ **Défendre le Canada avant tout.** La tâche première de l'armée n'est pas de secourir des alliés mais de protéger sa population et son territoire.

✔ **Les volontaires sont assez nombreux.** L'armée aurait du mal à intégrer les nombreux volontaires qui souhaitent combattre.

✔ **Les ressources humaines du Canada sont limitées.** Le Canada n'étant pas un pays très populeux, il ne faut pas le saigner à blanc.

La Ligue mobilise l'ensemble des forces nationalistes québécoises. Ses orateurs participent à de nombreuses assemblées. Au Québec, le NON obtient 72 % du suffrage, alors que dans le reste du Canada, le OUI recueille 80 % des voix. Le Canada sort très divisé de ce plébiscite, autant qu'en 1917. Le premier ministre Mackenzie King en est bien conscient. L'armée canadienne ne recourt à des troupes de conscrits qu'en novembre 1944. En tout et pour tout, 16 000 soldats enrôlés contre leur gré seront envoyés en Europe. De ce nombre, 2 500 vont prendre part au combat.

Tous les regards tournés vers Québec

Durant la Seconde Guerre mondiale, le premier ministre britannique Winston Churchill et le président américain Franklin Delano Roosevelt se rencontrent à quelques reprises pour coordonner les grandes opérations militaires contre l'Allemagne nazie.

En août 1943 et en septembre 1944, ils se retrouvent à Québec. Lors de la seconde conférence, ils discutent de l'avancée des troupes alliées sur le front ouest. Si le premier ministre Mackenzie King agit officiellement comme hôte, il ne prend pas part aux discussions. Churchill considère que lui seul parle au nom de l'empire britannique et de ses différents dominions. Les actualités cinématographiques diffusées aux quatre coins du monde offrent de belles images de Québec et une excellente visibilité internationale à la Vieille capitale.

Les rencontres au sommet se déroulent à la Citadelle, la résidence du gouverneur général du Canada, et au château Frontenac. Ce luxueux complexe hôtelier, inauguré le 18 décembre 1893, nommé en l'honneur d'un célèbre gouverneur de la Nouvelle-France, offre aux touristes une vue imprenable sur le fleuve Saint-Laurent.

Le Bloc populaire

Fiers de leur succès, les militants du NON souhaitent profiter de la ferveur créée par le plébiscite. D'anciens chefs de l'Action libérale nationale, qui s'étaient sentis trahis par Maurice Duplessis, et une nouvelle garde nationaliste rêvent d'un grand parti national indépendant des caisses électorales secrètes. Le Bloc populaire se donne un programme en 1943. On promet notamment de respecter les compétences des provinces et de rétrocéder le Labrador au Québec. Dès sa création, le nouveau parti est promis à un bel avenir. Les premiers sondages laissent voir de solides appuis. Mais les résultats électoraux seront décevants. L'aile québécoise fait élire uniquement quatre députés en 1944, alors que l'aile fédérale en fait élire deux l'année suivante.

Godbout, le réformateur

Pendant que la guerre fait rage en Europe et qu'on débat de conscription au Québec, le gouvernement d'Adélard Godbout multiplie les réformes importantes. Le plus souvent, les changements proposés choquent ou dérangent les traditionalistes, qui se méfient de l'État et défendent l'ordre ancien.

Les femmes aux urnes !

La plupart des sociétés catholiques ont accordé le droit de vote aux femmes après les pays protestants. La France le leur donnera en 1944, le Portugal et l'Italie en 1945, la Belgique en 1948. Dans tous ces pays de tradition catholique, l'Église s'est opposée à cette mesure. Le Québec ne fait pas exception.

Nouvelles féministes

Durant les années 1920 et 1930, une nouvelle génération de féministes reprend le combat du droit de vote des femmes. Professeure de diction à l'Université McGill, directrice de la revue *Sphère féminine*, Idola Saint-Jean fonde l'Alliance canadienne pour le vote des femmes en 1927. Épouse de politicien, fille d'une famille bourgeoise, Thérèse Casgrain fonde deux ans plus tard la Ligue des droits de la femme. Le discours de ces féministes est davantage axé sur l'égalité des droits entre les hommes et les femmes. Certes, disent-elles, les femmes sont la plupart du temps des mères, mais c'est d'abord à titre de citoyennes qu'elles doivent obtenir le droit de vote.

Grâce à l'action de leurs mouvements, les féministes obtiennent des gains significatifs. Elles peuvent devenir tutrices d'enfants et conserver leur salaire ou les biens acquis avant le mariage. Mais le droit de vote tarde à être adopté. Les féministes réussissent à faire inscrire cet engagement dans le programme du Parti libéral lors du congrès de juin 1938.

L'opposition aux barricades

Dans son premier discours du trône, le premier ministre Godbout annonce une loi sur le droit de vote des femmes. Les réactions ne se font pas attendre. Le cardinal Villeneuve croit qu'un tel droit « va à l'encontre de l'unité et de la hiérarchie familiales », en plus d'exposer « la femme à toutes les passions et à toutes les aventures de l'électoralisme ». Selon lui, la majorité des femmes ne réclament pas un tel droit. Le chef de l'Église catholique s'appuie sur la position de la Catholic Women's League et des Cercles de fermières qui, fait étonnant, s'opposent aussi à cette mesure. Ces femmes craignent que la participation des mères au débat politique ne provoque la discorde dans les familles. Les positions des uns et des autres sont à ce point tranchées qu'un député libéral propose la tenue d'un référendum sur la question.

« L'égale de l'homme »

Les critiques du cardinal ébranlent un peu le premier ministre, qui songe un temps à démissionner. Mais il se ressaisit et va de l'avant. Il faut dire que la plupart des ténors nationalistes, autrefois très opposés au droit de vote des femmes, se sont ralliés. Le 11 avril 1940, le premier ministre prononce un vibrant plaidoyer en faveur de sa loi. « Les conditions dans lesquelles nous vivons font de la femme l'égale de l'homme », explique-t-il. Les femmes ont désormais les mêmes devoirs et les mêmes obligations que les hommes, et près de 100 000 d'entre elles travaillent à l'extérieur du foyer. Il est donc normal qu'elles contribuent plus concrètement au débat politique, selon lui. Souvent plus instruites que les hommes, les femmes permettront aussi « d'élever le niveau de nos discussions », croit le premier ministre. Il fait ratifier sa loi le 25 avril 1940. L'année suivante, il étend ce droit de vote au palier municipal et permet aux femmes de pratiquer le droit.

Présence internationale du Québec

En avril 1940, le gouvernement québécois décide d'ouvrir des délégations du Québec dans les grandes capitales du monde. Sans la guerre, les villes de Paris et de Londres auraient eu leur délégation québécoise dès les années 1940.

Le Québec renoue ainsi avec une brève présence internationale. De 1882 à 1912, il est représenté à Paris par un « agent général ». Jusqu'en 1910, c'est le sénateur Hector Fabre qui occupe ce poste. De 1908 à 1936, le Québec dispose d'une agence générale à Londres. Celle-ci a pour mandat de défendre les prérogatives des législatures provinciales auprès du Conseil privé, qui a longtemps représenté la cour de justice la plus importante au Canada.

En 1941, le gouvernement québécois envoie un agent commercial à New York. Le bureau deviendra la plus importante délégation du Québec aux États-Unis. En 1943, une mission économique est envoyée en Haïti. L'objectif est de faire connaître le Québec à l'industrie touristique, qui vit alors ses premiers balbutiements. Il s'agit aussi d'attirer des investissements économiques.

L'école obligatoire

Agronome de formation, professeur apprécié au Collège de Sainte-Anne-de-la-Pocatière, Adélard Godbout accorde une grande importance à l'éducation. Il fonde le Conservatoire de musique et d'art dramatique, le Conseil supérieur de l'enseignement technique et inaugure les nouveaux bâtiments de l'Université de Montréal sur le flanc nord du mont Royal. Depuis 1875, l'éducation n'est plus vraiment l'affaire de l'État. L'Église et les commissions scolaires s'occupent des programmes et des infrastructures.

Vieilles résistances

Une cause lui tient particulièrement à cœur : l'instruction obligatoire. Le sujet est depuis longtemps sensible. En 1881, Honoré Mercier croyait déjà qu'il fallait aller dans cette direction. C'était à ses yeux le seul moyen de «vaincre la résistance ou l'indifférence des parents» par rapport à la fréquentation scolaire. Les ultramontains catholiques, craignant une prise de pouvoir par les athées, s'étaient farouchement opposés à l'instruction obligatoire. À leurs yeux, la décision d'instruire les enfants appartenait aux parents, non à l'État. Même si la question risque de soulever des débats déchirants, le premier ministre décide d'aller de l'avant.

Problème d'absentéisme

Mais avant de se lancer, il faut s'informer. Les données disponibles pour l'année 1941-1942 sont très alarmantes. Le gouvernement découvre que le taux d'absentéisme des élèves est extrêmement élevé, que près de 10 % des enfants de 6 à 14 ans ne sont inscrits dans aucune école. Pour de nombreux parents, l'école ne semble pas une priorité. Dans les campagnes, plusieurs agriculteurs obligent leurs aînés à donner un coup de main sur la ferme et considèrent que l'essentiel est de savoir lire et écrire. Pour combattre cette mentalité, la coercition semble la seule avenue, et l'école obligatoire, une nécessité. Cette solution s'impose aussi au monde des affaires et même à l'Église, à la condition que les parents puissent continuer de choisir l'école de leur choix pour leurs enfants. Si l'Union nationale s'oppose à l'instruction obligatoire pour les enfants de 6 à 14 ans, ainsi que quelques traditionalistes, la mesure, instaurée en 1943, ne sera plus jamais remise en question.

Création de l'Académie canadienne-française

En 1944, un groupe d'écrivains et d'auteurs fondent l'Académie canadienne-française. Parmi les fondateurs, on retrouve les historiens Lionel Groulx, Marie-Claire Daveluy et Guy Frégault, les poètes Rina Lasnier et Alain Grandbois, et les écrivains François Hertel et Ringuet. Le milieu littéraire est déjà très dynamique. Des revues comme *La Nouvelle Relève* et, surtout, *Amérique française* accueillent de nouvelles plumes qui pratiquent divers genres : poésie, conte, récit de voyage, nouvelle, roman. Plusieurs de ces jeunes écrivains vivent de leur plume grâce aux romans-feuilletons diffusés par Radio-Canada et CKAC. En 1992, l'Académie canadienne-française devenait l'Académie des lettres du Québec. Ouverte à des écrivains québécois de toutes les origines, l'Académie défend la culture d'expression française et l'importance de la littérature.

Les années de la guerre permettent à bien des éditeurs québécois de voir croître leur entreprise comme jamais auparavant. À partir de 1940, il n'est plus possible d'importer des livres français. Les éditeurs québécois obtiennent l'autorisation du gouvernement canadien de réimprimer tous les titres des grands auteurs de l'Hexagone. Fondées en 1941 par Claude Hurtubise et Robert Charbonneau, les éditions de l'Arbre vont permettre aux francophones du monde de lire des auteurs français réfugiés à l'étranger. C'est le cas, par exemple, de Jacques Maritain, Georges Bernanos et Antoine de Saint-Exupéry.

Affirmation nationale : bilan contrasté

Comme tous ses prédécesseurs, le premier ministre libéral est confronté à la question nationale, qui se décline d'au moins deux façons. Au plan de l'économie, plusieurs souhaitent que les francophones du Québec contrôlent davantage leurs richesses naturelles et leurs grandes industries. « Nous sommes des prolétaires, des manœuvres, de la chair à usine, déplorait Victor Barbeau en 1936. Nous sommes un peuple de petits commis, de petits fonctionnaires, de petits ouvriers, de petits rentiers, un peuple de petites gens. » Au plan politique, les défenseurs de l'autonomie du Québec tiennent mordicus à ce qu'on respecte le partage des pouvoirs prévu par la constitution de 1867. Quelles sont les actions d'Adélard Godbout sur ces deux terrains de la question nationale ?

Création d'Hydro-Québec

Dès 1941, le chef libéral envisage l'étatisation de certaines compagnies hydroélectriques. L'objectif premier est de diminuer les tarifs pour l'ensemble de la population de la grande région montréalaise, le cœur économique du Québec. L'autre objectif poursuivi est de permettre aux ingénieurs canadiens-français de développer une expertise dans le secteur et d'y occuper des responsabilités importantes. « Nous voulons ajouter pour nos jeunes l'occasion de devenir des maîtres dans des industries qui seront bien à nous », déclare-t-il en 1941. Trois ans plus tard, il va de l'avant et nationalise la Montreal Light, Heat & Power et ses filiales, au grand dam des actionnaires et des quotidiens anglophones montréalais. Maurice Duplessis dénonce pour sa part la « méthode bolchevique et tyrannique » du gouvernement Godbout. Les barrages et les employés de l'ancienne entreprise privée sont désormais gérés par Hydro-Québec, une nouvelle société d'État qui se voit aussitôt confier le mandat d'accélérer l'électrification des campagnes.

Centralisation fédérale

Ce geste fort d'affirmation nationale est assombri par une série de reculs de l'État du Québec sur des sujets sensibles. Allergique au nationalisme revanchard, Canadien sincère, élu en bonne partie grâce au soutien des libéraux fédéraux, Adélard Godbout consent à ce que le gouvernement fédéral empiète sur des juridictions qui devraient relever exclusivement du Québec. En voici trois exemples :

✔ **L'assurance chômage (1940).** Les gouvernements Taschereau et Duplessis n'avaient jamais consenti à ce que le gouvernement fédéral soit seul responsable d'un programme d'assurance chômage. En vertu de l'Acte de l'Amérique du Nord britannique, celui-ci devait relever des provinces. En 1940, Mackenzie King revient à la charge et réussit enfin à instaurer ce programme après avoir fait approuver un amendement constitutionnel par les provinces avec l'assentiment du Québec.

✔ **L'impôt sur le revenu des particuliers (1942).** Effort de guerre oblige, le gouvernement fédéral doit trouver de nouvelles sources de revenus. La constitution de 1867 prévoit que l'impôt sur le revenu des particuliers relève principalement des provinces. Bon joueur, Adélard Godbout consent, mais seulement pour la durée de la guerre, que l'État fédéral puisse taxer directement les individus. Percepteur des impôts de tous les Canadiens, le gouvernement fédéral redistribue par la suite des subventions aux provinces. Le chef de l'opposition Maurice Duplessis y voit « une brèche irréparable et véritable dans la muraille de notre autonomie provinciale ».

✔ **Les allocations familiales (1944).** En 1944, le gouvernement fédéral, avec l'assentiment des provinces et du Québec, lance un généreux programme d'allocations familiales. Le programme relève d'un nouveau ministère qui intervient directement dans le secteur social, censé être de compétence provinciale. Le chèque de l'État est envoyé directement à la mère.

Toutes ces interventions du gouvernement fédéral coïncident avec l'avènement graduel de l'État-providence. Dans l'esprit de bon nombre de Canadiens anglais, c'est le gouvernement fédéral qui devrait coordonner l'action nouvelle de l'État dans les affaires sociales. Cette perspective va d'ailleurs dans le sens des conclusions de l'important rapport Rowell-Sirois, rendu public en 1940. Cette prééminence de l'État fédéral sur les États provinciaux heurte de front la conception que les Québécois se font du fédéralisme canadien.

Ces concessions du Québec, ajoutées au revirement des libéraux fédéraux sur la question de la conscription, vont porter ombrage aux réalisations socio-économiques du gouvernement Godbout. Les forces de l'opposition auront beau jeu de présenter le premier ministre québécois sortant comme l'homme de paille d'Ottawa.

Chapitre 15
Le Chef (1944-1959)

* * *

Dans ce chapitre :

▶ La prospérité d'après-guerre et la nature du régime Duplessis

▶ Le combat pour l'autonomie du Québec

▶ La montée des forces d'opposition

* * *

Les années qui suivent la Seconde Guerre mondiale sont pleines de paradoxes. Comme ailleurs en Occident, la société québécoise se transforme de manière radicale. Une nouvelle classe moyenne accède à la société de consommation, découvre le confort moderne et s'imprègne de valeurs nouvelles, notamment grâce au petit écran qui fait son entrée dans les foyers à partir de 1952. Après les privations de la Crise et les débats déchirants sur la conscription, l'heure est au renouveau et à l'optimisme.

Mais cette confiance dans l'avenir est assombrie par de nouvelles menaces. La tyrannie communiste plonge le monde dans une guerre froide. Les transformations rapides de la société engendrent de l'anxiété et une peur du désordre. Plusieurs craignent une remise en cause des institutions traditionnelles. Par crainte des chambardements culturels et sociaux, une majorité de Québécois s'en remettent à l'Union nationale de Maurice Duplessis, qui dominera complètement cette période.

À la défense de l'ordre établi

Le 8 mai 1945 marque la fin de la Seconde Guerre mondiale. La barbarie nazie est réduite en cendres après de très durs combats menés par les armées alliées. Quant au Japon, il faudra deux bombes atomiques pour qu'il déclare forfait, au mois d'août. Ravagée par les affrontements terrestres et les bombardements répétés, l'Europe est à reconstruire. Grâce au plan Marshall, les États-Unis offrent un généreux soutien financier aux pays dévastés. Les Américains espèrent ainsi freiner la menace soviétique. Pour l'Occident, 1945 marque le début de ce que les économistes appellent les « trente glorieuses », une ère de prospérité sans précédent.

Un régime bien en selle

En août 1944, l'Union nationale remporte une victoire à l'arrachée. Favorisé par une carte électorale qui avantage les régions rurales, le parti de Maurice Duplessis obtient moins de votes que les libéraux mais fait élire 11 députés de plus. Tout juste assez pour prendre le pouvoir – et pour le conserver jusqu'en juin 1960. Après avoir rallié la plupart des nationalistes tentés par l'aventure du Bloc populaire, l'Union nationale gagne les élections de 1948, de 1952 et de 1956.

Des emplois et des bébés !

Le régime de Maurice Duplessis bénéficie d'un contexte extrêmement favorable, à plusieurs égards.

✔ **Une prospérité continue.** La relance d'après-guerre a d'heureuses conséquences sur l'économie québécoise. En 1947, le taux de chômage est de 2,7 % ; 10 ans plus tard, il a plus que doublé (6 %) mais reste très bas – par rapport à aujourd'hui. Le secteur industriel connaît un fort développement, ainsi que celui des services. Quant aux salaires, ils augmentent plus rapidement que l'inflation, et les allocations familiales sont généreuses. Bien des familles de la classe moyenne peuvent s'acheter une maison, des produits électroménagers, un téléviseur. En 1953, 9,7 % des foyers québécois disposent d'une télévision ; cinq ans plus tard, près de 80 % en possèdent une. En 1961, 90 % des foyers ont l'eau chaude, alors que 10 ans plus tôt, ce «luxe» n'existait que pour 50 % d'entre eux.

✔ **Le baby-boom.** Comme partout en Occident, le Québec d'après-guerre enregistre un «baby-boom» qui résulte de l'effet combiné d'une légère hausse du taux de natalité et de la chute drastique de la mortalité infantile. Celle-ci s'explique par une généralisation des vaccins, une meilleure qualité de l'eau et du lait et une amélioration des soins médicaux, surtout lors de la naissance de l'enfant. Grâce à tous ces progrès, l'espérance de vie s'accroît, passant entre 1931 et 1961 de 56 à 67 ans pour les hommes et de 58 à 73 ans pour les femmes.

✔ **La fin de la saignée migratoire.** Cette prospérité sans précédent marque la fin de l'exil des Canadiens français vers les États-Unis. Plus encore, le Québec devient une terre d'accueil pour de nombreux immigrants qui souhaitent offrir une vie meilleure à leurs enfants. Cette immigration d'après-guerre est surtout européenne. Des contingents de Polonais, de Portugais et de Grecs s'installent dans certains quartiers montréalais et fréquentent, le plus souvent, les institutions de la minorité anglophone – ce qui ne crée pas de malaise social à l'époque. De 1946 à 1960, ils sont près de 404 000 à s'établir au Québec. Entre 1941 et 1961, la population québécoise passe de 3,3 à 5,2 millions d'habitants.

Une vision traditionnaliste

En 1936, l'Union nationale avait été portée au pouvoir par des mouvements réformateurs. Pour le Duplessis d'après-guerre, l'heure n'est plus à la critique du capitalisme ou à la rénovation des institutions démocratiques mais à la défense de l'ordre établi, à la stabilité à tout prix. Comment ?

✔ **Protéger la libre entreprise.** Pour attirer les investisseurs, croit Duplessis, l'État doit intervenir le moins possible, surtout dans le domaine des relations de travail. Le rôle de l'État n'est pas de planifier le développement économique ou de réduire les inégalités mais d'offrir les infrastructures de base et de faire régner l'ordre.

✔ **S'allier aux élites traditionnelles.** Pour maintenir l'ordre social, la coercition de la loi ne pouvait cependant pas suffire. Duplessis mise donc sur une alliance étroite avec le clergé et les notables, qui partagent sa vision paternaliste du pouvoir et exercent une réelle influence sur son électorat rural.

✔ **Défendre les traditions.** Duplessis croyait que la majorité de ses compatriotes étaient attachés à leur vocation paysanne, à leur Église et à leur langue. Son nationalisme carburait à la défense de ces traits distinctifs de la nation canadienne-française.

Aux yeux de Duplessis, critiquer les principes de son régime revenait à critiquer la province du Québec au grand complet. Politicien habile, il avait l'art d'insinuer que ses détracteurs colportaient des idées étrangères qui venaient d'Ottawa… et parfois même de Moscou !

À l'heure de la guerre froide

Après la guerre, la menace communiste est réelle. Dans toute l'Europe de l'Est, l'Union soviétique instaure des régimes fantoches. En 1949, la Chine bascule dans le camp communiste et provoque une guerre en Corée. En France et en Italie, les partis communistes obtiennent des appuis considérables. La hantise d'un affrontement nucléaire suscite beaucoup de crainte à l'Ouest, voire même de la paranoïa. En septembre 1945, Igor Gouzenko, diplomate soviétique basé à Ottawa, demande l'asile politique et révèle l'ampleur du réseau d'espionnage russe. Les États-Unis des années 1950 sont marqués par la chasse aux communistes ouverte par le sénateur Joseph McCarthy. Accusé d'avoir fourni des informations scientifiques qui auraient permis à la Russie soviétique de fabriquer sa première bombe nucléaire, le couple Rosenberg est exécuté en juin 1953.

Depuis 1937, le Québec dispose de la Loi protégeant la province contre la propagande communiste, appelée aussi « Loi du cadenas ». À chaque fois que l'occasion se présente, Duplessis souhaite montrer qu'à sa façon, le Québec contribue à la lutte du monde libre contre le communisme.

Censure au cinéma

Responsable du Bureau de censure du cinéma, créé en 1912, le premier ministre interdit notamment la projection de *Our Northern Neighbour*, un film produit durant la guerre, alors que la Russie soviétique combattait les armées d'Hitler aux côtés des Alliés. La décision survient en août 1947. Le premier ministre reproche à l'Office national du film du Canada d'avoir produit un long métrage beaucoup trop complaisant à l'égard du régime communiste. Avec la complicité de l'Église, plusieurs autres films seront censurés par la suite pour atteinte aux bonnes mœurs ou parce qu'ils critiquaient ouvertement la morale chrétienne.

Protéger les trésors polonais

La lutte au communisme est particulièrement active en février 1948. Le 16 février, la police provinciale ferme les locaux du parti ouvrier-progressiste, qu'on croit favorable aux régimes communistes. Quelques jours plus tard, Duplessis ordonne que des trésors polonais entreposés à l'Hôtel-Dieu de Québec soient transférés au musée provincial. Les objets en question viennent de Cracovie et comprennent notamment des manuscrits rares, des joyaux de la Couronne et des tapisseries. Ils ont été emportés en Amérique en 1940 par des représentants du gouvernement polonais en exil et ainsi soustraits au pillage des nazis. Pendant cinq ans, ces trésors avaient été entreposés à Ottawa. Ils disparaissent mystérieusement en juillet 1945 lorsque le gouvernement canadien décide de reconnaître la Pologne communiste. Pendant des années, celle-ci tente en vain de récupérer ses trésors nationaux. Mais Maurice Duplessis veille au grain !

DATE CLÉ

Refus global

Le 9 août 1948, dans une petite librairie montréalaise, de jeunes artistes lancent un manifeste intitulé « Refus global ». Le texte est écrit par leur mentor, Paul-Émile Borduas, un professeur de l'École du meuble. Artiste connu des milieux d'avant-garde, Borduas est un peintre abstrait très inspiré par les idées du mouvement surréaliste, né durant les années 1920. Les surréalistes croient aux mystères de l'inconscient et critiquent les dérives du monde moderne. À leurs yeux, c'est la technique et la froide raison qui sont responsables de la Grande Guerre. La plupart sont des révoltés, quelques-uns des révolutionnaires. L'un d'eux, l'écrivain Louis Aragon, deviendra un militant du Parti communiste. Un autre, Pierre Drieu La Rochelle, deviendra fasciste et soutiendra la collaboration avec Hitler.

Borduas et son groupe ont fondé un mouvement : celui des « automatistes ». Leur manifeste est une charge sans merci contre le Québec traditionnel et le monde moderne. « Au diable le goupillon et la tuque ! [...] Fini l'assassinat du présent et du futur à coups redoublés du passé. [...] Notre devoir est simple. Rompre définitivement avec toutes les habitudes de la société, se désolidariser de son esprit utilitaire. [...] PLACE À LA MAGIE ! PLACE AUX MYSTÈRES OBJECTIFS ! PLACE À L'AMOUR ! »

Le manifeste est discuté par quelques intellectuels et journalistes. La réprobation des idées professées est quasi unanime. Le 21 octobre, Borduas est congédié de l'École du meuble « pour conduite et écrits incompatibles avec la fonction de professeur dans une institution d'enseignement de la province de Québec ». Cette décision du gouvernement Duplessis fait peu de vagues et passe presque inaperçue,

comme le manifeste d'ailleurs. Ce n'est qu'au cours des années 1960 que Borduas deviendra l'un des martyrs de la « grande noirceur » duplessiste. Après son renvoi, le peintre s'exile à Paris et à New York où il poursuit son œuvre. Parmi ses disciplines, Jean-Paul Riopelle et Marcelle Ferron seront considérés comme des peintres marquants.

Les réfugiés hongrois

Quelques mois après que le Parti communiste soviétique a reconnu les crimes de Staline, les Hongrois de Budapest se révoltent contre leur régime tyrannique. Ce soulèvement d'octobre 1956 est aussitôt réprimé par l'Armée rouge. Près de 200 000 Hongrois sont tués et 160 000 s'exilent à l'étranger. Même si le Québec accueille de nombreux immigrants durant les années de pouvoir de Duplessis, celui-ci refuse d'adopter une politique d'immigration avec agences de recrutement à l'étranger et structures d'accueil pour les nouveaux arrivants, ce qui aurait sûrement facilité leur intégration à la majorité francophone. À ses yeux, de telles mesures seraient trop coûteuses, et l'immigration relève exclusivement de l'État fédéral. À un seul moment, il déroge à ce principe : lorsque vient le temps de secourir « ces malheureuses victimes du bolchevisme » que sont les réfugiés hongrois. En janvier 1957, son gouvernement adopte une loi qui prévoit la mise en place du comité provincial d'aide aux réfugiés hongrois et une subvention de 100 000 dollars pour ce nouvel organisme.

Les mineurs d'Asbestos

Lutter contre le communisme est une chose ; assimiler le moindre gréviste aux forces de la subversion en est une autre. Cette ligne étroite sera fréquemment franchie par le régime duplessiste. Toutes les occasions sont bonnes pour écraser les grèves. Pourtant, dans la grande majorité des cas, les travailleurs souhaitent simplement partager les fruits de la croissance et démocratiser leur entreprise. Leurs visées sont plus réformistes que révolutionnaires. Une partie du clergé approuve leurs revendications, ce qui créera des remous au sein de l'Église.

Un dialogue de sourds

La grève la plus spectaculaire et la plus emblématique survient durant l'hiver 1949 dans la petite ville d'Asbestos, dans les Cantons de l'Est. Les mineurs de la Canadian Johns-Manville réclament de meilleurs salaires, l'élimination de la poussière d'amiante, la retenue automatique des cotisations syndicales à la source (la formule Rand) et une participation des travailleurs aux grandes décisions de l'entreprise. Les parties se braquent rapidement. Le président de l'entreprise, Lewis H. Brown, soutient que le syndicat ne propage rien de moins qu'une « doctrine révolutionnaire ». Maurice Duplessis accuse les travailleurs d'avoir déclenché une grève « illégale ». L'embauche de briseurs de grève provoque rapidement des affrontements sur les lignes de piquetage. Solidaires, les mineurs des autres compagnies décident de débrayer. La ville d'Asbestos est complètement paralysée ; près de 5 000 travailleurs cessent leurs activités. Les familles des grévistes crient famine.

Un appui de taille !

Lors de la fête des travailleurs du 1er mai 1949, l'archevêque de Montréal, Joseph Charbonneau, lance un appel à la solidarité : « Notre cœur est et restera près de la classe ouvrière. » Il réclame l'adoption d'un nouveau Code du travail, plus favorable aux travailleurs, et incite les fidèles à soutenir les grévistes. Bon nombre d'églises organisent des quêtes spéciales. En quelques jours, une somme de 500 000 dollars est recueillie pour venir en aide aux familles d'Asbestos. Plusieurs voient dans cette sortie de l'archevêque un défi au régime Duplessis. Chose certaine, c'est une première. Alors que l'Église et l'Union nationale semblaient s'entendre comme larrons en foire, voilà qu'un désaccord important les sépare. Mais le premier ministre n'entend pas bouger d'un pouce.

Forts du soutien de l'archevêque et de la solidarité de leurs compatriotes, les grévistes décident, le 5 mai, de bloquer l'entrée de la ville. Le chef du gouvernement dépêche aussitôt 200 hommes de « sa » police provinciale et fait proclamer l'acte d'émeute. Duplessis se sent à nouveau sur des bases solides puisque le 7 mai, le pape Pie XII lui-même intervient. Proches du patronat, certains clercs québécois sollicitent en effet son avis. Ils ne sont pas déçus : le souverain pontife aurait soutenu qu'en cas de grève ou de conflit ouvrier, le propriétaire d'entreprise doit « rester maître de ses décisions économiques ».

Échec cuisant

En février 1950, l'épiscopat signe une lettre pastorale qui montre encore beaucoup d'ouverture aux revendications de la classe ouvrière. L'Église y dénonce « les abus du capitalisme » et du « libéralisme économique », car ce régime ne respecterait pas toujours « la dignité de la personne ». Le courant réformateur de l'Église est cependant mis en sourdine et la victoire de Duplessis est totale. Dans des circonstances mystérieuses, l'Église rappelle Joseph Charbonneau et le remplace par Paul-Émile Léger, un proche de Pie XII. De sensibilité ultramontaine, l'archevêque privilégie une nouvelle évangélisation des masses aux luttes ouvrières. Il croit que le salut de l'Église catholique passe par le chapelet en famille et un combat de tous les instants contre la dégradation des mœurs urbaines. Les syndiqués d'Asbestos retournent au travail sans avoir obtenu gain de cause. À Louiseville (1952) et à Murdochville (1957), d'autres grèves seront réprimées par le régime Duplessis. Mais la grève d'Asbestos restera gravée dans les mémoires. Plusieurs jeunes syndicalistes, intellectuels et politiciens y feront leurs premières armes.

Défendre son butin

Dans ce monde en mouvement, Maurice Duplessis se porte garant de repères solides et familiers. Fidèle à lui-même, il continue de défendre farouchement l'autonomie de sa province et, à sa manière, il encourage le développement du Québec. Sur ces deux fronts, il ne déçoit pas ses partisans et son électorat traditionnel.

L'impôt sur le revenu

Le sujet semble aride mais l'enjeu est vital. À qui appartient le pouvoir de taxer directement les revenus des particuliers ? Au plan strictement légal, la constitution de 1867 stipule que ce pouvoir appartient aux provinces, mais que le fédéral n'en est pas exclu. L'effort de guerre entraînant des dépenses énormes, le gouvernement fédéral demande aux provinces de renoncer à leur pouvoir, avec engagement de le leur rendre aussitôt la guerre terminée. En 1942, le premier ministre Godbout accepte. Après la guerre, cependant, le gouvernement fédéral invoque les nécessités de la reconstruction pour ne pas lâcher cet important levier... Son plan de match : continuer de taxer directement les citoyens, puis redistribuer aux provinces les subventions dont elles auraient besoin, au prorata de leur population.

Non à la « centralisation » !

Cette demande d'Ottawa est formulée lors de deux conférences fédérales-provinciales tenues en août 1945 et en mai 1946. Le gouvernement du Québec y dépose un mémoire très étoffé dans lequel il explique son rejet pur et simple de la proposition fédérale. Le Québec souhaite coopérer à la reconstruction du Canada mais sans abdiquer les pouvoirs prévus par la constitution de 1867. « La souveraineté et l'autonomie des provinces sont à l'antipode de toute tutelle fédérale », peut-on lire dans le mémoire québécois. Les représentants fédéraux rétorquent qu'il en va de l'unité « nationale » du Canada. Guère impressionné par cette rhétorique, Maurice Duplessis explique que « les propositions fédérales ne peuvent que nous conduire inévitablement à la centralisation ». Il n'est pas le seul premier ministre d'une province à tenir un tel discours. Son collègue ontarien George Drew va dans le même sens.

DATE CLÉ

Le Québec se donne un drapeau

Le 21 janvier 1948, vers 15 h, un nouveau drapeau flotte sur l'hôtel du Parlement québécois. La décision est prise par Maurice Duplessis et surprend tout le monde. « Il est ordonné, peut-on lire dans le décret ministériel, que le drapeau généralement connu sous le nom de drapeau fleurdelisé, c'est-à-dire le drapeau à croix blanche sur champ azur et avec lys, soit adopté comme drapeau officiel du Québec et arboré sur la tour centrale des édifices parlementaires. »

Cette décision survient après plusieurs années de débats. Lors des rébellions de 1837-1838, les Canadiens s'étaient dotés d'un premier drapeau, tricolore. Composé de trois bandes horizontales (le vert irlandais, le blanc français et le rouge anglais), l'emblème ralliait les Patriotes qui rêvaient de fonder une nouvelle république. Encore aujourd'hui, des militants indépendantistes l'utilisent lors de manifestations patriotiques.

À la fin du 19e siècle, les milieux nationalistes canadiens-français proposent un nouveau drapeau, inspiré de celui des troupes de Montcalm lors de la brillante victoire de Carillon du 8 juillet 1758. Ce premier fleurdelisé connaît une certaine vogue, mais il en indispose quelques-uns. L'Église aimerait qu'on y ajoute, en son centre, la figure du Sacré-Cœur. Duplessis aurait quant à lui souhaité un peu de rouge pour reconnaître la présence anglaise. La solution retenue rallie cependant tout le monde. Comme l'explique le premier ministre, à la différence du premier fleurdelisé, les quatre fleurs de lys du nouveau drapeau « se dressent à l'avenir bien droites vers le ciel, afin de bien indiquer la valeur de nos traditions et la force de nos convictions ».

Financement fédéral des universités ? Pas question !

En 1951, un rapport commandé par le gouvernement fédéral sur « l'avancement des arts, lettres et sciences au Canada » propose qu'Ottawa finance davantage les institutions à vocation culturelle afin de contrer l'influence grandissante de la culture américaine. Parmi les institutions que le rapport propose de financer, deux posent problème : Radio-Canada, qui lance une programmation télévisée en 1952, et les universités. Ces dernières, plaide le rapport, ne relèvent pas seulement des provinces car elles visent « l'éducation générale » de tous les citoyens canadiens. Or le Canada, explique-t-on, est une « entité nationale » qui dispose d'un « patrimoine moral ». « Ces valeurs intangibles non seulement donnent à une nation son caractère original, mais encore lui communiquent sa vitalité. »

Rédigé, entre autres, par le père Georges-Henri Lévesque, doyen de la Faculté des sciences sociales de l'Université Laval et sympathisant libéral bien connu, le rapport est très mal reçu au Québec. Ce qui fait problème, ce n'est pas seulement l'empiètement d'une juridiction québécoise, mais bien toute la vision qui transparaît dans le rapport. Le Canada esquissé est un pays unitaire, doté d'une seule culture, et non un pacte entre nations différentes.

En 1953, le gouvernement Duplessis interdit donc aux universités de recevoir un sou d'Ottawa. Une question de principe, affirme-t-il. Les besoins des universités sont pourtant criants, comme ceux des commissions scolaires et des hôpitaux.

Le Québec, « une province comme les autres » ?

Pour générer de nouveaux revenus et permettre à l'État québécois de respirer, Duplessis impose, en mars 1954, un impôt sur les revenus des particuliers. Comme s'il souhaitait provoquer un affrontement avec Ottawa, sa loi stipule que « la Constitution canadienne reconnaît aux provinces la priorité en matière de taxation directe ». Cette affirmation fait bondir les libéraux fédéraux, au pouvoir à Ottawa. Le premier ministre canadien Louis Saint-Laurent, lui-même un député du Québec, y voit une menace à l'unité du Canada. Le Québec, plaide-t-il, est « une province comme les autres ». « Tant que j'y serai, le gouvernement fédéral ne reconnaîtra pas que les provinces sont plus importantes que le pays tout entier. » La réplique de Maurice Duplessis ne se fait pas attendre : « La province de Québec réclame purement et simplement la reconnaissance de ses droits. […] Notre position est simple : coopération toujours, coopération d'égal à égal. […] Abdication de nos droits fondamentaux : JAMAIS ».

Après ces vifs échanges, un rapprochement s'opère et, en février 1955, un compromis est adopté. La nouvelle loi québécoise ne fait plus allusion à la priorité des provinces dans le champ de la taxation directe, et le gouvernement fédéral accepte de diminuer ses impôts aux particuliers de 10 %. Pour la première fois de leur histoire, les Québécois sont directement taxés par leur État « provincial ». L'idée de devoir faire deux rapports d'impôt ne semble guère les faire rechigner. Grâce à ce nouvel impôt, le gouvernement des Québécois peut faire ses propres choix en fonction de ses besoins et de ses valeurs. Pour les tenants de l'autonomie du Québec, c'est un acquis concret.

Développer le Québec

Des réalisations tangibles, Maurice Duplessis en a plusieurs autres à son actif. S'il est un traditionaliste au plan social, un libéral au plan économique, il croit beaucoup au progrès technique et tente, à sa façon, d'en faire profiter ses compatriotes.

La lumière dans les campagnes

Pour bon nombre d'agriculteurs des années 1950, le règne de Duplessis n'a rien d'une « grande noirceur ». En effet, grâce à l'Office de l'électrification rurale, créé en 1945, la plupart d'entre eux voient enfin la lumière ! En 1960, 98 % des fermes ont l'électricité, alors qu'en 1945, seules 20 % d'entre elles avaient le « courant ». Le fonctionnement de cet organisme est révélateur de la philosophie du régime. À l'étatisme technocratique, Duplessis préfère l'initiative locale des coopératives d'électricité. Pour démarrer leurs activités et construire leurs premières lignes, celles-ci reçoivent une aide technique et un prêt de l'État à un taux d'intérêt très bas. Ainsi, durant le règne de l'Union nationale, l'électrification rurale va s'opérer grâce à l'action concertée de 167 coopératives.

Hydro-Québec

Mais s'il mise sur les coopératives d'électricité, Duplessis ne remet pas en cause l'existence d'Hydro-Québec, fondé par son prédécesseur libéral, ni la décision de nationaliser la Montreal Light, Heat & Power, qu'il avait pourtant combattue dans l'opposition. Il compte d'ailleurs sur Hydro-Québec pour développer de nouveaux barrages dans les régions éloignées qu'il souhaite ouvrir au développement. C'est dans cet esprit que sont notamment lancés les projets de barrage sur les rivières Bersimis et Manicouagan en 1952 et en 1959. L'objectif poursuivi par le gouvernement unioniste est la conquête du sol, l'ambitieux programme de colonisation du territoire lancé durant les années 1930. Il souhaite surtout former des ingénieurs canadiens-français et développer une expertise technique québécoise.

Progrès en éducation

En 1946, l'Union nationale adopte la Loi pour assurer le progrès en éducation. La législation prévoit la création d'un fonds spécial dédié à l'éducation qui, au départ, est financé à près de 50 % par les profits d'Hydro-Québec. Ces sommes viennent en aide aux commissions scolaires qui doivent construire des centaines d'écoles à travers le Québec pour desservir les enfants du baby-boom, obligés de fréquenter l'école depuis 1943 – une autre mesure adoptée par son prédécesseur, à laquelle il s'était opposé mais qu'il ne remet pas en question une fois au pouvoir. De 1946 à 1956, le budget québécois consacré à l'éducation est multiplié par six. Le gouvernement Duplessis encourage la création d'écoles techniques et appuie la fondation d'une nouvelle université à Sherbrooke, qui accueillera ses premiers étudiants en 1955.

La montée de l'impatience

En juin 1956, l'Union nationale remporte encore les élections générales. Cette victoire, la quatrième consécutive, a un goût amer pour les opposants au régime, qui ont le sentiment que le Québec stagne ou fait du surplace. Les critiques viennent surtout des figures montantes des plus jeunes générations, impatientes d'imprimer une nouvelle direction au Québec.

L'opposition au régime n'est pas seulement partisane ; elle est morale, intellectuelle, nationale.

L'exaspération des moralistes

Proche de l'Église et de sa hiérarchie, l'Union nationale s'était toujours présentée comme le meilleur défenseur des bonnes mœurs et de la morale en politique. Quelques clercs audacieux ne voient pas les choses ainsi et n'hésitent pas à condamner publiquement la corruption du régime.

Un pamphlet ravageur

Quelques semaines après l'élection de juin, les abbés Gérard Dion et Louis O'Neill publient « Le chrétien et les élections » dans une petite revue confidentielle. Les deux clercs dénoncent les méthodes employées par l'Union nationale pour se faire réélire. « Le déferlement de bêtise et d'immoralité dont le Québec vient d'être le témoin ne peut laisser indifférent aucun catholique lucide », écrivent-ils. À leurs yeux, l'anticommunisme et l'autonomisme sont des mythes auxquels le régime a recours pour berner la population. Cette dénonciation « morale » du régime obtient un grand retentissement et fait très mal paraître le gouvernement Duplessis. Ces clercs font ainsi écho aux doléances des nombreux jeunes militants de l'Action catholique, qui ne prisent guère non plus les slogans de l'Union nationale et son hostilité à l'égard de l'État-providence. Ces catholiques réformistes critiquent aussi l'Église de l'intérieur, souhaitent qu'une plus grande place soit faite aux laïcs et rêvent d'une pratique religieuse plus authentique, moins conformiste et hypocrite.

La Ligue d'action civique

En 1957, le candidat de Maurice Duplessis remporte la mairie de Montréal. Sarto Fournier bat Jean Drapeau, chef de la Ligue d'action civique, élu une première fois en 1954 à la suite de l'enquête Caron (voir l'encadré ci-après). Cette victoire coûtera cher à l'Union nationale. Elle lui aliène une nouvelle génération de Montréalais issus de la classe moyenne, généralement nationalistes et très attachés aux principes de moralité et d'intégrité. L'élection montréalaise de 1957 est marquée par la démagogie et entachée de nombreuses irrégularités. Candidat défait à Montréal, Jean Drapeau est perçu comme une victime du régime Duplessis. Alors que les libéraux se cherchent un chef, celui-ci se lance dans une grande tournée du Québec et dénonce partout les procédés de l'Union nationale.

Montréal, ville ouverte?

Au tournant des années 1950, Montréal souffre d'une mauvaise réputation. Des magazines la qualifient de «Sin-City», de ville du péché! Le jeu illégal ainsi que la prostitution, contrôlés par le crime organisé, sont omniprésents au centre-ville. À partir de novembre 1949, Pax Plante, un officier de police congédié, publie une série d'articles ravageurs sur la corruption policière dans *Le Devoir*. Des citoyens mettent sur pied un Comité de moralité publique et réclament une enquête qui ferait toute la lumière sur ces malversations présumées. Le juge François Caron remet son rapport en 1954, à quelques mois des élections municipales. Le corps de police de Montréal est clairement pointé du doigt, mais aucune accusation formelle n'est portée contre l'administration municipale, dominée par le coloré Camillien Houde.

Avocat du Comité de moralité publique, Jean Drapeau (1916-1999) devient le porte-parole d'un nouveau mouvement politique et candidat à la mairie de Montréal. Ancien porte-parole de la Ligue pour la défense du Canada et du Bloc populaire, Drapeau est un disciple de l'historien Lionel Groulx. Il aime le pouvoir – et déteste le partager! – mais c'est une personne intègre. L'homme a des idées de grandeur et rêve de faire de Montréal une grande métropole internationale. Durant son bref mandat, il se heurte néanmoins à l'autoritarisme du premier ministre Duplessis, qui lui impose le plan Dozois, un développement de logements au centre-ville qui vient contrecarrer un ambitieux plan d'aménagement. Battu en 1957, Jean Drapeau sera réélu en 1960 et occupera le siège de maire pendant 26 ans. Les Montréalais lui doivent notamment le métro, l'Expo 67 et les Jeux olympiques de 1976.

Les nationalistes divisés

Les discours de Jean Drapeau font aussi écho à quelque chose de plus profond. À la fin des années 1950, le parti de Maurice Duplessis irrite de nombreux nationalistes, qui jugent son nationalisme trop symbolique, trop défensif.

Hargne contre le «roi nègre»

Parmi les plus jeunes intellectuels se développe un courant qu'on qualifie rapidement de «néo-nationaliste». Ses adhérents souhaitent que l'État québécois joue un rôle plus important au plan économique et accusent Duplessis d'être le «roi nègre» de grandes compagnies américaines qui exploitent le fer de la Côte-Nord. Au plan politique, on dénonce sa pratique du patronage, sa conception ruraliste de la nation canadienne-française et son utilisation de la religion catholique à des fins électoralistes. Ses principaux porte-parole se retrouvent au quotidien *Le Devoir*, dirigé depuis 1947 par Gérard Filion et animé intellectuellement par l'éditorialiste André

Laurendeau et le journaliste Jean-Marc Léger, qui œuvrent aussi à la revue *L'Action nationale*. D'autres se retrouvent au département d'histoire de l'Université de Montréal, où enseignent les professeurs Maurice Séguin, Michel Brunet et Guy Frégault. Formés par Lionel Groulx, qui a fondé en 1946 l'Institut d'histoire de l'Amérique française, ils prennent peu à peu leurs distances de sa conception – jugée sentimentale et religieuse – du passé.

Les traditionnalistes répondent présent !

La vision traditionnelle de l'Union nationale continue d'être défendue par d'autres intellectuels. Le plus connu d'entre eux est le prolifique historien Robert Rumilly, qui lance, en décembre 1956, *L'infiltration gauchiste au Canada français* et fonde, la même année, le Centre d'information nationale – qui se veut un lieu de ralliement des traditionnalistes restés fidèles au régime Duplessis, même s'ils ne se privent pas de critiquer son gouvernement à certains moments. Léopold Richer et Roger Duhamel, reconnus pour leur style, défendent également les idées traditionnalistes dans les journaux *Notre Temps* et *Montréal-Matin*, un tabloïd populaire que finance l'Union nationale. Une brochette de petites revues, animées par de plus jeunes intellectuels, dont *Les Cahiers de Nouvelle-France* et *Tradition et Progrès*, s'inscrivent dans la même ligne de pensée.

Les libéraux

Dans l'opposition, les libéraux dirigés par Georges-Émile Lapalme critiquent sans relâche les politiques de l'Union nationale mais ne parviennent pas à se défaire de leur image de parti subordonné au grand frère fédéral. Il faut dire que, dans le Québec des années 1950, les deux principaux lieux de la pensée libérale sont plus attirés par Ottawa que par Québec.

Cité libre

Fondée en 1950, la revue *Cité libre* est un lieu de débats et d'échanges sur le Québec. Plusieurs intellectuels marqués par la grève d'Asbestos y font leurs premiers pas. Pierre Elliott Trudeau (1919-2000) est de ceux-là. Fils d'un père canadien-français et d'une mère d'origine écossaise, il reçoit en héritage les deux cultures fondatrices. Rentier, il étudie le droit à l'Université de Montréal, puis la politique dans les grandes écoles de Paris, Londres et Boston. À ses yeux, le problème du Québec, ce n'est pas seulement son chef ni même son régime, mais un attachement excessif au passé et à la tradition. Le nationalisme des Canadiens français expliquerait leurs mauvaises mœurs politiques, leur rapport trouble à la démocratie, voire même aux libertés individuelles. En 1956, il coordonne la publication d'un ouvrage important sur la grève de l'amiante. Parmi les autres figures importantes de *Cité libre*, on retrouve le journaliste Gérard Pelletier, animateur de l'émission «Le choc des idées» diffusée sur les ondes de Radio-Canada, et Jean Marchand, homme d'action et militant syndical.

Le père Georges-Henri Lévesque

Père dominicain, fondateur puis doyen de la Faculté des sciences sociales de l'Université Laval, Georges-Henri Lévesque est un adversaire résolu du régime de Maurice Duplessis et de la hiérarchie catholique qui le soutient. Proche des libéraux fédéraux, il prononce un discours remarqué le 5 mai 1952 au Palais Montcalm de Québec. «Le culte traditionnel trop exclusif, et quelquefois idolâtre même, qu'on a voué chez nous à l'autorité, est en train de nous faire perdre le sens de la liberté. L'autorité vient de Dieu, nous rappelle-t-on souvent. Bien sûr, et nous en sommes le premier convaincu, mais la liberté aussi vient de Dieu!» Tout au long des années Duplessis, il forme des diplômés qui rêvent d'offrir leurs services à un État rénové et dynamique qui planifierait le développement social et économique du Québec.

Ces jeunes diplômés piaffent d'impatience... mais leur tour viendra!

Chapitre 16

La « Révolution tranquille » (1959-1962)

....

Dans ce chapitre :

▶ L'élection des libéraux de Jean Lesage

▶ Le triomphe de l'État-providence

▶ La reconquête de l'économie par les francophones

....

*L*e Québec de 1960, c'est une population de plus de cinq millions d'habitants. Selon le recensement de 1961, 44 % des Québécois ont moins de 19 ans. Les enfants du «baby-boom» occupent beaucoup de place ! La classe moyenne continue de goûter aux fruits de la croissance d'après-guerre mais souhaite la même prospérité pour ses enfants. C'est qu'en 1960, l'économie québécoise vit un léger ralentissement. Le taux de chômage de la population active est de 9,2 %. Dès 1962, l'essor reprend et l'optimisme des beaux jours revient.

Parce qu'il vit à l'heure de l'Occident, ce Québec de 1960 a déjà les deux pieds dans la modernité ! La mortalité infantile continue de diminuer, et l'espérance de vie, de progresser. Urbaine à plus de 80 %, la population occupe en grand nombre des emplois du «tertiaire», le secteur des services, qui connaît au cours des années 1950 une expansion sans précédent. Les travailleurs sont syndiqués dans une proportion semblable à celle de l'Ontario. La plupart des ménages ont leur voiture et commencent à s'offrir des vacances en famille, souvent aux États-Unis.

Cette modernité des Québécois, elle s'affirme aussi au plan des valeurs. Fini la fatalité et la résignation inspirées par d'anciennes doctrines religieuses qui prêchaient le renoncement et le sacrifice. Le paradis, c'est pour ici… et maintenant ! Cette aspiration au bonheur et à l'épanouissement personnel font considérablement monter les attentes par rapport à ce que peut offrir l'État.

Mais ces aspirations, elles sont aussi collectives. On entend mettre fin à l'infériorité économique et sociale des Canadiens français. Là encore, le levier privilégié pour atteindre cet objectif ambitieux est l'État. L'État qui intervient dans l'économie, et nationalise lorsqu'il le faut.

En 1960, les Québécois ne font pas qu'élire un nouveau parti ; ils tournent le dos à une certaine manière de voir la politique. Mais, comme toujours, ils le font dans le calme et le respect des lois. Car s'il s'agit bel et bien d'une « révolution », elle est, à l'image des Québécois, bien « tranquille » !

Changement de régime

Le 7 septembre 1959, jour de la fête du travail, le premier ministre Maurice Duplessis meurt dans un chalet de chasse de Schefferville, à la suite de plusieurs hémorragies cérébrales. Le chef du gouvernement québécois s'était rendu sur la Côte-Nord pour visiter des mines de fer exploitées par des compagnies étrangères. Malgré ce que racontent ses ennemis, l'homme qui a dirigé le Québec pendant 18 ans ne meurt pas riche. Il laisse même une dette de plus de 40 000 dollars, qu'acquitte le trésorier de l'Union nationale, Gérald Martineau.

Deuils et successions

Cette disparition laisse un grand vide et force l'Union nationale à s'interroger sur son action gouvernementale. Comment rester fidèle au fondateur du parti tout en répondant aux nouvelles aspirations des Québécois ?

Funérailles nationales

Même chez ses adversaires, le décès de Maurice Duplessis crée une forte impression. L'éditorialiste André Laurendeau résume : « On l'a aimé, haï, estimé, discuté ; mais son emprise, passionnément combattue, a été incontestable durant le dernier quart de siècle. » Duplessis aurait eu la stature d'un Roosevelt ou d'un Churchill, croit pour sa part Georges-Émile Lapalme, longtemps chef de l'opposition. La dépouille du fondateur de l'Union nationale est exposée à l'Assemblée législative, puis ramenée à Trois-Rivières où des obsèques grandioses sont organisées le 10 septembre. Ce jour-là, le rideau tombe sur un ancien Québec.

« Désormais... »

C'est Paul Sauvé qui succède à Maurice Duplessis. Fils de l'ancien chef du Parti conservateur du Québec durant les années 1920, vétéran de la Seconde Guerre mondiale, longtemps ministre de la Jeunesse, Sauvé est le dauphin naturel. Le 21ᵉ premier ministre du Québec sait que beaucoup de jeunes piaffent d'impatience, que le régime auquel il appartient est critiqué de toutes parts. S'il assure aux partisans qu'il restera fidèle à l'héritage du chef, il tient à envoyer un signal de renouveau… «Désormais», les choses ne seraient plus comme avant. Dès son arrivée, il améliore le salaire des fonctionnaires, renforce les droits des travailleurs, appuie la tenue d'une exposition universelle à Montréal. Hélas pour lui et ses partisans, Paul Sauvé manquera de temps : le 2 janvier 1960, il est terrassé par une crise cardiaque.

Chef de transition

En toute hâte, le ministre du Travail Antonio Barrette remplace Sauvé à la tête du gouvernement. Malgré sa bonne volonté, l'homme a moins d'ascendant que son prédécesseur sur son parti. Ses politiques prioritaires : le financement des universités et l'assurance hospitalisation. En somme, des dossiers «sociaux» qui seront au cœur des grandes réformes de la Révolution tranquille. Le nouveau premier ministre envisage aussi d'ouvrir une agence du Québec à Paris et de rouvrir celle de Londres. Pour mener à bien ces changements et obtenir une vraie légitimité, Barrette déclenche des élections qui auront lieu le 22 juin 1960.

Victoire des libéraux

Dans l'opposition depuis 1944, les libéraux tentent de canaliser vers eux toutes les forces de l'opposition. Malgré les déboires de l'Union nationale, ils ne tiennent cependant rien pour acquis.

Jean Lesage, prêt pour le pouvoir !

En 1960, leur chef s'appelle Jean Lesage. Né en 1912, il grandit à Québec et complète des études de droit à l'Université Laval. Comme l'un de ses oncles sénateur, il défend les couleurs du Parti libéral. C'est donc sous cette bannière qu'il est élu député fédéral en 1945. Le 31 mai 1958, lors d'un congrès important, il remplace Georges-Émile Lapalme à la tête du Parti libéral du Québec. «Pas encore un gars d'Ottawa!», aurait déclaré Jean-Marie Nadeau, un organisateur du parti. Celui-ci craint les railleries de l'Union nationale, qui fait de l'autonomie de la province l'un de ses principaux chevaux de bataille. Mais Lesage est un meneur d'hommes. Il a du panache et une belle éloquence. C'est aussi un travailleur infatigable. Les sondages de l'été 1959 donnaient encore Duplessis pour gagnant. Dans sa propre circonscription de Québec-Ouest, le chef libéral tire de l'arrière de six points. Les décès de Duplessis et de Sauvé changent la donne, certes, mais rien n'est joué.

Un programme audacieux

Sur les banquettes de l'opposition, les libéraux ont eu beaucoup de temps pour réfléchir à leur plate-forme de gouvernement. C'est à Georges-Émile Lapalme, reconnu pour sa plume alerte et son appétit réformateur, qu'on confie la rédaction du programme, rendu public le 6 mai 1960. Nulle part n'est-il question d'opérer une «révolution», mais il suffit de lire entre les lignes pour constater que les changements proposés sont majeurs. Le programme s'ouvre sur un chapitre consacré à «la vie nationale». «Dans le contexte québécois, peut-on lire, l'élément le plus universel est constitué par le fait français que nous nous devons de développer en profondeur. C'est par notre culture plus que par le nombre que nous nous imposerons.» Tout le programme est de cette eau! À chaque page, il est question de l'État qui, si les libéraux sont élus, jouera un rôle beaucoup plus central dans la vie sociale et économique du Québec. On aspire aussi à plus de transparence démocratique. Dans *Pour une politique*, un document de réflexion rédigé durant l'été 1959 qui annonce les grandes lignes du programme, Lapalme écrit, à propos des mœurs politiques : «Présentement, la légalité n'est qu'apparence et hypocrisie. Le mépris des lois est devenu la loi. L'argent parle plus fort que l'électeur.» Plus loin, il ajoute : «La politique québécoise a été de tout temps une politique d'administration accompagnée de chants patriotiques.» Aux yeux de Lapalme, le temps était venu d'offrir aux Québécois une vraie «politique» – globale, cohérente, ambitieuse.

Révélations de la commission Salvas

Quelques mois après son élection, le gouvernement libéral confie à Élie Salvas, un juge à la Cour supérieure, le mandat d'enquêter sur le régime de l'Union nationale de 1955 à 1960. On souhaite faire la lumière sur le scandale du gaz naturel, qui avait impliqué des ministres unionistes dans un délit d'initié à la veille de l'élection de 1956, et éclairer la politique d'achat de l'ancien gouvernement. De lourds soupçons de patronage pesaient sur le régime de Maurice Duplessis. Aussitôt créée, la commission est dénoncée par les dirigeants de l'Union nationale. Les commissaires sont suspectés d'être des proches du Parti libéral.

L'enquête est plus longue que prévu. Plusieurs centaines de témoins sont entendus lors des 72 séances tenues pendant un an. Le premier volume du rapport est déposé en août 1962. Le juge Salvas confirme le délit d'initié mais aucune accusation n'est portée. Les pratiques de patronage de l'ancien gouvernement sont également mises à jour. Il est en effet démontré que celui-ci payait trop cher pour les produits et les services fournis. Les entrepreneurs faisaient payer au gouvernement un excédent qui était ensuite acheminé à la caisse électorale de l'Union nationale sous forme de ristourne. Alfred Hardy, le directeur des achats durant les années 1950, doit verser une amende, et Gérald Martineau, le trésorier de l'Union nationale, est condamné à trois mois de prison.

« L'équipe du tonnerre »

Pour mettre ce programme en action, Jean Lesage dispose de ce qu'on appelle alors une «équipe du tonnerre», qui allie expérience et jeunesse. Des vétérans comme Bona Arsenault, Lionel Bertrand, Émilien Lafrance ou Georges-Émile Lapalme côtoient de nouveaux visages comme le constitutionnaliste Paul Gérin-Lajoie et le journaliste Pierre Laporte, longtemps chroniqueur parlementaire du *Devoir* à Québec, et qui vient alors tout juste de faire paraître *Le vrai visage de Duplessis*, un portrait sans concessions du défunt premier ministre. En 1963, Eric Kierans, un ancien président de la Bourse de Montréal, se joint également à l'équipe.

Mais la recrue la plus importante en regard de l'histoire qui va suivre s'appelle René Lévesque (1922-1987). L'homme de petite taille et à l'allure débraillée grandit à New Carlisle en Gaspésie, un village qui compte une importante minorité anglophone. Il entame des études de droit mais préfère le journalisme. Parfaitement bilingue, il est recruté en décembre 1943 par l'Office of War Information (le service de presse américain) et couvre les opérations militaires des États-Unis en Europe. À Londres, il vit les bombardements de la Luftwaffe et découvre, au camp de concentration de Dachau, l'horreur nazie. À son retour, il devient journaliste à Radio-Canada et couvre la guerre de Corée. Quelques années plus tard, il anime l'émission de télévision «Point de mire», consacrée aux enjeux internationaux de l'heure. En 1959, il appuie la grève des réalisateurs de Radio-Canada, prononce des discours, devient une figure politique. Non sans hésitations, il accepte de se présenter sous la bannière libérale en 1960.

Un « changement de la vie » !

Fort d'un chef dynamique, d'un programme audacieux, d'une équipe énergique, le Parti libéral espère convaincre les électeurs d'opter pour la nouveauté. Leur slogan ? «C'est l'temps que ça change!». L'élection du 22 juin 1960 suscite un véritable intérêt : plus de 81 % des électeurs exercent leur droit de vote ce jour-là. Les libéraux font élire 51 députés et obtiennent 51,3 % des suffrages. C'est une belle victoire, mais on est loin du raz-de-marée espéré. Avec ses 43 députés, l'Union nationale est toujours bien vivante, surtout dans les campagnes. Dans plusieurs circonscriptions, les luttes sont serrées : 34 candidats élus obtiennent une majorité inférieure à 5 %. Même s'il est l'une des vedettes de son parti, il s'en est fallu de peu pour que René Lévesque morde la poussière. Malgré cette modeste majorité, le discours de victoire de Jean Lesage est emphatique : «Nous voulons donner à la province de Québec une pensée nouvelle. Ce qui vient de se produire est plus qu'un changement de gouvernement, c'est un changement de la vie.» Rien de moins !

Offrir l'égalité des chances

Depuis la Crise et la fin de la Seconde Guerre mondiale, la plupart des pays occidentaux se convertissent à ce qu'on appelle l'État-providence. Parmi les élites intellectuelles et politiques, c'est ce modèle qui en vient à faire consensus. L'avènement de l'État-providence correspond à la deuxième phase de modernisation des sociétés occidentales. Alors que la première phase, qui débute au 19e siècle, tentait de garantir à tous les droits les plus fondamentaux (suffrage universel, liberté de parole et d'association, etc.), la seconde vise avant tout l'égalité des chances pour tous les citoyens, peu importe leur origine sociale. Comment y arriver? En offrant à chacun les services de base dans des secteurs aussi vitaux que l'éducation et la santé.

L'État plutôt que l'Église

Parce qu'il le jugeait trop coûteux et qu'il craignait que le vrai pouvoir n'échappe aux élus, Maurice Duplessis avait résisté au modèle de l'État-providence. Jean Lesage et son équipe y adhèrent avec enthousiasme, ainsi que la population québécoise des années 1960. Sur toutes les bouches, les mêmes mots reviennent : retard, rattrapage… De toute urgence, répètent en chœur les membres de la nouvelle équipe au pouvoir, le Québec devait imiter les autres sociétés occidentales, ce qui signifiait se doter d'un État-providence qui dispenserait des services sociaux à la population.

L'ère des technocrates

Avant 1960, le Québec s'était doté de quelques politiques sociales : loi sur l'assistance sociale (1921), pensions aux mères nécessiteuses (1937), qui s'ajoutaient, bien sûr, aux mesures en provenance d'Ottawa – principalement les pensions de vieillesse, l'assurance chômage et les allocations familiales. Avant l'élection du 22 juin 1960, on considérait que l'État était un dernier recours, que les questions sociales étaient du ressort de l'Église ou des associations de charité. Cette perspective change complètement avec l'arrivée des libéraux de Jean Lesage. L'État devient le maître d'œuvre de la solidarité sociale. Pour bâtir cet État «moderne» et développer des politiques rationnelles, on recrute une batterie de jeunes cerveaux formés en sciences sociales. Ces brillantes recrues s'appellent notamment Arthur Tremblay, Claude Morin et Jacques Parizeau. Ils ont souvent étudié à l'étranger ou travaillé dans la fonction publique fédérale. Ces technocrates acquièrent vite beaucoup de pouvoir. La fonction publique, que les libéraux souhaitent compétente et indépendante du pouvoir politique, prend une expansion sans précédent. De 1962 à 1966, ses effectifs augmentent chaque année de 53 %, et les dépenses publiques, de 21 %.

Redéfinition du rôle de l'Église

Quelques années auparavant, un tel développement de l'État aurait été dénoncé par l'Église. Mais les choses changent, tant au Québec qu'au sein même de l'Église.

- ✔ **Création du Mouvement laïque de langue française.** Le 8 avril 1961, plus de 800 personnes fondent une association qui propose de reléguer l'Église et les questions religieuses à la sphère privée. L'État se devait d'assurer la neutralité des grandes institutions publiques. D'une part pour faciliter l'intégration des nouveaux arrivants qui ne partageaient pas la foi catholique, et d'autre part pour respecter la liberté de conscience de tous les citoyens québécois.

- ✔ **Vatican II.** Mais c'est surtout au sein même de l'Église que les choses changent de façon spectaculaire. Depuis les années 1930, un courant réformateur dénonce la philosophie autoritaire qui domine l'Église et la pratique religieuse conformiste des fidèles. Ces réformateurs, souvent des laïques qui militent au sein de mouvements de jeunesse catholique, dénoncent également le poids des clercs et l'importance démesurée qu'accorde l'Église aux institutions temporelles. Plutôt que de gérer des structures, l'Église se devait de proposer une nouvelle pastorale (la messe dans la langue du pays plutôt qu'en latin, par exemple). Avec l'arrivée du pape Jean XXIII, c'est ce point de vue qui l'emporte. Le concile Vatican II (1962 à 1965) marque une victoire éclatante pour les réformateurs.

Même si des résistances persistent, le contexte est donc propice pour remanier en profondeur le rôle de l'Église dans la société québécoise.

Qui s'instruit s'enrichit

Le premier secteur pris d'assaut par l'État-providence est celui de l'éducation. S'il y avait un domaine où il fallait rattraper l'Occident, c'était bien celui-là. Les louables efforts des gouvernements antérieurs et de l'Église s'étaient avérés insuffisants. En 1960, seuls 29 % des Québécois de 25 à 34 ans possèdent un diplôme secondaire ou collégial, et 5 % disposent d'un diplôme universitaire. C'est beaucoup moins que l'Ontario. Pour les révolutionnaires tranquilles, l'éducation permet de répondre aux besoins du marché. Mais d'abord et avant tout, elle constitue une «politique sociale», car dans leur esprit, promouvoir l'éducation, c'est favoriser l'égalité des chances, permettre l'ascension sociale des classes moins favorisées. D'où le slogan libéral – «Qui s'instruit s'enrichit!» – qui vise à convaincre la population de la nécessité vitale d'investir en éducation.

« Un mot vaut bien une truite » ! Les insolences du frère Untel

Cette nécessité de réformer l'éducation découle aussi d'une inquiétude par rapport à la langue parlée des Québécois. Dans une série de lettres publiques qu'il fait paraître à la fin de 1959, le frère mariste Jean-Paul Desbiens, alias le « frère Untel », dénonce la qualité de la langue au Québec. Ces lettres sont réunies dans un livre coup-de-poing : *Les insolences du frère Untel*. L'ouvrage connaît un immense succès de librairie.

Cette langue des Québécois, lui et d'autres l'assimilent au « joual » (déformation de « cheval »).

C'est une langue pauvre, relâchée, émaillée d'anglicismes. La cible du frère Desbiens est le système éducatif, notamment le cours secondaire public, et la société en général qui ne valoriserait pas assez la qualité de la langue. Il réclame une intervention accrue de l'État : « L'État protège les parcs nationaux, et il fait bien : ce sont là des biens communs. LA LANGUE AUSSI EST UN BIEN COMMUN et l'État devrait la protéger avec autant de rigueur. Une expression vaut bien un orignal, un mot vaut bien une truite » !

La Grande Charte de l'éducation

Maître d'œuvre des grandes réformes éducatives de la Révolution tranquille, Paul Gérin-Lajoie présente en 1961 une « Grande Charte de l'éducation » qui prévoit de nombreux bouleversements à tous les ordres d'enseignement. Parmi ceux-là...

✔ **La fréquentation scolaire jusqu'à 15 ans**, soit un an de plus que ce qu'avait décidé le gouvernement d'Adélard Godbout en 1943.

✔ **L'obligation, pour les commissions scolaires, d'assurer l'enseignement secondaire de la 8e à la 11e année.** C'est une responsabilité nouvelle et très lourde pour les commissions scolaires qui, auparavant, n'avaient à assumer l'éducation primaire des élèves que jusqu'à la 7e année.

✔ **La gratuité scolaire pour les élèves de 6 à 16 ans, à la fois pour l'enseignement et les livres.** Au nom du principe d'accessibilité à l'éducation, tous les contribuables devront partager les coûts générés par le système d'éducation au primaire et au secondaire.

✔ **La création d'un régime de prêts et bourses pour les étudiants des niveaux collégial et universitaire.** Le soutien financier aux étudiants des cycles supérieurs se fera en fonction des besoins des étudiants, non des contacts politiques des parents.

✔ **Des subventions statutaires et accrues aux commissions scolaires et aux institutions scolaires indépendantes.** Fini l'ère des subventions « discrétionnaires ». On souhaite une planification plus rationnelle des dépenses en éducation.

Un ministère de l'Éducation

Dès son arrivée au pouvoir, le nouveau gouvernement centralise tout ce qui concerne l'éducation au sein d'un seul et même ministère, celui de la Jeunesse : du jamais vu depuis 1875 ! Cette proposition correspond à la principale recommandation de la Commission royale d'enquête sur l'enseignement (aussi appelée commission Parent, du nom de son président), mise en place en 1961 et dont le premier volume du rapport est déposé en 1963. La commission Parent et le ministre Gérin-Lajoie considèrent qu'il est devenu essentiel de créer un ministère de l'Éducation. «Dans le Québec, explique ce dernier, les dépenses pour des fins scolaires dévorent le quart du budget de l'État [...]. Il est indispensable que la personne exerçant une autorité sur un secteur aussi vital de la société siège au conseil des ministres et à l'assemblée législative afin de défendre les mesures à préconiser.» En effet, dès sa création officielle en 1964, le ministère de l'Éducation accapare 28 % du budget québécois et mobilise 4 000 fonctionnaires. Pour inspirer ses grandes orientations, on crée la même année un Conseil supérieur de l'éducation, sur lequel siègent des spécialistes en pédagogie, des représentants du nouveau ministère et du clergé, ainsi que de divers ordres d'enseignement.

Les crucifix... là pour rester !

Pour favoriser une gestion plus rationnelle du système scolaire, le gouvernement force le regroupement des commissions scolaires (l'objectif est de faire passer leur nombre de 1 500 à 55). Le Mouvement laïque de langue française réclame de son côté l'instauration de commissions scolaires linguistiques. Or le gouvernement, prudent, reconduit leur structure confessionnelle et maintient les comités catholiques et protestants qui doivent approuver les programmes religieux dispensés dans les écoles. Pas question, pour l'instant, d'enlever les crucifix des écoles ! Pour les plus réformateurs, ce «concordat» entre l'État et l'Église est une déception, une occasion ratée de faire entrer le Québec dans une nouvelle ère. Mais les traditionnalistes, ceux qui considèrent qu'un Canadien français se définit d'abord et avant tout par son adhésion à la religion catholique, poussent un soupir de soulagement.

Au royaume de la «polyvalente» !

Si le gouvernement Lesage garantit la gratuité jusqu'à 16 ans, il permet aussi aux parents d'inscrire leurs enfants dans des institutions privées. On assure ainsi la pérennité de grandes institutions d'enseignement comme le collège Brébeuf de Montréal ou le Séminaire de Québec. Dans la majorité des cas, cependant, les élèves vont fréquenter la *polyvalente*. Responsable de l'enseignement secondaire, cette nouvelle organisation symbolise la démesure de la Révolution tranquille. Pour se conformer au modernisme du jour, on construit souvent d'énormes bunkers impersonnels qui accueillent jusqu'à 4 000 élèves. L'ambition de la polyvalente est d'être le reflet d'une société nouvelle, plus égalitaire. On y accueille autant les garçons que les filles, autant les élèves du secteur général, qui se destinent à l'université, que ceux des filières professionnelles. Les enseignants qui, à l'instar des fonctionnaires, obtiennent le droit de grève en 1965, fondent moins leur légitimité sur une «vocation» ou un «savoir» que sur des compétences en pédagogie. Cette discipline prône d'ailleurs des méthodes plus «ouvertes», moins autoritaires, nourrie qu'elle est par les tendances du jour en psychologie de l'enfance.

LE SAVIEZ-VOUS ?

Une première femme élue députée

Le 14 décembre 1961, lors d'une élection partielle, Marie-Claire Kirkland-Casgrain est élue députée à l'Assemblée législative. C'est une première ! Après avoir étudié au couvent de Villa-Maria, elle obtient une licence en droit de l'Université McGill en 1952. Elle complète également des études en droit international en Suisse. À son retour, elle commence à militer au Parti libéral. Dès son élection, elle est nommée ministre «sans portefeuille».

C'est une percée importante puisque malgré l'obtention du droit de vote, l'engagement des femmes en politique n'est pas bien vu durant les années qui suivent la Seconde Guerre mondiale. C'est la femme au foyer qui a la cote, même dans une nouvelle publication comme *Châtelaine*,

dont le premier numéro paraît en octobre 1960 : «Les beaux-arts et la politique, peut-on lire dans l'éditorial inaugural, l'éducation, la science ou les problèmes sociaux ne sont plus aujourd'hui une chasse gardée du sexe fort; il est bon aussi que «l'honnête femme» ait des «lumières sur tout», puisque son sort et celui de ses enfants sont liés au destin du monde.»

Avant de s'engager en politique, la femme doit être une mère compétente et aimante, et une épouse attentive aux besoins de son mari. C'est du moins ainsi qu'on voit les choses à cette époque où l'une des séries télévisées américaines les plus populaires s'intitule «Papa a raison». (Elle sera traduite et diffusée en français à partir de 1960.)

Santé pour tous

En 1960, la santé est un souci pour de nombreux ménages québécois. Dans l'esprit du nouveau gouvernement, favoriser l'égalité des chances, c'est offrir à chacun des soins de base, quel que soit son revenu.

Vers la création de CLSC

Avant 1960, l'État québécois vient en aide aux asiles et subventionne ce qu'on appelle alors les «unités sanitaires», qui ont notamment pour mission d'éduquer la population aux mesures d'hygiène, de prévenir la propagation de maladies contagieuses et d'administrer divers vaccins aux bébés naissants. En 1966, environ 1 000 personnes y travaillent, surtout des infirmières. Réparties sur l'ensemble du territoire québécois, ces unités sanitaires ne cesseront de se multiplier, passant de 30 en 1936 à 64 en 1950, et à 77 en 1968. Quatre ans auparavant, le gouvernement Lesage décide de les regrouper de façon à ce que chacune de ces unités desserve un bassin de 100 000 personnes. Mais les résultats ne seront pas très concluants. Au tournant des années 1970, les unités sanitaires sont secondées dans leur travail par des « cliniques populaires ». Deux ans plus tard, on crée les CLSC, les centres locaux de services communautaires.

L'hospitalisation assurée

La prévention est nécessaire, mais lorsque la maladie frappe, il faut parfois recourir aux services d'un médecin et être hospitalisé. En 1960, 57 % des Québécois ne disposent d'aucune assurance privée qui permettrait de défrayer les coûts d'une hospitalisation. Les plus pauvres peuvent bénéficier d'une aide charitable, mais les Québécois de la classe moyenne sont laissés à eux-mêmes. S'ils tombent malades, c'est à leurs frais. Un séjour à l'hôpital coûte cher et provoque souvent un lourd endettement. En 1947, le gouvernement de la Saskatchewan avait offert à tous ses citoyens une assurance hospitalisation. Dix ans plus tard, le gouvernement fédéral propose aux provinces de cofinancer le même genre de programme, mais à l'échelle du Canada. Autonomisme oblige, le gouvernement Duplessis avait refusé de participer au programme. Jean Lesage se montre quant à lui plus ouvert.

En 1961, son gouvernement adopte un projet de loi sur l'assurance hospitalisation. L'impact se fait aussitôt sentir sur les finances du Québec. Dès la première année d'application, les nouveaux patients affluent – 150 000 au lieu des 90 000 prévus. Le budget consacré à l'assurance hospitalisation passe de 140 millions de dollars en 1961 à 343 millions de dollars cinq ans plus tard. Et ça ne fait que commencer ! En 1970, de concert avec le gouvernement fédéral, le Québec lance un programme encore plus ambitieux d'« assurance maladie », universel et gratuit.

Maîtres chez nous !

Désormais, l'État assure à chaque Québécois des soins de santé de base et rend l'éducation accessible au plus grand nombre. Les révolutionnaires tranquilles font le pari que chacun, quelle que soit son origine sociale, pourra plus facilement choisir son destin et s'accomplir en tant que personne. Mais il ne fallait pas en rester là ! Un autre grand chantier les attendait, peut-être plus important encore : l'infériorité économique de la majorité francophone.

Faire éclater le plafond de verre

Jusqu'aux années 1960, les élites québécoises considéraient qu'État et économie ne pouvaient faire bon ménage. Libéraux et traditionalistes ne juraient que par les forces du marché ou associaient spontanément les interventions de l'État au socialisme athée. Toutefois, malgré les quelques institutions économiques que s'était données la bourgeoisie canadienne-française (la Chambre de commerce, le Mouvement Desjardins, HEC), la majorité francophone s'imposait mal dans le milieu des affaires. Contrôlées par des intérêts étrangers ou anglo-canadiens, les grandes entreprises font peu de place aux Canadiens français. Même s'ils parlent anglais ou qu'ils ont été bien formés, les francophones ont souvent l'impression de plafonner. C'est à ce phénomène que s'attaque l'équipe de Jean Lesage, dès son arrivée au pouvoir.

Moins riches que les Noirs américains

Et pour cause! Avec le recul, les signes de cette infériorité économique sautent aux yeux. En 1961, le sort des Canadiens français de 25 à 29 ans était pire que celui des Noirs américains du même âge. En moyenne, les Canadiens français avaient complété 10 années de scolarité, une de moins que les Noirs américains. Leur salaire était également moins élevé. Celui-ci équivalait à 52 % du salaire moyen de la minorité anglophone. C'était 2 % de moins que les Noirs américains par rapport au groupe social dominant aux États-Unis. Dernier exemple : celui du salaire moyen selon l'origine ethnique au Canada. En 1961, le revenu annuel des Canadiens d'origine française est de 3 185 dollars, très loin derrière le revenu des Canadiens d'origine britannique ou scandinave, qui oscille autour de 4 940 dollars. Si l'on exclut les Amérindiens, seuls les Canadiens d'origine italienne ont un revenu annuel plus bas.

Encourager les entrepreneurs d'ici

Pour la majorité francophone, le slogan « Qui s'instruit s'enrichit » en éducation avait donc un sens bien précis. Même réformé et mieux adapté à une économie moderne, un système d'éducation ne pourrait, à lui seul, renverser cette infériorité structurelle. Il fallait donc faire plus. L'État se devait d'intervenir pour encourager les idées novatrices, appuyer les entrepreneurs les plus prometteurs. En juin 1962, le gouvernement libéral crée la Société générale de financement, la SGF. Un fonds de 20 millions de dollars est constitué par l'État, le Mouvement Desjardins et des partenaires privés. La mission est double : fournir un capital de risque à des projets économiques structurants et encourager un contrôle québécois de certaines grandes entreprises, surtout dans le secteur des ressources naturelles. Il faut un certain temps avant que la SGF ne trouve son véritable créneau et que son directeur général Gérard Filion ne saisisse bien la mission économique et nationale de l'institution. Chose certaine, ce nouveau type d'intervention de l'État dans le développement économique participe d'un plus vaste mouvement de reconquête économique qui fait écho au programme nationaliste des années 1920.

Compléter la nationalisation de l'hydroélectricité

Dans l'esprit de tous, cette reconquête économique passe par un meilleur contrôle des richesses naturelles par l'État. Dans le secteur minier, par exemple, on estime que le temps est venu de revoir de manière radicale le pacte entre l'État et le secteur privé. Jusque-là, l'État octroyait à des compagnies privées des droits souvent exclusifs d'exploitation, en retour de quoi celles-ci finançaient les infrastructures de la région concernée, embauchaient des techniciens québécois et consentaient de petites redevances au Trésor public. Mais le gros des profits restait dans les coffres de la compagnie… et prenait le chemin de la maison mère, aux États-Unis ou ailleurs. À partir des années 1960, on souhaite que l'État intervienne plus activement, tant dans l'exploration de gisements miniers que dans leur exploitation. C'est dans un tel esprit que la SGF met sur pied, en 1964, Sidérurgie Québec (SIDBEC) et que le gouvernement autorise, en 1965, la création de la Société québécoise d'exploration minière (SOQUEM).

Les richesses naturelles plutôt que les « p'tits vieux » !

Cette philosophie interventionniste convient parfaitement à René Lévesque. Aux lendemains de l'élection, Jean Lesage voulait le nommer ministre du Bien-être social. La recrue refuse net : pas question d'être le « ministre des p'tits vieux » ! Le premier ministre lui offre finalement la responsabilité des ressources hydrauliques, où il donnera sa pleine mesure. Conformément à son engagement électoral, le gouvernement Lesage crée le ministère des Richesses naturelles. Hydro-Québec existe déjà. La société d'État, fondée en 1944 par le gouvernement Godbout à la suite de nationalisations de compagnies hydroélectriques de la région montréalaise, avait bien garni le Trésor québécois. L'idée d'abolir les coopératives d'électricité en région et de nationaliser toutes les compagnies hydroélectriques germe dans les esprits. Si, dans le programme libéral de 1960, on affirme que « l'exploitation de ces richesses [naturelles] doit s'effectuer de façon à profiter à la population de la province d'abord », on ne va cependant pas jusqu'à parler de nationalisation.

Le ministre Lévesque s'entoure d'une équipe de jeunes conseillers brillants. L'un d'eux s'appelle Michel Bélanger. Formé en économie, cet ancien fonctionnaire fédéral hérite du mandat de produire une étude sur question. Rédigé durant l'été 1961, son « livre bleu » déploie une argumentation serrée en faveur de l'étatisation des compagnies hydroélectriques. Il faut dire que les chiffres parlent d'eux-mêmes. Les profits des compagnies privées sortent du Québec, déplore Bélanger dans son rapport. De plus, la place des ingénieurs francophones dans ces mêmes compagnies laisse souvent à désirer. Quant aux tarifs d'électricité, ils varient beaucoup trop d'une région à l'autre. Compléter la nationalisation de toutes les compagnies hydroélectriques permettrait de remédier à ces problèmes. L'Ontario n'avait-il pas fait de même... dès 1906 ?

Réunion du lac à l'Épaule

Lévesque est acquis à l'idée, mais il faut convaincre ses collègues du Conseil des ministres. Pour certains, nationalisation rime avec socialisme. Le 5 septembre 1962, lors d'une réunion importante au lac à l'Épaule, près de Québec, le ministre des Richesses naturelles expose ses principaux arguments. Que le premier ministre lui permette de défendre son projet est déjà un exploit ! Quelques mois plus tôt, le chef du gouvernement s'était montré très réticent. Tout allait trop vite... Il craignait alors la réaction des milieux d'affaires anglophones, et il souhaitait laisser le temps aux Québécois de digérer toutes les réformes initiées depuis l'élection de 1960. Mais petit à petit, Lévesque gagne le premier ministre à sa cause, ainsi que la plupart de ses collègues.

À bas le « colonialisme économique »

Le ministre des Richesses naturelles a beau remporter la mise, Jean Lesage veut obtenir un plébiscite du peuple avant de nationaliser 11 compagnies privées. Des élections précipitées sont donc déclenchées pour le 14 novembre 1962. La décision surprend car les libéraux auraient pu gouverner pendant encore deux ans. Mais Jean Lesage décide de jouer son va-tout. « L'ère du colonialisme économique est finie dans le Québec, peut-on lire dans le programme libéral de 1962. [...] L'unification des réseaux d'électricité – clé de l'industrialisation de toutes les régions du Québec – s'impose comme condition première de notre libération économique. » Colonialisme, libération... L'angle choisi est clairement nationaliste. Le slogan libéral, « Maîtres chez nous », enfonce le même clou.

Fini les « porteurs d'eau »

Le chef libéral prend l'opposition complètement au dépourvu. L'Union nationale est encore déchirée par un congrès à la chefferie tenu en 1961. Son nouveau leader, Daniel Johnson, voudrait que l'élection porte sur le bilan libéral, très coûteux à ses yeux, mais c'est peine perdue. Ancien animateur de télévision, René Lévesque fait sensation durant la compagne électorale. Il parcourt le Québec, cigarette au bec et craie à la main. Devant les tableaux noirs, il se fait pédagogue de l'étatisation de l'hydroélectricité. Son charisme plaît aux foules, sa manière de présenter les choses séduit, convainc. « Il doit bien y avoir moyen de ne pas être seulement des spectateurs, des porteurs d'eau et des scieurs de bois !, répète René Lévesque dans ses discours de campagne. On est venu ici il y a quelque chose comme 300 ans, il devrait y avoir moyen qu'on se sente chez nous ici. » Voilà un politicien qui ne parle pas la langue de bois… ni celle des collèges classiques! Les résultats sont éclatants pour l'équipe de Jean Lesage. Son parti obtient 56,5 % des suffrages et 63 sièges.

New York! New York!

Malgré les résultats, le cartel financier anglophone de Montréal résiste. Pas question de financer ce projet « socialiste ». Devant ces résistances, on se tourne vers une firme de Wall Street pour trouver les 600 millions nécessaires à l'opération. « En 25 minutes, l'affaire était conclue, raconte Jacques Parizeau, alors jeune conseiller économique. Une expérience pareille, ça impressionne pour toute une vie! »

Le 22 février 1963, Hydro-Québec dépose officiellement une offre en vue de faire l'acquisition des compagnies hydroélectriques qui se partagent alors le territoire. Durant l'année 1963, le nombre d'employés de la société d'État passe de 8 665 à 15 500, et ses abonnés, de 589 291 à 1 363 390. Hydro-Québec deviendra une pépinière de cadres et d'ingénieurs, et son expertise sera sollicitée à travers le monde.

Chapitre 17

Les réformes se poursuivent (1963-1967)

· ·

Dans ce chapitre :

▶ La suite de la Révolution tranquille

▶ La quête d'un « statut particulier » pour le Québec

▶ L'étonnant retour au pouvoir de l'Union nationale en 1966

▶ La visite controversée du général de Gaulle

· ·

*A*u Québec et ailleurs dans le monde, ces attentes de plus en plus élevées envers l'État-providence, cette aspiration collective à exister par soi-même contribuent à l'effervescence des années 1960.

Même les Américains, d'ordinaire si attachés à leurs libertés individuelles et à l'économie de marché, élisent en 1964 un président qui mise sur l'État pour mettre fin aux inégalités sociales. La « Grande société », promet Lyndon B. Johnson, le successeur de John F. Kennedy (assassiné le 22 novembre 1963), sera plus juste, plus solidaire, plus attentive aux laissés-pour-compte – un discours qui plaît au pasteur noir Martin Luther King, orateur électrisant originaire du Sud et défenseur héroïque des droits civiques.

Cette aspiration à l'affranchissement et à la liberté gagne également le monde. Les années 1960 sont celles de la « décolonisation ». Partout, les peuples luttent pour leur indépendance et se détachent de leur ancienne métropole. Après l'Inde et le Pakistan (1947), le Maroc et la Tunisie (1956), le Togo et le Ghana (1957), Madagascar, la Côte d'Ivoire et les deux Congo (1960), voilà que l'Algérie acquiert son indépendance en 1962, après une longue guerre menée par le Front de libération algérien contre les troupes françaises. Toutes ces luttes de libération nationale influencent et inspirent une frange non négligeable de la jeunesse québécoise.

Réélus le 14 novembre 1962 avec une forte majorité, les libéraux de Jean Lesage ont les coudées franches pour poursuivre et consolider les grandes réformes de la Révolution tranquille. Les finalités et les moyens restent les mêmes. On mise sur l'État pour combattre l'exclusion sociale et mettre fin à l'infériorité économique des Canadiens français. Le vent de changement qui balaie le Québec semble irrésistible. Même la conservatrice Union nationale, reportée au pouvoir en 1966, ne peut y résister...

La lutte contre l'exclusion

Les interventions sociales et économiques de l'État vont se déployer dans d'autres secteurs que ceux de l'éducation, de la santé ou des ressources naturelles. Il ne s'agit plus seulement d'assurer l'égalité des chances mais de lutter contre l'exclusion sociale en dépoussiérant de vieilles lois et en développant des programmes adaptés. Au plan économique, on décide de nationaliser une partie des sommes épargnées par les Québécois en vue de leur retraite.

Le combat des femmes

Si les femmes peuvent désormais voter, se présenter aux élections et exercer des fonctions politiques, la lutte pour l'égalité est loin d'être terminée.

Place aux épouses !

Jusqu'à l'adoption de la loi 16 en 1964, les femmes, une fois mariées, perdaient la plupart de leurs droits. Les femmes mariées ne pouvaient exercer un métier ou être tutrices qu'avec le consentement explicite de leur mari. Autant dire que les épouses avaient le même statut qu'un mineur ou un simple d'esprit. Malgré quelques ajustements apportés au Code civil de 1866, cette infériorité juridique des femmes avait été préservée. La réforme proposée par les libéraux y met fin. On garantit désormais aux femmes l'égalité des conjoints et la possibilité pour l'épouse de quitter le foyer conjugal si elle s'y sent menacée. La pleine « capacité juridique » des épouses est également assurée. À bien des égards, ces changements apportés au Code civil ne font que refléter les nouveaux rapports homme/femme, caractérisés par une mentalité plus égalitaire entre les deux sexes.

Plus éduquées et autonomes

Si le rôle d'épouse au foyer est encore très valorisé, de plus en plus de femmes mariées travaillent à l'extérieur de la maison. En 1951, seulement 17 % de celles qui œuvraient sur le marché du travail étaient mariées. Vingt ans plus tard, les femmes mariées forment 48 % de la main-d'œuvre féminine. Les parents, les mères surtout, encouragent de plus en plus leurs filles à étudier et à se choisir un métier, y compris dans des secteurs qui n'étaient pas traditionnellement dévolus aux femmes. Même si la commission

Parent soutient que «l'éducation familiale et ménagère doit faire partie de la formation des jeunes filles», on considère que la société «doit fournir à toute jeune fille une certaine préparation à une occupation qui lui permettra de gagner sa vie avant ou durant sa vie en ménage». Ces réflexions sont révélatrices d'une «évolution tranquille» dans les mentalités! On le voit, le rôle de femme à la maison a toujours la cote... mais il ne faudrait pas non plus qu'elle se sente prisonnière du foyer.

Défendre sa place !

L'année suivant l'adoption de la loi 16, une coalition d'associations féminines annonce la création de la Fédération des femmes du Québec, la FFQ. Celle-ci est ouverte aux Québécoises de toutes les origines ethniques et de toutes les religions. Ce nouveau regroupement entend défendre les intérêts des femmes dans toutes les sphères de la société, du monde du travail jusqu'aux relations de couple. Ses membres revendiquent notamment un salaire égal aux hommes et l'instauration de garderies d'État. Lors du premier congrès, tenu en 1966, des discussions délicates sur le divorce et l'avortement suscitent des débats animés entre les militantes, qui ne partagent pas toutes les mêmes valeurs.

La FFQ représente surtout les femmes des villes. Pour donner une voix plus forte à celles des régions, les membres de l'Union catholique des femmes rurales et les animatrices des Cercles d'économie domestique vont fonder l'Association féminine pour l'éducation et l'action sociale (l'AFEAS), en 1966. Leur revendication principale : voir mieux reconnu le travail des femmes à la maison et au sein des entreprises familiales.

Les plus démunis

Avant l'État-providence, les plus démunis étaient pris en charge par la famille, l'Église ou des organismes de charité. En dehors des périodes de grandes crises ou de chômage, un revenu minimum garanti par l'État était une chose impensable.

Le « droit à une assistance »

Inspiré par les grandes réformes sociales développées ailleurs en Occident, un comité d'étude sur l'assistance publique, présidé par le juge Émile Boucher, remet un rapport important en 1963. L'État, explique-t-il, devait jouer un rôle beaucoup plus actif dans le domaine de l'assistance, ne plus se soumettre à quelque organisation de la société civile, développer des politiques globales et cohérentes. Le gouvernement du Québec se devait de défendre le principe «selon lequel tout individu dans le besoin a droit à une assistance de la part de l'État». Dans son esprit, cette assistance devait «être assumé[e] par les services gouvernementaux».

Quel État ?

Si l'assistance sociale de l'État fait consensus, une question se pose aussitôt : quel État en aura la responsabilité? C'est qu'en 1966, le gouvernement fédéral adopte la Loi d'assistance publique du Canada. Quatre ans plus tard, le même gouvernement propose un nouveau programme d'assurance chômage qui profite à presque tous les travailleurs salariés. Or ce que propose le comité Boucher au gouvernement québécois, c'est qu'il soit le maître d'œuvre des programmes d'assistance ou qu'il pratique l'«*opting out*» (le droit de retrait des programmes fédéraux, mais avec compensation financière ou fiscale). Un affrontement se pointe à l'horizon. Qui, d'Ottawa ou de Québec, définira et gérera ces politiques sociales? L'enjeu n'est pas seulement administratif. Deux États concurrents ont les mêmes visées. Les deux prétendent parler au nom d'un peuple ou d'une nation. Chacun défend sa propre conception du fédéralisme canadien.

La Caisse de dépôt et placement

C'est dans ce contexte qu'un bras de fer se dessine entre les gouvernements fédéral et québécois autour de la création d'un régime de retraite pour tous les citoyens. La confrontation débouche sur la création d'une institution à vocation économique qui jouera un rôle fondamental.

Une proposition digne du « national-socialisme »?!

Dès le début des années 1960, le gouvernement fédéral envisage de créer le «*Canada Pension Plan*», un régime de retraite pour tous les Canadiens. Le gouvernement Lesage approuve le principe mais souhaite que le Québec crée son propre régime. Le vœu des révolutionnaires tranquilles est que les sommes épargnées au Québec en vue de ces retraites soient gérées par des Québécois, pour des Québécois. Lors de son congrès de 1962, la Confédération des syndicats nationaux entrevoit la possibilité de créer une «caisse» qui gérerait les sommes accumulées pour un nouveau régime de retraite. Une telle institution, croient les délégués syndicaux, constituerait «le plus bel instrument de planification économique dont une collectivité puisse rêver» et accélérerait «la libération économique du Québec».

En avril 1963, le premier ministre Lesage reprend l'idée à son compte et annonce la création d'une «caisse générale de retraite». «Notre entreprise de libération économique, déclare le premier ministre quelques mois plus tard, ne peut s'accomplir vraiment si le peuple du Québec demeure étranger aux choix qui orientent l'utilisation de ses épargnes.» Le projet québécois fait bondir Judy LaMarsh, la ministre fédérale de la Santé et du Bien-être social. «La puissance d'un gouvernement possédant autant d'argent serait effarante, déclare-t-elle, outrée. En contrôlant les capitaux d'investissement, il serait en position de dominer les affaires. On risquerait de déboucher sur une sorte de national-socialisme, tel qu'il s'exerçait dans l'Allemagne nazie.»

Un puissant levier

Ce n'est qu'en 1965 que les choses débloquent. Cette année-là, le gouvernement met sur pied la Régie des rentes du Québec, dont la mission est de gérer un régime universel et obligatoire de retraite. Chaque travailleur doit y contribuer selon un pourcentage du salaire fixé par la Régie. Dès 1966, plus de deux millions de travailleurs contribuent au régime. Les fonds accumulés sont aussitôt intégrés à la Caisse de dépôt et placement, une nouvelle institution, fondée elle aussi en 1965, qui symbolise bien l'esprit de reconquête économique de la majorité francophone.

La mission de la Caisse est double : faire fructifier le bas de laine des Québécois et soutenir le développement économique et social du Québec. Comment ? En achetant à l'État du Québec une partie de ses obligations, ce qui permettra de financer des programmes sociaux et des infrastructures de base. Au plan financier, les capitaux de la Caisse rendront le Québec plus autonome, moins dépendant des banques étrangères. Aussi, la Caisse pourra devenir actionnaire d'entreprises structurantes qui ont parfois des sièges sociaux au Québec. Elle soutiendra également les entrepreneurs québécois les plus dynamiques qui voudront exporter leurs produits ou leur savoir-faire à l'étranger. La loi qui régit la Caisse de dépôt et placement prévoit l'indépendance de l'institution par rapport au gouvernement. Sa direction sera redevable à un conseil d'administration. C'est en janvier 1966 que la Caisse ouvre ses portes. Lors de son entrée en fonction, le premier président, Claude Prieur, ne dispose que d'un stylo… emprunté ! Le 31 décembre 2011, l'actif de la Caisse était de 159 milliards de dollars.

Exister par soi-même

À travers ces différentes réformes de l'État, les révolutionnaires tranquilles créent un nouvel état d'esprit. Contrairement à leurs prédécesseurs de l'Union nationale, ils ne se contentent pas de s'opposer aux initiatives fédérales, de dire « non ». Ils proposent des alternatives, ils s'affirment. Il ne s'agit plus seulement de défendre son butin, mais d'exister par soi-même. D'exister par soi-même au Canada… et dans le monde. Et pour certains – encore peu nombreux –, il s'agit de faire du Québec un pays vraiment indépendant.

Un « statut particulier »

La confrontation au sujet de la Régie des rentes illustre bien le contentieux nouveau qui oppose l'État québécois à l'État fédéral. Loin d'être seulement administratif, l'enjeu est politique, identitaire.

De Canadiens français à Québécois

Au cours des années 1950, plusieurs commencent à s'alarmer du haut taux d'assimilation des Canadiens français hors Québec. Le recensement canadien de 1951 est étudié avec beaucoup de minutie par le jésuite Richard Arès. Ses conclusions, publiées dans la revue *Relations*, convainquent une nouvelle génération de nationalistes que l'État du Québec est probablement le mieux placé pour défendre et promouvoir la culture française en Amérique du Nord. Après avoir consenti à ce que les timbres et la monnaie soient imprimés en anglais et en français, le gouvernement canadien annonce en 1962 que tous les chèques émis par l'État fédéral seront bilingues. Trop peu, trop tard, disent certains... Dans la plupart des institutions canadiennes, le français est absent, et les Canadiens français qui percent dans la fonction publique fédérale sont l'exception plutôt que la règle.

Ce déclin du français hors Québec explique en partie l'émergence d'une nouvelle identité « québécoise ». Jusqu'aux années 1960, les francophones du Québec se disaient Canadiens français. Graduellement, ils se disent Québécois. Leur foyer d'appartenance est le Québec et ils entendent voir reconnue cette nouvelle identité dans la Constitution canadienne, dont on s'apprête à célébrer, en 1967, le 100ᵉ anniversaire.

Revoir la Constitution

En 1961, le gouvernement Lesage crée le ministère des Relations fédérales-provinciales et organise des rencontres annuelles avec ses homologues provinciaux. L'équipe Lesage s'y présente armée d'une nouvelle conception du rôle de l'État québécois. Les discussions portent sur la mise en place des nouveaux programmes sociaux et sur le rapatriement constitutionnel. Plusieurs souhaitent que la Grande-Bretagne cède son pouvoir d'amender la Constitution canadienne et que les Canadiens deviennent les seuls maîtres de leur loi fondamentale. Ancien ministre fédéral, Jean Lesage est d'accord avec le principe du rapatriement. Mais les discussions vont rapidement buter sur des enjeux délicats pour le Québec.

✔ **Quelle formule d'amendement ?** Une fois la Constitution rapatriée, quel serait le poids du Québec lorsque viendrait le temps d'apporter de nouveaux changements ? Pourrait-il bloquer tout changement constitutionnel qui affecterait ses pouvoirs en matière d'éducation et de culture, par exemple ? (Cette capacité de « bloquer » ou d'« empêcher » un changement constitutionnel, c'est ce qu'on appelle aussi le « droit de veto ».) Les discussions achopperont souvent sur cette question.

✔ **Le partage des pouvoirs.** Si Jean Lesage partage l'empressement du gouvernement fédéral à rapatrier la Constitution, plusieurs membres de son gouvernement croient qu'une réflexion de fond s'impose sur le partage des pouvoirs prévu par la constitution de 1867. L'exercice permettrait de mieux circonscrire les pouvoirs de l'État fédéral et ceux du Québec dans de nombreux secteurs (relations internationales, éducation supérieure, télécommunications, etc.)

Au milieu de ces discussions émerge l'idée d'un « statut particulier » pour le Québec. Plusieurs souhaiteraient qu'une nouvelle constitution canadienne reconnaisse explicitement au Québec des pouvoirs spécifiques. Le Québec étant l'expression politique du Canada français, son État parle au nom à la fois de ses habitants et de l'une des nations fondatrices du Canada.

What does Quebec want?

Cette revendication nouvelle rend plusieurs Canadiens anglais perplexes… Une question fait surface : *What does Quebec want?* Mais que veulent les Québécois, au juste ? Seront-ils un jour satisfaits des pouvoirs spéciaux que le reste du Canada serait prêt à leur consentir ? Un prochain gouvernement en demanderait-il davantage ?

C'est dans cet esprit que le gouvernement fédéral de Lester B. Pearson met sur pied en 1963 la Commission royale d'enquête sur le bilinguisme et le biculturalisme, communément appelée « Laurendeau-Dunton », du nom de ses deux présidents. Son mandat est non seulement d'enquêter sur le caractère bilingue et biculturel du Canada mais de « recommander les mesures

à prendre pour que la Confédération canadienne se développe d'après le principe de l'égalité entre les deux peuples qui l'ont fondée ».

Dans le rapport préliminaire, publié en 1965, André Laurendeau et Davidson Dunton estiment que le Canada « traverse la période la plus critique de son histoire depuis la Confédération ». Malgré une consultation qui dure plusieurs années, des centaines de mémoires reçus et analysés, des expertises sollicitées, aucun consensus n'est dégagé. Fallait-il implanter le bilinguisme d'un océan à l'autre ou, au contraire, garantir au Québec des pouvoirs spéciaux qui permettraient de protéger la langue française ? La commission refuse de trancher.

Jouer dans la cour des grands !

Les Québécois ne souhaitent pas seulement être reconnus par le Canada mais parler en leur nom propre sur la scène du monde. En 1961, l'agence commerciale de New York obtient le statut de Délégation générale.
Le 5 octobre de la même année, on inaugure en grande pompe la Délégation du Québec à Paris, qui obtient le statut et les privilèges d'une véritable ambassade. L'année suivante, le Québec rouvre un bureau à Londres (fermé depuis 1935).

En 1965, deux moments forts :

> ✔ **Première entente avec un gouvernement étranger.** Le 27 février, les ministres québécois et français de l'Éducation paraphent une entente qui prévoit une coopération plus étroite dans le domaine de l'éducation. C'est la première fois que le gouvernement du Québec conclut une entente avec un État souverain.

✔ **La «doctrine Gérin-Lajoie».** Le 12 avril 1965, le ministre Paul Gérin-Lajoie prononce un discours important devant le corps consulaire de Montréal. Secondé par André Patry, juriste polyglotte et haut fonctionnaire influent, le ministre explique qu'en tant qu'État fédéré, le Québec est souverain dans le domaine de ses compétences – d'où la signature d'une entente sur l'éducation, ou la participation à des forums internationaux qui concernent l'éducation ou la culture.

Accepter ou rejeter la formule « Fulton-Favreau » ?

Cette affirmation du Québec rend les discussions constitutionnelles délicates. En 1966, pressé par l'opinion publique, le gouvernement Lesage refuse finalement la formule d'amendement dite «Fulton-Favreau», qu'il avait pourtant approuvée deux ans plus tôt. La formule imaginée par les ministres fédéraux Davie Fulton et Guy Favreau prévoyait que tous les changements constitutionnels à venir qui affecteraient le partage des pouvoirs, les compétences des provinces ou l'usage des langues française et anglaise requerraient l'unanimité des gouvernements. En revanche, toutes les réformes de la monarchie, du Sénat ou de la Cour suprême ne nécessiteraient que l'accord d'au moins sept provinces formant 50 % de la population.

Cette formule d'amendement et toute l'opération de rapatriement avaient été critiquées par l'opposition nationaliste. L'Union nationale dénonce cette «camisole de force» qui «fermerait pratiquement la porte de toute extension future des pouvoirs du Québec». Plusieurs ministres libéraux se laissent aussi convaincre par les arguments des opposants. C'est le cas notamment de René Lévesque, qui défend mollement l'accord en mars 1965 devant des étudiants de l'Université de Montréal. À la veille des élections, Jean Lesage cède. C'est le premier d'une longue série d'échecs constitutionnels.

Départ des «trois colombes» pour Ottawa

En septembre 1965, trois Québécois influents annoncent qu'ils se présenteront sous la bannière du Parti libéral du Canada. Les deux plus connus du trio à l'époque sont Jean Marchand et Gérard Pelletier, autrefois renommés pour leur opposition au régime Duplessis

Même s'il est alors le moins connu des trois, c'est cependant Pierre Elliott Trudeau (1919-2000) qui deviendra le plus célèbre. Fils d'une famille aisée et biculturelle (écossaise et canadienne-française), il complète des études en droit, puis en science politique dans de grandes institutions étrangères à Paris, Londres et Boston. Après avoir fondé la revue *Cité libre*, combattu le régime Duplessis et milité chez les socialistes, il fait le saut en politique active et se range finalement derrière les libéraux fédéraux, dont il devient le chef en 1968.

L'objectif des trois colombes est d'assurer une présence forte des Canadiens français à Ottawa. Les trois hommes désapprouvent le tournant nationaliste que prend la Révolution tranquille. « À compter de 1962, expliquera plus tard Trudeau dans ses *Mémoires*, au lieu de poursuivre l'ouverture vers les valeurs universelles, on ne parla plus que de "maîtres chez nous". Allions-nous abandonner la tutelle abusive de notre Sainte Mère l'Église pour nous replonger dans l'ombre de notre Sainte Mère la Nation ? »

Naissance du mouvement indépendantiste

Pendant que les révolutionnaires tranquilles s'activent, des jeunes rêvent de révolution et d'indépendance. En octobre 1963, des intellectuels fondent la revue *Parti pris*, qui prône ouvertement la révolution et défend l'idée d'un Québec laïque, socialiste et indépendantiste. Influencés par ce type de programme, de nombreux jeunes baby-boomers instruits comparent la cause des Québécois à celle des peuples opprimés qui luttent pour leur libération nationale.

Les premières bombes du FLQ

Directement inspirés par l'idéologie et les pratiques révolutionnaires du Front de libération nationale algérien, le FLN, de jeunes Québécois lancent le FLQ (Front de libération du Québec) en 1963. Aux yeux des *felquistes*, le Québec est une nation colonisée. L'infériorité économique et sociale des Canadiens français découle d'une domination politique instaurée après la Conquête de 1760. Les élites politiques et religieuses s'étant laissé corrompre par le conquérant, le peuple aurait développé une mentalité de perdant. Pour mettre fin à ce carcan, une seule solution : la révolution.

Les militants felquistes, peu nombreux au début, se regroupent au sein de cellules. Ils espèrent cependant que d'autres prendront le maquis. «Étudiants, ouvriers, paysans, peut-on lire dans leur premier communiqué, formez vos groupes clandestins contre le colonialisme anglo-américain. L'indépendance ou la mort!» La mort, elle est en effet regardée en face par ces apprentis terroristes, même si, les premières années, ils ne procèdent à aucun enlèvement ou assassinat politique. Ils préfèrent plutôt «conscientiser» les masses à leur cause en posant des bombes à des endroits qui symbolisent le pouvoir «colonial». Le 21 avril 1963, l'une de ces bombes tue un gardien de nuit de la Canadian Army Recruiting Station de Montréal. Le 30 janvier 1964, les felquistes volent de l'équipement militaire et fondent l'Armée révolutionnaire du Québec.

Le RIN

Mais si la rhétorique révolutionnaire et anticoloniale fascine, la violence terroriste est rejetée par la plupart des premiers indépendantistes. En 1964, soit quatre ans après sa fondation, ceux-ci transforment le Rassemblement pour l'indépendance nationale, le RIN, en véritable parti politique. L'un de ses fondateurs, Marcel Chaput, se fait rapidement connaître du grand public. Docteur en biochimie de l'Université McGill, ce fonctionnaire fédéral est congédié pour ses prises de position indépendantistes en 1961. La même année, il publie *Pourquoi je suis séparatiste*. Ce premier argumentaire moderne en faveur de l'indépendance connaît un immense succès de librairie. « C'est tout à la gloire de notre peuple d'avoir survécu dans les conditions difficiles qu'il a connues, écrit-il dans sa conclusion. Mais la survivance n'est pas une fin en soi. Elle n'a de sens que pour autant qu'elle mène à la Vie. »

« Samedi de la matraque » !

De 1960 à 1964, les indépendantistes construisent une organisation dynamique. Ils fondent le journal *L'Indépendance*, recrutent des militants dévoués dans toutes les régions du Québec et découvrent des orateurs efficaces. L'un d'eux s'appelle Pierre Bourgault. Il gravit les échelons du mouvement et devient chef du RIN en 1964. Né en 1934, ce comédien au chômage se convertit à l'idée d'indépendance à la mi-vingtaine. Ses discours passionnés et frondeurs attirent les foules. Son parti multiplie les assemblées et les manifestations tapageuses, dont certaines tournent à la violence. Normal : son emblème est un bélier! La visite de la reine Elizabeth II, le 10 octobre 1964, est précédée d'une longue campagne du RIN. Son chef laisse plusieurs fois entendre que les choses pourraient mal tourner pour la souveraine et lui suggère de rester chez elle. Le jour de la visite, presque personne ne se présente. Le long du cortège, la reine n'aperçoit que des soldats et des policiers, prêts à mater les manifestants indépendantistes... On surnomme cette journée « samedi de la matraque » !

Dissidences

C'est souvent du bout des lèvres que Pierre Bourgault condamne les actions du FLQ. Dans certains de ses textes, il reprend à son compte l'idée de révolution, même si le programme du parti est social-démocrate. Cet indépendantisme campé à gauche irrite certains militants, gênés que l'on compare le Québec aux pays du tiers-monde. En contexte de guerre froide, ceux-ci refusent que la cause indépendantiste puisse être associée de quelque façon à une chapelle marxiste. Surtout basés dans la région de Québec, ces indépendantistes vont claquer la porte du RIN en août 1964. Ils fondent un parti qui prendra bientôt le nom de Ralliement national. Leur manifeste condamne « toute forme de violence », promet un « État démocratique », dénonce le « totalitarisme sous toutes ses formes » et s'engage à respecter les droits historiques de la minorité anglophone.

Leur perspective est résolument démocratique et réformiste. Elle aurait tout pour plaire au ministre René Lévesque qui, le 9 décembre 1964, fait une déclaration qui ne passe pas inaperçue : «Je ne suis pas séparatiste, mais je pourrais le devenir». Encore faudra-t-il que les moyens utilisés soient «pacifiques».

Retour de l'Union nationale au pouvoir

Après six ans de réformes dont plusieurs ont bousculé la vie quotidienne – on pense à la réforme scolaire, de plus en plus critiquée –, le premier ministre Lesage sollicite un nouveau mandat. La campagne des libéraux est centrée sur le bilan et la personnalité de leur chef – un chef que les dirigeants de l'Union nationale surnomment «Ti-Jean la taxe»! Toutes ces réformes ont coûté cher aux Québécois et accru l'endettement public. Si elle est élue, l'Union nationale promet de contrôler les dépenses et de mieux défendre les intérêts nationaux. Son slogan? «Québec d'abord». La campagne de 1966 est marquée par la présence de deux partis indépendantistes dont les moyens sont inversement proportionnels à l'enthousiasme de leurs jeunes militants. Les discours percutants de Pierre Bourgault et le slogan du RIN – «On est capable» – captent l'attention et suscitent l'espoir chez plusieurs jeunes qui peuvent désormais voter dès l'âge de 18 ans.

Les résultats du 5 juin 1966 prennent tout le monde par surprise. Les libéraux obtiennent le plus grand nombre de voix (47,2 %) mais ne font élire que 50 députés. Avec ses 56 candidats élus, c'est l'Union nationale qui forme le nouveau gouvernement, même si le parti dirigé par Daniel Johnson ne recueille que 40,9 % des suffrages. Ce résultat étonnant s'explique par le défaut de la carte électorale, qui accorde une importance démesurée aux circonscriptions rurales. Quant aux partis indépendantistes, ils obtiennent ensemble 8,8 % des votes, une percée digne de mention.

Le choix de la continuité

Le retour de l'Union nationale au pouvoir en inquiète certains. On craint la remise en cause de l'État-providence, le démantèlement du nouveau système d'éducation, le retour à un nationalisme plus défensif. Or il n'en est rien!

Les technocrates restent

Parti de notables et d'avocats de province, l'Union nationale était boudée par les milieux intellectuels et universitaires. La formation ne dispose pas d'une équipe de cadres formés en sciences sociales capables de prendre le relais des technocrates nommés par les libéraux. Faute de cadres, le nouveau gouvernement doit conserver les jeunes mandarins qui ont conçu et réalisé plusieurs des réformes de la Révolution tranquille. Cela dit, une fois assermenté, le nouveau premier ministre leur lance un message clair : « C'est beau les théories. Mais je veux des ministres qui sauront rappeler aux technocrates, à l'occasion, que ces théories ne rencontrent pas toujours les désirs du peuple. »

Éducation : « Plus ça change… » !

Cette mise en garde n'aura aucun effet en éducation. L'esprit d'innovation, d'expansion – et parfois de démesure – reste le même.

- ✔ **Création des cégeps.** En 1967, le gouvernement Johnson crée les collèges d'enseignement général et professionnel, les « C.E.G.E.P. ». Ces institutions proposent des programmes généraux de deux ans qui mènent à l'université et des programmes professionnels ou techniques de trois ans qui préparent au marché du travail. Tous les étudiants doivent suivre les mêmes cours obligatoires. À l'instar des polyvalentes, il s'agit d'intégrer dans une même institution des jeunes de profils sociaux et professionnels variés. À la rentrée de 1968, 30 cégeps ont déjà ouvert leurs portes. Leurs édifices sont souvent ceux des anciens collèges classiques de l'Église, nationalisés par l'État.

- ✔ **Création de l'Université du Québec.** L'année suivante, le même gouvernement fonde l'Université du Québec, une corporation publique constituée de centres de recherche, d'écoles supérieures et d'universités sises en région. La plus importante institution du nouveau réseau est l'Université du Québec à Montréal (UQAM). Montréal dispose enfin d'une seconde université de langue française.

- ✔ **Des « programmes-cadres » en français.** Sous l'Union nationale, les expériences théoriques en pédagogie ne connaissent aucune limite ! Les nouveaux « programmes-cadres » en français implantés au secondaire privilégient des méthodes « ouvertes », axées sur la prise de parole et l'apprentissage au son. L'enseignement systématique de la grammaire par la dictée et les méthodes plus traditionnelles de transmission du savoir sont discrédités. Trop « rétro », disent les derniers spécialistes en vogue ! Le conseil supérieur de l'éducation de l'époque encourage ce type d'approche.

Un État interventionniste

Le gouvernement de l'Union nationale a finalement beaucoup misé sur l'État. Parfois pour le meilleur… parfois pour le pire ! Au plan économique, on poursuit les efforts du gouvernement précédent afin que l'État contrôle mieux ses ressources naturelles. S'il déplore qu'Hydro-Québec ne consulte pas assez son gouvernement, le premier ministre Johnson cautionne les choix de développement de la société d'État. En 1969, on fonde la Société québécoise d'initiatives pétrolières (SOQUIP) et la Société de récupération et d'exploitation forestière du Québec (REXFOR), toujours dans le but de mieux encadrer le développement des richesses naturelles.

On mise également beaucoup sur l'État pour dynamiser certaines régions qui battent de l'aile. C'est le cas du Bas-Saint-Laurent et de la Gaspésie, dont la population décline et où le taux de chômage augmente. Dès 1963, le gouvernement du Québec en fait une région pilote. On crée le Bureau d'aménagement de l'est du Québec, le BAEQ, qui dépose en 1966 un énorme rapport, lequel propose une série de solutions pour remédier au déclin de la région. Appuyé par le gouvernement fédéral, l'ambitieux plan de développement est lancé en 1968 mais provoque une levée de boucliers dans plusieurs petites communautés dont on décrète, très «technocratiquement», la fermeture.

Égalité... ou indépendance

En fait, l'Union nationale se distingue des libéraux seulement sur la question nationale. Un an avant de devenir premier ministre, Daniel Johnson lance un essai au titre choc : *Égalité ou indépendance*. Sa proposition est simple mais combien audacieuse : ou le Canada revoit radicalement sa constitution, ou le Québec devra faire son indépendance. La réforme constitutionnelle prônée par Johnson, et par les milieux nationalistes du milieu des années 1960, est celle des «États associés». Le Canada refondé serait un pacte entre deux nations égales qui disposeraient chacune de vrais pouvoirs. Aucune ne serait inféodée à l'autre. Si le Canada anglais refusait cette réforme, soutient Johnson, il resterait la séparation : «la Confédération n'est pas une fin en soi», écrit-il. Mais cette option reste pour lui un pis-aller – un dernier retranchement.

« Le Québec a besoin de vous »

Dès son élection, Daniel Johnson montre ses couleurs. Il réclame et obtient des pouvoirs fiscaux accrus qui permettent de financer le développement de l'État québécois. Mais pour obtenir les changements constitutionnels fondamentaux qu'il souhaite, il lui faut marquer un grand coup. En mai 1967, Johnson est reçu à Paris par le président français Charles de Gaulle. Le but officiel de la rencontre est d'inviter le président à visiter l'Exposition universelle de Montréal, qui sera l'événement marquant de l'été 1967. Le premier ministre québécois espère aussi le soutien du grand homme dans la lutte qu'il mène sur le front constitutionnel. «Mon général, le Québec a besoin de vous, lui dit-il. C'est maintenant ou jamais.» L'ancien chef de la résistance française durant la Seconde Guerre mondiale n'allait pas laisser passer ce grand rendez-vous avec l'Histoire!

L'Expo 67

C'est à Montréal qu'a lieu, durant l'été 1967, l'Exposition universelle. Les précédentes avaient eu lieu à Bruxelles (1958) et à New York (1964), et les suivantes auront lieu à Osaka (1970), à Séville (1992), à Hanovre (2000) et à Shanghai (2010). Ces grandes foires existent depuis le milieu du 19ᵉ siècle et célèbrent le progrès, la civilisation et la paix entre les peuples. Fidèle à cette tradition, le thème de l'Expo 67 est « Terre des hommes », inspiré du titre d'un roman d'Antoine de Saint-Exupéry.

Les Québécois ont l'impression que, le temps d'un été, leur métropole devient le centre du monde. Plus de 50 millions de visiteurs du Québec et d'ailleurs iront admirer les pavillons des différents pays représentés. Chaque nation fait découvrir ses meilleurs plats et ses prouesses techniques. Grâce à son pavillon futuriste, le Québec offre une image très moderne. Un pavillon de la jeunesse accueille également les nombreux baby-boomers, qui arrivent à l'âge adulte, et offre tous les soirs des spectacles variés.

« Réparer la lâcheté de la France »

Charles de Gaulle se réjouit du mouvement d'affirmation québécois. S'il hésite un moment à visiter l'Expo 67, c'est précisément parce qu'il ne souhaite pas participer aux célébrations du centenaire de la Confédération canadienne qui, à ses yeux, défavorise les Canadiens français et rappelle une défaite française. Pour respecter le protocole, le président français aurait dû débuter son périple à Ottawa, la capitale canadienne. Pas question ! Pour contourner cet obstacle protocolaire, on décide que le voyage du général se fera en bateau, à bord du Colbert, un croiseur français. Le président y prend place le 15 juillet 1967 à Brest, ville bretonne. « Je compte frapper un grand coup, explique-t-il à l'un de ses proches. Ça bardera. Mais il le faut. C'est la dernière occasion de réparer la lâcheté de la France. » Le 23 juillet, le Colbert fait son arrivée à Québec, 208 ans après la défaite des plaines d'Abraham.

Sur le « Chemin du roy »

Le matin du 24 juillet, le président français, accompagné du premier ministre Johnson, remonte jusqu'à Montréal le « Chemin du roy », une vieille route inaugurée en 1737 qui longe la rive nord du Saint-Laurent. Les habitants qui saluent le passage du général ont décoré leurs maisons de fleurdelisés et de tricolores. Même l'asphalte est peint de fleurs de lys, sur quelque 200 kilomètres ! Le cortège s'arrête à Donnacona, Sainte-Anne-de-la-Pérade, Trois-Rivières, Louiseville, Berthier, Repentigny, des villes et des villages fondés à l'époque de la Nouvelle-France. Dans chacun de ses discours, le président français salue l'élan d'affirmation québécois. « Le peuple canadien-français, français-canadien, ne doit dépendre que de lui-même [...]. Et c'est ce qui se passe [...]. Je le vois, je le sens. » Le rôle de la France, répète-t-il, est « d'aider le Canada français dans son développement ». Johnson apprécie l'appui du général mais craint les excès d'enthousiasme. «Si cela continue comme ça, laisse-t-il tomber au lunch, à Montréal on sera séparé.»

«Vive le Québec libre!»

Les discours étant retransmis en direct à la radio, l'intérêt pour cette visite peu banale s'accroît d'heure en heure. De Repentigny à Montréal, plus d'un demi-million de Québécois saluent le cortège présidentiel qui atteint péniblement l'hôtel de ville vers 19h30. Accueilli par le maire Jean Drapeau, Charles de Gaulle souhaite s'adresser à la foule enthousiaste qui comprend des curieux, des militants nationalistes et des membres du RIN. «Ce soir ici et tout le long de ma route, je me trouvais dans une atmosphère du même genre que celle de la Libération.» Le président de Gaulle salue ensuite l'«immense effort de progrès, de développement et, par conséquent, d'affranchissement» du Québec, qui se constitue «des élites, des usines, des entreprises, des laboratoires, qui feront l'étonnement de tous et qui, un jour, j'en suis sûr, vous permettront d'aider la France». Et il conclut : «La France entière sait, voit, entend ce qui se passe ici. Et je puis vous dire qu'elle en vaudra mieux. Vive Montréal! Vive le Québec! Vive le Québec libre! Vive le Canada français et vive la France!»

Stupeur et tremblement

Le discours du général de Gaulle crée une onde de choc et fait le tour de la planète, forçant même les Chinois à créer un nouvel idéogramme traduisant l'objet «Québec»! Le 28 juillet 1967, François Aquin, député libéral de Dorion, quitte son parti et devient le premier élu québécois à se dire ouvertement «indépendantiste». Daniel Johnson et René Lévesque se réjouissent que le discours donne un nouveau souffle au mouvement nationaliste québécois mais n'approuvent guère la manière un peu brutale du général qui a repris à son compte un slogan indépendantiste et partisan.

La presse canadienne-anglaise et étrangère condamne cette intrusion dans un débat canadien. Bon nombre de Français, y compris des gaullistes, ne comprennent pas le discours de leur président. Âgé de 77 ans, le général a-t-il encore toute sa tête? Évidemment, le gouvernement fédéral condamne fermement le discours du général de Gaulle. «Le peuple canadien est libre, chaque province du Canada est libre, peut-on lire dans le communiqué officiel. Les Canadiens n'ont pas besoin d'être libérés. En vérité, des milliers de Canadiens ont donné leur vie au cours des deux guerres mondiales pour libérer la France. [...] Le Canada restera uni et rejettera toute tentative visant à détruire son unité.» Un sondage divulgué deux semaines plus tard indique que 58,7 % des Québécois ne considèrent pas le geste du général comme une intrusion dans une affaire interne. Par ailleurs, 48,9 % approuvent le «Vive le Québec libre», 31,7 % le condamnent et 16,9 % se disent indécis.

Le président français avait donné son point de vue sur la question du Québec... Au tour maintenant des Québécois de trancher.

Cinquième partie

Province ou pays ?
(1967 à aujourd'hui)

Dans cette partie...

Un choix existentiel et combien déchirant… Les Québécois souhaitent-ils rester dans un Canada réformé ou fonder un nouveau pays? Les deux options ont leurs partis, leurs chefs charismatiques, leurs militants plus radicaux. En 1980 et en 1995, deux référendums mobilisent toute l'énergie politique des Québécois et l'attention du monde. Le Québec de la fin du 20e siècle est aussi traversé par des discussions sur le rôle du mouvement syndical et de l'État-providence, sur l'érosion de la solidarité et la montée de l'individualisme. «Lucides» et «solidaires» y vont de leurs plans d'avenir. Les Québécois cherchent de nouvelles offres politiques.

Chapitre 18

La révolte (1967-1972)

• •

Dans ce chapitre :

▶ La fondation du Parti québécois

▶ La crise d'Octobre et la mort de Pierre Laporte

▶ Le mouvement de radicalisation sociale

• •

À la fin des années 1960, une fièvre gagne la jeunesse occidentale. Du passé, il faut faire table rase! Réformer? Pas assez, il faut plutôt «casser la baraque»! Les élections? Des «pièges à con»! Conscientiser les masses pour qu'elles développent une pensée révolutionnaire? Trop long... Il faut agir, tout de suite. Pour mieux lutter contre l'impérialisme, le racisme, les notables, les patrons, les militaires, la société de consommation... Cette fièvre s'empare de la jeunesse française en mai 1968, de la jeunesse américaine opposée à la guerre du Vietnam, et des Noirs américains qui, après l'assassinat du non-violent Martin Luther King en 1968, épousent les thèses révolutionnaires de Malcolm X.

Ce ne sont pas seulement les choix politiques des parents qu'on conteste mais leurs valeurs. Pour «changer la vie», il faut mettre fin au patriarcat, transformer radicalement la famille, revoir la mission de l'école. C'est l'époque de la révolution sexuelle, des communes et de la drogue, celle des «hippies» et du «flower power». C'est aussi l'époque où John Lennon et Yoko Ono, lors de leur «bed-in» à Montréal en 1969, composent leur célèbre «Give peace a chance».

Cette fièvre gagne également la jeunesse québécoise. Tant sur le plan politique que sur celui des valeurs. L'Église de papa-maman est rejetée. Le chapelet, la prière en famille, les pèlerinages, les images pieuses, le carême? Fini, tout cela! La position du nouveau pape Paul VI contre le mariage des prêtres et la pilule contraceptive accélère cette désaffection. La messe du dimanche est de moins en moins fréquentée, la carrière ecclésiastique de plus en plus boudée. Prêtres, religieux et religieuses quittent d'ailleurs les ordres à pleines portes pour se marier... et travailler au ministère de l'Éducation! Les jeunes les plus politisés préfèrent le mouvement étudiant ou les groupes révolutionnaires aux associations d'action catholique.

La fondation du Parti québécois

René Lévesque ressent cette impatience d'une partie de la jeunesse. Cette mobilisation le grise, ainsi que plusieurs réformateurs de sa génération. Mais il craint la violence, les débordements. Son souci premier : canaliser toute cette énergie vers une grande cause politique.

La souveraineté-association

Dès l'été 1967, l'ex-ministre libéral jette sur papier quelques idées et développe un concept nouveau qui marquera les années à venir : la souveraineté-association. Comme il l'écrit dans le document qu'il présente aux militants de sa circonscription le 18 septembre, sa solution se situe au croisement de deux grands mouvements de l'époque : «celui de la liberté des peuples et celui des groupements économiques et politiques librement consentis». Parce que «nous sommes des Québécois» et que le Québec forme une nation, il importe au plus vite d'affirmer sa «souveraineté», explique Lévesque. C'est lorsque son État sera souverain que le Québec pourra plus facilement négocier, d'égal à égal, une association économique avec le reste du Canada. Ce nouveau partenariat esquissé par Lévesque ressemblerait à celui qui unit les pays européens. «Une telle association nous semble en effet taillée sur mesure pour nous permettre, sans l'embarras de vieilles structures constitutionnelles, de faire les mises en commun [...] qui répondraient le mieux à notre intérêt économique commun : union douanière, communauté tarifaire, gestion de la dette [...].» Un Québec souverain pourrait ainsi conserver la monnaie canadienne.

Création du MSA

Soutenu par les militants libéraux de sa circonscription et l'aile plus nationaliste de sa formation politique, René Lévesque achemine sa proposition au congrès libéral qui s'ouvre à Québec le 13 octobre 1967. Le lendemain, il explique longuement sa position aux délégués. Mais la majorité ne veut rien entendre. À leurs yeux, l'ex-ministre a épousé la thèse du «séparatisme». Après quatre heures de discussion, Lévesque décide de retirer sa proposition et de démissionner du Parti libéral.

Un mois plus tard, on le retrouve à Montréal entouré de ses partisans, avec qui il fonde le Mouvement souveraineté-association, le MSA. «Ce sont des raisons de survie qui nous dictent cet avenir constitutionnel, explique-t-il. Car des périls graves menacent aujourd'hui notre groupe ethnique. Sur le plan démographique, la réalité est troublante. Notre taux de natalité, naguère le plus élevé au Canada, est aujourd'hui le plus faible et décline constamment. D'autre part, l'immigration joue contre nous. Depuis toujours, nous avons été submergés par une vague d'immigration non francophone que, pour une raison ou une autre, nous n'avons pas réussi à intégrer. » La souveraineté-association, ajoute-t-il, mettra aussi fin « au gaspillage et au dédoublement d'énergie ».

Rupture avec les Franco-Ontariens

Du 23 au 26 novembre 1967 s'ouvrent à Montréal les États généraux du Canada français. Pour ces militants nationalistes « à l'ancienne », liés aux sociétés Saint-Jean-Baptiste, l'heure est au bilan. Pour assurer le développement du Canada français, faut-il réformer en profondeur le Canada ou faire la souveraineté du Québec ? Très tôt, une fracture se dessine entre les militants québécois et ceux des autres provinces. Les premiers présentent une motion qui affirme que « 1. Les Canadiens français constituent une nation. 2. Le Québec constitue le territoire national et le milieu politique fondamental de cette nation. 3. La nation canadienne-française a le droit de disposer d'elle-même et de choisir librement le régime politique sous lequel elle entend vivre. » Après des débats âpres et déchirants, la motion est finalement adoptée. Les francophones de l'Ontario se sentent abandonnés, trahis, et considèrent désormais les Québécois comme des frères ennemis. Ces « États généraux » se soldent donc par une rupture du Canada français traditionnel et par une conversion des nationalistes québécois plus conservateurs à l'idée de souveraineté.

Trudeau-Johnson : l'affrontement

Pendant que l'idée de souveraineté chemine dans les esprits, le gouvernement de l'Union nationale continue de défendre une réforme en profondeur de la Constitution canadienne. Le 5 février 1968, le premier ministre Johnson expose sa perspective devant ses collègues des autres provinces et les représentants du gouvernement fédéral. Ministre de la Justice à Ottawa, Pierre Elliott Trudeau réfute les thèses du porte-parole québécois de manière cinglante. « Demander des pouvoirs spéciaux constitue un affront pour les Canadiens français, explique-t-il. Ce qu'ils veulent, c'est l'égalité linguistique. Une fois celle-ci réalisée, ils n'auront pas besoin de pouvoirs spéciaux. Un "Canada à deux" aboutira forcément au statut particulier, puis aux États associés et enfin à la séparation. » La réponse de Johnson ne se fait pas attendre : « On se fait des illusions si on s'imagine que le Québec sera satisfait simplement parce que l'on pourra parler français ailleurs ! Le problème est plus profond et ne peut être guéri avec de l'aspirine. Les deux langues seront sur un pied d'égalité quand les deux nations le seront. C'est tout le régime fédéral qu'il faut renégocier. » Si Daniel Johnson ne s'en laisse pas imposer, la vision Trudeau fait impression.

La trudeaumanie !

Pierre Elliott Trudeau concevait le Canada comme une société d'individus, non comme un pacte entre deux nations. Le rôle premier de l'État fédéral était de protéger les droits individuels de chacun des citoyens, quelles que soient leurs origines ethniques ou culturelles. Reconnaître aux Canadiens français des droits spéciaux, c'était selon lui laisser croire qu'ils étaient individuellement trop faibles pour se développer et s'affirmer. Une insulte ! À la condition de pouvoir vivre dans leur langue partout au Canada, les Canadiens français, en tant que peuple, n'avaient nullement besoin d'un statut spécifique.

Quelques jours après son affrontement avec Johnson, Trudeau annonce sa candidature à la chefferie du Parti libéral du Canada. Même s'il n'a pas beaucoup de racines dans le parti, les délégués libéraux optent pour lui le 6 avril 1968. Ce célibataire aux allures de dandy plaît aux femmes. Son charisme et ses idées claires séduisent aussi plusieurs Canadiens. Parfaitement bilingue, il incarne selon plusieurs un Canada moderne, ouvert sur le monde, capable de transcender les deux cultures fondatrices.

Aussitôt assermenté comme premier ministre du Canada, il déclenche des élections. La personnalité du jeune chef libéral fascine, envoûte. Plusieurs parlent même d'une « trudeaumanie » ! Le soir du 24 juin, le chef libéral se retrouve à la tribune d'honneur, rue Sherbrooke à Montréal, pour assister au traditionnel défilé de la Saint-Jean-Baptiste. Pierre Bourgault et les indépendantistes y voient un affront. « Trudeau au poteau ! », scandent certains manifestants qui lancent des projectiles sur les dignitaires. Contrairement aux autres notables, Trudeau ne bronche pas et défie les trouble-fête. Aux yeux du Canada anglais, il tient tête aux séparatistes. Le lendemain, son parti est reporté au pouvoir avec une majorité confortable. Trudeau reçoit un message de Johnson : « Je vous offre la collaboration du gouvernement du Québec pour assurer la prospérité de notre pays et l'épanouissement des deux nations qui le composent. »

Un nouveau parti

S'agissant de l'avenir du Québec, les positions se précisent de plus en plus. Trudeau devenu premier ministre du Canada, les réformateurs québécois du fédéralisme doivent prendre leur mal en patience. Ce n'est pas demain la veille que le Québec deviendra un « État associé » ! Dans un tel contexte, la souveraineté-association proposée par René Lévesque devient une alternative séduisante pour bon nombre d'électeurs québécois. Encore faut-il créer un vrai parti. Des négociations entre le MSA et le Ralliement national sont entreprises. Les deux mouvements en arrivent rapidement à un accord. Les pourparlers avec les dirigeants du Rassemblement pour l'indépendance nationale sont beaucoup plus ardus. Lévesque est allergique aux manifestations violentes du RIN et aux enflures verbales de Pierre Bourgault. Les deux mouvements ont également des visions diamétralement opposées de la question linguistique. Le RIN prône un unilinguisme intégral et refuse de reconnaître quelque droit à la minorité anglophone – une position inacceptable pour René Lévesque, qui rompt les négociations. Le congrès de fondation du Parti québécois (PQ) se tient à Montréal du 11 au 14 octobre 1968. Quelques jours plus tard, les militants du RIN sabordent leur parti et décident d'adhérer individuellement au PQ. Jusqu'à son départ de la vie politique, ces militants plus radicaux seront l'une des bêtes noires de René Lévesque.

La crise de Saint-Léonard

Durant les mois qui suivent la création du PQ, la question linguistique occupe le centre de l'échiquier politique. Les Québécois découvrent peu à peu que la plupart des nouveaux arrivants inscrivent leurs enfants dans des écoles anglophones dès l'école primaire. Dès lors, une question se pose : choisir la langue d'enseignement pour ses enfants est-il un droit ? L'Union nationale au pouvoir et le Parti libéral répondent oui ; le Parti québécois et le mouvement nationaliste répondent non…

Accueillir les immigrants

Ce débat émotif s'engage alors que le Québec accueille beaucoup d'immigrants et que l'on assiste à une baisse du taux de natalité. De 1961 à 1981, le taux de fécondité des couples québécois (nombre d'enfants par femme en âge de procréer) passe de 3,77 à 1,62. Pendant ce temps, les immigrants sont de plus en plus nombreux. Entre 1946 et 1982, le Québec en accueille 965 075. Ces « néo-Québécois » fuient parfois des régimes dictatoriaux (c'est le cas des Polonais, des Portugais ou des Hongrois) ou souhaitent un meilleur avenir pour leurs enfants. Jusqu'au tournant des années 1970, la grande majorité sont d'origine européenne et de confession chrétienne. De 1961 à 1971, la communauté juive passe de 74 677 à 115 990 personnes, et la communauté grecque, de 19 390 à 42 870 membres. Pour favoriser l'accueil et l'intégration de ces nouveaux arrivants, le gouvernement du Québec crée, en 1968, un ministère de l'Immigration et des centres d'orientation et de formation des immigrants (COFI).

La poudrière

Entre 1961 et 1971, la croissance de la communauté italienne est spectaculaire (de 108 552 à 169 655 personnes). Une partie vit à Saint-Léonard, une petite municipalité de l'île de Montréal. Pour accommoder cette minorité qui réclame pour ses enfants un meilleur apprentissage de l'anglais dès le primaire, la commission scolaire de Saint-Léonard crée en 1963 des classes bilingues. Dans une très forte proportion (85 %), les parents italophones inscrivent par la suite leurs enfants aux écoles secondaires du réseau anglophone. Dans les classes et hors des classes, leurs enfants apprennent en anglais, échangent en anglais, vivent en anglais. Il devient rapidement clair que ces nouveaux arrivants iront grossir les rangs de la minorité anglophone.

Pour renverser cette tendance à l'anglicisation, des parents de Saint-Léonard créent le Mouvement pour l'intégration scolaire. Le 27 juin 1968, les élus de la commission scolaire de Saint-Léonard décrètent que le français sera la seule langue enseignée dans les écoles primaires. Cette décision met le feu aux poudres et provoque de vifs affrontements. Les parents d'origine italienne se sentent bafoués. Dans leur esprit, le Canada est un pays bilingue et la langue anglaise offre de meilleures chances d'ascension sociale. Pourquoi les en priver ? De leur côté, les commissaires francophones, influencés par le climat d'affirmation nationale, s'opposent à ce qu'une minorité s'anglicise aux frais de la majorité. Les deux positions sont irréconciliables : au gouvernement de trancher.

Décès de Daniel Johnson

Le premier ministre Daniel Johnson est un homme malade. Dès 1964, ses médecins lui suggèrent de quitter la politique et de traiter sérieusement son problème cardiaque. Il décide de passer outre. Le matin du 3 juillet 1968, son cœur flanche et il passe à deux doigts de mourir. Hospitalisé d'urgence, il s'envole ensuite pour les Bermudes. À son retour en septembre, il commence à réfléchir à la crise de Saint-Léonard et envisage d'adopter une loi qui accorderait la primauté au français au Québec.

Le temps lui manque cependant. Ses médecins constatent qu'il n'est pas vraiment rétabli. Après avoir reçu leur verdict, il déclare à un ami : « Je m'en vais mourir debout, cette semaine. » Le matin du jeudi 26 septembre 1968, le premier ministre Johnson est découvert mort dans son lit. La course à la direction de l'Union nationale donne lieu à un affrontement acrimonieux entre deux ministres, Jean-Guy Cardinal et Jean-Jacques Bertrand. C'est ce dernier qui est officiellement désigné à la tête de son parti le 21 juin 1969.

La Loi sur les langues officielles

Pendant que ce débat fait rage, le gouvernement de Pierre Elliott Trudeau adopte en 1969 la Loi sur les langues officielles du Canada. L'anglais et le français, peut-on lire à l'article 2, « ont un statut, des droits et des privilèges égaux quant à leur emploi dans toutes les institutions du Parlement et du gouvernement du Canada ». Le choix du gouvernement Trudeau est celui d'un bilinguisme institutionnel et pancanadien. Plus de Canada « anglais » ou de Québec « français », mais un seul et même Canada bilingue d'un océan à l'autre. Recevoir des services en français ou en anglais de la part du gouvernement fédéral, partout au Canada, devient un droit individuel garanti. Et le respect de ce droit sera désormais étroitement surveillé par un commissaire aux langues officielles, qui devra régulièrement faire rapport sur les progrès du bilinguisme. Si cette loi, qui ne consent aucune responsabilité particulière au gouvernement québécois, est accueillie très froidement par une bonne partie des élites québécoises, elle est perçue comme une grande victoire par les francophones des autres provinces.

Le « bill 63 »

La nouvelle loi fédérale rassure les parents de Saint-Léonard qui souhaitent que leurs enfants aient un accès illimité à l'école anglaise. L'éducation étant toutefois de juridiction québécoise, le gouvernement de l'Union nationale doit statuer. Le dilemme n'est pas simple à résoudre : comment choisir entre les droits individuels d'une minorité et les droits collectifs de la majorité ? Pour y voir plus clair, le gouvernement met sur pied, en décembre 1968, la Commission d'enquête sur la situation de la langue française et des droits linguistiques au Québec. Mais avant que la commission Gendron – du nom de son président – propose quoi que ce soit, il faudra du temps. Pour empêcher que le conflit ne dégénère davantage à Saint-Léonard, le gouvernement Bertrand dépose, le 23 octobre 1969, la Loi pour promouvoir l'enseignement de la langue française au Québec. Drôle de « promotion » ! En effet, cette loi garantit à chaque parent la liberté de choisir la langue d'enseignement pour ses enfants. Son article 2 précise que les « cours sont donnés en langue anglaise à chaque enfant dont les parents ou les personnes qui en tiennent lieu en font la demande lors de son inscription ».

La communauté italienne de Saint-Léonard exulte ! Après le gouvernement fédéral, voilà que le gouvernement québécois lui donne raison sur toute la ligne. Les opposants multiplient les lettres de protestation. Parce qu'elle facilitera l'anglicisation des nouveaux arrivants, cette loi n'est rien d'autre pour eux que le « bill 63 ». Le 31 octobre 1969, une manifestation monstre est organisée à Québec, devant l'hôtel du Parlement. Mais cette mobilisation ne réussit pas à faire plier ni le gouvernement unioniste, ni l'opposition libérale. La loi 63 est donc adoptée le 20 novembre 1969. À court terme, cela met fin à la crise de Saint-Léonard. Mais les opposants à la loi n'ont pas dit leur dernier mot.

Défaite de l'Union nationale

La crise linguistique et la fondation du Parti québécois font très mal à l'Union nationale, comme le montrent les résultats de l'élection québécoise du 29 avril 1970. Le parti gouvernemental fait élire 17 députés mais obtient moins de votes que le Parti québécois (19,6 % versus 23,1 %). La formation de René Lévesque ne récolte cependant que 7 députés. Même René Lévesque est battu dans sa circonscription. Pour un parti qui a moins de deux ans d'existence, c'est une percée majeure.

Le grand vainqueur de l'élection est le Parti libéral, qui recueille 45,4 % des voix et fait élire 72 députés. Leur chef, Robert Bourassa, devient à 36 ans le plus jeune premier ministre de l'histoire du Québec. Avocat et économiste, il promet de créer 100 000 emplois si son parti est élu. L'homme est prudent, fin stratège, habile manœuvrier. Si les questions identitaires et constitutionnelles l'intéressent peu, le développement économique du Québec le passionne. Comme il l'explique dans *Bourassa Québec! Nous gouvernerons ensemble une société prospère*, un petit ouvrage qu'il lance en pleine campagne électorale, c'est en devenant plus riches que les Québécois deviendront vraiment plus libres et indépendants.

Violence et radicalisation

Malheureusement pour le jeune leader, la question nationale le rattrape rapidement. Le Québec, comme tout l'Occident, est une marmite qui chauffe et qui risque d'exploser à tout moment! Une frange de la jeunesse remet tout en question. Le statut politique du Québec, l'exploitation des travailleurs, la domination des hommes sur les femmes. Pour transformer rapidement la société, certains envisagent le recours à la violence.

La crise d'Octobre

C'est dans un tel contexte que des membres du Front de libération du Québec passent à l'action. Déçus par les résultats d'avril 1970, ces jeunes militants indépendantistes sont convaincus que la démocratie «bourgeoise» ne permettra jamais de faire triompher leur idéal. Ils croient également à la nécessité d'une action directe et spectaculaire. Ce qu'ils souhaitent, c'est marquer les esprits, frapper un grand coup et administrer ainsi au peuple une sorte d'électrochoc. À l'époque, les Tupamaros de l'Uruguay font régulièrement les manchettes. En juillet, ces révolutionnaires enlèvent plusieurs personnalités et tiennent la population en haleine.

Premier enlèvement

La matin du lundi 5 octobre 1970, la cellule Libération passe à l'action et kidnappe James Richard Cross, un attaché commercial britannique. Formée d'une dizaine de militants, la cellule fait aussitôt connaître ses revendications. Les ravisseurs du diplomate exigent notamment de l'argent et la libération de «prisonniers politiques», des felquistes emprisonnés à la suite de méfaits. Les autorités prennent les choses au sérieux mais ne montrent aucun signe de panique. Le premier ministre Bourassa refuse d'annuler une visite à New York prévue pour le 7 octobre. Espérant un début de négociations avec les felquistes, le gouvernement fédéral consent à ce que leur manifeste soit lu sur les ondes de Radio-Canada, le soir du 8 octobre.

«Nous irons jusqu'au bout»

La lecture du manifeste retient l'attention, car le texte ne manque pas de mordant : «Le Front de libération du Québec n'est pas le messie, ni un

Robin des bois des temps modernes. C'est un regroupement de travailleurs québécois qui sont décidés à tout mettre en œuvre pour que le peuple du Québec prenne définitivement en main son destin. » Ce que réclament les felquistes, c'est «l'indépendance totale des Québécois, réunis dans une société libre et purgée à jamais de sa clique de requins voraces, les "big boss" patronneux et leurs valets qui ont fait du Québec leur chasse gardée du *cheap labor* et de l'exploitation sans scrupules.» Plus question de faire confiance à la démocratie et aux «miettes électorales que les capitalistes anglo-saxons lancent dans la basse-cour québécoise à tous les quatre ans.» Le Québec, estiment-ils, est une «société d'esclaves terrorisés» par «les grands patrons», «l'Église capitaliste» et par ces «lieux fermés de la science et de la culture que sont les universités». Leur manifeste se termine par un appel au soulèvement : «Nous sommes de plus en plus nombreux à connaître et à subir cette société terroriste et le jour s'en vient où tous les Westmount du Québec disparaîtront de la carte. [...] Nous sommes des travailleurs québécois et nous irons jusqu'au bout.»

Deuxième enlèvement

Le soir du 10 octobre, Jérôme Choquette, le ministre de la Justice du gouvernement québécois, annonce à la télévision qu'aucun «prisonnier politique» ne sera libéré. On promet cependant un sauf-conduit pour Cuba aux ravisseurs de James Richard Cross. Vers 18h20, la cellule Chénier enlève Pierre Laporte, le vice-premier ministre du Québec. Pour le FLQ, c'est une très grosse prise. Ce deuxième enlèvement crée l'impression que les felquistes sont très bien structurés et vraiment prêts à aller jusqu'au bout pour renverser le régime. Une lettre rédigée par Pierre Laporte et publiée le 12 octobre accrédite cette perception. Le numéro deux du gouvernement soutient que le Québec est «en présence d'une escalade bien organisée, qui ne se terminera qu'avec la libération des "prisonniers politiques"». Sur une note plus personnelle, Pierre Laporte implore son chef de faire preuve de prudence : «Je reste seul comme chef d'une grande famille [...]. Mon départ sèmerait un deuil irréparable [...]. Ce n'est plus moi seul qui suis en cause mais une douzaine de personnes, toutes des femmes et de jeunes enfants.»

«Nous vaincrons!»

Le 14 octobre, des porte-parole syndicaux, le directeur du *Devoir* et le chef du Parti québécois invitent le gouvernement à discuter avec les ravisseurs afin d'éviter l'exécution des otages. Cet appel à la prudence est très mal reçu par les principaux concernés, qui croient que cette initiative annonce la constitution d'un gouvernement parallèle. Le lendemain, au centre Paul-Sauvé, une assemblée du Front d'action politique (le FRAP), un parti politique municipal montréalais de gauche, se transforme, au fil des discours, en manifestation pro-FLQ. Auteur de *Nègres blancs d'Amérique*, un essai choc sur la condition québécoise publié en 1968, le révolutionnaire Pierre Vallières soulève les 3 000 militants rassemblés : «Vous êtes le FLQ, vous et tous les groupes populaires qui combattent pour la libération du Québec. » Robert Lemieux, l'avocat négociateur des felquistes, lance son célèbre «Nous vaincrons!», repris en boucle par les chaînes de télévision qui couvrent l'événement. Ces images, qui donnent à penser que l'opinion publique se montre de plus en plus favorable aux revendications du FLQ, font craindre le pire aux autorités.

Autorités débordées

Pour des raisons de sécurité, le premier ministre et tous les membres du cabinet vivent désormais cloîtrés dans un grand hôtel du centre-ville. Dépassées par ces événements exceptionnels, les autorités policières réclament des pouvoirs spéciaux. On dresse d'ailleurs des listes de tous les militants qui, de près ou de loin, pourraient se montrer partisans des idées du FLQ. Sans mandat, impossible cependant de faire des perquisitions chez ces militants ou d'arrêter ces sympathisants présumés. Or depuis 1917, le gouvernement fédéral dispose d'une loi d'exception qui, lorsque les autorités croient faire face à une «insurrection appréhendée», peut suspendre tous les droits et libertés. Le gouvernement Trudeau hésite à y recourir cependant. C'est qu'on ignore les forces réelles du FLQ. Même si ce mouvement est surveillé de près par la Gendarmerie royale du Canada, on ignore l'ampleur de ses effectifs. Le premier ministre canadien, qui s'est toujours présenté comme un grand défenseur des droits individuels, craint aussi de porter seul l'odieux de cette mesure liberticide. Il n'ira de l'avant que si le maire de Montréal et le premier ministre du Québec le lui demandent formellement.

Une rafle en pleine nuit

Une lettre du premier ministre du Québec lui parvient le soir du 15 octobre : «Nous faisons face à un effort concerté pour intimider et renverser le gouvernement et les institutions démocratiques [...] ; il est clair que les individus engagés dans cet effort concerté rejettent totalement le principe de la liberté dans le respect du droit.» Dans la nuit du 15 au 16 octobre 1970, à 1 h du matin, la Loi des mesures de guerre est décrétée par le gouvernement fédéral. L'armée canadienne se déploie dans la grande région de Montréal pour assurer la sécurité des lieux publics. Les policiers entrent sans mandat, en pleine nuit, dans des centaines de résidences à la recherche de personnes inscrites sur des listes. Plus de 500 individus sont arrêtés et emprisonnés sans voir leur avocat ni connaître les chefs d'accusation portés contre eux. Parmi ceux-ci, on retrouve des militants syndicaux, des activistes, des poètes engagés et... le ministre fédéral Gérard Pelletier, confondu avec un militant qui porte le même nom! L'opération policière, presque improvisée, connaît en effet plusieurs ratés. La plupart des suspects sont rapidement relâchés.

Mort de Pierre Laporte

Le 17 octobre, le cadavre de Pierre Laporte est retrouvé dans un coffre de voiture sur la rive sud de Montréal. Selon l'enquête du coroner, le vice-premier ministre a été étranglé par ses ravisseurs quelques heures plus tôt. L'attentat sera plus tard clairement revendiqué par les membres de la cellule Chénier. Cette mort est une douche d'eau froide et un rappel à l'ordre. La révolution peut entraîner mort d'homme ; la violence et le terrorisme, briser des familles. « Québec libre », peut-être, mais pas dans le sang… L'assassinat de Pierre Laporte est dénoncé par tous. Aux yeux du premier ministre Bourassa, les responsables du crime « sont à tout jamais indignes d'être des Québécois, indignes d'être des Canadiens français ». Ébranlé, René Lévesque dénonce le « fanatisme glacial » des felquistes. « S'ils ont vraiment cru avoir une cause, ils l'ont tuée en même temps que Pierre Laporte, et en se déshonorant ainsi ils nous ont tous plus ou moins éclaboussés. » Après d'intenses recherches, les autorités finissent par trouver le refuge de la cellule Libération. Le 3 décembre, les ravisseurs de James Richard Cross – libéré après 59 jours– s'exilent pour Cuba. Trois semaines plus tard, les assassins de Pierre Laporte sont retrouvés et condamnés. La crise d'Octobre est terminée.

Radicalisation sociale

Si la mort de Pierre Laporte a frappé les esprits, elle n'a pas pour autant découragé les militants les plus aguerris du changement social. Aux yeux de plusieurs, les gouvernements, en refusant de négocier et en adoptant la Loi des mesures de guerre, sont les vrais responsables de la mort de Pierre Laporte. Certains croient même que le décès du vice-premier ministre a servi de prétexte pour discréditer la gauche et le mouvement indépendantiste. Donc pas question de baisser les bras. Les luttes contre l'État bourgeois, le grand capital et le pouvoir masculin doivent se poursuivre.

Syndicalisme de combat

La lutte pour la justice sociale prend d'ailleurs toutes sortes de formes au tournant des années 1970. Plusieurs militants s'investissent dans des groupes communautaires dédiés à des causes plus ciblées : le logement « social », la santé publique, l'avortement, la protection de la jeunesse, etc. D'autres voient dans le mouvement syndical le principal acteur de changement social. Pour ces militants plus engagés, les syndicats ne doivent pas seulement améliorer les conditions de travail de leurs membres. Choqués par ce réformisme « petit-bourgeois », ils préfèrent opter pour une transformation radicale de la société. Les grèves permettent de faire des gains mais surtout de conscientiser les masses aux injustices sociales. Cette perspective est très présente à la Confédération des syndicats nationaux (CSN) et à la Centrale de l'enseignement du Québec (CEQ) qui, contrairement à la Fédération des travailleurs du Québec (FTQ), représentent surtout des employés du secteur public et parapublic, moins exposés aux fluctuations de l'économie de marché.

Dès 1968, Marcel Pepin, le président de la CSN, évoque la nécessité d'ouvrir un « deuxième front ». La mission de la centrale syndicale, soutient-il, n'est pas seulement de négocier de meilleures conventions collectives, mais aussi de soutenir les partis politiques et les groupes populaires qui luttent contre les inégalités sociales. En 1971, la CSN et la FTQ publient *Ne comptons que sur nos propres moyens* et *L'État, rouage de notre exploitation*, deux manifestes anticapitalistes qui prônent des réformes économiques et sociales radicales. L'année suivante, la CEQ publie *L'École au service de la classe dominante*, qui emprunte la même rhétorique anticapitaliste. Au lieu de favoriser l'égalité des chances et des conditions, y lit-on, l'école du régime capitaliste ne faisait qu'assurer la domination des plus forts sur les plus faibles. La mission nouvelle des enseignants était de mettre fin à cette idéologie bourgeoise.

Trois chefs syndicaux emprisonnés

Cet arrière-plan idéologique est important pour comprendre la lutte féroce qui oppose le gouvernement Bourassa au front commun syndical en 1972. Pour accroître leur rapport de force, la CSN, la CEQ et la FTQ décident d'unir leurs 200 000 membres qui œuvrent dans la fonction publique et parapublique. Parmi les revendications mises sur la table par le « front commun », il y a celle du minimum de 100 dollars par semaine, quelle que soit la fonction. Trop coûteux, réplique le gouvernement. Comme les négociations piétinent, une grève générale illimitée est déclenchée le 11 avril. Le Québec est complètement paralysé. Le 21 avril, le gouvernement adopte une loi spéciale qui suspend le droit de grève. Quiconque défiera la loi sera passible d'amendes très sévères. Même si la CSN est divisée, les présidents Marcel Pepin, Yvon Charbonneau et Louis Laberge invitent leurs membres à ne pas respecter la loi. Cet acte de défi vaut aux trois chefs syndicaux une condamnation à un an de prison. Ce non-respect de la loi entraîne une scission au sein du mouvement syndical et la création de la Confédération des syndicats démocratiques.

Cette stratégie des fronts communs reviendra hanter les gouvernements et la population, prise en otage par ces conflits de travail. Elle profitera cependant aux employés du secteur public des années 1970, qui obtiendront leurs 100 dollars par semaine et des conditions de travail souvent avantageuses par rapport à celles du secteur privé. Pour atténuer les effets de ces grèves, le gouvernement adopte en décembre 1972 une loi qui prévoit des « services essentiels » d'Hydro-Québec. Trois ans plus tard, les services sociaux et ceux de la santé seront également tenus d'assurer à la population des services de base.

Québécoises deboutte !

Autour des années 1970, une frange non négligeable du mouvement féministe se radicalise et donne un sens plus large au combat des femmes. En plus de revendiquer un salaire égal pour un travail équivalent – une revendication importante du front commun de 1972 –, plusieurs souhaitent disposer de leur corps comme elles l'entendent. En 1969, le Code criminel canadien cesse d'ailleurs de condamner la publicité ou la vente de produits contraceptifs et autorise l'avortement à des fins thérapeutiques.

La même année, les fondatrices du Front de libération des femmes (qui devient le Centre des femmes en 1971) défient un règlement municipal qui restreint la possibilité de manifester. « Nous voulions démystifier le symbole de la femme passive et douce qui s'assujettit à toutes les décisions », écriront-elles plus tard. Environ 165 d'entre elles sont arrêtées et détenues. Ces femmes croient que l'émancipation nationale et que l'émancipation des femmes vont de pair. « Pas de libération des femmes sans libération du Québec. Pas de libération du Québec sans libération des femmes », peut-on lire sur la couverture de *Québécoises deboutte*, le journal qu'elles lancent en novembre 1972. Ces femmes se définissent comme les « esclaves des esclaves ». Elles sont des êtres dominés dans une société qui l'est tout autant. Elles réclament notamment l'avortement libre et gratuit et une redéfinition complète de la « cellule familiale, base traditionnelle de notre société où la femme devient la servante de son mari et des enfants ».

Un Québec rouge

La gauche la plus radicale se divisera en deux tendances. La première s'investit dans le mouvement syndical et milite au Parti québécois. Ceux-là acceptent de s'associer avec des nationalistes plus conservateurs et de privilégier l'enjeu de la souveraineté du Québec. L'autre tendance crée une myriade de groupuscules d'extrême-gauche. La Chine de Mao les inspire davantage que l'Union soviétique, précisément parce que la révolution culturelle du président chinois montrait qu'il était resté fidèle aux vrais principes du marxisme-léninisme. Animés par une mentalité sectaire, les maoïstes québécois vont infiltrer des groupes communautaires, des syndicats locaux et plusieurs départements universitaires. Ils seront de farouches opposants au PQ, à leurs yeux un parti bourgeois à la solde de l'impérialisme américain.

Mais le peuple qu'ils espèrent conscientiser refusera de les suivre…

Chapitre 19

L'ouverture de la Baie-James et l'élection du PQ (1973-1979)

Dans ce chapitre :

▶ Le développement hydroélectrique du Nord

▶ L'arrivée au pouvoir d'un gouvernement souverainiste

▶ Le premier référendum sur l'avenir politique du Québec

L e 29 octobre 1973, le gouvernement de Robert Bourassa est reporté au pouvoir avec une écrasante majorité. Sur les 108 membres de la nouvelle Assemblée nationale, 102 sont des élus libéraux. Alors que l'Union nationale est presque éliminée de la carte, le Parti québécois recueille 30,2 % des voix, fait élire 6 députés et devient l'opposition officielle. Le principal cheval de bataille des libéraux reste l'économie. «Un peuple économiquement faible peut toujours avoir un passé, mais il n'aura jamais d'avenir», martèle le jeune premier ministre. La souveraineté-association du PQ est présentée comme un projet risqué, une aventure coûteuse et dangereuse. Durant la campagne de 1973, les libéraux impriment de faux billets de banque à l'effigie de René Lévesque! Pour rassurer la population, le PQ présente un «budget de l'an 1», question de montrer qu'un Québec souverain serait économiquement viable. L'exercice ne convainc guère. La guerre des chiffres n'avantage pas les souverainistes.

Le projet péquiste continue néanmoins de faire rêver la jeunesse et d'incarner le renouveau. Les libéraux en sont bien conscients et n'entendent pas laisser tout le terrain de l'affirmation nationale au Parti québécois. En 1971, Robert Bourassa avait refusé de signer l'entente constitutionnelle proposée par le gouvernement de Pierre Elliott Trudeau (la «charte de Victoria»). Sans rien régler, le geste avait rassuré les nationalistes. Au cours du prochain mandat, il entend proposer des mesures audacieuses pour protéger la langue française. Ses efforts n'arrivent cependant pas à stopper la montée irrésistible du PQ qui, après avoir été porté au pouvoir, adopte plusieurs réformes importantes.

De Robert Bourassa à René Lévesque

L'année 1973 est dominée par le choc pétrolier. Le prix du baril de pétrole explose, ce qui a un effet immédiat sur l'inflation. L'énergie devient un enjeu clé de développement. Des ténors du Parti québécois croient qu'il faut miser sur le nucléaire, comme en France. S'il approuve la construction d'une première centrale à Bécancour, Robert Bourassa est réfractaire au nucléaire. Pour des raisons de sécurité, d'abord : l'énergie nucléaire est risquée. On ne sait toujours pas quoi faire des déchets radioactifs. Ensuite, parce que l'expertise québécoise se situe davantage du côté de l'hydroélectricité. Plutôt que de multiplier les centrales nucléaires, le gouvernement proposera d'harnacher de nouvelles rivières et de construire de grands barrages. Un choix plein de sagesse, car l'hydroélectricité est l'énergie la plus propre, en plus d'être renouvelable.

Le développement de la Baie-James

Une fois choisie l'option hydroélectrique, il restait à déterminer les zones de développement. Après diverses évaluations, Hydro-Québec arrête son choix. Ce sera la Grande Rivière, un immense bassin d'eau naturel en plein cœur de la Baie-James.

Cap sur la terre promise

En avril 1971, exactement un an après son élection, le gouvernement annonce en grande pompe un immense projet hydroélectrique. Des investissements de six milliards de dollars sont prévus, ainsi que la création de 125 000 emplois. Le territoire touché par le nouveau développement est immense : 350 000 kilomètres carrés… les deux tiers du territoire français ! La Société de développement de la Baie-James supervisera chaque étape du projet. Pour faciliter l'accès à cette région éloignée, on aménage une route de 725 kilomètres entre Matagami et Fort George. La construction des barrages débute rapidement. Des milliers de travailleurs se relaient sur les chantiers, loin de leurs familles. Les travaux sont longs car l'entreprise est gigantesque. Le barrage LG-2 est inauguré en 1979 et complètement terminé en 1982. Deux ans plus tard, les barrages LG-3 et LG-4 commencent à produire de l'électricité. Pour relier ces barrages au sud du Québec et aux États-Unis, où on exporte peu à peu cette énergie verte, on doit ériger d'immenses charpentes qui supportent les lignes de transmission. Des morceaux de forêt sont rasés, des terres expropriées, certains paysages écorchés, mais quelle maîtrise de la nature ! Quelle réussite technique !

Première convention avec les Amérindiens

En novembre 1973, un juge de la Cour supérieure du Québec reconnaît le bien-fondé des revendications des peuples amérindiens qui vivent depuis des temps immémoriaux sur les terres entourant la Grande Rivière. Les

Cris et les Inuits estiment en effet posséder des droits ancestraux sur ces zones annexées au Québec en 1898 et en 1912. De longues négociations débutent alors entre les représentants de ces nations amérindiennes et le gouvernement du Québec. La Convention de la Baie-James et du Nord québécois est signée le 11 novembre 1975. L'entente prévoit :

✔ **La cession des droits territoriaux** par les deux peuples autochtones concernés.

✔ **Une indemnité de 225 millions de dollars** versée aux Cris et aux Inuits par le gouvernement du Québec en retour de cette cession.

✔ **La préservation des activités traditionnelles** de chasse et de pêche pour les autochtones.

✔ **Un droit de regard sur le développement des projets futurs** du gouvernement du Québec dans la région, notamment sur leur impact environnemental.

Cette convention est une première dans l'histoire du Québec. Depuis 1867, mais surtout depuis l'adoption de la Loi canadienne sur les Indiens (1876), les autochtones relèvent directement du gouvernement fédéral. Parqués dans des réserves en fonction de critères strictement ethniques, les autochtones vivant au Québec n'avaient jamais eu de rapports avec le gouvernement du territoire. En 1978, une autre convention du même genre est signée, cette fois-ci avec les Naskapis du Nord-Est. La construction des barrages pouvait donc se poursuivre.

Chantier saccagé

Sur les chantiers de la Baie-James, les emplois sont nombreux et bien rémunérés. Pour la Confédération des syndicats nationaux (CSN) et la Fédération des travailleurs du Québec (FTQ), c'est une base formidable de recrutement. Mais la lutte entre les deux centrales est féroce et chacune tente de s'imposer. Les arguments cèdent souvent le pas à l'intimidation de certains fiers-à-bras des sections locales. Tous les coups semblent permis pour arracher une adhésion. Le 21 mars 1974, un agent de la FTQ qui travaille pour André «Dédé» Desjardins – plus tard reconnu pour ses liens avec le crime organisé – percute, au volant de son bulldozer, les trois génératrices qui fournissent l'électricité et le chauffage au campement des travailleurs de LG-2. Il termine sa promenade en éventrant deux citernes pleines de 135 000 litres d'essence et de diesel. Résultat : un incendie, une évacuation catastrophe par avions nolisés et d'énormes dommages matériels : 31 millions de dollars. Et deux mois d'arrêt des travaux…

L'auteur du méfait, un certain Yvon Duhamel, donne un sens syndical à son geste : les conditions de travail sur les chantiers seraient inacceptables. Mais le gouvernement Bourassa sent qu'il y a anguille sous roche. Celui-ci met donc sur pied la Commission d'enquête sur l'exercice de la liberté syndicale, qui débute ses travaux en mai 1974. Assisté d'un représentant syndical (Guy Chevrette) et patronal (Brian Mulroney), le juge Robert Cliche, reconnu pour ses sympathies de gauche, voit défiler devant lui une série de militants syndicaux et de chefs de chantier. Grâce aux écoutes électroniques, alors permises en preuve, on découvre une infiltration du crime organisé et des liens troubles entre certains personnages louches et l'entourage du premier ministre Bourassa. Le volumineux rapport de la commission Cliche est rendu public le 2 mai 1975. Plusieurs syndicats locaux sont mis en tutelle.

Le français déclaré langue officielle

Pendant que le Québec développe son économie, les nouveaux arrivants continuent à envoyer leurs enfants à l'école anglaise. Les chiffres publiés par le démographe Louis Duchesne en novembre 1973 parlent d'eux-mêmes. Pour la seule année 1972-1973, 86,3 % des 60 800 élèves « allophones » (d'origine ni française, ni anglaise) fréquentent les écoles de la minorité anglophone. Ces données ne font qu'accroître l'insécurité culturelle de la majorité francophone et confirment les hypothèses les plus alarmistes des nationalistes. Le PQ ne manque d'ailleurs aucune occasion de talonner le gouvernement Bourassa sur cet enjeu sensible.

Conclusions de la commission Gendron

Mise sur pied par le premier ministre Jean-Jacques Bertrand en pleine crise de Saint-Léonard, la commission Gendron remet finalement son rapport le 31 décembre 1972. Il s'agit d'une étude très fouillée, produit d'une expertise technique et des réflexions contenues dans 155 mémoires acheminés lors d'audiences publiques. La première recommandation met cartes sur table : « Nous recommandons que le gouvernement du Québec se donne comme objectif général de faire du français la langue commune des Québécois, c'est-à-dire une langue qui, étant connue de tous, puisse servir d'instrument de communication dans les situations de contact entre Québécois francophones et non francophones. » Pour que le français devienne la langue normale et usuelle de tous les habitants du territoire québécois, les commissaires estiment que le gouvernement doit réglementer les milieux de travail et l'affichage commercial. Sur le sujet le plus délicat, celui de la langue d'enseignement, aucune recommandation cependant. Le cadre d'analyse que propose ce rapport inspirera les grandes lois linguistiques à venir.

La loi 22

Après sa réélection de 1973, le gouvernement libéral décide d'adopter une loi linguistique plus audacieuse que celle du précédent gouvernement de l'Union nationale. « Nous pouvons, au Québec, vivre en français sans détruire le pays », répète alors le premier ministre Bourassa. C'est là une conviction en même temps qu'un pari. Sanctionnée le 31 juillet 1974, la loi 22 prévoit les dispositions suivantes :

✔ **Le français est proclamé « langue officielle du Québec »** dès l'article 1. Une première dans l'histoire du Québec. Un symbole fort ! Cette formulation déplaît aux défenseurs du bilinguisme canadien, car elle contrevient selon eux à l'esprit de la Loi sur les langues officielles.

✔ **Le français est la langue officielle de l'administration.** Tous les textes et documents officiels de l'État et de l'administration publique doivent être rédigés en français. Si des documents sont rédigés en anglais, c'est la version française qui a force de loi.

✔ **Le français devra aussi être la langue de travail.** Les entreprises qui souhaitent obtenir une aide ou un soutien de l'État québécois devront se doter d'un « certificat de francisation ». Ce certificat démontrera notamment que les dirigeants de cette entreprise connaissent le français et que les membres du personnel peuvent communiquer en français entre eux et avec la direction.

✔ **Restriction de l'accès à l'école anglaise.** Le libre choix de la langue d'enseignement disparaît. Seuls les enfants qui ont déjà une bonne connaissance de l'anglais pourront avoir accès aux écoles de la minorité. Des tests linguistiques permettront d'évaluer le niveau de connaissance.

Malheureusement pour le gouvernement Bourassa, la loi mécontente tout le monde. Les nationalistes estiment que les dispositions sur la langue de travail manquent de mordant, alors que celles sur la langue d'enseignement risquent de s'avérer inefficaces. Quant aux anglophones, ils sont outrés, voire scandalisés… Certains accusent les libéraux de brimer les droits des nouveaux arrivants, et d'autres déplorent que l'anglais soit ainsi déconsidéré.

La saga des Jeux olympiques de 1976

Montréal a longtemps eu l'ambition d'organiser les Jeux olympiques. Le maire Camillien Houde avait présenté la candidature de la ville pour les Jeux de 1932 et de 1956. Chaque fois, Montréal s'était fait damer le pion par une ville concurrente. Au milieu des années 1960, l'idée refait surface. Un an avant la tenue de la grande Exposition universelle de 1967, le maire Jean Drapeau présente la candidature de Montréal pour les Jeux de 1972, qui se tiendront finalement à Munich. Visionnaire pour les uns, mégalomane pour les autres, Jean Drapeau ne lâche pas le morceau. Le 12 mai 1970, les Montréalais apprennent la bonne nouvelle : les jeux de la XXIe Olympiade de l'ère moderne se tiendront à Montréal en 1976. Le maire a gagné son pari !

Reste cependant à construire l'immense complexe sportif qui accueillera les 6 084 athlètes des 92 nations représentées. Dans le dossier de candidature soumis au Comité international olympique, Jean Drapeau avait établi le budget total des Jeux à 120 millions de dollars. On constate rapidement que ce budget est irréaliste, d'autant plus que les ambitions architecturales du maire sont grandioses. Emballé par le Parc des Princes de Paris, Jean Drapeau souhaite absolument que le stade olympique soit conçu par l'architecte français Roger Taillibert, que certains surnomment alors « le Michel-Ange du béton » !

Les gouvernements canadien et québécois doivent rapidement contribuer au financement des Jeux. En 1973, on lance donc une loterie olympique. Une mauvaise gestion et quelques arrêts de travail retardent cependant les travaux, à tel point que le gouvernement Bourassa crée la Régie des installations olympiques en novembre 1975 et prend le contrôle du chantier. Le stade de 70 000 places est complété à temps, mais sans le mât incliné, terminé plus tard.

Au plan budgétaire, plusieurs considèrent que les Jeux olympiques sont un fiasco. En tout et pour tout, la modique somme de deux milliards de dollars aurait été engloutie dans l'aventure… Au plan sportif, cependant, les Jeux sont un immense succès pour Montréal et le Québec. Plus de 3,2 millions de spectateurs assisteront aux 198 épreuves des 21 sports olympiques. Les compétitions sont évidemment télédiffusées partout à travers la planète. Une fois les jeux terminés, le stade olympique accueillera diverses formations professionnelles, dont les Expos de Montréal, une équipe de baseball de la Ligue nationale.

L'élection du Parti québécois

Le cafouillage dans le dossier des Jeux olympiques, les allégations de collusion entre le crime organisé et certains ténors du Parti libéral soulevées lors de la commission Cliche, ainsi que les critiques de la loi 22 affaiblissent le gouvernement de Robert Bourassa. Cela dit, les électeurs plus conservateurs hésitent à opter pour le Parti québécois et demandent à être rassurés.

Nouvelle stratégie « étapiste »

Lors des élections de 1970 et de 1973, un vote pour le Parti québécois est clairement un vote en faveur de la souveraineté-association. Après avoir obtenu une majorité de sièges à l'Assemblée nationale, un gouvernement du Parti québécois aurait enclenché le processus devant mener à la sécession, et ce, même si les souverainistes avaient obtenu moins que 50 % des suffrages exprimés. Lors de l'élection de 1973, les dirigeants péquistes s'engagent tout au plus à faire ratifier la nouvelle constitution d'un Québec souverain par le peuple, lors d'un référendum, une fois les négociations terminées avec le reste du Canada. Mais cet engagement n'est pas clairement mis de l'avant.

Gros virage

C'est lors de leur congrès de novembre 1974 que les péquistes décident de modifier la démarche d'accession à la souveraineté-association.

Officiellement, il s'agit de rendre le processus plus démocratique ; officieusement, des considérations tactiques et électorales jouent un rôle non négligeable. Un gouvernement du PQ, promet-on, procédera par étapes : d'abord, l'élection d'un bon gouvernement ; ensuite, la tenue d'un référendum portant sur un mandat de négocier la souveraineté-association ; enfin, si les Québécois votent OUI, le début des négociations avec le Canada. Il s'agit d'un virage majeur – qui ne passe d'ailleurs pas comme une lettre à la poste... Cette stratégie dite « étapiste » – « étapette », diront les plus méchants ! – est aussitôt dénoncée, tant par les fédéralistes que par les indépendantistes les plus résolus. Les uns comme les autres accusent les dirigeants du PQ de faire preuve d'opportunisme ou de camoufler leur option.

Lorsque, à l'automne 1976, le gouvernement Bourassa déclenche des élections, le Parti québécois propose donc avant tout un « bon gouvernement ». L'équipe Lévesque attaque durement le bilan de l'administration libérale et promet un gouvernement plus transparent et compétent. Comme en 1970 et en 1973, les libéraux brandissent le spectre d'une séparation brutale et douloureuse du Canada si le PQ est porté au pouvoir. Entre-temps, l'Union nationale s'est donné un nouveau chef : Rodrigue Biron. La formation fondée par Maurice Duplessis promet, si elle est élue, le retour au libre choix des parents de la langue d'enseignement. Cet engagement plaît beaucoup aux minorités anglophones et allophones, choquées par la loi 22.

« Quelque chose comme un grand peuple »

Le matin du 15 novembre 1976, impossible de savoir qui l'emportera, car les plus récents sondages envoient des messages contradictoires. Chose certaine, l'élection suscite beaucoup d'intérêt, puisque plus de 85 % des électeurs exercent leur droit de vote ce jour-là. Très tôt dans la soirée, la victoire du Parti québécois est acquise (41 % des voix et 71 sièges). Le premier ministre est battu dans sa circonscription par Gérald Godin, un poète de 36 ans. Le Parti libéral ne fait élire que 26 députés et n'obtient que 34 % des suffrages. Avec 11 candidats élus et 19 % des suffrages, l'Union nationale renaît peut-être de ses cendres, mais elle ne fera pas long feu...

Rapidement, Robert Bourassa concède la victoire au PQ et invite les investisseurs à faire preuve de prudence. Le chef du Parti québécois et nouveau premier ministre du Québec fait quant à lui une entrée triomphale au centre Paul-Sauvé, où l'attendent plus de 10 000 de ses partisans en liesse. Ému par cette victoire, René Lévesque n'a pas nécessairement le cœur à la fête. Car les témoins sont unanimes : cette victoire le surprend. Il sent tout à coup peser sur ses épaules le poids de la responsabilité politique et historique. Après s'être péniblement hissé sur la tribune, porté par la foule mais suivi de près par une horde de photographes et de journalistes du monde entier, il prend la parole. Il se dit fier d'être Québécois puis s'écrie, avec cette voix éraillée si caractéristique : « On n'est pas un p'tit peuple...

On est p't'être quelque chose comme un grand peuple!» Toute la nuit, ses partisans célèbrent leur victoire. Malgré l'émotion des gagnants et la stupeur des perdants, tout se passe dans l'ordre.

Victoire des « séparatistes »... et des « petits-bourgeois » !

Moins de 10 ans après le «Vive le Québec libre!» du général de Gaulle, le Québec est à nouveau propulsé à l'avant-scène de l'actualité internationale. «Les séparatistes gagnent au Québec», titre le *New York Post*, comme plusieurs autres quotidiens des grandes capitales, le lendemain de la victoire péquiste. Le *New York Times*, le *Washington Post*, *Le Monde* et *Le Figaro* consacrent des éditoriaux à l'événement. La plupart sont hostiles à l'option du nouveau gouvernement. Même *La Pravda*, l'organe officiel de l'Union soviétique, y va de son analyse. Les Québécois, explique-t-on, auraient choisi un parti «petit-bourgeois»!

Dans les jours qui suivent l'élection du Parti québécois, les marchés connaissent une certaine volatilité. Les actions de quelques compagnies québécoises voient leur cote boursière diminuer. Dans l'ensemble, cependant, on accepte de donner la chance au coureur. René Lévesque rappelle qu'il entreprendra des négociations avec l'État fédéral seulement lorsqu'il aura obtenu un mandat clair de la population lors d'un référendum. Malgré ces propos rassurants, la population anglophone du Québec diminuera de 95 000 personnes entre 1976 et 1980. Le 24 novembre, lors d'une allocution télévisée, le premier ministre du Canada cherche lui aussi à rassurer : «Les Québécois, explique-t-il, se sont choisi un nouveau gouvernement et non un nouveau pays. M. René Lévesque reconnaît n'avoir aucun mandat pour faire la séparation.» Le premier ministre canadien se donne pour mission de démontrer «qu'on peut être à la fois un bon Québécois et un bon Canadien». C'est donc sur le terrain de la démocratie que s'affronteront partisans et adversaires de la souveraineté-association. Les armes de la nouvelle guerre qui commence, ce seront des mots, des arguments, des discours...

Un premier gouvernement souverainiste

Aussitôt assermenté, le 25 novembre 1976, René Lévesque annonce aux grands commis de l'État québécois qu'il n'y aura aucune purge. Mais il compte sur leur loyauté et leur respect de la démocratie. La même journée, lors d'une cérémonie solennelle, il présente son cabinet. C'est l'un des plus diplômés de l'histoire du Québec. Diverses tendances y sont représentées : l'une plus pro-syndicale, l'autre plus conservatrice; l'une plus pressée de réaliser la souveraineté, l'autre plus ouverte à une réforme en profondeur du fédéralisme. Au milieu de tous ces courants, René Lévesque agira comme un arbitre... et un chef d'orchestre. «Jamais de mémoire d'homme un groupe d'hommes et de femmes n'ont été porteurs de tellement d'espoirs en même temps, explique Lévesque après avoir présenté tous ses ministres. […] S'il fallait que nous décevions les Québécois, ce serait notre confiance en nous-mêmes comme peuple qui serait atteinte. Nous n'avons, c'est simple, pas le droit de manquer notre coup. » C'était placer la barre bien haute.

Lévesque, Jefferson : même combat ?

Les élections du 15 novembre suscitent beaucoup d'intérêt à l'étranger. Les invitations pleuvent. La première grande tribune internationale de prestige offerte au nouveau premier ministre est celle de l'Economic Club de New York. Parmi l'auditoire, des magnats de la finance, des hommes d'affaires et des politiciens influents. Le 25 janvier 1977, Lévesque y prononce un discours attendu… mais qui tombe complètement à plat ! Lévesque compare le Québec aux colonies britanniques d'avant la révolution de 1776. Pour plusieurs, la comparaison est non seulement boiteuse, elle est choquante. Ces financiers assimilent davantage le combat des souverainistes québécois à celui des États sudistes qui, au milieu du 19e siècle, avaient provoqué une guerre civile. Cela dit, les préoccupations de Wall Street sont plus économiques que politiques : le Québec se transformera-t-il en Cuba du Nord ? Le nouveau gouvernement compte-t-il procéder à une vague de nationalisations ? À ces questions, Lévesque ne répond pas clairement. Ce discours maladroit n'aide guère ceux qui cherchent à vendre les obligations québécoises aux financiers de Wall Street ou qui souhaitent emprunter à de grandes banques américaines.

Parizeau, le grand argentier

Pour diversifier les sources de financement et de revenu de l'État québécois, et contourner ainsi les grands syndicats financiers canadiens-anglais et américains, le nouveau ministre des Finances est appelé en renfort. Né en 1930, d'origine bourgeoise – et fier de l'être ! – Jacques Parizeau étudie dans un lycée français d'Outremont, enclave cossue de Montréal, avant d'être admis à l'École des hautes études commerciales. Rapidement, ses professeurs prennent le parti d'envoyer cet étudiant brillant dans les meilleures écoles européennes. Formé par un futur Prix Nobel, Jacques Parizeau décroche un doctorat à la London School of Economics. Il revient de Londres avec un accent *british* et des complets trois pièces ! Son érudition impressionne et sa personnalité en impose. Conscrit par les ministres de la Révolution tranquille, il fournit des conseils techniques sur la nationalisation de l'hydroélectricité et conçoit les premiers croquis de la Caisse de dépôt et placement. Dans le nouveau gouvernement souverainiste, c'est lui qui tient les cordons de la bourse. Son premier souci : démontrer au monde que les titres québécois sont solvables et qu'investir au Québec reste une bonne affaire. Entouré d'une toute petite équipe, il part en tournée, visite les grands centres financiers de la planète, de Francfort à Tokyo, en passant par Zurich et Londres. Ses arguments convainquent et son charme opère ! L'État québécois n'aura aucun mal à trouver du financement.

Le PQ : « un crime contre l'histoire de l'humanité »

Pendant que Jacques Parizeau cueille les millions dans les grandes capitales financières du monde, Pierre Elliott Trudeau entend démontrer que la réussite du Parti québécois serait non seulement nuisible au Canada mais un drame pour l'humanité. Le 22 février 1977, le premier ministre canadien prononce un important discours devant le Congrès américain. C'est d'ailleurs la première fois qu'un chef de gouvernement canadien se voit offrir une telle tribune. « Le seul espoir de l'humanité, explique-t-il, réside dans la volonté des races, des cultures et des croyances de coexister pacifiquement. » Le Canada, croit Trudeau, vise cette concorde en offrant aux Canadiens français des droits linguistiques qui leur permettront de choisir leur destin et de se développer. « Je crois fermement que les Canadiens sont en train de modeler une société dénuée de tout préjugé et de toute crainte, placée sous le signe de la compréhension et de l'amour, respectueuse de la personne et de la beauté. » L'échec du Canada serait par conséquent un « crime contre l'histoire de l'humanité ». La victoire des souverainistes, poursuit Trudeau, très grave, « répandrait la consternation parmi tous ceux dans le monde qui croient qu'une des plus nobles entreprises de l'esprit, c'est la création de sociétés où des personnes d'origines diverses peuvent vivre, aimer et prospérer ensemble ». La cause défendue par les fédéralistes canadiens est celle de l'humanité tout entière, croit Trudeau. Leur combat n'est pas seulement politique ; il est moral.

Les gaullistes jubilent !

Si les États-Unis accueillent plutôt froidement la victoire du Parti québécois, tel n'est pas le cas de la France qui, du 2 au 4 novembre 1977, reçoit René Lévesque comme s'il était déjà un chef d'État ! Absorbés par le débat européen, certains politiciens français perçoivent les souverainistes québécois comme de courageux résistants à l'hégémonie américaine. « Nous ne permettrons pas que la France devienne le Québec de l'Europe ! », lance un ancien premier ministre du général de Gaulle, quelques semaines après la victoire du PQ. René Lévesque tire aussi profit de la division des héritiers du gaullisme. Premier ministre de Valéry Giscard d'Estaing pendant deux ans, Jacques Chirac avait démissionné avec fracas et fondé un nouveau parti hostile au président. Devenu entre-temps maire de Paris, il accueille Lévesque avec éclat à l'hôtel de ville et cherche à s'approprier l'un des legs du général. Le président Giscard d'Estaing souhaite lui aussi s'associer à la victoire péquiste qui, aux yeux de bien des Français, ne fait que confirmer la prophétie du général de Gaulle. On déroule donc les tapis rouges, on fait flotter le fleurdelisé sur l'Assemblée nationale et on confère au premier ministre québécois le grade de « grand officier de la Légion d'honneur ». Est-ce à dire que la France appuie ouvertement la souveraineté du Québec ? Pas tout à fait… La formule diplomatique retenue restera la même pendant longtemps : « non-ingérence » mais… « non-indifférence » ! La France ne dira pas aux Québécois comment voter, mais elle suivra de près leurs discussions et se ralliera à leur décision, quelle qu'elle soit.

« Je me souviens »… mais de quoi donc, au juste ?!

En 1978, le gouvernement Lévesque décide de faire inscrire « Je me souviens » sur les plaques d'immatriculation. « La Belle Province », formule plus légère et touristique, toujours utilisée par les Français pour désigner le territoire des « cousins » du Québec, était auparavant la formule que l'on retrouvait sur toutes les plaques de voiture.

« Je me souviens » est la devise officielle des Québécois depuis l'adoption des armoiries du Québec, le 9 décembre 1939. Cette devise ne renvoie pas à des valeurs, comme en France, ou aux limites d'un territoire, comme au Canada. C'est une formule énigmatique dont la signification continue d'être discutée. Elle intrigue souvent les touristes et les nouveaux arrivants.

Certains ont dit que c'était une devise revancharde qui entretenait le ressentiment contre les Anglais. Ceux-là prenaient pour acquis que « Je me souviens » évoquait la défaite des plaines d'Abraham. D'autres croient que la formule, inventée à la fin du 19e siècle par Eugène-Étienne Taché, l'architecte du parlement de Québec, est au contraire rassembleuse et libérale. Jusqu'à tout récemment, on attribuait à Taché la phrase suivante : « Je me souviens que né sous le lys, je croîs sous la rose ». L'architecte, qui fit graver dans la pierre « Je me souviens » au-dessus de la porte centrale du parlement, estimait que le Québec devait sa naissance à la France, ses libertés aux institutions de la Grande-Bretagne, son appartenance au Canada.

Quelle que soit sa signification exacte, cette devise montre que le passé est au cœur de l'identité québécoise. Chaque nouveau programme d'histoire proposé par le ministère de l'Éducation depuis le début des années 1960 a été scruté à la loupe et a fait l'objet de vifs débats.

La Charte de la langue française

Pendant qu'à New York, Washington ou Paris, on explique la nature du projet péquiste, au Québec, les premières réformes du nouveau gouvernement font couler beaucoup d'encre.

Le « père de la loi 101 »

Parmi les personnages d'envergure du cabinet Lévesque, on retrouve celui qu'on appelle le « docteur » Laurin, Camille de son prénom (1922-1999). Fils d'un petit commerçant de Charlemagne, il a fait de grandes études à Boston et à Paris. Son ambition ? Suivre la trace de Sigmund Freud et devenir un psychiatre de renom. À son retour à Montréal, il dirige l'Institut Albert-Prévost et devient professeur à la Faculté de médecine de l'Université de Montréal. Au fil de sa pratique, il constate que les Canadiens français sont le plus souvent des êtres hésitants, indécis, tiraillés. Leur identité personnelle et leur personnalité manqueraient de tonus. Ces carences, Laurin les attribue à des siècles de domination coloniale. « J'en ai conclu qu'une psychothérapie collective s'imposait », écrit-il en 1972, deux ans après avoir été élu député du Parti québécois. À ses yeux, seule l'indépendance politique permettra aux Québécois de retrouver confiance en eux. Défait aux élections de 1973, réélu en 1976, il est nommé ministre d'État au Développement culturel. Il hérite de l'épineux dossier linguistique.

Un Québec aussi français... que l'Ontario est anglais

Le 1er avril 1977, il rend public un « livre blanc » qui explique les grands principes qui guideront le gouvernement au plan linguistique. Celui-ci est pensé et rédigé par Guy Rocher et Fernand Dumont, des sociologues réputés. La langue, explique-t-on, n'est pas qu'un simple instrument de communication mais le « fondement même d'un peuple, ce par quoi il se reconnaît et il est reconnu, qui s'enracine dans son être et lui permet d'exprimer son identité », explique Laurin dans un discours prononcé à l'Assemblée nationale le 19 juillet 1977. La question linguistique est d'abord un enjeu collectif. Tant mieux si les individus sont bilingues ou parlent plusieurs langues, mais pour se développer de manière cohérente, il faut une langue officielle, commune à tous. Le Québec doit devenir aussi français que l'Ontario est anglais, martèle Laurin. Et tout cela peut se faire sans brimer les droits historiques de la minorité anglophone, qui conservera ses institutions. Pour y arriver, Laurin croit que le français doit devenir « la langue normale et habituelle du travail à tous les niveaux d'entreprise, chez les dirigeants et le personnel professionnel, dans la terminologie et la publicité, dans les communications internes et externes ». Car l'enjeu linguistique au Québec est aussi social. Même si le français est la langue de la majorité, il arrive souvent qu'il nuise à l'avancement de carrière ou qu'il soit dévalorisé par les cadres des grandes entreprises.

Dispositions controversées

La loi linguistique adoptée par le Parti québécois le 26 août 1977, communément appelée « loi 101 », est une véritable « Charte de la langue française ». Parmi les dispositions les plus audacieuses, et les plus critiquées, mentionnons les suivantes :

✔ **Le français est la langue unique de la législation et de la justice.** Non seulement les procès doivent-ils se tenir en français, mais les jugements devront être rendus en français. Cette disposition contrevient à l'article 133 de l'Acte de l'Amérique du Nord britannique, qui prévoit une justice dans les deux langues au Québec.

✔ **L'affichage commercial et public doit être uniquement en français.** L'anglais est proscrit de l'affichage. Tous les commerces sont tenus d'afficher uniquement en français, faute de quoi ils recevront des amendes. Les raisons sociales devront aussi être francisées.

> ✔ **Seuls les enfants de la minorité anglophone auront accès à l'école anglaise.** Fini les tests linguistiques ! Les écoles anglaises ne seront désormais accessibles qu'aux enfants dont les parents auront eux-mêmes fréquenté le réseau anglophone. Cette disposition s'applique aussi aux Canadiens anglais des autres provinces – à moins que cette province ne finance un réseau d'écoles françaises. Elle affecte surtout les immigrants arrivés après l'adoption de la loi 101. Ceux-ci sont désormais contraints d'envoyer leurs enfants dans le réseau français jusqu'à la fin du secondaire.

Pour appliquer les dispositions de la loi 101, deux organismes sont mis en place : l'Office québécois de la langue française et le Conseil supérieur de la langue française. Toutes les entreprises de 50 employés et plus sont tenues d'obtenir, dans les meilleurs délais, un certificat de francisation.

Volée de bois vert !

Avant d'être présentée au peuple, la loi 101 est l'objet d'une longue discussion au Conseil des ministres. Quelques-uns craignent des fermetures d'entreprises. René Lévesque lui-même trouve que la loi va trop loin. Les dispositions sur l'affichage commercial l'incommodent. Mais il finit par se rallier, comme tout le Conseil des ministres. Dans la population, la loi crée des remous. Plusieurs associations d'immigrants crient à l'injustice. Claude Ryan, le directeur du *Devoir* et futur chef du Parti libéral du Québec, estime que les dispositions sur l'affichage sont «contraires aux principes les plus élémentaires de la liberté d'expression». Pierre Elliott Trudeau dénonce une loi «ethnique» qui chercherait selon lui à fabriquer une «société monolithique». Malgré cette volée de bois vert, le gouvernement garde le cap. Chez les nationalistes, on exulte : «Nous venons de vivre [...] le plus grand moment de notre histoire depuis, pourrait-on dire, la fondation de Québec, en 1608», estime François-Albert Angers dans la revue *L'Action nationale*. Au cours des décennies qui vont suivre, la loi 101 subira quelques modifications, perdra quelques plumes, mais son esprit sera conservé et elle fera l'objet d'un très large consensus. Et les dispositions sur la langue d'enseignement ne seront pas remises en question par les gouvernements successifs.

Une rafale de réformes !

Le premier gouvernement du Parti québécois impressionne par son ardeur réformiste. Les lois importantes se succèdent à un rythme effréné.

En finir avec les caisses occultes

Depuis ses tout premiers débuts en politique, René Lévesque rêve d'assainir les mœurs politiques. L'influence obscure de certains grands patrons le révulse, ainsi que l'existence des caisses électorales occultes. Le 26 août 1977, la Loi sur le financement des partis politiques, pilotée par son ministre Robert Burns, est finalement adoptée. Cette législation prévoit notamment les dispositions suivantes :

✔ **Seuls les citoyens inscrits sur les listes électorales peuvent financer les partis politiques.** Les compagnies, les syndicats, les associations et les clubs de toutes sortes ne pourront plus contribuer au financement d'une formation politique.

✔ **Les contributions aux partis sont plafonnées à 3 000 dollars.** Plus personne ne pourra « acheter » un parti ou un candidat. Ce que vise cette réforme, c'est un financement populaire. Une partie des contributions sera d'ailleurs déductible d'impôt.

✔ **Transparence des contributions.** Toutes les contributions de 100 dollars et plus seront publiées par le Directeur général des élections.

✔ **Accroissement du financement public.** Une plus grande partie des dépenses électorales sera assumée par l'État.

Même si plusieurs croient que cette loi est aujourd'hui bafouée dans son esprit, elle reste une référence au Québec, au Canada et ailleurs dans le monde.

Protéger les terres agricoles

Comme toutes les sociétés occidentales, le Québec des années 1970 est massivement urbain. En 1981, sa main-d'œuvre agricole représente seulement 2,6 % de la main-d'œuvre totale. Les agriculteurs sont peut-être moins nombreux, mais leurs terres sont plus grandes, leur approche du métier plus industrielle. Si le territoire québécois est vaste, la proportion des bonnes terres arables n'est que de 2 %. Jean Garon, le nouveau ministre de l'Agriculture, convainc ses collègues d'adopter des mesures drastiques pour les mettre à l'abri du développement effréné des banlieues. À la fin de l'année 1978, une série de décrets sont adoptés à cette fin. Pour assurer le respect de ce nouveau zonage, on fonde la Commission de protection du territoire agricole.

Une entente sur l'immigration

Plus le taux de natalité diminue, plus l'intérêt pour l'immigration augmente. Cette préoccupation est économique. On souhaite accueillir une main-d'œuvre qualifiée et dynamique. Dans le cas du Québec, cependant, le souci est surtout culturel. On espère que les nouveaux arrivants vont s'intégrer à la majorité francophone. En 1978, le ministre de l'Immigration Jacques Couture signe avec son vis-à-vis fédéral une entente administrative importante qui accroît l'autonomie du Québec. L'accord ne concerne ni les « réfugiés politiques », ni les familles reconstituées, mais bien les «immigrants indépendants», ceux qui choisissent librement de quitter leur pays. Le Québec pourra désormais déterminer le nombre d'immigrants qu'il accueillera chaque année. Il pourra aussi élaborer la grille de sélection de ces nouveaux arrivants, de manière à favoriser une immigration francophone.

7847 *boat people* « parrainés » par des Québécois

À la fin des années 1970, de nombreux Vietnamiens fuient la terreur communiste qui domine complètement le pays depuis le départ des Américains en 1975. On les appelle alors les « *boat people* » parce qu'ils voyagent à bord de bateaux de fortune, littéralement écrasés les uns sur les autres, dans des conditions d'hygiène qu'on ose à peine imaginer. Les images de leur tragique odyssée sont relayées aux quatre coins du monde.

Beaucoup de Québécois souhaitent soulager la détresse de ces malheureux. Pour encadrer cet élan humanitaire, le ministre Jacques Couture met sur pied en juillet 1979 un programme de parrainage. Les citoyens qui participent au programme s'engagent à soutenir l'insertion de ces réfugiés et à subvenir à leurs besoins pendant au moins un an. Près de 8000 Vietnamiens, répartis dans 215 municipalités québécoises, auraient bénéficié de ce programme jusqu'en mars 1981. Très reconnaissante d'avoir été accueillie aussi chaleureusement alors qu'elle était tout petite, l'écrivaine québécoise Kim Thúy raconte son histoire dans *Ru* (Libre Expression, 2009). L'ouvrage a connu un immense succès au Québec et à l'étranger.

Quelques années auparavant, les Québécois avaient accueilli d'autres réfugiés, notamment des Haïtiens et des Chiliens qui avaient fui les régimes autoritaires de Jean-Claude Duvalier et d'Augusto Pinochet. Ces femmes et ces hommes ont pris racine. Plusieurs se sont illustrés dans la politique, le sport, les arts, et ont fait rayonner le Québec. C'est le cas de l'écrivain Dany Laferrière, auteur reconnu et plusieurs fois primé. En 2009, son roman *L'énigme du retour* remportait le prestigieux prix Médicis.

Chapitre 20

Le « beau risque » du fédéralisme (1980-1987)

Comme partout ailleurs en Occident, le Québec des années 1980 est marqué par une importante dépression économique. Pour combattre l'inflation qui sévit depuis 1973, les banques centrales vont accroître considérablement leurs taux d'intérêt, ce qui provoque de nombreuses faillites et un ralentissement de l'économie. Pour juguler cette nouvelle crise, l'État-providence, de plus en plus endetté, semble impuissant. Élus respectivement en 1979 et en 1980, la première ministre britannique Margaret Thatcher et le président américain Ronald Reagan croient même qu'au plan économique, l'État fait davantage partie du problème que de la solution. Pour permettre à la libre entreprise de créer à nouveau de la richesse, il faut selon eux déréglementer l'économie, privatiser certaines entreprises publiques – d'un mot, faire sauter les entraves au libre marché. Cette philosophie « néolibérale » inspire plusieurs politiciens canadiens et québécois.

Mais ces derniers sont aussi accaparés par d'autres débats, plus politiques qu'économiques. Au Québec, l'actualité des années 1980 est dominée par la question constitutionnelle. La préoccupation majeure de la classe politique est de régler, une fois pour toutes, la question du Québec, soit par la souveraineté-association, soit par une réforme de la Constitution canadienne. Qu'ils œuvrent sur la scène fédérale ou sur la scène québécoise, qu'ils soient libéraux ou péquistes, les élus québécois savent que cet enjeu sensible leur pend au bout du nez.

Le chemin de croix du Parti québécois

Les années 1980 sont un dur lendemain de veille pour les péquistes. Après l'euphorie de la victoire de 1976 et l'adoption de grandes réformes, le gouvernement du Parti québécois, même s'il est reporté au pouvoir avec une forte majorité le 13 avril 1981, essuie une série de revers cuisants sur le front constitutionnel, en plus de faire face à la dépression économique.

Défaite du OUI

Auprès de ses militants, René Lévesque s'était formellement engagé à tenir un référendum durant son premier mandat de gouvernement. Même si les sondages indiquent que la souveraineté-association n'obtient pas l'appui d'une majorité de Québécois, le chef péquiste n'allait pas se défiler.

Une question controversée

Consulter les Québécois allait donc de soi. Mais quelle question leur poser, au juste ? Rapidement, l'idée de leur faire approuver une déclaration d'indépendance ou la constitution d'un Québec souverain est écartée. Ce que prévoit le programme de 1976, c'est un référendum qui porterait sur un mandat d'entamer des négociations devant mener à la souveraineté-association. C'est également ce qui est annoncé dans *La nouvelle entente Québec-Canada*, un document publié en 1979 par le gouvernement, qui présente les principaux arguments en faveur du projet péquiste. L'ambition de René Lévesque, c'est d'établir une association d'égal à égal avec le Canada. À ses yeux, le trait d'union entre «souveraineté» et «association» est incontournable, voire essentiel. D'aucune manière ne souhaite-t-il cependant brusquer les Québécois. Il est bien conscient que le projet constitutionnel de son gouvernement suscite des craintes.

Le 19 décembre 1979, les membres du cabinet péquiste s'affairent à trouver une question à la fois claire et pertinente. Chaque mot est soupesé. Le résultat final donne la question suivante :

«Le gouvernement du Québec a fait connaître sa proposition d'en arriver, avec le reste du Canada, à une nouvelle entente fondée sur le principe de l'égalité des peuples ; cette entente permettrait au Québec d'acquérir le pouvoir exclusif de faire ses lois, de percevoir ses impôts et d'établir des relations extérieures, ce qui est la souveraineté – et, en même temps, de maintenir avec le Canada une association économique comportant l'utilisation de la même monnaie ; tout changement de statut politique résultant de ces négociations sera soumis à la population par référendum ; en conséquence, accordez-vous au gouvernement du Québec le mandat de négocier l'entente proposée entre le Québec et le Canada ?»

Cette question est très durement critiquée. Les fédéralistes la trouvent retorse alors que certains indépendantistes la jugent confuse. Qu'importent les critiques, c'est elle qui sera posée aux Québécois le 20 mai 1980.

Aussitôt la question annoncée, le débat référendaire accapare les esprits. La Loi sur la consultation populaire, adoptée par le gouvernement péquiste en 1978, prévoit que la joute référendaire opposera les camps du OUI et du NON. Chacun est soumis à un contrôle des dépenses, mais le OUI accusera le NON de profiter de la manne fédérale pour mousser son option. Les souverainistes cherchent à rassurer : un vote pour le OUI n'entraînera aucun changement majeur, promet-on. Leurs porte-parole rappellent la nécessité de débloquer l'impasse constitutionnelle. Les fédéralistes font de leur côté ressortir les risques économiques de la «séparation» : un OUI, répètent-ils, provoquera certainement des soubresauts imprévisibles. Au début de mars 1980, les débats de l'Assemblée nationale sont retransmis en direct à la télévision. Les élus péquistes s'y sont mieux préparés que leurs vis-à-vis libéraux, ce qui se reflète dans certains sondages donnant une légère avance au OUI.

La gaffe des Yvettes !

Pour le camp du OUI, le vent tourne le 9 mars 1980. Lors d'une allocution devant des partisans péquistes, Lise Payette, une ancienne vedette de la télévision devenue ministre d'État à la Condition féminine, humilie l'épouse de Claude Ryan, le chef du camp du NON, en la comparant à une « Yvette ». Yvette est le nom d'une petite fille docile d'un manuel scolaire sexiste, dont elle lit un extrait lors d'une assemblée partisane. Le personnage incarne le stéréotype de la femme soumise qui s'occupe des travaux ménagers et dont la principale gratification est de faire plaisir aux hommes. Emportée, elle présente le chef du camp du NON comme un homme rétrograde qui, avec ses arguments de peur, souhaiterait maintenir les femmes dans un état de sujétion. Rien de très étonnant, ajoute-t-elle, car « il est d'ailleurs marié à une Yvette »…

Cette déclaration fait scandale, d'une part parce que l'accusation est blessante et injuste, Madeleine Ryan étant une femme politisée et engagée qui n'avait aucune leçon à recevoir de Lise Payette, et d'autre part parce que cette façon d'amalgamer les partisanes du NON à des épouses soumises insulte profondément plusieurs femmes au foyer. La ministre péquiste a beau s'excuser, le mal est fait. Le 7 avril suivant, un immense rassemblement d'« Yvettes » est organisé à Montréal. Le camp du NON a le vent dans les voiles.

À tort ou à raison, cet immense rassemblement des Yvettes a souvent été présenté par la suite comme un ressac du mouvement féministe. Les déclarations controversées de Lise Payette offrent une occasion aux femmes plus conservatrices, attachées aux valeurs familiales traditionnelles, d'affirmer haut et fort leurs convictions.

« *Nous mettons nos sièges en jeu* »

Le 18 février 1980, les libéraux fédéraux de Pierre Eliott Trudeau avaient été reportés au pouvoir. Au Québec, ils avaient même obtenu une victoire nette, remportant 68 % des suffrages et faisant élire 74 députés (sur 75 sièges). Le premier ministre du Canada voit cette campagne référendaire comme le combat de sa vie. Le 14 mai, il s'adresse à ses partisans gonflés à bloc par les derniers sondages qui indiquent une victoire du NON. Sur plusieurs banderoles, on peut lire « Mon NON est québécois », un slogan efficace qui envoie un message clair aux indécis : on peut être profondément attaché au Québec et souhaiter rester Canadien. Le discours de Trudeau est un condensé de ses convictions les plus fondamentales.

✔ **Le Canada appartient aussi aux Canadiens français.** Dans un élan patriotique, le premier ministre canadien rappelle que le Canada a été en partie fondé par les ancêtres canadiens-français. En se séparant du Canada, les Québécois tourneraient le dos à cette histoire héroïque, celle des grands explorateurs, et se confineraient à un territoire beaucoup plus restreint.

✔ **Le projet péquiste serait « ethnique ».** Depuis le début, Pierre Elliott Trudeau soupçonne les péquistes de distinguer les « vrais » des « faux » Québécois. Il accuse René Lévesque d'avoir attribué son rejet de la souveraineté-association à ses racines écossaises, héritées de sa mère – une Elliott née au Québec.

✔ **Il n'y aura pas d'association advenant un oui.** Le projet du gouvernement Lévesque repose sur un projet d'association avec le reste du Canada. Or Trudeau annonce que, peu importe les résultats, son gouvernement n'entend rien négocier.

✔ **Le non permettra aussi des changements.** Cela dit, si les Québécois votent NON, le premier ministre canadien s'engage solennellement à mettre en branle un processus de renouvellement de la Constitution. Lui et les députés québécois promettent de démissionner si ce renouvellement n'a pas lieu. « Nous mettons notre tête en jeu, nous, députés québécois, parce que nous le disons à vous, des autres provinces, que nous n'accepterons pas ensuite que ce NON soit interprété par vous comme une indication que tout va bien puis que tout peut rester comme c'était auparavant. Nous voulons du changement, nous mettons nos sièges en jeu pour avoir du changement. » Quels changements a-t-il en tête, au juste ? Impossible de le savoir alors. Plusieurs présument que ce « nous » québécois renvoie aux demandes historiques du Québec.

Le NON obtient 60 %

Le 20 mai 1980, 85,6 % des électeurs inscrits exercent leur droit de vote durant cette belle journée printanière. La campagne a été longue et rude. Elle a polarisé les Québécois comme jamais auparavant. Plusieurs n'ont pas hésité à afficher leurs couleurs, en arborant fièrement un macaron ou en installant une banderole sur leur balcon. Dès l'annonce des premiers résultats, le NON prend une avance, très tôt insurmontable. Les électeurs francophones sont très divisés, la moitié optant pour le NON. À 21h30, René Lévesque concède la victoire. Son visage est triste mais son discours est sobre et empreint d'espoir. « Je demeure convaincu que nous avons un rendez-vous avec l'histoire, un rendez-vous que le Québec tiendra, et qu'on y sera ensemble vous et moi pour y assister. » Il demande ensuite à ses partisans d'entonner « Gens du pays », la chanson du poète Gilles Vigneault, et conclut par un modeste « À la prochaine ». Le discours de Claude Ryan est plus triomphaliste, moins en phase avec le climat d'amertume ou de morosité qui imprègne les esprits ce soir-là. Ryan réclame des élections dans les meilleurs délais. Plus magnanime, Pierre Elliott Trudeau déclare, tard en soirée, lors d'un bref point de presse : « Je ne peux m'empêcher de penser à tous ces tenants du OUI qui se sont battus avec tant de conviction et qui doivent ce soir remballer leur rêve et se plier au verdict de la majorité. Et cela m'enlève le goût de fêter bruyamment la victoire. À mes compatriotes du Québec blessés par la défaite je veux simplement dire que nous sortons tous un peu perdants de ce référendum. Si l'on fait le décompte des amitiés brisées, des amours écorchés, des fiertés blessées, il n'en est aucun parmi nous qui n'ait quelque meurtrissure de l'âme à guérir dans les jours et les semaines à venir. »

Le rapatriement de la Constitution canadienne

Dès le lendemain du référendum, les états d'âme cèdent le pas à l'action. Le gouvernement canadien s'active en vue de rapatrier, une fois pour toutes, la Constitution. Comme nous l'avons vu au chapitre 10, ce qui tient alors lieu de Constitution canadienne n'est qu'une série de lois britanniques. Pour les changer ou les amender, il faut aller à Londres et convaincre les députés anglais. C'est ce que fait le gouvernement Trudeau, pressé d'en finir. Toutefois, à Londres autant que dans les provinces, on s'interroge sur le processus de rapatriement. Le gouvernement fédéral pouvait-il agir de manière « unilatérale » ? Fallait-il obligatoirement obtenir l'accord des provinces ?

Les juges condamnent le projet Trudeau

Le 20 août 1980, les premiers ministres des provinces se rencontrent à Winnipeg pour discuter Constitution. Le matin même, une note secrète du gouvernement fédéral, qui est l'objet d'une fuite, les informe que celui-ci entend agir unilatéralement si aucune entente n'est conclue avec les provinces. Le 2 octobre suivant, lors d'un discours télévisé, Pierre Elliott Trudeau confirme que son gouvernement ira de l'avant sans les provinces. Deux semaines plus tard, sept d'entre elles, dont le Québec, condamnent le procédé. Le 7 décembre, 14 000 Québécois rassemblés à Montréal dénoncent également l'entreprise fédérale. Les cours d'appel du Manitoba, de Terre-Neuve et du

Québec sont appelées à se prononcer sur la légalité du rapatriement unilatéral. Deux des trois cours, dont celle du Québec, sont formelles : l'action du gouvernement Trudeau est inconstitutionnelle, illégale. Le Canada étant une fédération, la souveraineté est partagée entre deux ordres de gouvernement. Le rapatriement de la Constitution ne peut se faire sans que les provinces ne soient consultées. Le 28 septembre 1981, la Cour suprême du Canada rend également un jugement. Le projet fédéral est peut-être « légal », expliquent les juges du plus haut tribunal canadien, mais il reste « illégitime » dans le cadre d'une fédération. Quelques jours plus tard, le 2 octobre, la grande majorité des élus de l'Assemblée nationale du Québec adopte une résolution non partisane qui condamne la démarche unilatérale du gouvernement Trudeau.

Le Québec isolé

Ce jugement de la Cour suprême ainsi que les pressions exercées par le gouvernement britannique forcent Pierre Elliott Trudeau à organiser une conférence de la dernière chance qui réunit à Ottawa le fédéral et les provinces. Celle-ci débute le 2 novembre 1981. Les premiers tours de table n'augurent rien de bon. La majorité des provinces font bloc contre le projet Trudeau. Mais le matin du 5 novembre, contre toute attente, on apprend qu'un accord a été conclu. Signé par tous… sauf le Québec. Que s'est-il donc passé ? Il y a deux versions.

✔ **La version fédérale.** Au cours de la conférence, Pierre Elliott Trudeau lance l'idée de tenir un référendum sur son projet constitutionnel. René Lévesque se montre ouvert car il est convaincu qu'une majorité de Québécois rejetteront la proposition du gouvernement canadien. La position de Lévesque aurait irrité plusieurs des premiers ministres des provinces alliées. Farouchement opposés à la tenue d'un tel référendum, ceux-ci se seraient désolidarisés du gouvernement québécois et auraient entamé des négociations avec le gouvernement fédéral. Selon cette version, c'est René Lévesque qui aurait laissé tomber ses alliés, non l'inverse.

✔ **La version québécoise.** Le point de vue de la délégation québécoise est diamétralement opposé. René Lévesque soutiendra que cet accord a été négocié en catimini en pleine nuit, alors que les représentants du Québec dormaient paisiblement dans leur hôtel. Selon cette version, c'est le Canada anglais qui aurait laissé tomber le Québec cette nuit-là.

Dans l'imaginaire de bien des Québécois, cet isolement du Québec se produira durant « la nuit des longs couteaux ». La formule est très forte mais continue d'être couramment utilisée. À l'origine, elle réfère à la décision d'Hitler d'assassiner, durant la nuit du 29 au 30 juin 1934, les dirigeants des SA, un corps armé du Parti nazi.

La Loi constitutionnelle de 1982

Le 17 avril 1982, le premier ministre Trudeau et la reine Elizabeth II apposent leur signature sur la Loi constitutionnelle de 1982. L'adoption de cette loi fait du Canada un pays complètement indépendant. S'il s'agit d'un moment historique, tous n'ont pas envie de prendre part aux célébrations. La cérémonie se déroule sans la présence de représentants officiels du Québec. Même Claude Ryan, un fédéraliste pourtant convaincu, n'y assiste pas. Le 18 novembre précédent, l'Assemblée nationale avait adopté une motion condamnant le projet de rapatriement de la Constitution parce que, entre autres choses, le Québec n'était pas reconnu comme « une société distincte par la langue, la culture, les institutions ». Les députés et ministres libéraux fédéraux du Québec font peu de cas de cette absence. Après tout, les Québécois n'ont-ils pas massivement rejeté le projet péquiste lors du référendum de 1980 ? N'ont-ils pas également voté massivement en faveur des libéraux fédéraux lors des élections de février 1980 ?

Cette nouvelle constitution, que prévoit-elle, au juste ?

- **Aucun droit de veto pour le Québec.** Pour amender la Constitution, trois formules sont possibles : l'unanimité des provinces sur certaines questions très larges ; l'assentiment de sept provinces qui forment au moins 50 % de la population sur d'autres enjeux importants ; une province en accord avec le gouvernement fédéral sur des objets bien spécifiques. Une chose est claire : aucun droit de veto formel n'est reconnu au Québec pour tout changement constitutionnel à venir. La Cour suprême du Canada rendra même une décision selon laquelle le Québec n'aurait jamais eu de droit de veto sur les changements de nature constitutionnelle.

- **Une charte des droits et libertés qui accroît considérablement le pouvoir des juges.** En plus de reconnaître les droits les plus fondamentaux à chaque citoyen, la Charte prévoit, autant pour les francophones que pour les anglophones, le droit à l'instruction dans sa langue (article 23). Cette disposition offrira une assise juridique puissante aux minorités francophones des autres provinces qui souhaitent obtenir des écoles dans leur langue. En revanche, elle invalide une partie de la loi 101 qui interdisait l'accès à l'école anglaise aux anglophones des autres provinces.

- **Le multiculturalisme, doctrine officielle de l'État canadien.** En plus de confirmer les droits linguistiques des locuteurs des deux langues officielles, la Charte prévoit que « toute interprétation de la présente charte doit concorder avec l'objectif de promouvoir le maintien et la valorisation du patrimoine multiculturel des Canadiens » (article 27). Il s'agit d'une victoire importante pour certaines minorités ethniques et religieuses, qui exigeront plus tard des « accommodements raisonnables » (voir le chapitre 22).

Le rapatriement constitutionnel de 1982 est un échec cuisant pour René Lévesque et son gouvernement. Après avoir perdu son référendum, le chef péquiste assiste, impuissant, à l'adoption d'une constitution qui ne reconnaît au Québec aucun statut particulier. Pierre Elliott Trudeau a tenu promesse. Il a bel et bien renouvelé la Constitution canadienne. Mais sans tenir compte des doléances les plus fondamentales des gouvernements québécois depuis les débuts de la Révolution tranquille. Voilà pourquoi, à ce jour, aucun gouvernement québécois, qu'il soit d'obédience fédéraliste ou souverainiste, n'a signé la Loi constitutionnelle de 1982.

Ce double échec démoralise beaucoup d'artistes et d'intellectuels québécois, très engagés dans la cause souverainiste. Marquée par le désenchantement, cette période sera celle du « syndrome post-référendaire ».

Sortie de crise

Pendant que se déroule cette saga constitutionnelle, de durs affrontements opposent le gouvernement péquiste aux syndicats. C'est que le Québec est frappé par une grave dépression économique qui affecte la jeunesse et provoque de profondes remises en question du rôle de l'État.

Affrontements et concertation

René Lévesque a souvent répété son « préjugé favorable » à l'égard des travailleurs. Certaines de ses réalisations illustrent ce parti pris. En 1977, son gouvernement interdit l'embauche de briseurs de grève (*scabs*) et oblige les patrons à percevoir la cotisation syndicale à la source. Pour les militants syndicaux les plus à gauche, ces avancées ne suffisent pas. Les négociations de 1979 avec les employés du secteur public sont parfois tendues. « Si ce n'est pas OUI, ça va être NON », peut-on lire sur certaines pancartes. Ou bien le gouvernement Lévesque offre aux syndiqués ce qu'ils demandent, ou ils appelleront à voter pour le NON lors du référendum.

Une série de décrets

La dépression qui sévit à partir de 1981 n'offre d'autre choix que de revoir les généreuses conventions collectives négociées au cours des années précédentes. En 1982, le taux d'intérêt hypothécaire dépasse les 20 % et le taux de chômage tourne autour de 13 %. Les négociations traînant en longueur, le gouvernement décrète les salaires et les conditions de travail des 320 000 employés du secteur public et parapublic. Pire encore, il ampute leurs salaires de 21 % durant les trois premiers mois de 1983. Cette mesure d'austérité extrême rapporte 700 millions de dollars au gouvernement mais lui aliène un certain nombre d'électeurs qui ne lui pardonneront jamais ce coup de force. Les syndicats forment à nouveau un front commun et déclenchent une série de grèves illégales. Mais le gouvernement ne bronche pas car il est convaincu que les salaires du secteur public sont plus élevés que ceux du secteur privé.

Pour sortir de cette crise, le gouvernement du Parti québécois s'en remet davantage au secteur privé qu'à l'État. Après avoir nationalisé l'amiante, une erreur selon les experts, on préfère encourager les petits investisseurs à soutenir l'économie québécoise par leurs épargnes. Au début des années 1980, le ministre Parizeau lance le Régime d'épargne-actions (REA). Grâce à cette mesure, les sommes investies en bourse pour encourager des entreprises québécoises sont désormais déductibles d'impôt. En plus d'initier les Québécois au système boursier, le REA accroît la disponibilité du capital de risque.

Réformer le capitalisme de l'intérieur

Pour envisager une vraie sortie de crise, l'autre voie de salut est celle de la concertation avec les grands partenaires socio-économiques. Des sommets d'orientation, espère le gouvernement, permettraient de dégager des consensus et de donner une direction à l'avenir. Les décrets de 1982 rendent cette avenue difficile à pratiquer. Toutefois, un autre genre de concertation commence à faire son chemin. En effet, la sévère dépression de 1981 provoque une prise de conscience chez certains leaders syndicaux de la Fédération des travailleurs du Québec (FTQ). Davantage présents dans le secteur privé, les membres de cette grande centrale sont frappés de plein fouet par les licenciements et les fermetures d'entreprises. Louis Laberge, le président de la FTQ, lance alors une idée complètement inédite : créer un « fonds de solidarité » financé par les cotisations des travailleurs et dont la mission première serait de soutenir les entreprises qui éprouvent des difficultés. Le gouvernement voit l'initiative d'un bon œil et annonce aussitôt des déductions fiscales à ceux qui contribueront au fonds, qu'ils soient membres ou non de la FTQ. L'idée de Louis Laberge marque un tournant dans l'histoire du syndicalisme québécois. Au lieu d'abattre le capitalisme ou de travailler à la disparition de l'« État bourgeois », comme cela avait été le cas durant les années 1970, la FTQ propose désormais de réformer le système économique de l'intérieur en soutenant des initiatives privées ou en développant des partenariats avec des entreprises prometteuses.

Le Fonds de solidarité de la FTQ deviendra un acteur clé du développement économique québécois ; en 2011, il disposait d'un actif de 8,2 milliards de dollars. Cette perspective pragmatique est durement critiquée par la Confédération des syndicats nationaux (CSN), surtout présente dans le secteur public. On accuse la FTQ de se détourner de sa mission syndicale ou de jouer le jeu du grand capital. En 1996, la CSN imitera cependant la centrale concurrente en mettant sur pied Fondaction qui, pour l'essentiel, poursuivra la même mission que le Fonds de solidarité de la FTQ.

Génération perdue ?

La dépression affecte aussi beaucoup les jeunes nés au tournant des années 1960, qui arrivent alors sur le marché du travail. Les emplois stables et permanents, notamment ceux de la fonction publique et parapublique, se font de plus en plus rares. Convaincus, comme leurs parents, que de nombreuses opportunités s'offriraient à eux une fois leur diplôme en poche, ces jeunes frappent un mur. Le phénomène est suffisamment important pour que l'on tienne, en 1983, un Sommet de la jeunesse. Deux ans plus tard, des universitaires s'inquiètent du phénomène lors d'un colloque. Le sociologue Fernand Dumont compare les jeunes du milieu des années 1980 à une «sorte de nouveau prolétariat» qui camperait «hors de la cité». D'autres parlent de «génération perdue» ou de «génération X». Peu à peu, certains de ces jeunes en viennent à accuser leurs aînés «baby-boomers» de manquer de cohérence : partisans de l'État, ils tiennent le discours de la solidarité, mais lorsque vient le temps de négocier leur convention collective, ils adoptent une attitude corporatiste et ne voient qu'aux intérêts de leur génération. La génération X sera aussi la première à vivre les effets de la révolution des mœurs, la première à connaître les effets du divorce, de l'amour libre et des familles recomposées. Ces bouleversements économiques et culturels vont souvent retarder l'engagement social et politique de cette génération.

Changements de garde à Ottawa et à Québec

Les sociétés n'acceptent pas longtemps la morosité politique. La démocratie offre toujours un exutoire à ceux qui espèrent un renouveau. Au milieu des années 1980, les Québécois se tournent vers de nouvelles équipes, de nouveaux visages qui, croient-ils, permettront de débloquer certaines impasses et stimuler l'économie.

En février 1984, Pierre Elliott Trudeau annonce son départ de la vie politique. Même si son influence continuera parfois à se faire sentir, c'est une page qui se tourne, puisque le chef libéral a dominé la vie politique canadienne depuis 1968. Les Canadiens sont cependant mûrs pour une autre équipe et de nouvelles propositions d'avenir. En 1984, c'est Brian Mulroney qui incarne ce changement.

Le p'tit gars de Baie-Comeau

Né le 20 mars 1939 à Baie-Comeau, Brian Mulroney est le fils d'un modeste électricien qui travaille pour une papetière de la Côte-Nord inaugurée en 1937 par Maurice Duplessis. Ses parents sont catholiques et d'origine irlandaise. Enfant, il parle anglais à la maison mais français dans la rue.

Très tôt, il agit comme un pont entre les deux grandes communautés nationales. Après avoir complété ses études secondaires en Nouvelle-Écosse, il fait son droit à l'Université Laval au début des années 1960, alors que le Québec est en pleine Révolution tranquille. Il s'installe à Montréal et devient rapidement un spécialiste reconnu en relations de travail. Embauché par les patrons, tous reconnaissent ses talents de négociateur et apprécient sa personnalité chaleureuse et rassembleuse. Le juge Robert Cliche retient d'ailleurs ses services lors de la Commission d'enquête sur la liberté syndicale (présentée au chapitre précédent). En 1977, il est nommé président de l'Iron Ore, une multinationale américaine qui exploite le fer de la Côte-Nord. Brian Mulroney prend très tôt sa carte du Parti conservateur canadien et tisse un réseau impressionnant de relations. Après une première tentative en 1976, il est élu chef de son parti en 1983.

« Dans l'honneur et l'enthousiasme »

Dès les années 1960, Brian Mulroney avait milité pour que son parti s'investisse davantage au Québec. Outre le succès éphémère de John Diefenbaker en 1958, les conservateurs canadiens n'avaient jamais réussi à percer la forteresse québécoise, presque toujours acquise aux libéraux. C'est cette situation que souhaitait changer le nouveau chef. Aussitôt choisi par les délégués de son parti, il rassemble une équipe québécoise qui en impose, formée par plusieurs nationalistes, dont certains ont même voté pour le OUI en 1980. C'est le cas de son ami Lucien Bouchard, un avocat de Chicoutimi, rencontré sur les bancs de la Faculté de droit de l'Université Laval. C'est à lui que Mulroney confie le mandat de rédiger un discours important, qu'il prononce à Sept-Îles le 6 août 1984, en pleine campagne électorale fédérale. Le chef conservateur condamne le gâchis constitutionnel des libéraux. « Il y a au Québec – cela crève les yeux – des blessures à guérir, des inquiétudes à dissiper, des enthousiasmes à ressusciter et des liens de confiance à rétablir. » Pierre Elliott Trudeau, déplore-t-il, aurait profité du désarroi référendaire pour frapper le Québec d'« ostracisme constitutionnel ». Si son parti est porté au pouvoir, promet-il, il se fixe comme objectif de « convaincre l'Assemblée nationale du Québec de donner son assentiment à la nouvelle constitution canadienne avec honneur et enthousiasme ». Le 4 septembre 1984, les progressistes-conservateurs remportent 211 sièges, une victoire éclatante. Au Québec, la formation de Brian Mulroney récolte 50,2 % des suffrages et fait élire 58 députés.

La visite du pape Jean-Paul II : un vif succès !

Du 9 au 11 septembre 1984, le pape Jean-Paul II effectue une visite très importante au Québec. À son arrivée dans la Vieille capitale, il déclare : « Salut à toi, Québec, première Église en Amérique du Nord, premier témoin de la foi, toi qui as planté la croix au carrefour de tes routes et qui as fait rayonner l'Évangile sur cette terre bénie ! Salut à vous, gens du Québec, dont les traditions, la langue et la culture confèrent à votre société un visage si particulier en Amérique du Nord. » C'est la première fois que le Saint-Père de l'Église catholique vient à la rencontre de ses coreligionnaires d'Amérique du Nord. Pendant trois jours, les Québécois suivent les déplacements du souverain pontife et écoutent ses discours retransmis à la télévision.

Le succès de cette visite, qui culmine par un immense rassemblement au stade olympique de Montréal, en étonne certains. Il est vrai que les Québécois fréquentent moins la messe du dimanche, que le recrutement des prêtres est difficile, que les positions de l'Église contre la pilule contraceptive, l'avortement, le mariage gai et le mariage des prêtres les irritent. Malgré tout, cependant, ils continuent jusqu'au tournant du millénaire de se dire catholiques et restent attachés aux rituels les plus fondamentaux de leur Église (baptêmes, mariages, obsèques, etc.). Les Québécois qui accueillent le pape en 1984 ne pratiquent plus leur religion comme on la pratiquait durant les années 1950, mais ils sont toujours de culture catholique. Cet héritage continue de conserver un sens pour la grande majorité d'entre eux.

L'implosion du PQ

René Lévesque accueille favorablement ces résultats et annonce que son gouvernement participera à nouveau aux conférences fédérales-provinciales – boycottées depuis 1981. Une position qui en étonne plusieurs, car le dernier congrès de son parti avait opté pour la ligne dure sur l'enjeu de la souveraineté, les militants péquistes ayant remisé au placard la stratégie « étapiste » du référendum et du « bon gouvernement ». Le chef péquiste n'en tient cependant pas compte. Pire encore, il s'apprête à remettre en cause l'article 1 de son parti. Le 22 septembre 1984, René Lévesque explique les perspectives qui, selon lui, se dessinent pour le Québec depuis l'élection fédérale. « Si la collaboration du gouvernement conservateur devait s'améliorer, cela ne risquerait-il pas d'étouffer notre option fondamentale et de renvoyer la souveraineté aux calendes grecques ? De toute évidence, il y a un élément de risque. Mais c'est un beau risque. » Quelques semaines plus tard, le premier ministre enfonce davantage le clou dans un texte intitulé *Pour que la discussion prenne fin*. Lors de la prochaine élection québécoise, explique-t-il, « la souveraineté n'a pas à être un enjeu : ni en totalité ni en parties plus ou moins déguisées ». D'un trait de plume, il invalide la décision du congrès et biffe l'article le plus important du programme péquiste. « Cet État-nation que nous croyions si proche et totalement indispensable » doit même disparaître de l'écran radar, selon lui. Pour Jacques Parizeau, Camille

Laurin et quelques autres ministres, députés et militants, ce virage est absolument inacceptable. Le 22 novembre 1984, ceux-ci démissionnent avec fracas. Le « beau risque » pris par René Lévesque démotive les militants les plus résolus et provoque des guerres intestines. Rongé par la maladie et la fatigue, le fondateur du PQ démissionne le 20 juin 1985.

Reconnaissance des nations autochtones et mort de René Lévesque

Juste avant de quitter la scène politique, René Lévesque fait adopter une motion qui reconnaît l'existence des 10 nations autochtones qui vivent sur le territoire québécois. L'événement se produit le 20 mars 1985. Cette motion reconnaît clairement que ces nations ont le droit « à l'autonomie au sein du Québec », le droit « à leur culture, leur langue, leurs traditions », le droit « de posséder et de contrôler leurs terres », le droit « de chasser, pêcher, piéger, récolter et participer à la gestion des ressources fauniques », et le droit « de participer au développement économique du Québec et d'en bénéficier ». Cette motion est l'un des nombreux legs de René Lévesque, qui a marqué le Québec comme peu d'hommes politiques avant lui.

Après son départ de la vie politique, le fondateur du Parti québécois publie *Attendez que je me rappelle...*, un livre de souvenirs qui obtient un immense succès. René Lévesque renoue également avec son métier de journaliste, sa première passion. Ce retour à la vie normale est brutalement interrompu. Le 1er novembre 1987, il s'effondre dans son salon, terrassé par un infarctus. La nouvelle prend tout le monde par surprise car René Lévesque n'a que 65 ans. Pendant quelques jours, le Québec entier pleure la disparition de l'ex-premier ministre. Sur l'épitaphe de sa pierre tombale sont inscrits les mots du poète Félix Leclerc : « La première page de la vraie belle histoire du Québec vient de se terminer. Dorénavant, il fera partie de la courte liste des libérateurs de peuples. »

L'accord du lac Meech

Pendant que le PQ implose et choisit Pierre Marc Johnson pour succéder à René Lévesque, le Parti libéral du Québec reprend des forces et adopte un nouveau programme.

Le retour de Robert Bourassa

En octobre 1983, Robert Bourassa est réélu chef du Parti libéral du Québec. Aux lendemains de la défaite de 1976, il effectue des séjours d'étude à Bruxelles car il souhaite mieux comprendre la construction européenne. Il donne également des cours et dirige des séminaires dans plusieurs universités européennes et américaines. La défaite électorale de Claude Ryan en 1981 lui ouvre à nouveau les portes du pouvoir. L'inauguration du barrage LG-2 de la Baie-James en 1979 avait rappelé à plusieurs la sagesse de ses choix économiques. Sur le front constitutionnel, les libéraux se croient mieux placés que les péquistes pour répondre à la main tendue par la nouvelle équipe de Brian Mulroney. Robert Bourassa estime qu'au plan constitutionnel, il a montré qu'il savait défendre les intérêts du Québec. Parce que les libéraux croient sincèrement aux vertus du fédéralisme canadien, on ne pourra, pense-t-il aussi, leur servir l'argument de la mauvaise foi. Le 2 décembre 1985, ceux-ci font élire 99 députés, obtiennent 55 % des suffrages et sont portés au pouvoir.

De l'État-providence... à l'État-provigo !

Lors de la campagne électorale de 1985, Robert Bourassa revient sur l'un de ses thèmes préférés : l'économie. Il promet une deuxième phase de développement de la Baie-James et une rationalisation importante des dépenses de l'État. Le programme des libéraux, influencé par la philosophie néolibérale très en vogue à l'époque, adopte un ton fortement antibureaucratique. Bourassa a d'ailleurs recruté quelques figures connues du milieu des affaires qui entendent appliquer au secteur public les méthodes du privé. Parmi ceux-là, Paul Gobeil est nommé président du Conseil du trésor. Ancien haut dirigeant de Provigo, une chaîne de magasins d'alimentation, il dépose un rapport qui suscite beaucoup de controverses. Le ministre préconise une refonte complète de la gestion des grands réseaux publics. Il prône en effet une plus grande imputabilité des cadres de l'État et l'introduction du principe de concurrence entre les services qu'offre le secteur public et ceux que pourrait offrir le secteur privé. Son rapport critique également la prolifération des organismes publics, qui seraient passés de 47 à 200 entre 1964 et 1984. Pour générer des économies et améliorer la performance du système public, Paul Gobeil propose un remède de cheval : l'abolition de 79 organismes. Deux autres rapports du même genre seront également rendus publics. L'un suggère une déréglementation importante, l'autre la privatisation de certaines entreprises publiques. Sans aller aussi loin, le gouvernement Bourassa suit quelques-unes de ces recommandations. Plusieurs sociétés d'État (SGF, SOQUEM, SIDBEC, REXFOR) se départissent de certains actifs que le secteur privé sera plus apte à faire fructifier, juge-t-on.

Les conditions minimales du Québec

L'avènement des libéraux au pouvoir permet plus facilement de lancer une nouvelle ronde de discussions constitutionnelles. Le 30 avril 1987, le gouvernement fédéral et les 10 provinces s'entendent sur le libellé d'un texte qui, une fois entériné par les législatures, permettrait au Québec de ratifier la Loi constitutionnelle de 1982. L'entente est signée dans la résidence secondaire du premier ministre du Canada, sur les rives du lac Meech, situé tout près d'Ottawa. Les cinq conditions minimales du Québec pour réintégrer le giron constitutionnel sont les suivantes :

- **Statut de « société distincte ».** Dans la constitution amendée, le Québec serait clairement reconnu comme une « société distincte ». Lorsque les juges auraient à statuer sur une cause qui concernerait le Québec, ceux-ci seraient dans l'obligation d'interpréter la Constitution à la lumière de cette disposition.

- **Pouvoirs reconnus en immigration.** Le gouvernement du Québec souhaite aussi que les ententes administratives conclues antérieurement avec le gouvernement fédéral dans le secteur de l'immigration soient « constitutionnalisées ». Il ne serait donc plus possible pour le gouvernement fédéral de revenir en arrière.

- **Limitation du pouvoir fédéral de dépenser.** Dans les domaines qui relèvent exclusivement des provinces, l'État fédéral devra limiter ses dépenses ou consulter le gouvernement du Québec.

- **Modification de la formule d'amendement.** Lors des modifications constitutionnelles à venir, on s'attend à ce que le Québec puisse disposer d'un droit de veto.

- **Nouveau processus de nomination des juges à la Cour suprême du Canada.** Le Québec étant la seule province à appliquer un code civil de tradition française, son gouvernement serait désormais consulté lors de la nomination des juges au plus haut tribunal canadien.

L'accord du lac Meech est généralement bien accueilli au Québec. Plusieurs y voient la possibilité d'enfin clore l'épineux dossier constitutionnel. Les signataires se donnent cependant trois ans pour ratifier l'entente. Trois ans… une éternité en politique !

Un Sommet de la Francophonie à Québec

Au début des années 1980, l'idée de tenir régulièrement un sommet des pays francophones fait son chemin. L'écrivain Léopold Sédar Senghor, président du Sénégal de 1960 à 1980, avait déjà envisagé de telles rencontres. Élu en 1981, le président français François Mitterrand souhaite organiser un premier Sommet de la Francophonie avant la fin de son septennat. L'entreprise est toutefois retardée par la question du Québec. Ce dernier y parlerait-il en son nom propre ou serait-il représenté par le Canada ? Pierre Elliott Trudeau et René Lévesque ont des vues diamétralement opposées sur la question.

Le nœud est cependant dénoué lors de l'arrivée au pouvoir des conservateurs et des libéraux. Le 7 novembre 1985, un accord est scellé.

Le Québec fera partie de la délégation canadienne mais pourra s'exprimer en son nom propre sur la plupart des enjeux.

Le premier Sommet de la Francophonie a lieu à Versailles en février 1986. Du 2 au 4 septembre 1987, la ville de Québec est l'hôtesse du second Sommet. Dix ans plus tard, les pays membres mettent sur pied l'Organisation internationale de la Francophonie (OIF). En 2012, 56 États ou gouvernements étaient membres de l'OIF. Le mandat des institutions de la Francophonie n'est pas toujours clair. Leur objectif est-il de faire la promotion de la langue et de la culture française ou de réaffirmer les valeurs universelles de partage et d'ouverture ? En tant qu'État fédéré, le Québec continue de contribuer aux discussions.

Chapitre 21

Le presque pays (1987-1995)

• •

Dans ce chapitre :

▶ L'échec de l'accord du lac Meech

▶ La scission du Parti libéral et la création du Bloc québécois

▶ Le second référendum sur la souveraineté du Québec

• •

Durant les semaines qui suivent son adoption, l'accord du lac Meech reçoit un fort appui des Québécois. Des sondages effectués en juin 1987 montrent que plus de 60 % d'entre eux sont favorables à l'entente conclue entre les provinces et le gouvernement fédéral. Mais ce beau ciel bleu se couvre bientôt de nuages. L'opposition vient autant des souverainistes que des fédéralistes.

L'échec de l'accord du lac Meech plonge le Canada dans une crise politique sans précédent. Les libéraux québécois sont déroutés. Certains envisagent la sécession, d'autres tiennent coûte que coûte à ce que le Québec reste au Canada. Malheureusement pour ces derniers, l'entente de Charlottetown, une tentative désespérée de sortir de cette impasse constitutionnelle, est rejetée par les Québécois et par les Canadiens anglais lors d'un référendum. Si plusieurs se sentent humiliés par ces fins de non-recevoir, les Québécois hésitent encore à opter pour la souveraineté. La constitution d'une grande coalition souverainiste donne cependant des sueurs froides aux forces fédéralistes.

Le Canada en crise

La Constitution d'un pays incarne généralement ses valeurs les plus fondamentales. Elle est censée rassembler ses citoyens. En rapatriant la Constitution sans le consentement du gouvernement québécois, le Canada anglais avait donné des munitions aux souverainistes. Au lieu d'unir les Canadiens, la Loi constitutionnelle de 1982 a créé un ferment de divisions. C'est pour remédier à cette situation que les conservateurs de Brian Mulroney négocient l'accord du lac Meech qui, comme nous l'avons vu au chapitre précédent, contient les cinq conditions minimales du Québec pour signer la Loi constitutionnelle de 1982.

Chronique d'un échec annoncé

Rapidement, des voix s'élèvent contre cet accord, tant au Québec qu'au Canada anglais. Ces critiques plongent bientôt le Canada dans la tourmente. Au lieu de les en rapprocher, l'accord du lac Meech isole encore davantage les Québécois du reste du Canada.

Le « monstre du lac Meech »

Les premiers à s'opposer à l'accord constitutionnel, ce sont les souverainistes. Pierre Marc Johnson, le successeur de René Lévesque à la tête du Parti québécois, dénonce le « monstre du lac Meech ». Selon lui, pour assurer la défense de sa langue, de sa culture et de ses institutions, le Québec a besoin non pas d'une clause de « société distincte » qui sera soumise à l'interprétation de juges nommés par le gouvernement fédéral, mais de vrais pouvoirs – un avis partagé par Jacques-Yvan Morin, constitutionnaliste de renom et ancien ministre de René Lévesque. En signant cet accord, croit Morin, Robert Bourassa renonce à un nouveau partage des pouvoirs entre le gouvernement fédéral et le Québec, une revendication fondamentale depuis les années 1960. Une fois l'accord du lac Meech signé, « le Québec se trouvera enfermé, verrouillé dans ses compétences », déplore-t-il.

Pour le Parti québécois, la phase du « beau risque » du fédéralisme inaugurée par René Lévesque est bel et bien terminée. Tous les arguments seront bons pour combattre l'accord du lac Meech. Le départ précipité de Pierre Marc Johnson, dont la nouvelle démarche d'« affirmation nationale » est jugée trop floue par l'aile plus indépendantiste de son parti, et l'élection de Jacques Parizeau à la tête du PQ le 19 mars 1988 confirment ce retour aux sources. « Le rôle premier du Parti québécois, explique Parizeau le soir de son élection, est de réaliser la souveraineté du Québec. Il doit clairement afficher son option souverainiste, avant, pendant et après les élections. » Plus question pour son parti de discuter les termes d'un quelconque renouvellement du fédéralisme.

Un « gâchis total »

La réaction des souverainistes était attendue. Mais celle de l'ancien premier ministre Pierre Elliott Trudeau prend tout le monde par surprise. Le 27 mai 1987, le journal *La Presse* publie une charge très dure de Trudeau contre l'accord du lac Meech, qu'il qualifie de « gâchis total ». À ses yeux, la clause de la « société distincte » est une injure faite aux Canadiens français du Québec. Elle témoigne du complexe d'infériorité des nationalistes, qu'il assimile à une « bande de pleurnichards [et] d'adolescents gâtés ». « La génération montante d'hommes d'affaires, de scientifiques, d'écrivains, de cinéastes et d'artistes de toutes sortes n'a que faire de la mentalité d'état de siège où se blottissaient les élites des temps passés. » Pour affronter les grands défis modernes, les Québécois n'ont « point besoin de béquilles pour marcher ». Ce qu'il déplore aussi dans cet accord, c'est la « balkanisation » du Canada. Ces pouvoirs concédés au Québec affaiblissent selon lui le gouvernement central. En agissant ainsi, le premier ministre Brian Mulroney s'attaque au grand rêve d'un «Canada unique, bilingue et multiculturel», lequel est uni par une charte des droits. Quant à l'isolement du Québec à la suite du rapatriement de 1982, il l'impute aux «politiciens provincialisants» du Québec qui, depuis les années 1960, ont bloqué toutes les tentatives de réformes constitutionnelles.

Pas de libre-échange avec les États-Unis sans le Québec

Durant la dépression des années 1980, plusieurs politiciens américains croient que des mesures protectionnistes s'imposent. Plus de 300 projets de loi étudiés par les membres du Congrès cherchent clairement à restreindre l'importation de marchandises étrangères. Pour contrer cette tendance isolationniste, le gouvernement canadien tente de convaincre les Américains de conclure une entente de libre-échange. La convergence idéologique entre conservateurs et républicains, également partisans de la déréglementation et du libre marché, facilite les discussions.

Une fois l'accord de principe obtenu, le premier ministre Brian Mulroney déclenche des élections sur cet enjeu qui divise énormément les Canadiens anglais. Si les gens d'affaires sont favorables au libre-échange, tel n'est pas le cas des syndicats, qui craignent une diminution des salaires et une dégradation des conditions de travail. La gauche craint également que, pour concurrencer la fiscalité américaine, le gouvernement canadien ne revoie ses programmes sociaux. Sur un autre registre, plus identitaire et symbolique, de nombreux intellectuels croient que cet accord menace, à terme, la souveraineté canadienne. À leurs yeux, cette intégration économique n'est qu'une étape vers la dissolution du Canada dans l'empire américain.

La grande majorité des Québécois ne voient pas les choses ainsi. Au Québec comme au Canada anglais, les milieux syndicaux ou d'affaires pourfendent ou appuient le libre-échange, essentiellement pour les mêmes raisons. Ce qui est propre au Québec, c'est l'appui des forces souverainistes, qui croient que le libre-échange offre un nouvel argument en faveur de leur cause. Leurs adversaires ont toujours prétendu que le marché québécois était trop petit pour soutenir une économie moderne. Or voilà que, à l'instar des petites nations européennes du Marché commun, le Québec pourra désormais compter sur un vaste bassin de consommateurs. Grâce à l'accord de libre-échange, l'économie québécoise sera moins dépendante du marché canadien.

Le 21 novembre 1988, les conservateurs de Brian Mulroney sont reportés au pouvoir. Au Québec, ils font élire 60 députés et obtiennent 52,7 % des suffrages, de meilleurs résultats qu'en 1984. Dans le reste du Canada, ils perdent cependant beaucoup de plumes par rapport à l'élection précédente. Sans cet appui massif des Québécois, l'accord de libre-échange entre le Canada et les États-Unis, qui entre officiellement en vigueur le 1er janvier 1989, n'aurait pas été adopté. En effet, les libéraux de John Turner et les néo-démocrates d'Ed Broadbent prennent position contre le libre-échange. Plusieurs Canadiens anglais accusent les Québécois de brader la souveraineté canadienne. Rien pour favoriser l'adoption de l'accord du lac Meech...

Tout indique que l'ouverture des frontières américaines au commerce a été bénéfique pour l'économie québécoise. En 1994, alors que le dollar canadien était à son plus bas, 81,73 % des exportations québécoises étaient dirigées vers les États-Unis. En 2008, cette proportion était de 72,1 %. En 1994, le Mexique était intégré à la zone de libre-échange nord-américaine.

Français à l'extérieur, bilingue à l'intérieur

Le 15 décembre 1988, la Cour suprême du Canada rend un jugement controversé sur la loi 101. Les juges du plus haut tribunal canadien invalident les dispositions qui imposent un affichage commercial uniquement en français (article 58). Il s'agit selon eux d'une grave atteinte aux libertés individuelles «dans une société libre et démocratique». «La langue, écrivent-ils dans leur jugement, est si infiniment liée à la forme et au contenu de l'expression qu'il ne peut y avoir de véritable liberté d'expression s'il est interdit de se servir de la langue de son choix.» Les réactions au jugement ne se font pas attendre. Le Mouvement Québec français, qui regroupe plusieurs associations nationalistes, s'insurge contre la «bilinguisation» du Québec annoncée par ce jugement et demande au gouvernement de conserver l'article 58.

Le premier ministre Robert Bourassa réagit rapidement. Sa position n'est pas facile, car il est pris entre l'arbre et l'écorce. D'un côté, la communauté anglophone soutient son parti mais souhaite le respect intégral du jugement ; de l'autre, l'aile nationaliste francophone espère que le premier ministre aura recours à la «clause nonobstant» – une disposition permettant de se soustraire aux jugements de la Cour suprême qui concernent certains articles de la Charte des droits. Lors d'un discours qui suit l'annonce du jugement, le premier ministre admet qu'il est difficile de «concilier à la fois la protection de la culture française qui est, évidemment, un objectif absolument essentiel et vital pour le Québec et pour le Canada et, en même temps, le respect des droits individuels». Fidèle à lui-même, Robert Bourassa tranche la poire en deux et propose un compromis (loi 178). Si l'affichage commercial à l'extérieur restera uniquement en français, l'affichage à l'intérieur des commerces pourra se faire dans les deux langues.

Ce compromis provoque la démission de quelques députés libéraux des circonscriptions anglophones et la création du Parti égalité. Lors de l'élection du 25 septembre 1989, remportée facilement par les libéraux, ce nouveau parti fait élire quatre députés.

Le vent tourne au Canada anglais

Le compromis de Robert Bourassa sur la langue d'affichage donne des munitions aux adversaires de l'accord du lac Meech à l'extérieur du Québec. Les Canadiens anglais attachés à la Charte léguée par Pierre Elliott Trudeau accusent en effet le gouvernement québécois de sacrifier les droits de la minorité anglophone et de bafouer une liberté individuelle fondamentale. Sensibles à la charge de l'ancien premier ministre contre l'accord du lac Meech, plusieurs d'entre eux en viennent à croire que la clause de la «société distincte» permettra de brimer les droits des minorités protégés par la Charte. Des sondages montrent d'ailleurs clairement qu'une majorité de Canadiens anglais s'opposent à cette clause. Cette opposition est peu à peu relayée par la classe politique. Au Nouveau-Brunswick, au Manitoba et, plus tard, à Terre-Neuve, les nouveaux premiers ministres Frank McKenna, Gary Filmon et Clyde Wells renient la signature de leurs prédécesseurs et réclament d'importantes modifications à l'accord du lac Meech. On reproche notamment à l'entente de ne rien prévoir pour les francophones hors Québec et les autochtones.

Le massacre de Polytechnique

Le 6 décembre 1989, 14 étudiantes de l'École polytechnique de Montréal sont sauvagement assassinées par un certain Marc Lépine. Le tueur de 25 ans rôdait depuis 16 h dans l'institution. Vers 17 h 10, il entre dans une classe avec une arme semi-automatique, tire au plafond et ordonne aux étudiants masculins de sortir. Il s'approche des 10 étudiantes croupies au fond de la salle et tire froidement une première rafale de balles. Neuf sont atteintes, six meurent sur le coup. Lépine sort ensuite de la classe et abat, au hasard, les femmes qu'il croise. Après en avoir poignardé quelques-unes, il s'enlève la vie.

Dans la lettre qu'il a rédigée avant de passer aux actes, Lépine donne une signification « politique » à son geste. « Étant plutôt passéiste (Exception la science) de nature, écrit-il maladroitement, les féministes ont toujours eu le dont de me faire rager. Elles veulent conserver les avantages des femmes [...] tout en s'accaparant de ceux des hommes. » Sur cette même lettre figure le nom de plusieurs femmes importantes qu'il entendait également assassiner. Cet antiféminisme délirant a évidemment provoqué des débats très émotifs au Québec par la suite.

Le rapport Charest

Le temps passe et l'accord du lac Meech n'est toujours pas adopté. Les provinces récalcitrantes tardent à ratifier l'entente, ce qui fait monter la pression sur le gouvernement fédéral. Trois mois avant la date butoir du 23 juin 1990, Brian Mulroney charge son jeune ministre Jean Charest d'effectuer une tournée des provinces et de dégager un nouveau consensus. L'initiative n'est évidemment pas très bien perçue au Québec, car on craint une dilution de l'accord – une crainte apparemment fondée, puisque le « rapport Charest », déposé le 17 mai 1990, propose la tenue d'une nouvelle conférence des premiers ministres et l'adoption d'une série de résolutions d'accompagnement qui permettraient, dit-on, de préciser certains enjeux. Dans l'une de ces résolutions, par exemple, il serait écrit que la clause de la société distincte « ne diminue en rien l'efficacité de la Charte », qu'elle « ne compromet pas les droits et libertés qui y sont garantis ». Les partisans de l'accord du lac Meech sont choqués par ce libellé, car ils estiment qu'on tente de restreindre la portée de l'une de ses clauses les plus importantes.

Le télégramme d'Alma

Quelques jours après le dépôt du rapport Charest, le Parti québécois tient un conseil national à Alma. Le député fédéral de la région est Lucien Bouchard, ministre de l'Environnement du gouvernement Mulroney et ardent partisan de l'accord du lac Meech. En déplacement en Europe, il fait parvenir au chef du Parti québécois un télégramme de bienvenue qui a l'effet d'une bombe. Son contenu est tellement lourd de conséquences pour le ministre fédéral que Jacques Parizeau craint un canular ! «Votre réunion, écrit Bouchard aux délégués péquistes, soulignera le dixième anniversaire d'un temps fort pour le Québec [le référendum du 20 mai 1980]. Sa commémoration est une occasion de rappeler bien haut la franchise, la fierté et la générosité du OUI, que nous avons alors défendu autour de René Lévesque et de son équipe. La mémoire de René Lévesque nous unira tous en fin de semaine, car il a fait découvrir aux Québécois le droit inaliénable de décider de leur destin.» Cette dernière phrase est accueillie par un tonnerre d'applaudissements. Lucien Bouchard vient de changer de camp...

Pour cet avocat né en 1938 et originaire de Saint-Cœur-de-Marie au Lac-Saint-Jean, le rapport Charest est la goutte qui fait déborder le vase. Partisan du OUI en 1980, Lucien Bouchard avait, comme René Lévesque, fait le pari du «beau risque». Il n'avait aucune raison de douter de la bonne foi de Brian Mulroney, un vieil ami rencontré sur les bancs de la Faculté de droit de l'Université Laval au début des années 1960. Aussitôt élu premier ministre, Mulroney nomme Bouchard ambassadeur du Canada à Paris. Après avoir coordonné l'organisation du Sommet de la Francophonie de 1987, Bouchard est nommé ministre et devient le lieutenant québécois du premier ministre canadien. En mai 1990, cette vieille amitié prend cependant fin... Le 21 mai, Bouchard fait parvenir sa lettre de démission, laquelle explique le sens de son télégramme d'Alma. Selon lui, le processus d'adoption de l'accord du lac Meech démontre que le Canada anglais ne comprend rien aux justes doléances du Québec. «Ce qui devait être une démonstration de générosité et de respect pour le Québec a, au contraire, accentué la ligne de fracture de ce pays et donné libre cours à une recrudescence de préjugés et d'émotions qui ne font honneur à personne.»

Réparer les dégâts

La démission de Lucien Bouchard fait prendre à la crise constitutionnelle un tournant dramatique. Elijah Harper, un député autochtone du Manitoba, empêche la tenue d'un vote à son Parlement, et le premier ministre terre-neuvien Clyde Wells, malgré son engagement solennel, refuse de faire voter l'entente par son Assemblée législative. Le 22 juin 1990, les partisans de l'accord du lac Meech doivent se rendre à l'évidence. Cette tentative de mettre fin à l'isolement du Québec se conclut par un cuisant échec. Reste maintenant à réparer les dégâts. Et, pour les fédéralistes, à gagner du temps pour éviter le pire...

Une « société libre »

Jusqu'à la dernière minute, le premier ministre Robert Bourassa croit à un sursaut. Il est convaincu que les Canadiens anglais, malgré les réserves de certains, accepteront l'accord, ne serait-ce que pour mettre fin à cette saga constitutionnelle qui paralyse le pays. Il sous-estime cependant les forces d'opposition. Le 22 juin 1990, il se rend lui aussi à l'évidence. Le soir, il doit faire une déclaration à l'Assemblée nationale. Ses sondeurs lui disent que les Québécois sont profondément choqués par l'échec de l'accord du lac Meech. Durant les semaines et les mois qui suivent, l'appui à la souveraineté atteint les 60 % dans les sondages, du jamais vu. Quoi dire alors ? Il doit exprimer quelque chose du dépit, voire de la colère des Québécois, mais sans toutefois aller trop loin. Mal à l'aise avec les émotions politiques, il cherche le ton juste. Le soir en Chambre, son discours est très attendu. Après avoir fait un bref rappel des événements qui ont conduit à l'échec de l'accord, il conclut ainsi : « Quoi qu'on dise et quoi qu'on fasse, le Québec est, aujourd'hui et pour toujours, une société distincte, libre et capable d'assumer son destin et son développement. » Robert Bourassa serait-il en train de se convertir au souverainisme ? Plusieurs le croient. D'autres le souhaitent, comme Jacques Parizeau, qui tend la main au premier ministre. Dans les faits, ce dernier reste résolument hostile à l'option souverainiste. Il se garde cependant bien de le dire ce jour-là.

Durant les jours qui suivent, les Québécois prennent la rue et célèbrent la Saint-Jean avec une ferveur peu commune. Des moments très chargés en émotions… À l'heure où d'anciennes républiques soviétiques proclament leur indépendance, plusieurs sont convaincus d'être aux portes du pays.

L'été des Indiens

Le 11 juillet 1990, la Sûreté du Québec lance un assaut contre une barricade érigée à Oka par des Amérindiens de la nation des Mohawks (Iroquois). Les confrontations sont très violentes. Le caporal Marcel Lemay est mortellement atteint d'une balle. Depuis des mois, les Mohawks d'Oka contestaient la décision de la municipalité d'aménager un terrain de golf et de faire construire des condominiums sur des terres qui, selon eux, leur appartenaient. En guise de protestation, les Mohawks avaient donc érigé une barricade et décidé de ne pas respecter les deux injonctions de la Cour qui leur ordonnaient de mettre fin à ce moyen de pression.

C'était donc pour faire respecter des ordres de la Cour que la Sûreté du Québec était intervenue le 11 juillet. En plus de se solder par un échec, l'opération de la police provoque des réactions musclées d'autres Mohawks habitant la rive sud de Montréal. À Châteauguay, une barricade est érigée, ce qui a pour effet de bloquer l'accès au pont Mercier. Ce moyen de pression incommode énormément de nombreux citoyens de cette région qui, tous les matins, doivent se rendre à Montréal pour travailler.

La crise d'Oka défraie les manchettes durant tout l'été 1990 et suscite beaucoup d'attention médiatique, au Québec et dans le monde. Une cellule de crise est mise en place et le gouvernement fédéral, de qui relèvent les nations autochtones, est appelé en renfort. Malgré la nomination du médiateur Allan B. Gold, des groupes de citoyens excédés se constituent et la tension devient extrêmement vive. On juge même nécessaire de faire intervenir l'armée canadienne. Armé jusqu'aux dents et associé au crime organisé, le groupe mohawk des Warriors monte la garde et exige de nombreuses concessions des autorités gouvernementales.

Les barricades sont levées après 78 jours d'intenses négociations. L'obsession du gouvernement Bourassa était d'éviter d'autres morts. Plusieurs lui reprocheront d'avoir négocié avec des contrebandiers et d'avoir affaibli l'autorité de l'État.

Première réaction : le rapport Bélanger-Campeau

Plus concrètement, le premier ministre Bourassa annonce deux choses : la fin des négociations constitutionnelles qui impliquent d'autres acteurs que les gouvernements québécois et fédéral, et la mise sur pied d'une importante commission chargée de formuler des recommandations sur l'avenir constitutionnel du Québec. Présidée par Michel Bélanger et Jean Campeau, respectivement nommés par le Parti libéral et le Parti québécois, cette commission se veut non partisane. Parmi les membres de la commission Bélanger-Campeau figurent les chefs des deux partis, Lucien Bouchard, ainsi que divers représentants de la « société civile », issus notamment des milieux patronal et syndical. La commission parcourt toutes les régions du Québec pour entendre les présentations des nombreuses associations et personnalités intéressées par l'avenir politique du Québec. Après une période de négociations très serrées, la commission rend son rapport public en mars 1991. Ses recommandations sont les suivantes :

✔ **Tenue d'un référendum sur la souveraineté du Québec, au plus tard le 26 octobre 1992.** Le Canada anglais ayant rejeté les demandes minimales du Québec, les Québécois doivent, le plus tôt possible, se prononcer sur la souveraineté du Québec.

✔ **Création de deux commissions parlementaires spéciales sur l'avenir politique et constitutionnel du Québec.** La première commission aura pour mandat « d'étudier et d'analyser toute question relative à l'accession du Québec à la pleine souveraineté ». La seconde commission aura quant à elle pour mandat « d'apprécier toute offre de nouveau partenariat de nature constitutionnelle faite par le gouvernement du Canada ». La première prépare le terrain à la souveraineté, la seconde accueillera les nouvelles du Canada anglais.

Deuxième réaction : le rapport Allaire

Pendant que la commission Bélanger-Campeau recueille les réflexions de la population, le Parti libéral consulte ses membres et trace les contours d'une nouvelle position constitutionnelle. Jean Allaire, qui préside le comité constitutionnel de son parti, rend son rapport public le 29 janvier 1991. Les changements proposés sont majeurs. Jamais un rapport du Parti libéral n'avait été aussi loin. L'option privilégiée par le rapport est une refonte complète du cadre politique canadien, lequel permettrait au Québec de bénéficier «d'une compétence exclusive et totale dans la plupart des domaines d'interventions». Fini les chevauchements et le pouvoir fédéral de dépenser. Les seuls pouvoirs conservés par le gouvernement central seraient ceux de la défense, de la sécurité du territoire, des douanes et de la politique étrangère. Le Canada du rapport Allaire n'est plus qu'une grande zone de libre-échange. En tout temps, le Québec pourrait s'en retirer sans difficultés. À défaut de tels changements, le rapport Allaire propose de tenir un référendum sur la souveraineté du Québec au plus tard à l'automne 1992. Accueilli très froidement par son aile modérée et fédéraliste, le rapport devient néanmoins la position officielle du Parti libéral du Québec.

Rejet de l'accord de Charlottetown

Les conclusions de la commission Bélanger-Campeau et du rapport Allaire poussent le gouvernement fédéral à lancer une nouvelle ronde de négociations constitutionnelles à l'automne 1991. Un comité de la Chambre des communes et du Sénat reçoit les mémoires d'associations et de personnalités canadiennes lors d'audiences publiques. En mars 1992, le comité formule ses propositions. Il ne s'agit plus seulement de satisfaire les demandes du Québec, mais de réformer toute la Constitution canadienne de façon à y intégrer des propositions concernant les autochtones, le Sénat et plusieurs autres enjeux. Malgré son engagement pris au lendemain de l'échec de l'accord du lac Meech, Robert Bourassa accepte de prendre à nouveau part aux discussions constitutionnelles avec le gouvernement fédéral et les autres provinces. L'accord conclu à Charlottetown le 28 août 1992 est aussitôt dénoncé au Québec, même par des membres éminents du Parti libéral. Jean Allaire et les jeunes libéraux dirigés par Mario Dumont claquent la porte de leur parti et fondent le «Réseau des libéraux pour le NON». Le 26 octobre suivant, l'accord est soumis à un référendum pancanadien. Plus de 56 % des Québécois votent NON. Retour à la case départ...

Second référendum sur la souveraineté du Québec

Ce nouvel échec sonne le glas des négociations constitutionnelles et marque la fin des carrières politiques de Brian Mulroney, qui cède sa place le 25 février 1993, et de Robert Bourassa, qui démissionne le 14 septembre 1993 après avoir subi de nombreux traitements contre un cancer de la peau. Ce nouvel échec conforte également les souverainistes dans leurs convictions. La seule option qui s'offre désormais au Québec, croient-ils, est la souveraineté. Reste cependant à convaincre les Québécois...

Formation du camp du changement

Pour ce faire, les souverainistes devaient démontrer que leur cause n'était pas seulement celle d'un parti, d'un chef ou d'un homme. Il fallait s'ouvrir à diverses tendances, être sensible aux craintes et aux appréhensions des souverainistes de la dernière heure.

Le Bloc québécois

Durant les jours et les semaines qui suivent la démission de Lucien Bouchard, on presse ce dernier de créer un parti, car l'échec de l'accord du lac Meech entraîne d'autres démissions, tant chez les conservateurs que chez les libéraux fédéraux. Le 25 juillet 1990, Bouchard et les députés démissionnaires jettent les bases du Bloc québécois, un parti souverainiste qui œuvrera sur la scène fédérale. Dans l'article 2 du protocole adopté ce jour-là, on peut lire : « Notre allégeance nationale est québécoise. Notre territoire d'appartenance est le Québec, foyer d'un peuple de culture et de langue française dont nous entendons promouvoir la souveraineté. » Même s'il agit sur la scène fédérale, le Bloc québécois ne présentera des candidats qu'au Québec. Dans l'esprit des fondateurs, l'Assemblée nationale du Québec est « l'institution démocratique suprême du peuple québécois ». Une fois la souveraineté acquise, le parti se sabordera. Le 13 août 1990, lors d'une élection partielle, le Bloc québécois fait facilement élire Gilles Duceppe dans la circonscription de Laurier–Sainte-Marie. Ancien militant communiste converti tardivement au syndicalisme de combat, le premier député du Bloc était surtout connu pour être le fils du grand comédien Jean Duceppe. Cette élection donne une vraie légitimité au parti fondé par Lucien Bouchard. Les sondages montrent rapidement que le Bloc québécois et la personnalité de son chef suscitent beaucoup d'enthousiasme dans la population.

Opposition officielle de Sa Majesté !

L'élection fédérale du 25 octobre 1993 est historique. Le Bloc québécois, qui remporte 54 sièges et obtient 49,3 % des suffrages, fait une entrée fracassante au Parlement canadien. Dans l'enceinte de la Chambre des communes, un parti est désormais voué aux seuls intérêts des Québécois. Or ce qui est encore plus incroyable, c'est que le Bloc forme l'opposition officielle de Sa Majesté ! En fait, la formation fondée par Lucien Bouchard bénéficie de l'éclatement du Parti progressiste-conservateur. Les nombreux échecs constitutionnels ont en effet miné les bases historiques de l'ancien parti au pouvoir, tant au Québec que dans l'Ouest canadien, où émerge le Reform Party, une nouvelle formation politique marquée à droite qui fait élire 52 députés. Cet éclatement bénéficie surtout aux libéraux de Jean Chrétien, qui sont portés au pouvoir en promettant de s'occuper d'économie. L'un des engagements les plus fermes du nouveau premier ministre : ne plus parler de Constitution ! Dans l'esprit de cet ancien ministre de Pierre Elliott Trudeau, ce dossier a été réglé en 1982. La réalité allait cependant vite le rattraper…

Des libéraux dissidents forment un nouveau parti

Jean Allaire et les jeunes libéraux regroupés autour de Mario Dumont quittent pour de bon leur parti après que celui-ci eut cautionné l'accord de Charlottetown. Ils fondent au départ un groupe de pensée, le Groupe Réflexion Québec, qui rassemble des gens de diverses tendances nationalistes et plutôt conservatrices au plan économique, des gens qui ne se reconnaissent plus dans le Parti libéral, désormais prêt à accepter n'importe quelle offre du fédéral, mais qui hésitent à se joindre au Parti québécois de Jacques Parizeau, jugé trop radical, ou trop proche des milieux syndicaux. Au début des années 1990, plusieurs cherchent à constituer une « troisième voie », plus autonomiste qu'indépendantiste, mais résolument nationaliste. Le 18 janvier 1994, Jean Allaire et Mario Dumont fondent l'Action démocratique du Québec, l'ADQ. Son programme reprend les grandes lignes du rapport Allaire mais défend aussi des positions proches du courant néolibéral en vogue durant les années 1980. En mai 1994, âgé d'à peine 24 ans, Mario Dumont en devient le chef.

Le PQ au pouvoir

En 1994, les souverainistes ont le vent dans les voiles. À Québec, cependant, ils piaffent d'impatience sur les banquettes de l'opposition. Pour déclencher un nouveau référendum sur la souveraineté du Québec, les péquistes doivent prendre le pouvoir, être aux commandes. Le 12 septembre 1994, c'est chose faite. Le Parti québécois fait élire 77 députés et peut donc former le prochain gouvernement. Cette victoire n'a rien du triomphe espéré. Le PQ obtient en effet 44,7 % des voix, contre 44,3 % pour les libéraux. On est donc loin du score obtenu par le Bloc en 1993, et loin surtout du 50 % + 1 que l'on souhaite obtenir lors du prochain référendum. De son côté, l'ADQ fait élire son chef et récolte 6,5 % des suffrages. Voilà une force politique avec laquelle le nouveau premier ministre devra composer s'il souhaite remporter le prochain référendum.

En avant !

Aussitôt élu, Jacques Parizeau ne perd pas de temps. C'est même animé par un sentiment d'urgence qu'il commence son mandat. Sa démarche, avalisée par les membres de son parti, se distingue assez nettement de celle de René Lévesque. Sa perspective est la suivante :

> ✔ **L'objectif n'est pas, d'abord, de bien gouverner une province, mais de préparer l'avènement du pays.** En 1976, René Lévesque voulait démontrer que les souverainistes étaient capables de gouverner et ainsi rassurer la population. Selon Jacques Parizeau, les Québécois ne doutent plus que le PQ est capable de bien gouverner. Dès les premières semaines de la prise du pouvoir, il mobilise donc l'État québécois au service de l'agenda référendaire.

✔ **Le prochain référendum ne sera pas « consultatif » mais « exécutif ».** En 1980, les forces souverainistes demandaient à la population la permission d'engager des pourparlers avec le reste du Canada. Un second référendum aurait ratifié les conclusions des négociations. Jacques Parizeau croit que les Québécois ont déjà suffisamment exploré les avenues du fédéralisme renouvelé. Un OUI au prochain référendum doit permettre au gouvernement d'enclencher le processus devant mener à la sécession.

✔ **L'association avec le reste du Canada n'est plus essentielle.** Dans un contexte de libre-échange avec les États-Unis, Jacques Parizeau considère que l'association économique avec le reste du Canada, quoique souhaitable, n'est plus un préalable essentiel pour réaliser la souveraineté.

Jacques Parizeau a les idées claires. Pour rassembler les Québécois, il devra ratisser plus large, faire équipe avec les nationalistes plus modérés qui rêvent encore d'un renouvellement du fédéralisme. Le 5 novembre 1994, le nouveau premier ministre invite d'ailleurs ses militants à tourner le dos au « radicalisme », à l'« esprit de chapelle » et à la « partisanerie ».

Vaste consultation

Pressé par les journalistes, Jacques Parizeau refuse de fixer la date du prochain référendum. Mais il assure que celui-ci aura lieu très rapidement. Avant d'annoncer la date du référendum, le gouvernement du PQ juge nécessaire de lancer un vaste processus de consultation de la population. Le 6 décembre 1994, le premier ministre dépose un avant-projet de loi sur la souveraineté du Québec. Grâce à une série de commissions, les Québécois auront l'occasion de se prononcer sur la démarche que propose le gouvernement du Québec. Ils seront également invités à réfléchir au préambule d'une future constitution du Québec, qui devra refléter leurs convictions et leurs valeurs les plus fondamentales. Ce n'est qu'une fois la consultation terminée que le peuple serait appelé à se prononcer sur le projet de loi bonifié lors d'un référendum. En somme, un processus transparent et une question simple…

Mais les choses ne se dérouleront pas exactement comme l'avait prévu Jacques Parizeau.

1995, l'année de tous les possibles

Les consultations publiques ne suscitent pas l'enthousiasme souhaité. Il faut dire que les libéraux dénoncent l'exercice et refusent d'y prendre part. Alors qu'il s'agissait de parler de souveraineté et de discuter de l'avant-projet de loi, plusieurs lobbys profitent de cette tribune pour présenter leur liste de demandes.

Tensions autour de la date

Au début de l'année 1995, un référendum au printemps n'est pas exclu.
Le premier ministre souhaite ainsi garder ses troupes en haleine. La ferme
résolution de Jacques Parizeau en inquiète cependant plusieurs. Le 19 février,
Lucien Bouchard déclare à la télévision : « Je ne peux pas considérer
l'hypothèse où, délibérément, on accepterait d'exposer le Québec à un NON par
rapport à la souveraineté, sachant ce qui arriverait par la suite. » Le chef du
Bloc et plusieurs ministres importants du gouvernement québécois tentent de
convaincre Parizeau de reporter le référendum. Lancer une campagne alors
que les sondages sont si mauvais leur semble suicidaire. « Je ne veux pas,
déclare de son côté Bernard Landry, le vice-premier ministre du Québec, être le
commandant en second de la brigade légère qui fut exterminée, en 20 minutes,
en Crimée, à cause de l'irresponsabilité de ses dirigeants. » L'image ne manque
pas de piquant ! S'il n'apprécie guère le trait d'humour de son second, Jacques
Parizeau accepte néanmoins de reporter le référendum à l'automne.

Un « virage » imposé

Mais la date du référendum n'est pas le seul enjeu qui pose problème. Toute
la démarche de Jacques Parizeau est aussi remise en question par Lucien
Bouchard. À la fin du mois de mars 1995, seuls 41 % des électeurs sondés
auraient répondu OUI à une question claire portant sur l'indépendance du
Québec. Selon le chef bloquiste, la démarche résolument indépendantiste
du premier ministre ne correspond pas au vœu de la majorité, qui souhaite
conserver des liens avec le reste du Canada. Le 7 avril, lors de l'ouverture du
congrès de son parti, Bouchard propose de réintroduire l'idée d'association
économique dans le projet souverainiste. Selon lui, « le projet souverainiste
doit prendre rapidement un virage qui […] ouvre une voie d'avenir crédible
à de nouveaux rapports Québec-Canada ». Ce qui doit être proposé aux
Québécois lors du prochain référendum, selon Bouchard, ce n'est pas
seulement l'indépendance, mais un projet de souveraineté-partenariat assez
proche de celui que proposait autrefois René Lévesque. C'est bel et bien un
« virage » que tente d'imposer le chef du Bloc au mouvement souverainiste.
Durant les jours qui suivent son discours, Bouchard menace de ne pas
participer à la prochaine campagne référendaire si ses idées ne sont pas
prises en compte. Le camp souverainiste est au bord de l'éclatement…

L'entente du 12 juin, un « coup majeur »

Après quelques semaines difficiles, des représentants du Parti québécois, du
Bloc québécois et de l'Action démocratique du Québec négocient un nouveau
projet qui serait soumis à la population. La tâche n'est pas facile, car le premier
choix de Jacques Parizeau est l'indépendance, alors que celui de Mario Dumont
est une confédération canadienne très décentralisée. Chaque partie étant
ouverte au compromis, on en vient tout de même à une entente. Le « camp du
changement » présente son projet lors d'une cérémonie officielle qui frappe les
esprits. Cette entente dite du 12 juin comprend :

> ✔ **Une démarche nouvelle.** Un OUI au prochain référendum signifierait deux choses : l'Assemblée nationale pourrait proclamer la souveraineté du Québec, et le Québec serait tenu de proposer au Canada anglais un traité sur «un nouveau partenariat économique et politique».
>
> ✔ **Un calendrier clair.** Le Canada anglais aurait un an pour réagir et négocier la proposition du Québec. Au terme de ce délai, deux cas de figure pourraient se présenter. Dans le cas d'un échec, l'Assemblée nationale proclame sa souveraineté ; dans le cas d'une négociation fructueuse, l'Assemblée nationale proclame sa souveraineté et ratifie, en tant qu'État souverain, le traité de partenariat qui vient d'être conclu avec le reste du Canada.

La donne vient tout à coup de changer. «Pendant des mois, écrit à ses supérieurs le consul des États-Unis à Québec, les analystes à Ottawa ont ridiculisé le projet de souveraineté du Parti québécois. Tout indique ici, au contraire, qu'ils se sont sérieusement fourvoyés. [...] L'accord tripartite qui vient d'être signé entre Parizeau, Bouchard et Dumont, résultat d'une cour assidue, est un coup majeur pour la souveraineté.»

Pendant ce temps à Paris et à Washington...

Parallèlement à ces négociations, le gouvernement Parizeau déploie son «grand jeu» diplomatique et prépare les lendemains d'un OUI. Pour exercer sa souveraineté, un pays doit être reconnu par d'autres nations. Pour des raisons évidentes, qui tiennent à l'héritage du général de Gaulle autant qu'au rôle que souhaite toujours jouer la France dans le monde, les souverainistes comptent beaucoup sur une reconnaissance immédiate de l'ancienne mère patrie. Lors de sa visite officielle dans la capitale française en janvier 1995, le premier ministre du Québec obtient cette garantie d'Édouard Balladur et de Jacques Chirac, les deux principaux candidats à la présidence. Il est également reçu très chaleureusement par Philippe Séguin, le président de l'Assemblée nationale qui, une fois Chirac élu en mai, devient le responsable du dossier québécois dans le nouveau gouvernement français. Ce gaulliste convaincu prépare la réaction positive de la France à un OUI.

À Washington, les choses sont plus compliquées. D'une part parce qu'en 1995, l'ambassadeur des États-Unis au Canada, un certain James Blanchard, s'oppose avec vigueur au projet souverainiste. D'autre part parce que les souverainistes ont beaucoup de mal à percer le petit cercle des grands décideurs américains. De passage à Ottawa au début de février 1995, le président Bill Clinton rencontre Lucien Bouchard, mais rien ne ressort des discussions. Malgré des pressions répétées du gouvernement canadien, les États-Unis refusent de condamner le projet souverainiste. «Le peuple canadien, le peuple québécois devront voter à la lumière de ce qui les guide, se contente de déclarer Bill Clinton le 25 octobre 1995, mais le Canada a été un grand modèle pour le reste du monde et a été un grand partenaire pour les États-Unis, et j'espère que cela pourra continuer.»

La question

Le 7 septembre, le gouvernement du Québec dévoile la question du référendum du 30 octobre.

«Acceptez-vous que le Québec devienne souverain après avoir offert formellement au Canada un nouveau partenariat économique et politique dans le cadre du projet de loi sur l'avenir du Québec et de l'entente signée le 12 juin 1995? OUI ou NON?»

Les fédéralistes dénoncent immédiatement cette question qui ne contient pas des mots comme «séparation» ou «indépendance». Une question piégée, répètent-ils, une astuce…

Ces critiques acerbes semblent toucher une corde sensible, car les premiers sondages ne sont guère favorables à l'option du OUI. Les partisans du Canada insistent aussi, comme ils l'avaient fait en 1980, sur les arguments économiques. Un OUI, répètent-ils, provoquerait beaucoup d'instabilité et entraînerait de nombreuses pertes d'emploi. D'importants propriétaires et chefs d'entreprise appellent à voter NON et incitent leurs employés à faire de même. D'autres patrons nationalistes vont tenter de calmer le jeu. «Ce n'est pas le rôle d'un chef d'entreprise d'adresser une lettre à ses employés pour tenter d'influencer leur choix», déclare Pierre Péladeau, chef de la direction de Quebecor.

L'effet Bouchard

Pour donner un nouveau souffle à leur campagne, les souverainistes annoncent que si le OUI l'emporte, c'est Lucien Bouchard qui sera le négociateur en chef du traité de partenariat avec le reste du Canada. Cette annonce faite le 7 octobre galvanise les troupes. Le chef du Bloc québécois bénéficie alors d'une immense popularité. Un an plus tôt, ce père de deux jeunes enfants côtoyait la mort de près. Une bactérie mangeuse de chair avait obligé les médecins à lui amputer une jambe. Ce drame humain tient les Québécois en haleine pendant plusieurs jours. Sa guérison rapide et sa détermination à reprendre son travail en impressionnent plus d'un. En octobre 1995, plusieurs le voient comme un miraculé et le traitent comme une icône. Sa canne et sa démarche lente rappellent à tous l'épreuve personnelle. Des foules, toujours plus nombreuses, accourent pour entendre ses discours emportés. Partout, il suscite un véritable engouement. Autour du 20 octobre, l'effet Bouchard se fait sentir, le vent tourne et le OUI prend de l'avance dans les sondages.

La panique s'empare aussitôt du camp du NON. Le 24 octobre, le premier ministre Jean Chrétien prononce un important discours à l'auditorium de Verdun. Pas nécessaire de voter OUI pour obtenir de vrais changements, promet-il. Trop peu, trop tard, rétorquent les chefs souverainistes. Cette avance du OUI secoue de nombreux Canadiens anglais. Certains décident de téléphoner directement à des Québécois pour les convaincre de voter NON. D'autres prennent l'autobus, le train, voire même l'avion et participent à une impressionnante manifestation, le vendredi 27 octobre au centre-ville de Montréal. Ce grand «love-in», comme on l'appelle alors, fait complètement fi des lois québécoises sur le financement de la campagne référendaire et irrite beaucoup de Québécois qui estiment que cette décision leur appartient.

Match nul

Le matin du 30 octobre 1995, personne ne sait qui du OUI ou du NON l'emportera. Les derniers sondages indiquent que les deux camps sont nez à nez. Ce jour-là, 93,5 % des électeurs inscrits exercent leur droit de vote, un record dans l'histoire du Québec (et du Canada). En soirée, il y a beaucoup de fébrilité dans l'air. Les premiers résultats dévoilés donnent une avance confortable au OUI. Plus la soirée avance, plus l'écart se rétrécit. À 21 h 36, c'est l'égalité… Puis le NON prend une légère avance, qu'il conserve. Au final, le NON obtient une majorité de 54 288 voix (NON : 50,58 % ; OUI : 49,42 %). Si les francophones du Québec ont voté à plus de 60 % pour le OUI, les non-francophones (anglophones et immigrés réunis) ont massivement rejeté le projet souverainiste. Ce clivage suscite la colère du premier ministre Parizeau qui, dans son discours de défaite, déclare : «C'est vrai qu'on a été battus, au fond par quoi ? Par l'argent, puis des votes ethniques, essentiellement.» Ces propos choquent beaucoup tant les souverainistes que les fédéralistes. Des accusations d'intolérance et de xénophobie fusent de partout. Malgré la tension de la soirée, aucun incident n'est signalé durant la nuit qui suit l'annonce des résultats.

Le lendemain, Jacques Parizeau démissionne. Après avoir été désigné chef du Parti québécois, Lucien Bouchard devient premier ministre du Québec.

Chapitre 22

Déficit zéro et accommodements raisonnables (1996-2012)

Les années qui suivent le référendum de 1995 sont marquées par d'âpres discussions sur la taille de l'État, l'impasse du dossier constitutionnel et de nouveaux débats sur l'identité nationale. Pour les péquistes au pouvoir jusqu'en 2003 comme pour les libéraux qui leur succèdent, plus question de lancer les Québécois dans une nouvelle campagne référendaire ou de renégocier le fédéralisme canadien. L'heure est à l'assainissement des finances publiques et au développement économique. La crise des «accommodements raisonnables», qui surgit au milieu des années 2000, ramène cependant la question identitaire à l'avant-plan. Si les Québécois ne semblent pas pressés d'être consultés sur leur avenir politique, ils tiennent néanmoins à ce qu'on respecte leur héritage culturel et leurs valeurs occidentales.

Les années Bouchard

Pour les Québécois qui espéraient mettre un terme au débat existentiel sur l'avenir du Québec, les années qui suivent le référendum de 1995 ont toutes les allures d'un dur lendemain de veille. L'effervescence politique fait place à la rigueur budgétaire. Les discussions sensibles sur la place du Québec au sein du Canada sont remplacées par l'annonce de plans d'austérité. Par ailleurs, choqués par les résultats du référendum de 1995, les Canadiens anglais oscillent entre l'ouverture et la fermeté, la réconciliation et l'indifférence.

Retour au « bon gouvernement »

Assermenté premier ministre le 29 janvier 1996, Lucien Bouchard est convaincu qu'avant d'envisager une nouvelle offensive sur le front de la souveraineté, il faut mettre de l'ordre dans les finances publiques. À l'instar de son prédécesseur René Lévesque, il croit que, pour gagner la confiance de la population, le Parti québécois doit d'abord relancer l'économie, mieux gérer l'État, faire les bons choix, agir comme un « bon gouvernement ». « Oui à la langue ; oui à l'identité ; oui à la souveraineté mais aussi à l'emploi, lance-t-il à ses militants en novembre 1996. Parce que le combat pour la souveraineté va aussi se gagner sur le front de l'emploi. »

Objectif : déficit zéro

Avant de lancer sa politique de rigueur, le gouvernement Bouchard juge plus prudent de consulter patrons et syndicats lors de deux grands sommets socio-économiques tenus au printemps et à l'automne 1996. Négociateur habile, le premier ministre parvient à dégager un consensus en faveur de l'atteinte du « déficit zéro ». Depuis les années 1960, chaque exercice budgétaire se solde par un déficit. À son arrivée au pouvoir en 1994, le gouvernement du Parti québécois hérite d'un déficit de 5,8 milliards de dollars pour l'année en cours. Ces déficits annuels s'accumulent et le service de la dette grève une partie de plus en plus importante du budget annuel de l'État québécois – 13 % des dépenses pour l'année 1994-1995. Pour mettre fin à cette spirale de l'endettement, les syndicats conviennent que taxer les riches ne peut suffire. Il faut aussi revoir la gestion de l'appareil public et les conventions collectives. L'horizon fixé est l'an 2000. Le gouvernement et ses partenaires se donnent donc quatre ans pour atteindre cet objectif ambitieux.

Mises à la retraite et « clauses orphelin »

La mise en œuvre de cette politique du déficit zéro ne passe pas inaperçue. Du jour au lendemain, le gouvernement Bouchard ferme de nombreuses délégations du Québec à l'étranger. De son côté, le milieu municipal doit contribuer davantage au financement des infrastructures routières, souvent désuètes. Une facture de 375 millions de dollars est donc envoyée dans les villes, qui s'entendent facilement avec leur syndicat… en pelletant les coupures dans la cour des plus jeunes. En effet, les coupes budgétaires se font le plus souvent sur le dos des employés qui ne sont pas encore embauchés. En 1998, la Commission des droits de la personne dénonce ces « clauses orphelin » qui créent deux catégories d'employés. Les coupures du gouvernement du Québec se font aussi sentir dans la fonction publique. En quelques mois seulement, près de 30 000 employés du secteur public et parapublic acceptent les conditions d'un plan de mise à la retraite anticipée. Toutes ces personnes emportent avec elles une expérience, un savoir-faire. Leur départ engendre rapidement des conséquences, notamment dans le secteur de la santé. Surchargées de travail, les infirmières déclenchent des moyens de pression. En mai 1999, elles vont jusqu'à défier une ordonnance du Conseil des services essentiels qui impose des horaires de travail. Malgré la sympathie du public, les infirmières reculent et acceptent les offres du gouvernement.

Une médecine de guerre

Le système de santé sera la bête noire du gouvernement Bouchard. Ancien haut cadre de l'Organisation mondiale de la santé, le ministre Jean Rochon pilote une réforme majeure dès son entrée en fonction en 1994. Le «virage ambulatoire» qu'il propose crée cependant beaucoup de remous. Ce qu'il souhaite, c'est désengorger les hôpitaux et développer des soins à domicile. Au nom d'une «médecine de proximité», le gouvernement ferme des hôpitaux de plus petite taille (sept dans la seule région de Montréal). En plus de générer beaucoup de confusion, cette réforme survient alors que le gouvernement tente désespérément d'atteindre le déficit zéro. L'équipe au pouvoir est accusée de manquer de compassion à l'égard de tous ces malades qui attendent de longues heures dans les urgences. Le 3 février 1998, à l'hôpital Maisonneuve-Rosemont de Montréal, une patiente négligée est retrouvée morte sur sa civière dans une salle d'attente anonyme. L'événement fait les manchettes. Des urgentologues dénoncent la «médecine de guerre» pratiquée dans les grands centres hospitaliers montréalais et réclament des ajustements immédiats. Dans un contexte de vieillissement de la population, cette désorganisation suscite beaucoup d'anxiété. À partir de 1998, la santé devient l'enjeu central de toutes les campagnes électorales.

Spectaculaire tempête de verglas

Durant la nuit du 4 au 5 janvier 1998, une première tempête de verglas s'abat sur la région de Montréal. Si le spectacle est magnifique, l'infrastructure hydroélectrique craque sous le poids de cette glace. Les pylônes de la Montérégie s'écrasent les uns après les autres. En quelques jours, 1,4 million d'abonnés d'Hydro-Québec sont privés de courant. Le vendredi 9 janvier, une seule ligne de haute tension relie Montréal au réseau. Les usines de filtration d'eau ayant cessé de fonctionner, on craint de manquer d'eau potable. Même les pompiers sont sommés de ménager l'eau…

Ce qu'on appelle bientôt la « crise du verglas » donne lieu à de très belles démonstrations de solidarité. Victimes du froid et de la noirceur, de nombreux Québécois se réfugient chez des membres de leur famille pendant quelques jours. D'autres vont dormir dans des centres d'hébergement de fortune, aménagés dans des écoles ou des centres communautaires. Dans les 89 municipalités de la Montérégie affectées par la crise, on achemine du bois de chauffage. À chaque soir, Lucien Bouchard fait le point à la télévision. Le premier ministre gère la crise en bon père de famille. Pendant que les Québécois se serrent les coudes, Hydro-Québec s'affaire à réparer les pylônes. Secondés par 800 confrères américains venus en renfort, des monteurs de ligne courageux rétablissent peu à peu l'électricité dans les zones directement affectées.

La crise du verglas montre à quel point les Québécois sont dépendants de l'énergie hydroélectrique. En plus de faire construire une nouvelle ligne de haute tension (entre Des Cantons et Hertel) les dirigeants d'Hydro-Québec, soucieux de diversifier les sources d'approvisionnement en énergie, vont proposer d'ouvrir une centrale thermique au gaz (la centrale du Suroît). Condamné par les groupes écologistes, le projet ne verra jamais le jour. La nouvelle centrale, allègue-t-on, va à l'encontre du protocole de Kyoto signé en 1997 par de nombreux pays, dont le Canada. Pour combattre le réchauffement de la planète, les pays signataires ont en effet convenu de réduire les gaz à effet de serre.

Garderies à cinq dollars

S'il compte atteindre le déficit zéro, Lucien Bouchard ne remet pas pour autant en question les grandes missions sociales de l'État-providence. En plus de faire construire la Grande Bibliothèque du Québec à Montréal, son gouvernement met en place un réseau universel de garderies en 1997. Les nouveaux «centres à la petite enfance» (CPE) accueillent des enfants de zéro à cinq ans au coût modique de cinq dollars par jour – sept dollars à partir de 2003. Le nouveau programme, réclamé depuis longtemps par le mouvement féministe, connaît un succès immédiat. Malgré l'addition de nouvelles places au cours des années, les listes d'attente s'allongent, ce qui crée de l'amertume chez plusieurs parents. Des garderies en milieu familial et des garderies commerciales subventionnées permettent néanmoins de compléter le réseau.

Dossier constitutionnel : embellie et impasse

Au lendemain du référendum de 1995, la majorité des Canadiens anglais ne comprennent toujours pas ce qui a pu pousser 60 % des Québécois francophones à voter pour la souveraineté. Après tout, Jean Chrétien et plusieurs de ses ministres clés ne sont-il pas des Québécois? Le Canada n'est-il pas devenu un pays officiellement bilingue? Et puis, s'agissant du rapatriement de la Constitution et de la Charte des droits, comment les Québécois peuvent-ils s'opposer aux droits individuels les plus fondamentaux? Malgré cette incompréhension, plusieurs politiciens fédéraux et canadiens souhaitent une réaction politique aux résultats serrés du dernier référendum québécois. Mais les avis sont partagés quant à la marche à suivre...

Plan A : ouverture et rapprochement

Aux derniers jours de la campagne référendaire d'octobre 1995, Jean Chrétien s'engage à effectuer des changements constitutionnels en faveur du Québec. Au cours des mois qui suivent le référendum, le gouvernement fédéral donne suite à cet engagement. Ce «plan A» est celui de l'ouverture et du rapprochement. L'objectif est de montrer que le message des Québécois a été entendu, comme le démontrent les gestes suivants :

- **Motion sur la société distincte.** Le 11 décembre 1995, le gouvernement Chrétien soumet à la Chambre des communes une motion qui reconnaît que «le Québec forme au sein du Canada une société distincte». Cette motion est cependant symbolique et n'a aucune portée constitutionnelle.

- **Entente sur la main-d'œuvre.** Responsable de l'assurance chômage, le gouvernement fédéral avait mis en place un réseau de réinsertion en emploi. Le gouvernement du Québec y voyait un empiètement sur sa juridiction. À l'automne 1997, une entente prévoit que Québec devient le seul responsable de la main-d'œuvre. Plus de 1 000 fonctionnaires fédéraux sont transférés et une somme de 2,4 milliards de dollars est versée au Trésor québécois pour s'acquitter de cette responsabilité.

- **Commissions scolaires linguistiques.** L'Acte de l'Amérique du Nord britannique de 1867 prévoyait que les catholiques et les protestants du Québec avaient droit à des commissions scolaires confessionnelles. Mais les réalités nouvelles de l'immigration et la sécularisation de la société rendaient ces structures moins pertinentes. À l'automne 1997, une entente est conclue entre les gouvernements du Québec et du Canada afin de procéder à un amendement constitutionnel. D'un commun accord, il est convenu que les commissions scolaires du Québec seront dorénavant linguistiques.

Les provinces canadiennes posent également des gestes d'ouverture à l'égard du Québec. En septembre 1997, les représentants des neuf provinces du Canada anglais et des deux territoires nordiques adoptent, à l'unanimité, la «déclaration de Calgary», laquelle reconnaît que le «caractère unique» de la société québécoise est «fondamental au bien-être du Canada». Cette déclaration, beaucoup plus timide que l'accord du lac Meech selon tous les observateurs de l'époque, n'annonce aucune nouvelle ronde de négociations constitutionnelles.

Plan B : rendre la souveraineté illégale

Au plan A s'ajoute cependant un plan B… beaucoup moins généreux! Selon plusieurs, l'heure n'est plus à la main tendue mais à la fermeté. Les Québécois doivent comprendre que la sécession est un acte illégal, qu'aucune disposition constitutionnelle ne prévoit le départ d'une province. C'est ce que croit Stéphane Dion, un professeur de science politique de l'Université Laval nommé ministre des Affaires intergouvernementales canadiennes en janvier

1996. En août 1996, la Cour suprême du Canada reconnaît la recevabilité d'une requête de l'avocat Guy Bertrand qui souhaite démontrer qu'une déclaration unilatérale d'indépendance serait illégale. Le 26 septembre suivant, le gouvernement fédéral emboîte le pas et pose une série de questions aux juges sur la légalité de la démarche sécessionniste.

Le 20 août 1998, la Cour suprême rend finalement son jugement. « Un vote qui aboutirait à une majorité claire au Québec en faveur de la sécession, en réponse à une question claire, conférerait au projet de sécession une légitimité démocratique que tous les autres participants à la Confédération auraient l'obligation de reconnaître. » Cette phrase clé du jugement est interprétée de deux manières : les souverainistes estiment qu'en plus de reconnaître la légitimité démocratique de leur projet, ce jugement obligera le Canada anglais à négocier advenant une future sécession ; de leur côté, les fédéralistes insistent sur les notions de « majorité claire » et de « question claire ». Depuis le début, ils accusent les souverainistes de poser des questions sinueuses et de camoufler la véritable nature de leur projet.

Loi sur la clarté : le verrou

Comme les juges précisent que ce sera « aux acteurs politiques de déterminer en quoi consiste "une majorité claire en réponse à une question claire" », le gouvernement fédéral fait adopter, le 29 juin 2000, la Loi sur la clarté. Avant de négocier la sécession, précise cette loi controversée, la Chambre des communes devra avoir approuvé le libellé de la question. À l'avenir, un vote pour le OUI devra clairement signifier que la province « [cessera] de faire partie du Canada » ou « [deviendra] un État indépendant ». Selon de tels critères, ni la question de 1980 ni celle de 1995 n'auraient été valides. Québec condamne aussitôt cette loi et réaffirme la liberté des Québécois de choisir librement leur destin. Le 28 février 2001, l'Assemblée nationale adopte une loi à cet effet, dont l'article 1 se lit comme suit : « Le peuple québécois peut, en fait et en droit, disposer de lui-même. Il est titulaire des droits universellement reconnus en vertu du principe de l'égalité des peuples et de leur droit à disposer d'eux-mêmes. »

L'éphémère « union sociale » des provinces

En même temps qu'il cherche à invalider légalement la sécession du Québec du reste du Canada, le gouvernement fédéral lance la Fondation canadienne pour l'innovation, le programme des bourses du millénaire et, plus tard, un ambitieux programme des chaires de recherche du Canada. Toutes ces initiatives visent le secteur de l'éducation, censé relever des provinces. Ces dernières signent d'ailleurs une entente sur « l'union sociale », appuyée par le Québec, qui réaffirme les compétences des provinces en éducation et qui invite le gouvernement fédéral à les consulter avant de lancer de nouveaux programmes sociaux. Le 4 février 1999, le Québec se retire cependant du front commun, les provinces canadiennes-anglaises ayant finalement consenti à ce que le gouvernement fédéral joue un rôle accru dans le secteur social.

Démission surprise et « affaire Michaud »

Le 11 janvier 2001, Lucien Bouchard annonce sa démission. Dans son discours, il constate qu'il n'a pas été en mesure de mobiliser les Québécois autour de la cause souverainiste. « Mes efforts pour relancer rapidement le débat sur la question nationale sont restés vains, déclare-t-il. Il n'a donc pas été possible d'engager une démarche référendaire à l'intérieur de l'échéancier rapproché que nous aurions souhaité. » Non sans dépit, il constate que « les Québécois sont restés étonnamment impassibles devant les offensives fédérales ».

Cette démission survient après que l'Assemblée nationale a adopté, le 14 décembre 2000, une motion dénonçant « les propos inacceptables à l'égard des communautés ethniques et, en particulier, à l'égard de la communauté juive tenus par Yves Michaud ». Ce farouche défenseur de la langue française avait déploré le vote monolithique de certaines communautés ethniques lors du référendum de 1995 et laissé entendre, durant une entrevue à la radio, que certains porte-parole juifs minimisaient parfois les souffrances d'autres peuples ayant subi un génocide. Plusieurs députés péquistes, qui n'ont toujours pas digéré le discours de Jacques Parizeau sur les « votes ethniques », dénoncent immédiatement les propos de Michaud. D'autres souverainistes, pour qui Yves Michaud reste un militant irréprochable, perçoivent cependant la motion du 14 décembre comme un acte de censure. Cette levée de boucliers irrite beaucoup Lucien Bouchard. « Nous voici, sans conteste, au cœur de l'essentiel, déclare-t-il dans son discours de démission. J'affirme, premièrement, que les citoyens québécois, sans distinction quelconque, peuvent exercer leur droit de vote comme ils l'entendent, sans encourir des reproches d'intolérance ; et deuxièmement, que l'Holocauste est le crime suprême, l'entreprise systématique d'élimination d'un peuple, une négation de la conscience et de la dignité humaine. On ne peut reprocher aux juifs d'en être traumatisés. Cette tragédie innommable ne peut souffrir de comparaison. » L'épisode montre que les plaies du référendum de 1995 ne sont toujours pas cicatrisées.

Un Québec qui se cherche

L'an 2000 marque le 40e anniversaire de l'élection des libéraux de Jean Lesage et le début de la Révolution tranquille. Les bâtisseurs du Québec moderne en profitent pour revenir sur leurs réalisations et saluer le chemin parcouru. Au plan économique, les francophones ont mis fin à leur retard, grâce à des institutions comme la Caisse de dépôt et placement. Au plan social, le Québec offre une éducation gratuite jusqu'à l'université et des garderies à cinq dollars. Il y a de quoi être fier ! Sans parler des défis que continue de relever le Québec, en créant de nombreux emplois dans la « nouvelle économie » et en concluant avec les Cris une « paix des braves » (2002) qui permet d'exploiter le potentiel hydroélectrique du Grand Nord.

Cette autosatisfaction n'arrive cependant pas à enterrer les voix discordantes, de plus en plus critiques envers le « modèle québécois ». La difficulté des jeunes couples à trouver un médecin de famille, le décrochage scolaire, le sous-financement des universités, la dette publique, les impôts élevés, le corporatisme syndical et la précarité du travail provoquent d'importantes remises en question de l'héritage de la Révolution tranquille. S'ajoute à tous ces problèmes celui du « déséquilibre fiscal ». Pendant que le gouvernement fédéral taxe presque autant les citoyens que les provinces et enregistre des surplus budgétaires, c'est le gouvernement québécois qui doit gérer les services les plus coûteux. Si, aux yeux de plusieurs, un coup de barre s'impose, les solutions divisent.

Le Québec se cherche aussi au plan identitaire. La crise des « accommodements raisonnables », qui surgit au milieu des années 2000, oblige la majorité francophone du Québec à se pencher sur ses valeurs profondes.

Que faire du « modèle québécois » ?

Au tournant du millénaire, on voit émerger des critiques fortes du « modèle québécois ». Aux yeux de ses défenseurs, nombreux dans les syndicats et au Parti québécois, ce « modèle » préfère la concertation à la confrontation et l'État aux forces du marché. Instrument de solidarité sociale et moteur de développement économique, l'État est au cœur du « modèle québécois ». Remettre en cause sa mission, sa taille ou son fonctionnement, c'est donc s'attaquer à l'un des legs les plus importants de la Révolution tranquille.

Montée de l'ADQ en 2002

C'est Bernard Landry qui succède à Lucien Bouchard à la tête du Parti québécois et comme premier ministre du Québec. Cet ancien ministre de l'Économie et des Finances est un ardent promoteur du « modèle québécois ». Rien à changer à ce modèle, selon lui – un avis que ne partage pas l'Action démocratique du Québec qui, à la surprise générale, remporte quatre élections partielles au printemps 2002. Son chef, Mario Dumont, est alors l'un des plus sévères critiques du « modèle québécois ». Il dénonce la rigidité syndicale, la lourdeur bureaucratique de l'État et le gaspillage des deniers publics. Parmi les réformes qu'il propose alors, deux retiennent particulièrement l'attention. L'ADQ souhaite instaurer une saine concurrence entre les écoles en remettant aux parents des « bons d'étude ». Ainsi, plus une école serait appréciée, plus les parents seraient prêts à contribuer à son financement. Autre proposition : un taux d'imposition unique (*flat tax*), pour simplifier la loi sur l'impôt. Tous les contribuables, peu importe leur salaire, débourseraient le même pourcentage de leur revenu en impôts. Ces propositions sont aussitôt dénoncées par les défenseurs du modèle québécois. On accuse Mario Dumont d'introduire dans les services publics une approche clientéliste et de désolidariser les mieux nantis des plus pauvres.

« Nous sommes prêts »

Après avoir trôné dans les sondages durant l'été 2002, l'ADQ perd cependant des plumes. Dans un discours prononcé à Toronto en septembre 2002, Dumont annonce que « la question constitutionnelle n'est pas sur l'écran radar de l'ADQ ». L'ancien défenseur du rapport Allaire dit avoir tourné la page, une déclaration qui lui aliène une partie des nationalistes. Quant à ses propositions néolibérales, elles effarouchent les électeurs plus conservateurs. Ces faux pas stratégiques font le jeu du Parti libéral du Québec, dirigé par Jean Charest depuis 1998. S'il reprend à son compte plusieurs des critiques du modèle québécois de l'ADQ, le chef libéral présente un programme plus modéré et une équipe plus expérimentée. Il s'engage lui aussi à réduire les impôts et la taille de l'État. Surtout, il promet de faire disparaître les délais dans les urgences et les listes d'attente pour des soins spécialisés, tout cela sans avoir recours au privé. Contrairement aux adéquistes, les libéraux promettent de reprendre le dialogue avec le Canada anglais, mais en adoptant une nouvelle stratégie. Les confrontations avec le gouvernement fédéral étant devenues stériles, le parti de Jean Charest préfère miser sur une meilleure coopération entre les provinces. Le slogan des libéraux lors de l'élection de 2003 : « Nous sommes prêts », une façon habile de marteler que l'ADQ, qui connaît quelques ratés durant la campagne, n'est peut-être pas encore mûre pour gouverner… Le 14 avril, les libéraux remportent 76 sièges, récoltent 45,9 % des suffrages et forment le gouvernement.

CHEZ NOS VOISINS

Manifestation monstre contre la guerre en Irak

Comme tous les Occidentaux, les Québécois sont profondément choqués par les attentats du World Trade Center du 11 septembre 2001. Cette solidarité a cependant des limites. Le 15 février 2003, par un froid sibérien, environ 150 000 Québécois marchent dans les rues de Montréal contre la guerre en Irak que s'apprêtent à lancer les États-Unis de George W. Bush. Nulle part ailleurs au Canada la cause ne mobilise autant de gens. Le même jour, 30 000 Canadiens défilent à Toronto, 20 000 à Vancouver, 2 000 à Ottawa. Trois jours avant l'invasion américaine en Irak, qui débute le 20 mars, le gouvernement canadien annonce que le Canada refuse d'appuyer l'opération militaire. Les sondages effectués à l'époque indiquent que seuls 33 % des Québécois auraient souhaité que le Canada y envoie des troupes, contre 60 % en Alberta. La spécificité du Québec s'affirme aussi en politique étrangère !

Cette hostilité à la guerre en Irak a provoqué des débats intéressants sur le rapport des Québécois aux États-Unis. Alors qu'ils s'étaient montrés très favorables au libre-échange et qu'ils revendiquaient de plus en plus leur appartenance au continent, étaient-ils en train de devenir anti-Américains ? Ou encore, cette hostilité à la guerre, ne témoignait-elle pas du pacifisme congénital des Québécois ? Avec le recul, tout indique que c'est la politique étrangère de George W. Bush qui les aurait irrités. C'est moins les États-Unis ou la guerre en tant que telle que les Québécois auraient rejetés qu'un président va-t-en-guerre, protectionniste et hostile au protocole de Kyoto. L'élection de Barack Obama en 2008 les aurait ramenés à de meilleurs sentiments.

« *Nous sommes inquiets* » : le manifeste des lucides

Les critiques du modèle québécois qui espéraient des réformes majeures après l'élection de l'équipe de Jean Charest sont rapidement déçus. Plusieurs initiatives du gouvernement (réforme du code du travail pour favoriser la sous-traitance dans le secteur public, privatisation partielle du mont Orford, coupures dans le régime des prêts et bourses, par exemple) soulèvent un tollé et sont abandonnées. Ces mobilisations prennent Jean Charest par surprise. Le 19 octobre 2005, l'ancien premier ministre Lucien Bouchard et 11 autres personnalités du monde politique, intellectuel et du milieu des affaires lancent *Pour un Québec lucide*, un manifeste qui crée énormément de remous. « Nous sommes inquiets, écrivent-ils. Inquiets pour le Québec que nous aimons. Inquiets pour notre peuple qui a survécu contre vents et marées, mais qui ne semble pas conscient des écueils qui menacent son avenir. » Ces écueils, ce sont le déclin démographique qui entraîne une explosion des dépenses en santé, la concurrence féroce de l'Asie dans le secteur manufacturier, les rigidités syndicales qui bloquent l'innovation, des impôts sur le revenu qui découragent l'initiative. Pour faire face aux grands défis du 21e siècle, les « lucides » proposent de réduire la dette publique, d'investir massivement en éducation, quitte à mettre fin au gel des droits de scolarité, de maîtriser plusieurs langues, dont l'anglais, de hausser les tarifs d'électricité et de taxer la consommation plutôt que le travail.

Réaction de la gauche

La réaction de la gauche et des partisans du modèle québécois ne se fait pas attendre. Deux semaines à peine après la publication du manifeste des lucides paraît celui des « solidaires ». « L'avenir de nos enfants nous inquiète aussi, peut-on lire. Nous ne voulons surtout pas leur laisser une planète exsangue, des forêts détruites, des inégalités sociales et économiques accrues, des guerres pour s'arracher l'eau encore disponible. Nous voulons leur transmettre autre chose que le sentiment qu'il faut plier devant ce que dicte le marché. » Si le Québec éprouve des difficultés, expliquent les signataires, c'est parce que ses dirigeants succombent trop facilement aux sirènes du néolibéralisme. Aux yeux des solidaires, la richesse existe, elle est simplement mal partagée. Au lieu de sabrer dans les services publics, il faut réduire les évasions fiscales et taxer davantage les riches. Par rapport au produit national brut (PIB), les soins de santé coûtent moins cher au Québec qu'aux États-Unis et la dette publique est sous contrôle. Quant à la concurrence avec la Chine, attention au nivellement par le bas. Au lieu de couper dans leurs salaires et leurs conditions de travail, les travailleurs québécois feraient mieux d'aider les travailleurs chinois à accroître leur niveau de vie.

Le Parti libéral du Canada éclaboussé par le scandale des commandites

Aux yeux de plusieurs Canadiens anglais, si tant de Québécois francophones ont voté pour la souveraineté, c'est parce qu'ils ont été trompés par la propagande des séparatistes. En juillet 1996, le gouvernement fédéral met donc sur pied un Bureau d'information pour mieux faire sentir la présence du Canada au Québec, ainsi qu'un programme des commandites. Il s'agit, pour le gouvernement fédéral, de soutenir des événements sportifs et culturels partout au Québec. En retour des sommes reçues, les organismes doivent afficher l'unifolié, façon de rappeler les largesses du gouvernement fédéral et l'appartenance du Québec au Canada. Le programme est cependant développé en catastrophe. La gestion des fonds publics soulève rapidement des questions.

Après plusieurs révélations du *Globe & Mail*, d'embarrassantes questions du Bloc québécois à la Chambre des communes et un rapport dévastateur de la vérificatrice générale du Canada, le premier ministre Paul Martin charge le juge John Gomery de lever le voile sur le fonctionnement du programme. Tout au long de l'année 2005, les Québécois suivent les audiences de la commission Gomery. Pendant des mois, les procureurs de la commission cuisinent les politiciens, les conseillers politiques, les fonctionnaires, les responsables d'agences de communication et les dirigeants du Parti libéral du Canada qui, de près ou de loin, ont été liés à ce programme. L'objectif du juge ? Savoir si les 332 millions de dollars engloutis dans ces commandites d'événements spéciaux ont bel et bien servi les finalités fixées par le gouvernement.

Fidèle aux révélations des audiences, le rapport du juge Gomery montre que les agences de publicité ont souvent surfacturé ou fourni de fausses factures. Des semblants d'études, jamais retrouvées, ont parfois coûté des millions de dollars aux contribuables. L'ingérence politique et les actions frauduleuses de certains fonctionnaires corrompus expliqueraient de telles anomalies, selon le juge. Surtout, les audiences ont montré qu'une partie des sommes englouties dans le programme des commandites aurait permis de financer les activités du Parti libéral du Canada lors des élections de 1997 et de 2000. Des accusations criminelles ont d'ailleurs été portées à la suite des révélations de la commission.

Le scandale des commandites a considérablement terni l'image du Parti libéral du Canada au Québec. Lors de l'élection fédérale du 28 juin 2004, le Bloc remporte 54 sièges, son meilleur score depuis l'élection de 1993. Durant toute la campagne, Gilles Duceppe, chef du Bloc depuis 1997, exploite la colère des Québécois. À ce jour, l'ancien parti de Pierre Elliott Trudeau ne s'est jamais remis de ce scandale au Québec.

Naissance de Québec solidaire

Pendant longtemps, les forces de gauche ont surtout milité au Parti québécois. Mais la politique de rigueur du gouvernement Bouchard et l'éclipse d'un prochain référendum sur la souveraineté éloignent certains «progressistes» du parti fondé par René Lévesque. En juin 2002, des groupuscules d'extrême-gauche, dont le Parti communiste du Québec, fondent l'Union des forces progressistes (UFP). Si le nouveau parti n'obtient que 1 % aux élections de 2003, certains de ses candidats obtiennent de bons résultats dans les circonscriptions urbaines. Se joignent bientôt à ce parti de gauche plusieurs militantes de la Fédération des femmes du Québec, qui ont organisé en 2000 la Marche mondiale des femmes. Françoise David, leur porte-parole, fonde Option citoyenne en 2004, un mouvement qui se dit féministe et écologiste. En février 2006, l'UFP et Option citoyenne procèdent à une fusion et fondent Québec solidaire. De gauche d'abord, souverainiste ensuite, la nouvelle formation se distingue par sa direction bicéphale. Amir Khadir et Françoise David sont en effet désignés «coporte-parole» du parti. À leurs yeux, le modèle social québécois doit non seulement être protégé mais développé et approfondi.

La crise des accommodements raisonnables

Depuis 2001, l'accroissement de la population québécoise dépend davantage de l'immigration que de la croissance naturelle. Il s'agit là d'un phénomène nouveau et lourd de conséquences, qui nécessite forcément quelques adaptations. Même s'ils sont pour la plupart recrutés par le Québec, les nouveaux arrivants immigrent au Canada, un pays qui a fait du multiculturalisme une doctrine officielle. Au Canada, c'est la société d'accueil qui doit accommoder les nouveaux arrivants, non l'inverse. Mais jusqu'où peuvent aller ces accommodements ? Très loin, dans certains cas...

En décembre 2001, l'administration montréalaise nomme «arbre de vie» le traditionnel sapin de Noël que l'on installe chaque année devant l'hôtel de ville. Montréal étant une métropole multiculturelle et multiconfessionnelle, ses élus hésitent à afficher un symbole chrétien et occidental. Cette décision est aussitôt dénoncée. En décembre 2004, un rapport commandé par le gouvernement ontarien soutient qu'on doit permettre l'arbitrage religieux lorsque des familles musulmanes le demandent. Cette ouverture à des «tribunaux islamiques» choque énormément les Québécois, qui y voient une atteinte possible aux droits des femmes. Le 26 mai 2005, leurs représentants à l'Assemblée nationale adoptent à l'unanimité une motion présentée par la députée d'origine marocaine Fatima Houda-Pepin qui rejette l'instauration de tels tribunaux, tant au Québec qu'au Canada.

Jugement controversé sur le kirpan

Cette belle unanimité vole cependant en éclats le 2 mars 2006 lorsque la Cour suprême du Canada autorise le jeune Gurbaj Singh Multani à porter son kirpan à son école de Montréal. La commission scolaire et la Cour d'appel du Québec avaient jugé cet accommodement excessif, déraisonnable, même dans une société libre et démocratique. Or voilà que le plus haut tribunal canadien, au nom de la liberté religieuse et du multiculturalisme, permet au jeune sikh d'aller à l'école armé du poignard traditionnel de sa religion. Si une grande partie des intellectuels, des journalistes et des analystes québécois croient qu'il faut se conformer à la décision de la Cour suprême au nom de l'ouverture à l'autre, les sondages montrent que la grande majorité du peuple s'y oppose.

La tension monte

Alors que le débat sur le kirpan fait rage dans les médias, d'autres cas d'«accommodements raisonnables» surgissent dans l'actualité. Les médias en font leurs choux gras. Quelques exemples :

- **Fenêtres givrées d'un YMCA.** Dans un quartier de Montréal où vivent plusieurs membres d'une communauté juive orthodoxe, un centre sportif (YMCA) accepte d'installer quatre fenêtres givrées pour ne pas distraire les hommes de ce groupe religieux qui pourraient voir des femmes en maillot d'entraînement. Choqués par cette décision, les abonnés du centre sportif font circuler une pétition pour faire enlever ces fenêtres. Après avoir fait la une des journaux, la direction du YMCA fait marche arrière et réinstalle des fenêtres normales munies de rideaux.

- **Bains séparés.** En mai et en décembre 2006, deux cas de bains séparés sont signalés dans les journaux. Pour passer un examen de natation dans une piscine publique, des parents ou des femmes de confession musulmane exigent que les hommes quittent les lieux. L'école et le YMCA concernés se plient à la volonté de ces musulmanes qui ne souhaitent pas être vues par des hommes en maillot de bain.

- **Menu hallal dans une garderie.** Dans un centre de la petite enfance financé par l'État, un homme de confession musulmane exige que ses enfants ne consomment aucune viande non hallal. Un avis de la Commission des droits de la personne et de la jeunesse rendu le 20 mars 2007 donne raison au père et somme la garderie de lui verser 4 000 dollars «à titre de dommages moraux pour atteinte à ses droits».

Tous ces exemples d'accommodements raisonnables alimentent un débat qui devient de plus en plus sensible et émotif. Comme les autorités ne savent pas trop comment réagir à ces initiatives, Hérouxville, une petite municipalité de la Mauricie, adopte son propre «code de vie». «En tant que terre d'accueil, peut-on lire dans le document, nous n'avons pas à renoncer à nos valeurs. Tolérants, nous sommes prêts à faciliter l'intégration des immigrants, mais pas à n'importe quel prix.» Le texte fait la première page des journaux. André

Drouin, le conseiller municipal à l'origine de ce «code de vie», admettra quatre ans plus tard avoir surtout voulu provoquer un débat de fond…

Dumont attrape la balle au bond

La classe politico-intellectuelle est embarrassée par ce débat et craint une montée de la xénophobie. Seul le chef de l'ADQ s'élève clairement contre les accommodements, qu'il qualifie de «déraisonnables» : «On est heureux que des gens viennent se joindre à nous, déclare-t-il en novembre 2006, mais qu'ils le fassent dans le respect de ce qu'on est. Et à mon avis, ce sont des principes qui ne peuvent pas être défendus du bout des lèvres avec un genou par terre. […] Ici au Québec, on est une majorité qui n'a pas besoin de vivre dans la peur d'être traitée d'intolérante.» De son côté, André Boiclair, le chef du Parti québécois, croit qu'il faut respecter les décisions des tribunaux. Il soutient même qu'il y aurait lieu d'enlever le crucifix du Salon bleu de l'Assemblée nationale, une proposition qui suscite de vives réactions.

La commission Bouchard-Taylor

Pour calmer le jeu, le premier ministre Jean Charest annonce la mise sur pied de la Commission de consultation sur les pratiques d'accommodement reliés aux différences culturelles, le 8 février 2007. Le philosophe Charles Taylor et le sociologue Gérard Bouchard, deux intellectuels de renom, président les travaux. La commission accueille plus de 900 mémoires et organise 22 forums de citoyens dans toutes les régions du Québec. Retransmises en direct à la télévision, ces assemblées de citoyens suscitent beaucoup d'intérêt. Tout le monde semble en effet avoir une opinion sur la question. Les deux présidents consultent également des experts et commandent une série d'études. Rendu public un an plus tard, le rapport Bouchard-Taylor, qui blâme les médias, critique l'attitude crispée de la majorité francophone et invite le gouvernement à lancer une grande réflexion sur la laïcité, restera sur les tablettes…

Effets politiques de la crise

C'est dans ce contexte d'une crise des accommodements raisonnables que se déroule la campagne électorale de mars 2007. Pour la deuxième fois dans l'histoire politique du Québec, les Québécois portent au pouvoir un gouvernement minoritaire. En faisant élire 48 députés et en récoltant 33 % des suffrages, les libéraux arrivent premiers. C'est cependant une victoire à l'arrachée. L'ADQ fait la plus importante percée de son histoire. Avec ses 41 députés et ses 1,2 million d'électeurs, le parti dirigé par Mario Dumont déclasse le Parti québécois d'André Boisclair et forme l'opposition officielle. Tout indique que les positions de l'ADQ sur les accommodements raisonnables ont été payantes électoralement. Une partie importante de l'électorat francophone nationaliste passe en effet du PQ à l'ADQ. Cette cuisante défaite péquiste provoque la démission de son chef et l'arrivée de Pauline Marois, ministre d'expérience des gouvernements Lévesque, Parizeau et Bouchard. Dès son entrée en poste, elle fait d'ailleurs prendre à son parti un « virage identitaire » en présentant un projet de loi privé qui prévoit l'instauration d'une citoyenneté québécoise, laquelle exigerait une connaissance du français pour être candidat aux élections. Peu à peu, les nationalistes reviennent au bercail et le Parti québécois redevient l'opposition officielle lors de l'élection de 2008, qui porte à nouveau au pouvoir un gouvernement libéral majoritaire. Mais plusieurs, tant à droite qu'à gauche, estiment que la position souverainiste du Parti québécois n'a plus la même pertinence qu'autrefois. Rien pour ébranler les convictions des péquistes qui, même s'ils sont flous sur la date du prochain référendum, promettent d'être fidèles aux « valeurs québécoises » – des valeurs de gauche, selon eux – et de gouverner en souverainistes.

Droite, gauche, droite, gauche...

Depuis 2008, le Québec se cherche plus que jamais. La polarisation traditionnelle entre souverainistes et fédéralistes s'essouffle. Le recul du français à Montréal et le statut politique du Québec au sein du Canada mobilisent moins qu'autrefois la jeunesse, les intellectuels et les artistes. Pour eux, ce qui semble aujourd'hui distinguer le Québec, c'est moins une histoire, une langue et une culture que des politiques sociales et un souci de l'environnement. Pour d'autres, peu intéressés par la question nationale ou les enjeux identitaires, le Québec reste une société immobile, paralysée par les dettes et le corporatisme, menacée par le déclin démographique et économique.

Le Plan Nord et les « vraies affaires »

Deux options s'offrent à ceux qui croient que le Québec doit revoir le fonctionnement de son État, relancer son économie et faire face aux grands défis de l'avenir. La première est celle du gouvernement libéral de Jean Charest, qui mousse énormément son « Plan Nord », un ambitieux programme de développement des ressources naturelles du territoire québécois situé au nord du 49e parallèle. L'exploitation de toutes ces richesses nécessitera de nombreux investissements publics et privés en infrastructures. Des allégations de collusion entre le Parti libéral et le milieu de la construction (à l'origine de la commission Charbonneau) provoquent cependant la méfiance de l'opposition et du public. Plusieurs craignent également que les redevances demandées aux entreprises qui exploiteront ces richesses ne soient pas suffisamment élevées.

La seconde option de ceux qui se soucient avant tout de l'avenir économique du Québec est celle de la Coalition avenir Québec (CAQ). Fondée en 2011 par François Legault, un ancien ministre péquiste, la CAQ propose une gestion plus serrée des réseaux publics et une lutte à la corruption. Après la démission de Mario Dumont en 2008, les députés de l'ADQ ont accepté de saborder leur ancien parti et de se joindre à la nouvelle formation. Libéraux et caquistes s'entendent sur la nécessité d'écarter la question nationale du débat politique. Ni les uns ni les autres ne proposent de nouveaux pouvoirs pour le Québec ou de réforme du fédéralisme. Les enjeux constitutionnels sont associés à de «vieilles chicanes» qui divisent les Québécois. Une saine gestion et une économie plus prospère, voilà les seules «vraies affaires» qui comptent, selon les libéraux et les caquistes.

La gauche et le « printemps érable »

Face à ces deux partis qualifiés de «néolibéraux», la gauche se mobilise et montre les dents. En 2008, un premier député de Québec solidaire a été élu dans la circonscription de Mercier, située en plein cœur du Plateau-Mont-Royal. Les interventions d'Amir Khadir, qu'elles portent sur les pertes encourues par la Caisse de dépôt ou sur la construction d'un colisée à Québec financé par les deniers publics, sont souvent percutantes. La gauche combat autant les libéraux et les caquistes que les conservateurs fédéraux de Stephen Harper, élus pour la première fois en janvier 2006. Les positions pro-américaines et pro-israéliennes du gouvernement Harper, de même que son opposition au protocole de Kyoto et ses politiques sur la loi et l'ordre révulsent la gauche québécoise. Même si une grande partie de cette gauche reste souverainiste, elle a préféré le Nouveau Parti démocratique (NPD) du regretté Jack Layton au Bloc québécois de Gilles Duceppe lors des élections fédérales du 2 mai 2011. Cette «vague orange» (la couleur du NDP) a pris la plupart des observateurs par surprise.

Il en est de même du «printemps érable», qui a mobilisé une partie importante de la jeunesse québécoise durant le printemps 2012. Soir après soir, des centaines de milliers d'étudiants et de citoyens arborant le carré rouge, soutenus par le Parti québécois et les forces syndicales, ont pris la rue pour dénoncer la hausse des droits de scolarité décrétée par le gouvernement Charest.

Une femme « première » ministre

Lors des élections du 4 septembre 2012, le Parti québécois de Pauline Marois arrive premier mais forme un gouvernement minoritaire. Malgré un taux d'insatisfaction très élevé, révélé sondage après sondage, les libéraux font élire 50 députés, obtiennent 31 % des suffrages et devancent la CAQ (19 candidats élus, 27 % des voix). Battu dans sa circonscription, Jean Charest annonce le lendemain son départ de la vie politique. Une élection «historique» puisque, pour la première fois, c'est une femme qui occupera le poste de premier ministre. Difficile cependant, dans un tel contexte, de prévoir ce qu'il adviendra du programme péquiste qui s'engage à «réaliser la souveraineté du Québec à la suite d'une consultation de la population par référendum tenu au moment qu'il jugera approprié».

Une histoire à suivre…

Sixième partie
La partie des Dix

Dans cette partie...

Un tour d'horizon des personnalités, des symboles et des sites québécois les plus marquants. Pourquoi des personnalités comme Louis Cyr, Maurice Richard ou Gratien Gélinas ont-elles tant marqué les Québécois? D'où vient la ceinture fléchée? Comment les Québécois jurent-ils? Qui a écrit *L'homme rapaillé*? Aussi, le mont Royal est-il un volcan? Les plaines d'Abraham, un simple parc fédéral? Wendake, une «réserve» amérindienne comme les autres?

Chapitre 23

Dix personnalités mythiques

Dans ce chapitre :

▶ Des personnalités qui ont marqué le peuple québécois

A u fil des pages, nous avons présenté plusieurs portraits de personnages politiques importants. D'autres personnalités ont aussi marqué les Québécois. Elles ont brillé dans les arts et les sports. Les jeunes les ont souvent prises pour modèles ou en ont fait leurs idoles. Toutes sont mythiques ou en voie de le devenir...

Maurice Richard et l'émeute de 1955

Joueur de hockey légendaire surnommé « le Rocket », Maurice Richard (1921-2000) débute sa carrière professionnelle en octobre 1942 et prend sa retraite en septembre 1960. Si on inclut les séries éliminatoires, il a joué 1 111 matchs et marqué 626 buts. Un marqueur redoutable, une énergie brute, une inspiration pour tous ses coéquipiers. Intense et pugnace, il a accumulé 1 473 minutes de punition ! L'un de ses faits d'armes est d'avoir marqué cinq buts, le 28 décembre 1944, après avoir déménagé durant la journée un membre de sa famille. Il est également le premier joueur de l'histoire de la Ligue nationale à avoir marqué 50 buts en 50 matchs.

En mars 1955, le directeur de la Ligue nationale de hockey, Clarence Campbell, prive les Canadiens français de leur idole. Pour avoir frappé avec son bâton un joueur des Bruins de Boston, le Rocket est suspendu. Le 17 mars, Campbell commet l'imprudence d'assister au match qui oppose le Canadien aux Red Wings de Détroit à Montréal. La foule, très hostile, lui lance toutes sortes de projectiles. Après l'explosion d'une bombe lacrymogène, les forces de l'ordre évacuent le Forum. À l'extérieur, l'émeute éclate : 100 000 dollars de dégâts, quelques dizaines d'arrestations. À la radio, Richard lance un appel au calme.

Si Maurice Richard est devenu un mythe, c'est parce que tout un peuple s'est reconnu en lui. «Le nationalisme canadien-français paraît s'être réfugié dans le hockey, écrit André Laurendeau dans le *Devoir* du 21 mars 1955, quelques jours après l'émeute. La foule qui clamait sa colère jeudi soir dernier n'était pas animée seulement par le goût du sport ou le sentiment d'une injustice commise contre son idole. C'était un peuple frustré, qui protestait contre le sort. » Certains croient que cette émeute a été l'une des prémisses de la Révolution tranquille.

Louis Cyr, l'homme fort !

Longtemps fermiers et bûcherons, les Canadiens français admiraient les hommes forts. Cyprien Noé Cyr, alias Louis Cyr (1863-1912), était un athlète reconnu en son temps pour sa force herculéenne. Il grandit dans un milieu agricole tout à fait typique du 19e siècle. À 12 ans, il quitte les bancs d'école pour les camps de bûcherons où sa force physique impressionne. Âgé de 14 ans, il déplace 15 minots de grain d'un poids d'environ 900 livres (408 kilos) sur une distance de 15 pieds (4,5 mètres). À l'âge de 18 ans, alors que lui et sa famille vivent à Lowell au Massachusetts, Cyr participe à son premier concours de force. Devant une foule qui retient son souffle, il arrive à soulever un cheval! L'année suivante, il soulève une grosse pierre de 517 livres (234 kilos) jusqu'à ses épaules. Plus de 4 000 personnes auraient assisté à cet exploit.

Au cours des années qui suivent, sa réputation d'homme fort ne cesse de grandir, autant sur la côte est américaine qu'au Québec. En 1883, il effectue une première tournée de spectacles. Des milliers de personnes se déplacent. Une véritable attraction! Il soulève de lourdes haltères avec le majeur de sa main droite, tire des charriots qui contiennent jusqu'à 15 personnes, arrache du sol, d'un seul mouvement et d'un seul bras, des tonneaux de farine qui pèsent souvent plus de 200 livres (90 kilos). Ses tournées défraient la manchette. Il devient rapidement une star. Recruté par des troupes de spectacle, il se produit au Canada et aux États-Unis.

En 1886, à Québec, il remporte le titre d'homme le plus fort au Canada. Sa notoriété dépasse bientôt les frontières. Sur le vieux continent, il affronte des champions européens. Jamais Louis Cyr ne perdra une compétition. Au terme de sa carrière, Cyr aurait fait 2 500 représentations. Il était la fierté de ses compatriotes, qui voyaient en lui l'illustration de leur propre potentiel. Ses exploits ont longtemps été racontés dans les chaumières du vieux Québec traditionnel.

L'Albani, la grande cantatrice

À la même époque mais dans un tout autre milieu, une cantatrice d'origine québécoise obtient un énorme succès. Emma Lajeunesse naît à Chambly en 1847. Son père, qui enseigne la musique, repère un talent brut et lui transmet tout ce qu'il sait. Elle est très vite considérée comme une enfant prodige.

Il faut dire qu'elle apprend à la dure : six heures par jour, elle s'exerce au piano et apprend le chant. À huit ans, elle fait ses premières prestations sur scène. En 1862, son père organise un concert-bénéfice en vue de recueillir des fonds qui permettront à la jeune artiste de se perfectionner. Six ans plus tard, Emma Lajeunesse traverse l'Atlantique et s'installe à Paris, où elle fait ses classes auprès de grands maîtres. Elle vit aussi à Milan, où elle étudie avec Francesco Lamperti. C'est en Italie qu'elle adopte le nom d'artiste qui fera sa renommée : l'Albani. En 1871, elle devient la cantatrice en résidence du Covent Garden de Londres. Sa carrière internationale est lancée !

L'Albani se produit sur les grandes scènes du monde. Son talent envoûte, sa personnalité fascine. Sa collection de bijoux et de robes fait rêver les femmes. En 1873, elle est à Saint-Pétersbourg, où elle reçoit les félicitations du tsar Alexandre II en personne. L'année suivante, elle se produit devant la reine Victoria lors d'un concert privé au château de Windsor. Elle fréquente les grands de son époque, défraie la chronique. Le 6 août 1878, elle épouse Ernest Gye, le fils du directeur du Covent Garden, avec qui elle aura un fils.

En 1883, après une tournée américaine et canadienne, elle est enfin de retour à Montréal. Plus de 10 000 personnes viennent l'accueillir. Le maire lui-même la reçoit à l'hôtel de ville et lui remet une ode signée par le poète Louis Fréchette : « On t'a donné là-bas la gloire et la fortune ; ton pays, fier de toi, vient t'offrir à son tour son plus fervent hommage et son plus tendre amour. » En 1896, elle offre sa dernière performance au Covent Garden. Dix ans plus tard, lors d'une tournée d'adieu, Emma Lajeunesse revient dans son pays. Elle meurt le 3 avril 1930, après avoir connu des difficultés financières.

Céline Dion, star internationale

Une autre diva se distinguera un siècle plus tard. Née en 1968 dans la petite municipalité de Charlemagne, tout près de Montréal, Céline Dion apprend à chanter avec ses frères et sœurs plus âgés. Pour l'accompagner, elle ne manque pas de musiciens ! Chez les Dion, la musique est sacrée, et tout le monde joue d'un instrument. « Ce n'était qu'un rêve », sa première pièce connue, est composée par sa mère. En 1981, elle lance son premier album. Le succès commercial est immédiatement au rendez-vous. Les meilleurs paroliers québécois, dont Luc Plamondon, lui écrivent des textes inspirés.

Malgré sa jeunesse et sa sensibilité à fleur de peau, elle impose une voix, un style. Son plus grand fan est René Angélil, son impresario qui deviendra plus tard son mari. D'origine libanaise, cet ancien membre du groupe Les Baronets sait mettre son artiste en valeur. Il est tout de suite convaincu que Céline Dion est une chanteuse de calibre international. C'est pour valider cette intuition qu'il l'inscrit à de grands concours internationaux. Durant les années 1980, elle remporte d'ailleurs haut la main des concours au Japon et en Europe.

Elle tente simultanément de percer les marchés français et américain au cours des années 1990. En France, elle s'associe avec l'auteur-compositeur-interprète Jean-Jacques Goldman. Son album *Deux* remporte un très grand succès. Elle atteint la consécration avec la parution, en 1996 et en 1997, des albums *Falling Into You* et *Let's Talk About Love*, qui se vendent respectivement à 32 millions et 31 millions d'exemplaires. En 1998, sa chanson « My Heart Will Go On », de la trame sonore du film américain *Titanic*, devient l'une des chansons les plus vendues de l'histoire de la musique, avec des ventes de plus de 15 millions d'exemplaires.

À ce jour, Céline Dion a remporté 5 trophées Grammy, 3 Victoires de la musique, 39 Félix, 21 Juno et 12 trophées World Music. Les ventes de ses albums dépassent les 200 millions de copies. Même si elle vit à Las Vegas et qu'elle effectue de grandes tournées internationales, elle revient régulièrement au Québec. Elle et son mari sont aussi d'importants philanthropes. Les administrateurs de l'Hôpital Sainte-Justice de Montréal en savent quelque chose.

Leonard Cohen, la voix qui caresse l'oreille

S'il est issu d'un tout autre milieu que Céline Dion et que ses chansons et son art s'adressent à un public différent, Leonard Cohen appartient lui aussi à la catégorie des grandes stars internationales. Né en 1934 à Westmount, une ville anglophone très cossue de l'île de Montréal, Cohen est l'enfant d'une famille juive originaire de Pologne. Jeune, il dévore les livres, lit Sartre et Camus, s'inscrit à l'Université McGill en histoire. Il rêve d'abord de devenir poète. En 1956, alors qu'il est un jeune étudiant, il publie *Let Us Compare Mythologies*, son premier recueil. Durant la décennie qui suit, il enchaîne avec quatre autres recueils de poésie et deux romans.

En 1968, le poète se fait musicien et lance aux États-Unis un premier album, *Songs of Leonard Cohen*, qui comprend notamment « Suzanne », l'un de ses grands succès. En 1984 paraît *Various Positions*, qui comprend la pièce « Hallelujah », certainement son plus grand succès. Quatre ans plus tard, il lance *I'm Your Man*. Même chanteur, Cohen reste un poète. Chacune de ses pièces crée une ambiance particulière, feutrée. On a l'impression qu'il s'adresse à nous d'un autre monde. Le son, les mélodies, les textes sont d'un genre tout à fait particulier. Plusieurs de ces textes seront d'ailleurs repris par de nombreux artistes.

La vie et l'œuvre de Cohen, comme celles de nombreux artistes de sa génération, ont toutes les allures d'une quête spirituelle et mystique. Adepte du bouddhisme zen, il passe de longues journées à méditer en plein désert californien. En mai 2012, il recevait à Toronto le prix Glenn-Gould, qui souligne « une contribution exceptionnelle à la musique et à la communication de la musique par l'utilisation des technologies des communications ». Au lieu d'empocher les 50 000 dollars de la bourse, il a préféré la remettre au Conseil des arts du Canada.

Émile Nelligan, le poète maudit

Un autre poète a beaucoup marqué le Québec. Fils de Patrick Nelligan, un postier d'origine irlandaise, et d'Émilie Hudon, Canadienne française originaire de Rimouski, Émile Nelligan naît à Montréal en 1879. Élève dissipé et timide, peu motivé par les études, il fréquente plusieurs institutions. Il découvre très tôt la poésie et rêve de s'y consacrer entièrement, comme Paul Verlaine, son poète français préféré. Cette vocation, son père ne la voit pas du tout d'un bon œil. Qu'importe, puisque le jeune Nelligan publie ses premiers poèmes sous le pseudonyme d'Émile Kovar, en septembre 1896.

Son talent est vite remarqué. Robertine Barry, alias Françoise, une chroniqueuse littéraire respectée, le prend sous son aile et le présente au milieu culturel montréalais. Il se lie également d'amitié avec Louis Dantin, le critique littéraire le plus brillant du tournant du 20e siècle au Québec. Émile Nelligan fait également partie d'un groupe de jeunes artistes qui fondent, le 7 novembre 1895, l'École littéraire de Montréal. Ceux-ci organisent régulièrement des séances publiques au château Ramezay, où des notables viennent entendre leurs plus récentes compositions. Émile Nelligan livre ainsi quelques-uns de ses poèmes. De 1896 à 1899, sa période la plus éclatante, il en aurait d'ailleurs composé près de 170. Ses poèmes sont romantiques et mélancoliques. L'une des strophes du « Vaisseau d'or », son poème le plus célèbre, se lit ainsi : « C'était un grand Vaisseau taillé dans l'or massif / Ses mâts touchaient l'azur, sur des mers inconnues / La Cyprine d'amour, cheveux épars, chairs nues / S'étalait à sa proue, au soleil excessif. »

Le 9 avril 1899, Émile Nelligan est conduit à l'asile Saint-Benoît-Joseph-Labre, où l'on soignera son problème de « dégénérescence mentale »… Il sera interné jusqu'à sa mort en 1941. Comme s'il avait été frappé par la malédiction littéraire, Émile Nelligan devient une sorte de mythe. Son ami Louis Dantin s'occupera de regrouper ses principaux poèmes. Son œuvre connaîtra de nombreuses rééditions. Une comédie musicale rendra hommage à son travail, et les paroles en seront composées par nul autre que le dramaturge Michel Tremblay.

Michel Tremblay, le « joual » sur scène...

Né à Montréal en 1942, Michel Tremblay se fait connaître en 1968 en lançant sa pièce *Les belles-sœurs*, avec la collaboration d'André Brassard. La pièce avait été refusée lors d'un concours en 1966, mais le Théâtre du rideau vert accepte finalement de la monter. Le texte fait scandale ! Il ne s'agit pourtant pas d'une pièce d'avant-garde qui révolutionne les formes théâtrales. Au contraire, la pièce est facile à suivre, le décor tout à fait réaliste. Un groupe de femmes discutent des hauts et des bas de leur quotidien.

Ce qui met le feu aux poudres, c'est la langue utilisée. Les dialogues sont écrits en « joual », la langue familière des milieux populaires québécois. Du jamais vu ! Plusieurs spectateurs sont choqués. On ne sait trop si Tremblay se moque de ces petites gens ou s'il souhaite promouvoir cette langue jugée vulgaire par certains. Ce recours au joual heurte aussi la représentation que plusieurs se font de la « culture ». Au lieu d'être un miroir des milieux les moins éduqués, la culture ne doit-elle pas élever ? Défenseurs et adversaires de la pièce se lancent dans une grande polémique sur la langue parlée au Québec. Les partisans de Tremblay considèrent que le joual est la vraie langue des Québécois et condamnent le colonialisme linguistique de Paris. L'un de ceux-là, Léandre Bergeron, publie même un *Dictionnaire de la langue québécoise* en 1980. Les adversaires du joual prétendent de leur côté que cette langue isole les Québécois.

Michel Tremblay n'est cependant pas l'homme d'un seul texte. De nombreuses autres pièces célèbres vont suivre : *À toi pour toujours, ta Marie-Lou* (1970), *Sainte Carmen de la Main* (1976), *Albertine en cinq temps* (1984), *Le vrai monde ?* (1987). Plusieurs d'entre elles seront traduites et jouées partout dans le monde. Son œuvre est aussi faite de récits et de romans. Ses *Chroniques du Plateau-Mont-Royal*, son cycle romanesque le plus célèbre – qui comprend notamment *La grosse femme d'à côté est enceinte* (1978) et *Des nouvelles d'Édouard* (1984) –, ont obtenu un grand succès populaire.

Gratien Gélinas, alias Fridolin

Le grand public francophone, populaire ou bourgeois, qui fréquente à l'occasion le théâtre durant les années 1940 et 1950 a conservé un vif souvenir du comédien Gratien Gélinas. Né à Saint-Tite en 1909, l'homme de théâtre se fait d'abord connaître à la radio avec son personnage de Fridolin. Jeune Canadien français naïf, Fridolin offre un regard satirique sur la société québécoise de l'entre-deux-guerres. S'il épargne l'Église et le clergé, il ne craint pas de se moquer des politiciens corrompus ou prétentieux, de la bêtise des policiers, des magouilles de certains hommes d'affaires. Fridolin montre les carences de l'instruction publique et l'anti-intellectualisme des élites. Nationaliste, il se moque du fatalisme de ses compatriotes, parfois plus intéressés par le sport et les frivolités que par l'avenir politique du Canada français.

Le grand public s'attache beaucoup à ce personnage créé par Gélinas. Cet enfant un peu candide, habillé d'un chandail du Canadien, monte bientôt sur scène. En 1948, la pièce *Ti-Coq* obtient un vif succès. Acclamée par le public francophone, la pièce sera traduite en anglais et jouée plus de 600 fois. Sa deuxième pièce, *Bousille et les justes* (1958), connaît aussi un très grand succès, au Québec comme à l'étranger. Sans faire l'apologie du joual, Gélinas recourt à un vocabulaire imagé, à des expressions et des tournures bien comprises par tous les Québécois francophones.

Soutenu par le gouvernement de Maurice Duplessis, Gratien Gélinas crée le Théâtre de la Comédie canadienne en 1957. À une époque où la majorité des représentations théâtrales étaient d'origine française ou américaine, Gélinas souhaite stimuler la création québécoise. Plusieurs dramaturges, dont le réputé Marcel Dubé, très populaire à l'époque, profitent de cette initiative. Monologuiste de grand talent, Gélinas influencera plusieurs des grands humoristes des années 1960, comme Yvon Deschamps ou Marc Favreau. Avec ses «Fridolinades», il montrait qu'on pouvait être à la fois drôle et sensible, et que l'humour pouvait aussi avoir une portée politique. Jusqu'à sa mort en 1999, Gratien Gélinas a été considéré comme l'un des pères du théâtre québécois.

Olivier Guimond, le comique pur

Considéré comme le plus grand comique de son époque, Olivier Guimond (1914-1971) a été profondément aimé par le public québécois. Son père, «Ti-Zoune», était aussi un comique apprécié. Dès l'âge de 18 ans, Guimond monte sur les planches. En 1934, il est recruté par les troupes d'Arthur Petrie et de Jean Grimaldi. Son univers de jeu est celui du «burlesque». Guimond prend part à des spectacles de variétés qui comprennent des numéros de danse, du chant, des tours de magie et des sketchs comiques, particulièrement appréciés du public. Le canevas de ces numéros est souvent très sommaire. Ce sont les mimiques des comédiens et leurs répartis improvisées qui font rire, bien davantage qu'un texte déjà composé. Dans plusieurs numéros qui feront sa renommée, Guimond joue des hommes ivres qui tentent de cacher leur état d'ébriété avancé et qui craignent de croiser leur femme.

Les comiques du burlesque étaient souvent snobés par les acteurs issus des grandes écoles de théâtre. Cette condescendance n'a cependant jamais paralysé Olivier Guimond qui, dès 1955, anime sa première émission à Radio-Canada. Il joue aussi quelques rôles dans des téléromans très populaires, parmi lesquels *Le survenant*. C'est cependant grâce à Télé-Métropole, une nouvelle chaîne privée lancée en 1961, qu'il atteint des sommets de popularité. L'émission *Cré Basile*, diffusée de 1965 à 1970, dans laquelle il joue le rôle de Basile Lebrun, obtient un vif succès. Lors du *Bye Bye 1970* (la revue d'actualité de fin d'année réalisée par Radio-Canada), il joue également dans un sketch inoubliable sur la crise d'Octobre.

Comme tous les comiques du burlesque, Guimond a eu ses «straight men» (ses faire-valoir) qui lui donnaient la réplique. Parmi ceux-là, il y a Paul Desmarteaux, et surtout Denis Drouin. Il a aussi été très près de Gilles Latulippe, le fondateur du Théâtre des variétés à Montréal, qui conservera bien vivante la tradition du burlesque. Olivier Guimond, une sorte de Charlie Chaplin québécois, meurt en 1971.

Guy Laliberté, un clown dans l'espace !

Né à Saint-Bruno, sur la rive sud de Montréal, Guy Laliberté devient très tôt un échassier, un accordéoniste, un amuseur public. En 1984, lors des fêtes du 450e anniversaire de la visite de Jacques Cartier, il fonde le Cirque du Soleil avec Daniel Gauthier. L'entreprise est rapidement reconnue pour sa conception complètement nouvelle du cirque. Fini les éléphants et les tigres ; place aux performances acrobatiques et aux mises en scène grandioses !

Le premier spectacle du Cirque, créé l'année de sa fondation et couronné de succès, est présenté dans 11 villes québécoises. L'année suivante, l'équipe de Guy Laliberté entame une grande tournée canadienne. En 1987, le Cirque du Soleil crée *Le cirque réinventé*, son premier grand spectacle, acclamé autant aux États-Unis qu'en Angleterre et en France. La renommée de l'entreprise ne cesse de croître et les tournées se multiplient.

En 1993, le Cirque du Soleil présente son premier spectacle à Las Vegas. Cinq autres suivront dans la même ville. La capitale américaine du divertissement devient, pour l'entreprise, une rampe de lancement et son principal lieu de diffusion. En 1994, le spectacle *Alegría* obtient un énorme succès. Loin de ralentir, la troupe de Guy Laliberté consolide sa place dans le monde du divertissement avec des spectacles comme *Zumanity* (2003), *KÀ* (2004), *LOVE* (2006) et *ZAIA* (2008).

Aujourd'hui, le Cirque du Soleil emploie 5 000 personnes, dont 1 300 artistes. Son siège social à Montréal compte, à lui seul, 2 000 employés. Ses spectacles sont présentés dans les plus grandes villes du monde, dont Las Vegas, New York, Dubaï, Tokyo et Macao. En 2012 seulement, l'entreprise estime qu'environ 15 millions de personnes assisteront à l'un de ses spectacles.

Engagé socialement, Guy Laliberté a mis sur pied en 2007 la Fondation One Drop, dont le mandat est de favoriser l'accès à l'eau potable dans les pays défavorisés. Deux ans plus tard, le fondateur du Cirque du Soleil prenait place à bord du vaisseau russe Soyouz et s'envolait dans l'espace. En plus d'attirer l'attention sur sa fondation, il réalise un vieux rêve qui lui aurait coûté 35 millions de dollars !

Chapitre 24

Dix symboles du Québec

. . . .

Dans ce chapitre :

▶ Des symboles de la culture québécoise

. . . .

Toutes les cultures ont leurs symboles. Produits de l'histoire, des mentalités, d'artistes et de créateurs d'horizons divers, ces symboles distinguent, rassemblent et unissent les membres d'une même communauté nationale. Certains sont sérieux et solennels, d'autres font rire ou rendent fier.

La Saint-Jean du 24 juin, fête des Canadiens français ou des Québécois ?

À l'époque de la Nouvelle-France, la Saint-Jean-Baptiste était une fête païenne qui célébrait le solstice d'été, le jour le plus long de l'année. De grands feux de joie donnaient lieu à de longues beuveries jusque tard dans la nuit. L'Église catholique a tôt fait de récupérer cette célébration parfois débridée et de lui attribuer un sens religieux… Il fallait canaliser l'esprit festif de cette journée vers de plus nobles aspirations ! Au cours du 18e siècle, l'événement perd peu à peu de son sens et disparaît presque complètement.

Directeur du journal *La Minerve* et chaud partisan du Parti canadien, Ludger Duvernay donne un sens nouveau à cette fête, beaucoup plus politique et patriotique. Le 24 juin 1834, il invite l'élite politique à un grand banquet. Il souhaite ainsi souligner l'adoption des 92 résolutions, l'ambitieux programme de réformes du parti de Louis-Joseph Papineau, par le Parlement du Bas-Canada. Ce soir-là, il est convenu que la Saint-Jean-Baptiste sera la fête officielle des habitants de la colonie qui luttent pour la défense de leurs droits.

L'idée se répand rapidement dans la population, les feux de joie reprennent dans les villes et les campagnes. Les autorités religieuses emboîtent le pas et font de Jean-Baptiste le patron des Canadiens français. Il faut cependant attendre 1925 avant que le gouvernement du Québec reconnaisse officiellement le 24 juin comme fête nationale et journée fériée.

En plus du feu de joie, les festivités typiques comprennent une grande parade, des cérémonies religieuses et des discours patriotiques. Ces parades se concluent toujours par le salut d'un enfant aux cheveux blonds et bouclés, accompagné d'un mouton. Durant les années 1970, le contenu religieux est évacué des fêtes et le mouton, qui selon certains symbolise la résignation et l'aliénation des vieux Canadiens français, est écarté. On préfère organiser des spectacles à grand déploiement, comme celui de 1975 sur le mont Royal.

Le sens de la Saint-Jean est toujours débattu. Pour les francophones des autres provinces canadiennes et pour l'État fédéral, c'est d'abord la fête des Canadiens français, donc d'une communauté culturelle spécifique. Pour la plupart des Québécois, cependant, il s'agit d'une fête «nationale» ouverte à tous les habitants du territoire. Chaque année, le gouvernement confie d'ailleurs au Mouvement national des Québécois le soin d'organiser une fête d'envergure. Le 24 juin, plus de 20 000 bénévoles contribuent aux fêtes de quartier, aux feux d'artifice et aux défilés. Aussi, de grands spectacles rassemblent des milliers de personnes au parc Maisonneuve et sur les plaines d'Abraham.

Gens du pays, l'hymne « officieux »...

Composée en seulement deux jours par le poète Gilles Vigneault, la chanson «Gens du pays» est interprétée pour la première fois en 1975, lors d'une fête de la Saint-Jean en 1975, devant une foule de plusieurs centaines de milliers de personnes sur le mont Royal. Ce soir-là, Gilles Vigneault, Louise Forestier et Yvon Deschamps chantent en chœur le célèbre refrain : «Gens du pays, c'est votre tour de vous laisser parler d'amour». Un hymne québécois à l'amitié et à la fraternité vient de naître qui marque les esprits et les cœurs.

D'une durée de deux minutes, la chanson «Gens du pays» est certainement l'une des plus connues, des plus fredonnées par les Québécois de toutes les générations. Son célèbre refrain en est graduellement venu à remplacer le fameux «*Happy Birthday*». C'est exactement ce que souhaitait d'ailleurs Gilles Vigneault. Le chansonnier originaire de Natashquan, un petit village de la Côte Nord, voulait offrir aux Québécois une alternative à la mauvaise traduction de «*Happy Birthday*». Il rêvait depuis longtemps d'une chanson originale et bien québécoise qui permettrait de souligner des moments heureux.

Le succès de la chanson a été instantané. Non seulement les Québécois l'adoptent lors de leurs fêtes familiales, mais elle devient une sorte d'hymne national, entonné lors des grands ralliements. En plus d'être un incontournable des fêtes de la Saint-Jean, la chanson a été chantée à certains moments clés de l'histoire du Québec – le soir du référendum de mai 1980, par exemple, et lors des funérailles de personnalités marquantes.

L'homme rapaillé : « Je n'ai jamais voyagé vers autre pays que toi mon pays »

L'homme rapaillé est certainement le recueil de poèmes québécois le plus lu et le plus admiré au Québec et dans le monde. L'œuvre est étudiée par des chercheurs et constamment rééditée. La première édition du recueil paraît en 1970. Pour Gaston Miron (1928-1996), c'est l'œuvre de toute une vie. Chaque ligne a été mûrement méditée, réfléchie, retravaillée. Les premiers poèmes du recueil sont parus au compte-goutte dans divers journaux et revues au cours des années 1950 et 1960. Ces publications le sacrent «poète national». Avant lui, seuls les poètes Octave Crémazie et Louis Fréchette s'étaient vu conférer un tel titre.

Ce titre envié est certainement mérité. Le poète a été un fervent défenseur de la langue française et un grand militant de l'indépendance du Québec. Plutôt hostile au joual, cette langue relâchée et patoisante que certains militants de la «québécitude» ont farouchement défendue durant les années 1970, Gaston Miron a néanmoins fait passer dans la poésie une tonalité québécoise tout à fait unique, ainsi que certains mots courants de la langue familière des Québécois. Des mots comme «rapaillé», par exemple. L'homme «rapaillé» est celui qui se ressaisit, met de l'ordre dans ses choses et dans sa vie, se centre sur l'essentiel. Des poèmes comme «Pour mon rapatriement» («un jour j'aurai dit oui à ma naissance...»), «Compagnon des Amériques» («Québec ma terre amère ma terre amande...») ou «L'Octobre» («nous te ferons, Terre de Québec...») ont aussi inspiré de nombreux militants indépendantistes. Son œuvre ne se réduit cependant pas à un chant patriotique. Gaston Miron a aussi été un grand poète de l'amour, comme en font foi des textes comme «Je t'écris» ou «La marche à l'amour».

Fondateur de l'Hexagone, une maison d'édition qui a longtemps regroupé les meilleurs talents littéraires québécois, animateur de la vie culturelle, Gaston Miron a aussi fasciné ses contemporains par sa personnalité attachante. Pour _L'homme rapaillé_, qui a fait sa renommée, et pour sa contribution au monde des lettres, il a reçu de nombreux prix : Ludger-Duvernay (1978), Guillaume-Apollinaire (1981) et Athanase-David (1983).

Les Plouffe, une saga bien québécoise

L'histoire de la famille Plouffe, racontée au départ dans un roman de Roger Lemelin (1948), puis à la radio et à la télévision de Radio-Canada pendant des années, a profondément marqué les Québécois au lendemain de la Seconde Guerre mondiale. Le téléroman, diffusé avant le match de lutte, a obtenu d'excellentes cotes d'écoute à une époque où la télévision faisait son entrée dans les foyers.

L'histoire met en scène une famille ouvrière de Québec. Le père, Théophile, est typographe et fervent nationaliste ; la mère, une femme à la maison, règne sur son foyer et écoute les prescriptions de son curé ; Cécile, la vieille fille, fréquente un homme marié. Trois fils mettent beaucoup de vie dans la maison. Napoléon, l'aîné, adore le sport et la photo. Il sert d'entraîneur à son jeune frère Guillaume qui excelle au baseball, un sport américain que pratiquent de plus en plus de Canadiens français. Mélomane, francophile et autodidacte, Ovide songe à devenir membre de la congrégation des dominicains, mais ses désirs inavoués pour Rita Toulouse le retiennent… !

De nombreux Québécois se sont reconnus dans cette famille modeste mais optimiste, frondeuse, même. Le Québec des Plouffe ne renie ni son appartenance à l'Amérique, ni ses racines françaises, ni son héritage catholique. Un Québec ancré dans la tradition mais ouvert à la modernité. Les personnages sont attachants, les acteurs qui les incarnent sont marquants. Cette histoire devient une sorte de classique. En 1981, le cinéaste Gilles Carle, l'un des plus importants de sa génération, la fait revivre au grand écran. Le succès est immédiat.

Les sacres, vestiges d'une autre époque ?

En plus de ses expressions et de son accent particulier, ce qui donne à une langue sa saveur, sa vivacité et son originalité, ce sont aussi ses jurons ! Jurer dit quelque chose des interdits d'une culture. Au Québec, la connotation religieuse des jurons les plus sonores en dit long sur le rapport des Québécois à l'Église catholique.

À l'époque de la Nouvelle-France, les jurons répertoriés sont presque tous importés de la vieille France. On jure par Dieu lui-même ou par son corps : « sacredieu », « mort Dieu », « ventre Dieu », « nom de Dieu » ou « tort Dieu » auraient été les jurons les plus courants. À l'époque, blasphémer était matière à procès. C'est à ses risques et périls que l'on prononçait ces gros mots en public. Les autorités religieuses ne cessaient d'en dénoncer l'usage. Mais la peur n'en venait pas à bout. Les sacres étaient courants, et plus seulement chez les habitants et dans les milieux populaires. Au milieu du 19e siècle, les cours abandonnent graduellement les procès pour blasphème.

C'est d'ailleurs à cette époque que les jurons se transforment. Comme si les vieux sacres n'avaient plus la portée d'antan, on développe une nouvelle série de jurons. Dorénavant, c'est moins Dieu qui est invoqué que le Christ lui-même et les objets liturgiques : «câlisse», «ciboire», «tabernacle», «hostie», etc. Les mots sont différents, mais la transgression reste la même. On jure pour défier ce qui est sacré aux yeux de l'Église.

Avec la Révolution tranquille, les tabous religieux tombent, mais les sacres sont conservés. Ils font désormais partie du parler québécois. Certains artistes, hommes politiques et militants sociaux y recourent pour montrer leur appartenance aux classes populaires. Une méthode que plusieurs trouvent démagogique et de moins en moins pertinente.

La ceinture fléchée, symbole des Patriotes

Symbole du folklore québécois, la ceinture fléchée est l'une des pièces vestimentaires les plus représentatives de l'habitant canadien du 19e siècle. Son origine exacte reste un mystère. Cette bande de tissu qui entourait la taille a-t-elle été introduite par des Acadiens, des Écossais, des Amérindiens ? Est-elle un produit «purement» québécois ? Difficile de trancher.

C'est dans un texte daté de 1798 que l'on retrouve la première mention d'une ceinture fléchée. Produite dans les régions périphériques de Montréal, notamment à L'Assomption, la ceinture fléchée est d'abord destinée aux voyageurs de la Compagnie du Nord-Ouest et de la Compagnie de la Baie d'Hudson. Celles-ci offraient ces ceintures en cadeau aux Amérindiens ou les troquaient contre des pelleteries. Les habitants la portaient aussi. L'hiver, elle permettait de mieux fermer le capot – un manteau populaire de l'époque – et de se garder au chaud. La largeur de la ceinture offrait un soutien lombaire, ce qui pouvait soulager les maux de dos et les hernies.

Peu à peu, la ceinture fléchée devient un symbole des francophones d'Amérique. En 1837, les membres du Parti patriote la portent fièrement, car elle marque leur appartenance à la cause canadienne. Dans une image célèbre conçue par Henri Julien à la fin du 19e siècle et reprise par les militants du Front de libération du Québec, le Patriote brandit le fusil et porte la ceinture fléchée.

La production de ceintures fléchées atteint son apogée entre 1830 et 1880. Leur utilisation disparaît graduellement au début du 20e siècle. Leur production est désormais artisanale. Pour les uns, la ceinture fléchée symbolise l'enracinement et le respect des traditions, pour les autres, un attachement suranné au passé.

Le set carré... « Et swing la bacaisse ! »

Lorsqu'il est question de danse dans les premiers documents traitant des débuts de la Nouvelle-France, c'est le plus souvent pour évoquer des rituels amérindiens. En effet, le premier évêque de la Nouvelle-France ne voyait pas les danses et les fêtes d'un bon œil. Cela dit, les premiers colons avaient-ils vraiment le temps et l'énergie de se rassembler et de danser ?

Ce n'est que tout graduellement, à partir de la seconde moitié du 18e siècle, que des danses « traditionnelles » en viennent à être organisées dans les villages. L'apport des Écossais et des Irlandais aurait été important. Ces danses demandent bien peu de préparation ou de talents particuliers. On les pratique en groupe en suivant rigoureusement les indications d'un « calleur » (de l'anglais « to call »). Avec une pointe d'humour, ce dernier prescrit la marche à suivre : « Les femmes au centre, les hommes autour... Et swignez votre compagnie ! » Ces danses permettaient de faire d'heureuses rencontres, car on pouvait y aller seul et danser successivement avec plusieurs partenaires.

Le « set carré » est la figure la plus connue de la danse traditionnelle. Il réunit en général quatre couples qui passent d'un partenaire à l'autre après avoir exécuté plusieurs figures imposées par le « calleur ».

La cabane à sucre, héritage amérindien

Les Français découvrent très tôt l'existence de la sève d'érable grâce aux Amérindiens qui l'utilisent pour faire cuire leur gibier. Le goût sucré de la sève d'érable plaît immédiatement aux Européens, qui ne tardent pas à entailler à leur tour les érables de la vallée du Saint-Laurent. Les techniques sont cependant rudimentaires et la cabane à sucre n'existe pas encore. Les installations sont en effet provisoires. Malgré tout, la production est importante. Au début du 18e siècle, avance-t-on, on pouvait produire jusqu'à 30 000 livres (13 000 kilos) de sirop par an dans la seule région de Montréal.

Il faut attendre le début de 19e siècle pour voir apparaître, ici et là, les premières véritables cabanes à sucre. La cabane traditionnelle est faite en bois. Son toit en double pente crée des ouvertures qui permettent à la vapeur des bouilloires de s'échapper. Idéalement, elle est située au cœur de l'érablière. Le travail est dur et monopolise le sucrier de la mi-mars à la mi-avril. Pour récolter l'eau d'érable, il faut passer d'arbre en arbre en raquettes, marcher sur la neige fondante du printemps. L'eau précieuse est ensuite portée à ébullition. Pour plusieurs agriculteurs, il s'agit d'un revenu d'appoint intéressant qui s'ajoute aux récoltes de l'été.

La cabane à sucre, c'est aussi un lieu de rencontre et de sociabilité pour toute la communauté. Le temps des sucres coïncide avec le printemps, un temps de renouveau et de retrouvailles. Les semaines qui suivaient les privations du carême étaient particulièrement propices aux réjouissances. Enfin, on pouvait profiter des plaisirs de la table et se sucrer le bec… sans trop culpabiliser !

Aujourd'hui, quelques vieilles cabanes traditionnelles subsistent. La plupart produisent cependant leur sirop de manière industrielle. Le Québec est responsable de 90 % de la production canadienne de sirop d'érable et de 75 % de la production mondiale. Parmi les plus grands consommateurs étrangers : les Japonais !

Le « ski-doo » de Bombardier

L'histoire de la motoneige au Québec, c'est d'abord celle de Joseph-Armand Bombardier (1907-1964) et de la multinationale qui porte aujourd'hui son nom. Dès les années 1920, l'inventeur travaille au développement d'un moyen de transport plus efficace durant les hivers enneigés du Québec. À la suite d'un drame personnel, il voit toute l'importance de construire un tel engin. Durant l'hiver 1934, une violente tempête s'abat sur Valcourt, sa ville natale des Cantons de l'Est. Le temps est si mauvais que Joseph-Armand Bombardier est incapable de transporter l'un de ses fils malade à l'hôpital. Son médecin ne peut non plus se rendre chez lui sans risquer sa propre vie. Faute d'un moyen de transport adéquat, il voit son fils mourir devant lui.

Entre 1922 et 1934, Bombardier produit plusieurs prototypes de motoneige. Il est moins l'inventeur de la motoneige que d'un système de chenilles tout à fait inédit qui offrait de meilleures capacités de déplacement. En 1934, Bombardier lance sa première autoneige, la «B7», qui peut transporter jusqu'à sept personnes. Celle-ci connaît un succès immédiat. Les clients sont autant de simples individus que des services publics qui assurent le transport d'écoliers ou de malades.

En 1949, le gouvernement du Québec met en place une politique de déneigement des routes principales, ce qui rend l'autoneige de Bombardier moins indispensable. C'est durant cette période que l'autoneige se transforme en motoneige. De véhicule utilitaire, elle devient un véhicule récréatif. Encore une fois, Bombardier sent venir les choses et devient l'un des trois grands constructeurs de motoneige au monde avec son célèbre «ski-doo». La prospérité d'après-guerre aidant, plusieurs se procurent ce type de véhicule.

Aujourd'hui, Bombardier est l'une des plus grandes compagnies au monde dans le secteur de l'aéronautique. Son siège social est à Montréal. L'entreprise, qui compte 70 000 employés à travers le monde, affichait, le 31 décembre 2011, des revenus de 18,3 milliards de dollars.

Le CH, une dynastie du hockey

C'est à Montréal, le 3 mars 1875, qu'est jouée la première partie de hockey sur glace. Deux équipes de neuf joueurs de l'Université McGill se disputent un morceau de bois avec un bâton qui ressemble à une canne inversée. Deux ans plus tard, la rondelle en caoutchouc est introduite et le nombre de joueurs par équipe passe à sept. Les parties sont divisées en deux périodes de 45 minutes. Quant au bâton à palette, il fait son apparition à la fin des années 1880.

Dans quelques grandes villes canadiennes, des équipes voient le jour. Ceux qui fondent l'Association de hockey amateur du Canada le 8 décembre 1886 rêvent d'organiser de grands tournois pancanadiens. Les équipes montréalaises ont une longueur d'avance, mais les Ontariens décident de créer leur propre association. Pour rapprocher les équipes et ainsi faire du hockey un grand sport canadien, le gouverneur général lord Stanley finance la fabrication d'un prestigieux trophée en argent. Dès 1893, les équipes de hockey se disputent la « coupe Stanley », symbole de la réussite et de l'excellence.

À la fin du 19e siècle, Montréal compte plusieurs équipes anglophones : les Victorias, les Crystals, les Shamrocks, etc. Pourtant, les francophones commencent à s'intéresser à ce sport, voire même à le pratiquer. « Il n'a jamais existé un club de hockey canadien-français qui pût soutenir brillamment notre nom », déplore Jos Marier dans la *Patrie* du 3 février 1900. C'est pour pallier ce problème que l'on fonde le Canadien de Montréal, le 9 décembre 1909. Rapidement, d'excellents joueurs québécois se démarquent.

En Amérique et dans le monde, le Canadien de Montréal est l'une des organisations sportives professionnelles les plus anciennes et les plus prestigieuses. L'équipe a connu des hauts et des bas mais détient le record de la Ligue nationale de hockey pour le plus grand nombre de championnats de la coupe Stanley, soit 24. Au fil du siècle, les Maurice Richard, Jean Béliveau et Guy Lafleur ont fait vibrer les partisans du Canadien de Montréal.

Chapitre 25

Dix sites marquants

L'imaginaire de toutes les sociétés est marqué par des lieux insolites ou historiques qui enchantent les touristes, rappellent des souvenirs, inspirent les poètes et les politiciens. Le Québec ne fait pas exception!

Les plaines d'Abraham ou la bataille... des mémoires

À l'époque du régime français, ces plaines étaient situées à l'extérieur de la ville de Québec et servaient au pâturage du bétail. On les aurait baptisées ainsi en l'honneur d'Abraham Martin, dit «l'Écossais», un des premiers colons de la Nouvelle-France (arrivé en 1619) et le premier pilote du roi à naviguer sur le Saint-Laurent. C'est sur les hauteurs des plaines d'Abraham que les armées française et britannique vont s'affronter pour la possession de la ville de Québec, le 13 septembre 1759. Pour s'y hisser, les troupes du général James Wolfe devront gravir un impressionnant cap rocheux. Si cette victoire impressionne tant les Anglais, c'est en partie à cause de cet exploit.

En 1908, lors du 300e anniversaire de la fondation de la ville de Québec, le gouvernement canadien redonne les plaines d'Abraham à la population en achetant le terrain et les bâtiments qui s'y trouvent et en aménageant un grand parc accessible au public. Sous la juridiction fédérale de la Commission des champs de bataille nationaux, les plaines d'Abraham font depuis partie du magnifique parc des Champs-de-Bataille, situé au cœur de la ville de Québec, sur le cap Diamant, le long du fleuve Saint-Laurent. Au fil du temps, ce parc est devenu un lieu de mémoire incontournable, autant pour les Québécois francophones que pour les citoyens du Canada anglais. Les premiers continuent souvent d'y commémorer une défaite, alors que les seconds y célèbrent la naissance du Canada d'origine britannique.

Mais on ne fait pas que réfléchir au passé sur les plaines d'Abraham! C'est vers cet espace de rassemblement que convergent les Québécois pour célébrer la Saint-Jean chaque 24 juin ou pour assister à des spectacles à grand déploiement offerts lors de festivals ou de célébrations diverses. C'est aussi un bel espace vert, en plein cœur d'une ville active et dynamique. Été comme hiver, la population de Québec y pratique ses sports préférés.

Le mont Royal, un ancien volcan ?

Situé au cœur de l'île de Montréal, le mont Royal est une colline modeste faite de trois sommets. Contrairement à ce que plusieurs croient, le mont Royal n'a jamais été un volcan actif, et ce, malgré la présence de magma. Le lieu a été baptisé ainsi en l'honneur de François Ier, roi de France à l'époque de la seconde visite de Jacques Cartier en Amérique. Guidé par les Amérindiens iroquois du village d'Hochelaga, Cartier escalade le mont Royal en 1535. Une fois sur les hauteurs, il cherche une route fluviale qui pourrait le mener plus à l'ouest où il espère trouver la Chine.

Il faut attendre l'industrialisation de la ville pour voir le mont Royal devenir un enjeu d'aménagement urbain. La croissance très rapide de Montréal incite les autorités municipales à protéger les espaces verts du mont Royal, alors convoités par de riches bourgeois. On achète donc une partie des terrains et on embauche Frederick Law Olmsted (1822-1903) pour concevoir un parc. Le personnage est alors une sommité dans ce domaine. Les New-Yorkais lui doivent le Central Park. Le 24 mai 1876, le parc du Mont-Royal est ouvert au grand public. De 1885 à 1918, on y monte grâce à un funiculaire. En 1938, un grand bassin d'eau artificiel, qu'on baptise «lac des Castors», est terminé.

Grâce à ses grands espaces verts et à ses sentiers pédestres, le parc du Mont-Royal devient, pour les Montréalais de tous les quartiers, un véritable havre de paix. Lorsqu'on s'y trouve, il est difficile de s'imaginer qu'on est en plein cœur du centre-ville. Un belvédère offre également une vue imprenable sur la ville. En hiver, plusieurs y font du ski de fond ou descendent les côtes en toboggan.

Le fjord du Saguenay et sa « profondeur incroyable » !

«Saguenay», c'est le nom que donnent les premiers Amérindiens rencontrés par Cartier à un fabuleux royaume. Un royaume où l'on pourrait trouver des diamants, de l'or et des pierres précieuses. S'il explore l'embouchure du Saguenay, Cartier n'arrive cependant pas à trouver les richesses qui l'auraient rendu riche et célèbre! Ce n'est que durant l'été 1603 que Samuel de Champlain explore méthodiquement le fjord et la rivière Saguenay qui débouche sur le Saint-Laurent à la hauteur de Tadoussac. Aussitôt sur les eaux du fjord, Champlain jette une sonde et se montre stupéfait par la «profondeur incroyable». Les rives du Saguenay, note-t-il cependant, sont couvertes de «montagnes et de promontoires rocheux», mais elles sont mal aménagées pour recevoir des colons.

Ce fjord du Saguenay résulte d'une formation géologique d'une espèce très rare qui date de l'époque de la glaciation. Les montagnes et les falaises offrent des paysages spectaculaires. Le Saguenay s'étend sur 100 kilomètres, entre Tadoussac et le lac Saint-Jean. Le site contient un écosystème marin particulier où des espèces d'eau douce et d'eau salée cohabitent. C'est aussi un endroit privilégié pour observer de près plusieurs types de baleines, dont la baleine bleue et la baleine à bosses. Pendant longtemps, on y a vu émerger de magnifiques bélugas, ces baleines blanches longtemps pourchassées par les pêcheurs mais aujourd'hui quasiment disparues.

Sainte-Anne-de-Beaupré, le sanctuaire des fidèles

Le pèlerinage à Sainte-Anne-de-Beaupré est le plus ancien et certainement l'un des plus importants au Québec. À chaque année, plus de 250 000 catholiques y convergent vers son impressionnante basilique. Le cinéaste Bernard Émond en fait le point de départ de *La neuvaine* (2005), un film célébré par la critique. À travers le drame intérieur d'une femme, le film explore le rapport des Québécois d'aujourd'hui à leurs racines catholiques.

La vénération pour sainte Anne, mère de Marie, grand-mère du Christ, remonte à l'époque de la Nouvelle-France. Très tôt, des colons la croient responsable de guérisons miraculeuses, dont celle d'un ouvrier lors de la construction de la première chapelle en 1658. Plusieurs aventuriers, navigateurs et militaires lui attribuent aussi leur bonne fortune. Très rapidement, sainte Anne devient l'un des personnages les plus populaires de la Bible en Nouvelle-France. Le premier évêque de Québec, Mgr de Laval, encourage les manifestations de piété à son égard.

Au cours des siècles, le lieu de culte change souvent de forme. Après avoir construit deux chapelles (1658-1661), on érige une première église en 1676, qui sera remplacée par une véritable basilique deux siècles plus tard. Celle qui existe actuellement a été construite entre 1923 et 1926 à la suite d'un incendie dans la précédente. Plusieurs joyaux du patrimoine religieux québécois s'y trouvent, dont une importante collection d'ex-voto (lettres de remerciement pour vœux exaucés) qui remontent à l'époque de la Nouvelle-France. Gardiens du sanctuaire depuis 1878, les rédemptoristes y accueillaient le pape Jean-Paul II le 10 septembre 1984.

L'île d'Orléans, berceau de l'Amérique française

L'île d'Orléans est située sur le fleuve Saint-Laurent, un peu à l'est des villes de Québec et de Lévis, là où se rejoignent au plus près les deux rives. Cette île d'une superficie de 192 kilomètres carrés (34 kilomètres de long, 8 kilomètres de large) compte 6 municipalités. C'est l'un des plus anciens sites de peuplement du Québec. Plus de 300 familles souches du Québec ont un ancêtre originaire de l'île d'Orléans. Les premières terres sont en effet concédées en 1636, et cinq paroisses sont créées entre 1669 et 1679. Son économie se développe grâce à une agriculture prospère. Pendant longtemps, l'île d'Orléans est considérée comme le grenier de la ville de Québec et de la région.

L'île d'Orléans est le plus grand arrondissement historique du Québec. Elle compte au moins 600 bâtiments historiques. Parmi ceux-ci, on trouve de nombreuses maisons de pierre qui datent du régime français et certaines des plus vieilles églises québécoises. Les charmes de l'île d'Orléans et les dangers qui guettaient autrefois la destruction de son patrimoine ont été immortalisés par Félix Leclerc dans sa chanson « Le tour de l'île ». Le poète y réside de 1970 jusqu'à sa mort en 1988. L'espace Félix Leclerc, situé à Saint-Pierre-de-l'Île-d'Orléans, retrace la vie et l'œuvre du chansonnier populaire. Outre son attrait patrimonial, l'île est reconnue pour ses paysages bucoliques, le savoir-faire de ses habitants et ses jolies auberges.

Les îles de la Madeleine, refuge d'Acadiens après la déportation

Brièvement exploré par Jacques Cartier, cartographié par Samuel de Champlain, l'archipel des îles de la Madeleine est situé au cœur du golfe du Saint-Laurent, entre les provinces de l'Île-du-Prince-Édouard et de Terre-Neuve, à 215 kilomètres des rives gaspésiennes. Concessionnaire de ces îles au milieu du 17e siècle, François Doublet aurait baptisé l'archipel en l'honneur de sa femme Madeleine. À la recherche de poissons et de phoques, les

Amérindiens de la nation micmac sont les premiers à fréquenter l'archipel. Les pêcheurs basques y résident aussi à l'occasion.

La véritable colonisation des îles de la Madeleine a été tardive. Elle s'amorce seulement à la suite de la déportation des Acadiens en 1755. Un petit nombre d'entre eux réussissent à s'échapper et trouvent refuge aux îles. Quelques années plus tard, d'autres Acadiens en provenance des îles Saint-Pierre et Miquelon rejettent les idéaux de la Révolution française et migrent vers l'archipel.

Longtemps isolés du reste du continent, les Madelinots ont développé un art de vivre bien à eux. La pêche au homard ainsi que le tourisme demeurent les principales activités économiques des îles. L'été, la population des îles est multipliée par trois grâce aux touristes à la recherche d'espaces verts et de vastes horizons, sans parler des 300 kilomètres de plage! Les sept îles habitées de l'archipel comptent environ 13 000 habitants.

La citadelle de Québec, les vestiges d'une ville fortifiée

La citadelle de Québec fait partie des fortifications de la capitale québécoise. Toujours bien apparentes, celles-ci rappellent l'ancienne vocation militaire de la ville et offrent l'un des derniers exemples américains de ce à quoi pouvait ressembler un site fortifié, prêt à se défendre. Juchée sur les hauteurs de Québec, longtemps surnommée la «Gibraltar d'Amérique», la citadelle assurait le contrôle de la navigation sur le Saint-Laurent et la défense de la colonie contre des envahisseurs. Si certains de ses bâtiments remontent à la Nouvelle-France, c'est sous le régime britannique qu'elle est complètement achevée au début des années 1830. Œuvre du lieutenant-colonel Elias Walker Durnford, la citadelle est inspirée des plans de l'ingénieur français Sébastien Vauban.

Comme Québec n'a pas été attaqué depuis l'hiver 1775-1776, la citadelle a surtout servi de garnison aux troupes britanniques stationnées à Québec, au Régiment royal de l'Artillerie canadienne et, depuis 1920, à l'unique régiment francophone de l'armée canadienne, le 22e Régiment, fondé au début de la Grande Guerre.

Pendant la Seconde Guerre mondiale, la citadelle accueille les délibérations des deux conférences de Québec qui réunissent le premier ministre britannique Winston Churchill et le président américain Franklin Delano Roosevelt. La citadelle est aussi la résidence d'été du gouverneur général du Canada depuis le 19e siècle.

Le rocher Percé, porte d'entrée du Saint-Laurent

Le rocher Percé est certainement l'un des monuments naturels les plus connus du Québec. L'imposante formation rocheuse fait 475 mètres de long et jusqu'à 88 mètres de haut. Une sorte de porte d'entrée naturelle en face du village de Percé, que l'on croise sur le golfe du Saint-Laurent avant de pénétrer dans le fleuve qui conduit à Québec, Trois-Rivières ou Montréal. À la marée basse, on peut s'y rendre à pied… Mais pas question de l'escalader ! Les autorités tiennent à préserver l'intégrité du monument rocheux et assurer la sauvegarde des oiseaux qui s'y sont installés.

Le rocher est percé d'une grande arche formée par l'érosion de l'eau de l'océan Atlantique. Dès les débuts de la colonisation, le rocher fascine. Jacques Cartier, les premiers pêcheurs basques et les navigateurs notent son existence. Samuel de Champlain le nomme déjà par son nom.

La physionomie du rocher a changé avec le temps. Différents observateurs nous le décrivent avec deux, voire même trois arches. Il est connu dans sa forme actuelle depuis 1845, alors que l'une des deux arches s'effondre, laissant aux côtés une longue colonne rocheuse. Créé en 1985, le parc national de l'Île-Bonaventure-et-du-Rocher-Percé attire chaque année des milliers de touristes qui, en plus de contempler l'étonnant rocher, profitent de l'occasion pour faire une excursion autour de l'île Bonaventure voisine, reconnue comme l'un des plus importants sanctuaires de fous de Bassan au monde. Inhabitée, l'île et sa faune unique ont inspiré l'écrivaine Anne Hébert. *Les fous de Bassan*, une œuvre publiée en 1982, a remporté le prix Fémina.

Wendake, dernière « réserve » des Hurons

Ce sont les jésuites qui, les premiers, ont eu l'idée de créer des « réductions » pour les Amérindiens. La première de ces réserves autochtones a été fondée à Sillery, tout près de Québec, en 1637. Ces petits villages un peu artificiels visaient la conversion des autochtones à la foi chrétienne et leur adhésion progressive au mode de vie européen. Les efforts des jésuites ont vite donné des résultats. En 1638, 38 Amérindiens étaient baptisés. Huit ans plus tard, Sillery comptait 167 Amérindiens convertis. Ce concept de « réserve » a connu une très grande fortune par la suite. La Loi sur les Indiens, adoptée en 1876, a institutionnalisé ce type de communauté fermée.

Le village de Wendake, situé en banlieue de Québec, est un endroit privilégié pour découvrir l'histoire tourmentée des Premières Nations du Québec, et plus particulièrement de la nation huronne-wendat. Les Hurons, alliés traditionnels des Français à l'époque de la colonisation, s'installent dans la région de Québec vers 1653, après avoir perdu la guerre contre les Iroquois qui cherchèrent à les rayer de la carte. Désespérés, morts de faim, les quelque 300 survivants hurons ont recherché le soutien des Français et se sont au départ installés sur l'île d'Orléans, puis à Sillery, avant d'être déplacés sur le site actuel du village en 1693.

Environ 1 300 Hurons vivent actuellement à Wendake. La réserve est l'une des plus urbanisées au Québec et jouit d'une vitalité économique appréciable. Des artisans continuent d'y fabriquer la traditionnelle raquette. Le tourisme joue aussi un rôle important dans le développement économique de la nation huronne. Des musées, des centres d'interprétation, ainsi que des événements comme le grand pow-wow sont autant de raisons de visiter Wendake.

Manic-5, la fierté d'un peuple conquérant !

Inauguré la veille de la mort du premier ministre Daniel Johnson, survenue le 26 septembre 1968, Manic-5 est un barrage hydroélectrique situé dans la région de la Côte-Nord, à près de 300 kilomètres de la ville de Baie-Comeau. Longue de 1,3 kilomètre, haute de 214 mètres (l'équivalent d'un gratte-ciel de 50 étages), cette pièce maîtresse d'un vaste réseau hydroélectrique continue d'assurer l'indépendance énergétique du Québec. L'impressionnante structure est le plus grand barrage en voûtes et contreforts au monde. Lors de son inauguration, la centrale battait des records de production de kilowatts d'électricité par jour !

Construit par Hydro-Québec, Manic-5 est souvent considéré comme l'une des plus grandes prouesses techniques du génie québécois. Un très grand objet de fierté ! Pour de nombreux Québécois, l'énorme projet incarnait la conquête de la nature et le passage à la modernité technique – une preuve tangible que le Québec en avait fini avec la survivance… Habitués de subir le développement économique et d'ouvrir le territoire aux investissements du grand capital américain, les Québécois pouvaient enfin s'enorgueillir d'une grande réalisation économique qui permettrait l'exploitation d'une ressource naturelle capitale. Un grand symbole de la Révolution tranquille, car Manic-5 servirait l'ensemble de la population.

Situé dans la réserve mondiale de la biosphère Manicouagan-Uapishka, le barrage a provoqué l'irruption d'un énorme réservoir d'eau de 2 100 kilomètres carrés. Le réservoir Manicouagan est aussi l'un des plus gros et des plus anciens cratères météoriques répertoriés au monde.

Annexes

Dans cette partie...

*V*ous trouverez tout d'abord une chronologie récapitulative des grandes dates de l'histoire du Québec. Ensuite, une carte du Québec contemporain vous permettra de visualiser les principaux sites de la province. Enfin, une bibliographie sélective recense les ouvrages majeurs sur l'histoire du Québec que vous pouvez consulter pour en apprendre encore plus.

Annexe A

Repères chronologiques

1534	Première expédition officielle de Jacques Cartier en Amérique du Nord.
1608	Fondation de Québec par Samuel de Champlain.
1617	Louis Hébert, le premier colon en Nouvelle-France, s'établit à Québec avec son épouse Marie Rollet et leurs trois enfants.
1627	Fondation de la Compagnie de la Nouvelle-France, dite des Cent-Associés, par le cardinal Richelieu.
1639	Fondation, par Jérôme Le Royer de la Dauversière, de la Société Notre-Dame de Montréal pour la « conversion des sauvages ».
1642	Fondation de Ville-Marie (Montréal) par Paul de Chomedey de Maisonneuve, accompagné de Jeanne Mance.
1658	Marguerite Bourgeoys fonde à Montréal la congrégation Notre-Dame ; François de Laval est nommé par Rome vicaire apostolique en Amérique du Nord.
1660	Dollard des Ormeaux et ses hommes sont massacrés au Long-Sault par des Iroquois.
1663	La Nouvelle-France devient une colonie royale.
1664	Publication en France d'une *Histoire véritable et naturelle des mœurs et productions du pays de la Nouvelle-France* par Pierre Boucher.
1682	L'explorateur Robert Cavelier de La Salle accède au golfe du Mexique par le Mississippi, prend possession du territoire et fonde la « Louisiane ».
1689	Massacre des habitants du canton de Lachine par les Iroquois.
1690	La ville de Québec est assiégée par les Anglais. Après quelques affrontements, Québec reste aux mains des Français.
1696	Pierre Le Moyne d'Iberville fait la conquête de Terre-Neuve.
1701	La Grande Paix de Montréal est signée avec les représentants d'une quarantaine de nations amérindiennes, dont les cinq nations iroquoises.
1711	Pour une deuxième fois, les Anglais n'arrivent pas à prendre Québec.

1713	Traité d'Utrecht. La baie d'Hudson, Terre-Neuve et l'Acadie passent aux Anglais. L'île du Cap-Breton devient l'Île Royale.
1755	Déportation des Acadiens.
1758	Spectaculaire victoire de Montcalm au fort Carillon; prise de Louisbourg par les Anglais.
1759	Bataille des plaines d'Abraham; capitulation de Québec.
1760	Capitulation de Montréal; début de l'occupation militaire.
1763	Traité de Paris; fin de la Nouvelle-France; la vallée du Saint-Laurent devient la « Province of Quebec ».
1764	Fondation du journal *The Quebec Gazette / La Gazette de Québec*.
1774	Acte de Québec. Reconnaissance de la langue française, de la religion catholique et du droit civil.
1784	Fondation de la Compagnie du Nord-Ouest; publication à Londres de *Appel à la justice de l'État* de Pierre du Calvet.
1786	Fondation de la brasserie Molson par John Molson.
1791	Acte constitutionnel. Création de la colonie du Bas-Canada et naissance du parlementarisme.
1805	Fondation du *Quebec Mercury*.
1806	Fondation du *Canadien* par Pierre Bédard.
1815	Louis-Joseph Papineau est élu président de l'Assemblée législative et devient le chef du Parti canadien.
1817	Fondation de la Bank of Montreal par l'élite marchande de Montréal.
1822	Projet d'union des deux Canadas.
1834	Adoption des 92 résolutions, le programme du Parti canadien, par le Parlement du Bas-Canada.
1837	Premiers affrontements entre les Patriotes et les armées britanniques.
1838	Suspension des droits et libertés; seconds affrontements entre les Patriotes et les armées britanniques.
1839	Pendaison des patriotes à la prison du Pied-du-Courant.
1842	Joseph-Édouard Cauchon fonde le *Journal de Québec*; Jean-Baptiste Meilleur est nommé surintendant à l'Instruction publique.
1843	Eulalie Durocher fonde la congrégation des Sœurs des Saints Noms de Jésus et de Marie.
1845	Publication du premier tome de l'*Histoire du Canada* de François-Xavier Garneau.

1848	Obtention de la responsabilité ministérielle et reconnaissance de la langue française ; Louis-Hippolyte La Fontaine devient premier ministre du Canada-Uni.
1849	Incendie du Parlement du Canada-Uni à Montréal.
1852	Fondation de l'Université Laval, première université de langue française en Amérique.
1861	Antoine Gérin-Lajoie et Henri-Raymond Casgrain fondent *Les Soirées canadiennes*.
1867	Création du Canada moderne ; Pierre-Joseph-Olivier Chauveau devient premier ministre du Québec.
1872	Début de la campagne du curé Antoine Labelle en faveur de la colonisation des Laurentides.
1873	Création de l'École polytechnique à Montréal.
1875	Abolition du ministère de l'Instruction publique.
1880	Le poète Louis Fréchette est honoré par l'Académie française.
1885	Pendaison de Louis Riel.
1886	Fondation de la Chambre de commerce francophone de Montréal.
1887	Honoré Mercier devient premier ministre du Québec.
1896	Wilfrid Laurier devient premier ministre du Canada.
1900	Fondation de la première Caisse populaire par Alphonse Desjardins.
1907	Fondation de l'École des hautes études commerciales.
1910	Henri Bourassa fonde *Le Devoir*.
1911	La militante féministe Marie Gérin-Lajoie devient la première femme bachelière au Québec.
1917	Émeutes à Québec contre la conscription décrétée par le gouvernement fédéral.
1922	Mise en ondes de CKAC, première radio de langue française en Amérique.
1934	Paul Gouin et un groupe de réformateurs fondent l'Action libérale nationale ; Wilfrid Pelletier jette les bases de ce qui allait devenir l'Orchestre symphonique de Montréal.
1936	L'Union nationale dirigée par Maurice Duplessis est portée au pouvoir.
1939	Victoire des libéraux d'Adélard Godbout.
1940	Droit de vote accordé aux femmes ; Camillien Houde, le maire de Montréal, est arrêté et incarcéré à cause de ses positions sur l'effort de guerre demandé par le gouvernement fédéral.
1942	Plébiscite sur la conscription.

1943	L'instruction publique devient obligatoire jusqu'à 14 ans.
1944	L'Union nationale reprend le pouvoir.
1945	Gabrielle Roy et Germaine Guèvremont publient *Bonheur d'occasion* et *Le survenant*.
1948	Publication du manifeste du Refus global.
1949	Grève d'Asbestos.
1952	Début de la télévision de Radio-Canada
1954	Mise en place d'un impôt sur les particuliers par l'État québécois.
1955	Émeute à Montréal à la suite de la suspension de Maurice Richard.
1960	Élection des libéraux de Jean Lesage ; publication des *Insolences du frère Untel* de Jean-Paul Desbiens ; fondation du Rassemblement pour l'indépendance nationale par Marcel Chaput et André d'Allemagne.
1962	Création de la Société générale de financement.
1963	On complète la nationalisation de l'hydroélectricité après la campagne du « Maîtres chez nous » menée par le ministre René Lévesque.
1964	Fondation du *Journal de Montréal* par Pierre Péladeau.
1965	Création de la Caisse de dépôt et placement du Québec.
1966	Victoire de l'Union nationale dirigée par Daniel Johnson.
1967	« Vive le Québec libre ! » : Charles de Gaulle en visite au Québec dans le cadre de l'Expo 67.
1968	Pierre Elliott Trudeau devient premier ministre du Canada ; on joue *Les belles-sœurs* de Michel Tremblay pour la première fois au théâtre ; création du ministère de l'Immigration au Québec.
1969	Crise linguistique de Saint-Léonard ; adoption de la loi 63 par le gouvernement de Jean-Jacques Bertrand ; Jean Coutu ouvre sa première pharmacie.
1970	Crise d'Octobre et assassinat de Pierre Laporte ; adoption de la Loi sur les mesures de guerre par l'État fédéral ; Gaston Miron publie *L'homme rapaillé* et Claude Jutras réalise *Mon oncle Antoine*.
1972	Grève du « front commun » et emprisonnement des trois principaux chefs syndicaux.
1975	Convention de la Baie-James.
1976	Inauguration des Jeux olympiques de Montréal ; élection du Parti québécois.
1977	Adoption de la Charte de la langue français (loi 101).
1980	Référendum sur la souveraineté-association (40 % OUI ; 60 % NON).

1981	Réélection du Parti québécois ; Gilles Villeneuve est le premier Québécois à remporter un Grand Prix de Formule 1.
1984	Élections des conservateurs de Brian Mulroney au niveau fédéral ; visite du pape Jean-Paul II.
1985	Élections des libéraux de Robert Bourassa.
1986	Sortie du *Déclin de l'empire américain* de Denys Arcand.
1989	Entrée en vigueur du traité de libre-échange entre le Canada et les États-Unis.
1990	Échec de l'accord du lac Meech ; crise d'Oka.
1992	L'astronaute Julie Payette fait son premier voyage dans l'espace.
1993	Le Bloc québécois dirigé par Lucien Bouchard devient l'opposition officielle au Parlement fédéral.
1994	Élection des péquistes de Jacques Parizeau.
1995	Second référendum remporté de justesse par le camp du NON.
1996	Lucien Bouchard devient premier ministre du Québec.
2000	Adoption, par le Parlement fédéral, de la Loi sur la clarté référendaire.
2003	Élection des libéraux de Jean Charest.
2005	Publication des manifestes des « lucides » et des « solidaires ».
2007	Crise des « accommodements raisonnables » ; l'Action démocratique du Québec de Mario Dumont devient l'opposition officielle.
2011	Cuisante défaite du Bloc québécois de Gilles Duceppe lors des élections fédérales.
2012	Printemps « érable », manifestations étudiantes monstres ; Pauline Marois, première femme à accéder au poste de premier ministre du Québec.

Annexe B

Carte

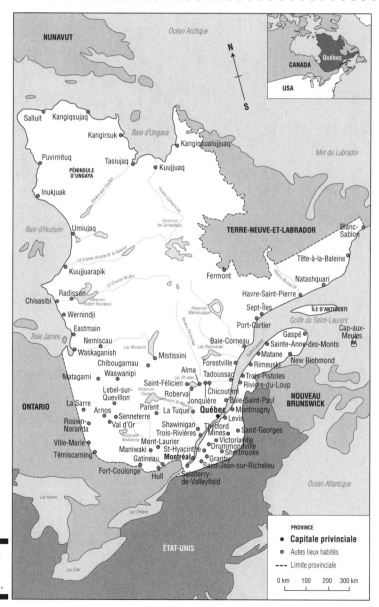

Figure B-1 :
Le Québec
aujourd'hui.

Annexe C

Bibliographie sélective

Synthèses, ouvrages de référence

Bauer, Julien. *Les minorités au Québec*, Montréal, Boréal, 1994.

Beaulieu, Alain. *Les autochtones du Québec. Des premières alliances aux revendications contemporaines*, Montréal/Saint-Laurent, Musée de la civilisation/Fides, 1997.

Blais, Christian, Gilles Gallichan, Frédéric Lemieux et Jocelyn Saint-Pierre. *Québec. Quatre siècles d'une capitale*, Québec, Les Publication du Québec/Assemblée nationale du Québec, 2008.

Chartrand, Luc, Raymond Duchesne et Yves Gingras. *Histoire des sciences au Québec*, Montréal, Boréal, 1987.

Collectif Clio. *L'histoire des femmes au Québec depuis quatre siècles*, Montréal, Le Jour, 1992.

Comeau, Robert, Charles-Philippe Courtois et Denis Monière. *Histoire intellectuelle de l'indépendantisme québécois, tome 1, 1834-1968*, Montréal, VLB éditeur, 2010.

Courtois, Charles-Philippe et Danic Parenteau. *Les 50 discours qui ont marqué le Québec*, Montréal, Éditions CEC, 2011.

Dickason, Olive Patricia. *Les premières nations du Canada. Depuis les temps les plus lointains jusqu'à nos jours*, Sillery, Septentrion, 1996.

Dickinson, John A. et Brian Young. *Brève histoire socio-économique du Québec* (Nouvelle édition mise à jour), Sillery, Septentrion, 2003.

Dictionnaire biographique du Canada, 14 volumes (à ce jour), Sainte-Foy/Toronto, Presses de l'Université Laval/University of Toronto Press, 1966. En ligne : www.biographi.ca/FR/

Dumont, Micheline et Louise Toupin. *La pensée féministe au Québec. Anthologie (1900-1985)*, Montréal, Éditions du remue-ménage, 2003.

Ferretti, Lucia. *Brève histoire de l'Église catholique*, Montréal, Boréal, 1999.

Frenette, Yves. *Brève histoire des Canadiens français*, Montréal, Boréal, 1998.

Lacoursière, Jacques. *Histoire populaire du Québec*, 5 volumes, Sillery, Septentrion, 1996-2010.

Lamonde, Yvan. *Histoire sociale des idées au Québec*, 2 volumes, Montréal, Fides, 2000-2004.

Latouche, Daniel. *Le manuel de la parole. Manifestes québécois (1760-1976)*, 3 tomes, Montréal, Boréal Express, 1977.

Linteau, Paul-André, René Durocher, Jean-Claude Robert et François Ricard. *Histoire du Québec contemporain*, 2 volumes, Montréal, Boréal, 1989.

Martel, Marcel et Martin Pâquet. *Langue et politique au Canada et au Québec. Une synthèse historique*, Montréal, Boréal, 2010.

Paquin, Stéphane et Louise Beaudoin (dir.). *Histoire des relations internationales du Québec*, Montréal, VLB éditeur, 2006.

Plourde, Michel, Hélène Duval et Pierre Georgeault (dir.). *Le français au Québec. 400 ans d'histoire et de vie*, Montréal/Québec, Fides/Les publications du Québec, 2000.

Rouillard, Jacques. *Le syndicalisme québécois : deux siècles d'histoire*, Montréal, Boréal, 2004.

Roy, Fernande. *Histoire des idéologies au Québec, aux XIXe et XXe siècles*, Montréal, Boréal, 1993.

Rudin, Ronald. *Histoire du Québec anglophone : 1759-1980*, Québec, Institut québécois de recherche sur la culture, 1986.

Voisine, Nive (dir.). *Histoire du catholicisme québécois*, 4 volumes, Montréal, Boréal, 1984-1991.

Sur la Nouvelle-France (avant 1760)

Carpin, Gervais. *Histoire d'un mot. L'ethnonyme canadien, de 1535 à 1691*, Québec, Septentrion, 1995.

Dechêne, Louise. *Le Peuple, l'État et la Guerre au Canada sous le Régime français*, Montréal, Boréal, 2008.

Dechêne, Louise. *Habitants et marchands de Montréal au XVIIe siècle*, Montréal, Boréal Express, 1988.

Delâge, Denys. *Le Pays renversé. Amérindiens et Européens en Amérique du Nord-Est, 1600-1660*, Montréal, Boréal, 1985.

Deslandres, Dominique. *Croire et faire croire. Les missions françaises au XVIIᵉ siècle, 1600-1650*, Paris, Fayard, 2003.

Frégault, Guy. *La guerre de la Conquête, 1754-1760*, Montréal, Fides, 2009.

Frégault, Guy. *La civilisation de la Nouvelle-France, 1713-1744*, Montréal, Bibliothèque québécoise, 1990.

Greer, Allan. *Brève histoire des peuples de la Nouvelle-France*, Montréal, Boréal, 1998.

Grenier, Benoît. *Brève histoire du régime seigneurial*, Montréal, Boréal, 2012.

Havard, Gilles et Cécile Vidal. *Histoire de l'Amérique française*, Paris, Flammarion, 2003.

Lachance, André. *Vivre, aimer et mourir en Nouvelle-France. La vie quotidienne aux XVIIᵉ et XVIIIᵉ siècles*, Montréal, Libre Expression, 2000.

Lachance, André. *Vivre à la ville en Nouvelle-France*, Montréal, Libre Expression, 2004.

Lahaise, Robert et Noël Vallerand. *La Nouvelle-France, 1524-1760*, Montréal, Lanctôt éditeur, 1999.

Landry, Yves. *Les Filles du roi en Nouvelle-France. Étude démographique*, Montréal, Leméac, 1992.

Mathieu, Jacques. *La Nouvelle-France. Les Français en Amérique du Nord, XVIᵉ-XVIIIᵉ siècles*, Paris/Sainte-Foy, Belin/Presses de l'Université Laval, 1991.

Trigger, Bruce. *Les Indiens, la fourrure et les Blancs*, Montréal/Paris, Boréal/Seuil, 1998.

Trudel, Marcel. *Histoire de la Nouvelle-France*, 4 volumes, Montréal, Fides, 1963-1997.

Sur le Régime britannique (1760-1867)

Bellavance, Marcel. *Le Québec et la confédération : un choix libre ? Le clergé et la constitution de 1867*, Québec, Septentrion, 1992.

Bernard, Jean-Paul. *Les Rouges : libéralisme, nationalisme et anticléricalisme au milieu du XIXᵉ siècle*, Sainte-Foy, Presses de l'Université du Québec, 1971.

Bonenfant, Jean-Charles. *La naissance de la Confédération*, Montréal, Leméac, 1969.

Brunet, Michel. *Les Canadiens après la Conquête, 1759-1775. De la révolution canadienne à la révolution américaine*, Montréal, Fides, 1969.

Courville, Serge. *Entre ville et campagne. L'essor du village dans les seigneuries du Bas-Canada*, Québec, Presses de l'Université Laval, 1990.

Gagnon, Serge. *Mariage et famille au temps de Papineau*, Québec, Presses de l'Université Laval, 1993.

Greer, Allan. *Habitants et Patriotes. La Rébellion de 1837 dans les campagnes du Bas-Canada,* Montréal, Boréal, 1997.

Hare, John. *Aux origines du parlementarisme québécois, 1791-1793*, Sillery, Septentrion, 1993.

Harvey, Louis-Georges. *Le printemps de l'Amérique française. Américanité, anticolonialisme et républicanisme dans le discours politique québécois, 1805-1837*, Montréal, Boréal, 2005.

Kelly, Stéphane. *La petite loterie. Comment la Couronne a obtenu la collaboration du Canada français après 1837*, Montréal, Boréal, 1997.

Laporte, Gilles. *Patriotes et Loyaux. Leadership régional et mobilisation politique en 1837 et 1838*, Québec, Septentrion, 2004.

Vaugeois, Denis. *Les Premiers Juifs d'Amérique, 1760-1860. L'extraordinaire histoire de la famille Hart*, Sillery, Septentrion, 2011.

Vaugeois, Denis, *Québec 1792. Les acteurs, les institutions et les frontières*, Montréal, Fides, 1992

Sur l'époque de la Révolution industrielle (1870-1929)

Bouchard, Gérard. *Quelques Arpents d'Amérique. Population, économie, famille au Saguenay, 1838-1971*, Montréal, Boréal, 1996.

Bradbury, Bettina. *Familles ouvrières à Montréal. Âge, genre et survie quotidienne pendant la phase d'industrialisation*, Montréal, Boréal, 1995.

Copp, Terry. *Classe ouvrière et pauvreté. Les conditions de vie des travailleurs montréalais, 1897-1929*, Montréal, Boréal Express, 1978.

Dupont, Antonin. *Les relations entre l'Église et l'État sous Louis-Alexandre Taschereau, 1920-1936*, Montréal, Guérin, 1973.

Dussault, Gabriel. *Le curé Labelle. Messianisme, utopie et colonisation au Québec, 1850-1900*, Montréal, Hurtubise HMH, 1983.

Ferretti, Lucia. *Entre voisins. La société paroissiale en milieu urbain. Saint-Pierre-Apôtre de Montréal, 1848-1930*, Montréal, Boréal, 1992.

Hamelin, Jean et Yves Roby. *Histoire économique du Québec, 1851-1896*, Montréal, Fides, 1971.

Marchand, Suzanne. *Partir pour la famille. Fécondité, grossesse et accouchement au Québec, 1900-1950*, Sillery, Septentrion, 2012.

Ramirez, Bruno. *Par monts et par vaux. Migrants canadiens-français et italiens dans l'économie nord-atlantique, 1860-1914*, Montréal, Boréal, 1991.

Roy, Fernande. *Progrès, Harmonie, Liberté. Le libéralisme des milieux d'affaires francophones à Montréal au tournant du siècle*, Montréal, Boréal, 1988.

Rudin, Ronald. *Banking en français : les banques canadiennes-françaises de 1835 à 1925*, Montréal, Boréal Express, 1988.

Séguin, Normand. *La Conquête du sol au XIXe siècle*, Montréal, Boréal Express, 1977.

Sur les années trente et la Seconde Guerre mondiale

Amyot, Éric. *Le Québec entre Pétain et de Gaulle. Vichy, la France libre et les Canadiens français, 1940-1945*, Montréal, Fides, 1999.

Anctil, Pierre. *Le rendez-vous manqué : les Juifs de Montréal face au Québec de l'entre-deux-guerres*, Québec, Institut québécois de recherche sur la culture, 1988.

Baillargeon, Denyse. *Ménagères au temps de la crise*, Montréal, Éditions du remue-ménage, 1993.

Bienvenue, Louise. *Quand la jeunesse entre en scène. L'Action catholique avant la Révolution tranquille*, Montréal, Boréal, 2003.

Comeau, Paul-André. *Le Bloc populaire, 1942-1948*, Montréal, Boréal compact, 1998.

Couture, Claude. *Le Mythe de la modernisation du Québec*, Montréal, Méridien, 1991.

Lahaise, Robert. *La fin d'un Québec traditionnel : 1914-1939*, Montréal, L'Hexagone, 1994.

Lévesque, Andrée. *La norme et les déviantes. Des femmes au Québec pendant l'entre-deux-guerres*, Montréal, Éditions du remue-ménage, 1989.

Lévesque, Andrée. *Virage à gauche interdit : les communistes, les socialistes et leurs ennemis au Québec : 1929-1939*, Montréal, Boréal Express, 1984.

Tremblay, Yves. *Volontaires. Des Québécois en guerre (1939-1945)*, Montréal, Athéna, 2006.

Vincent, Sébastien. *Ils ont écrit la guerre. La Seconde Guerre mondiale à travers les écrits des combattants canadiens-français*, Montréal, VLB éditeur, 2010.

Sur l'avènement du Québec contemporain (de 1945 à nos jours)

Bastien, Frédéric. *Relations particulières. La France face au Québec après de Gaulle*, Montréal, Boréal, 1999.

Corbeil, Jean-Claude. *L'embarras des langues. Origine, conception et évolution de la politique linguistique québécoise*, Montréal, Québec Amérique, 2007.

Dion, Léon. *La révolution déroutée, 1960-1976*, Boréal : Montréal, 1998.

Dion, Léon. *Québec 1945-2000, tome 2. Les intellectuels et le temps de Duplessis*, Sainte-Foy, Presses de l'Université Laval, 1993.

Fournier, Louis. *FLQ. Histoire d'un mouvement clandestin*, Montréal, Lanctôt éditeur, 1998.

Gauvreau, Michael. *Les origines catholiques de la Révolution tranquille*, Montréal, Fides, 2008.

Gélinas, Xavier et Lucia Ferretti. *Duplessis, son milieu, son époque*, Sillery, Septentrion, 2010.

Gélinas, Xavier. *La droite intellectuelle québécoise et la Révolution tranquille*, Québec, Presses de l'Université Laval, 2007.

Marshall, Dominique. *Aux origines sociales de l'État-providence*, Montréal, Presses de l'Université de Montréal, 1998.

McRoberts, Kenneth. *Un pays à refaire : l'échec des politiques constitutionnelles canadiennes*, Montréal, Boréal, 1999.

Meunier, E.-Martin et Jean-Philippe Warren. *Sortir de la «grande noirceur». L'horizon «personnaliste» de la Révolution tranquille*, Québec, Septentrion, 2002.

Roy, Jean-Louis. *Le choix d'un peuple. Le débat constitutionnel Québec-Canada (1960-1976)*, Montréal, Leméac, 1978.

Vaillancourt, Yves. *Évolution des politiques sociales au Québec, 1940-1960*, Montréal, Presses de l'Université de Montréal, 1988.

Biographies

Black, Conrad. *Maurice Duplessis*, Montréal, Éditions de l'Homme, 1999.

Duchesne, Pierre. *Jacques Parizeau*, 3 tomes, Montréal, Québec Amérique, 2001-2005.

Fisher, David Hackett. *Le rêve de Champlain*, Montréal, Boréal, 2011.

Frégault, Guy. *Iberville le conquérant*, Montréal, Guérin, 1996.

Genest, Jean-Guy. *Godbout*, Québec, Septentrion, 1996.

Godin, Pierre. *Daniel Johnson*, 2 tomes, Montréal, Éditions de l'Homme, 1980.

Godin, Pierre. *René Lévesque*, 4 tomes, Montréal, Boréal, 1994-2006.

Lamonde, Yvan. *Louis-Antoine Dessaulles, 1818-1895. Un seigneur libéral et anticlérical*, Montréal, Fides, 1994.

Lévesque, Andrée. *Éva Circé-Côté. Libre-penseuse, 1871-1949*, Montréal, Éditions du remue-ménage, 2011.

Nadeau, Jean-François. *Adrien Arcand. Führer canadien*, Montréal, LUX, 2010.

Nadeau, Jean-François. *Bourgault*, Montréal, LUX, 2007.

Nemni, Max et Monique Nemni. *Trudeau*, 2 tomes, Montréal, Éditions de l'Homme, 2006-2011.

Pelletier-Baillargeon, Hélène. *Olivar Asselin et son temps*, 3 tomes, Montréal, Fides, 1996-2010.

Perin, Roberto. *Ignace de Montréal. Artisan d'une identité nationale*, Montréal, Boréal, 2008.

Rumilly, Robert. *Mercier*, Montréal, Éditions du Zodiaque, 1936.

Rumilly, Robert. *Papineau et son temps*, Montréal, Fides, 1977.

Thomson, Dale. *Jean Lesage et la Révolution tranquille*, Saint-Laurent, Trécarré, 1984.

Vigod, Bernard. *Taschereau*, Sillery, Septentrion, 1996.

Young, Brian. *George-Étienne Cartier : bourgeois montréalais*, Montréal, Boréal, 2004.

Périodiques

Bulletin d'histoire politique

Cap-aux-Diamants

Globe : Revue internationale d'études sur le Québec

Histoire sociale/Social History

Labour/Le Travail

Les Cahiers des Dix

Mens : Revue d'histoire intellectuelle de l'Amérique française

Recherches amérindiennes au Québec

Revue d'histoire de l'Amérique française

Recherches sociographiques

Index

MARQUIS

Marquis imprimeur inc.

Québec, Canada
2012